Jean Paul (Johann Paul Friedrich Richter), geboren am 21. März 1763 in Wunsiedel im Fichtelgebirge, ist am 14. November 1825 in Bayreuth gestorben.

Die *Flegeljahre*, ein Roman in vier »Bändchen«, erschien im Jahre 1804 und zählt zusammen mit dem *Titan* (it 671) zum Gipfelpunkt von Jean Pauls dichterischer Laufbahn.

Die fiktive und unvollendete Biographie, als die dieser Roman konzipiert ist, läßt den Dichter die Testamentsbedingungen des Erblassers van der Kabel erfüllen, nämlich dessen Biographie zu schreiben, für deren Honorierung eines jeden Kapitels ihm eine Nummer aus dem Kunst- und Naturalienkabinett des Verstorbenen zur Verfügung gestellt wird, die der Dichter dann jeweils als symbolische Kapitelüberschrift wählt. Das Testamentsmotiv hat nicht nur ordnende Funktion, ist nicht nur eine komisch-kuriose Ouvertüre, sondern es soll, wie Herman Meyer schreibt, die »Direktive der Handlung und der ideellen Entwicklung abgeben«. Jean Pauls *Flegeljahre* reiht sich in die große abendländische Tradition des humoristischen Romans ein. »›Don Quixote‹ ist zwar nicht das literarische Vorbild, aber wohl die gültige Ausprägung des ideal-typischen Urbildes, auf das die *Flegeljahre* ausgerichtet sind.«

insel taschenbuch 873
Jean Paul
Flegeljahre

JEAN PAUL

FLEGELJAHRE

Eine Biographie
Mit einem Nachwort von
Herman Meyer

INSEL VERLAG

Umschlagabbildung: »Jean Paul schreibend im Garten«
Kolorierte Zeichnung von E. Förster
Bildarchiv Preußischer Kulturbesitz, Berlin

insel taschenbuch 873
Erste Auflage 1986
© dieser Ausgabe Insel Verlag Frankfurt am Main 1986
Der Abdruck des Nachworts von Herman Meyer
erfolgt mit freundlicher Genehmigung der
J. B. Metzlerschen Verlagsbuchhandlung Stuttgart
Vertrieb durch den Suhrkamp Taschenbuch Verlag
Umschlag nach Entwürfen von Willy Fleckhaus
Satz: MZ-Verlagsdruckerei, Memmingen
Druck: Nomos Verlagsgesellschaft, Baden-Baden
Printed in Germany

4 5 6 7 8 – 96 95

FLEGELJAHRE

Eine Biographie

ERSTES BÄNDCHEN

N⁰ 1: BLEIGLANZ

Testament – das Weinhaus

Solange *Haßlau* eine Residenz ist, wußte man sich nicht zu erinnern, daß man darin auf etwas mit solcher Neugier gewartet hätte – die Geburt des Erbprinzen ausgenommen – als auf die Eröffnung des Van der Kabelschen Testaments. – Van der Kabel konnte der Haßlauer Krösus – und sein Leben eine Münzbelustigung heißen, oder eine Goldwäsche unter einem goldnen Regen, oder wie sonst der Witz wollte. Sieben noch lebende weitläuftige Anverwandten von sieben verstorbenen weitläuftigen Anverwandten Kabels machten sich zwar einige Hoffnung auf Plätze im Vermächtnis, weil der Krösus ihnen geschworen, ihrer da zu gedenken; aber die Hoffnungen blieben zu matt, weil man ihm nicht sonderlich trauen wollte, da er nicht nur so mürrisch-sittlich und uneigennützig überall wirtschaftete – in der Sittlichkeit aber waren die sieben Anverwandten noch Anfänger –, sondern auch immer so spöttisch dareingriff und mit einem solchen Herzen voll Streiche und Fallstricke, daß sich auf ihn nicht fußen ließ. Das fortstrahlende Lächeln um seine Schläfe und Wulstlippen und die höhnische Fistel-Stimme schwächten den guten Eindruck, den sein edel gebautes Gesicht und ein Paar große Hände, aus denen jeden Tag Neujahrsgeschenke und Benefiz-Komödien und Gratiale fielen, hätten machen können; deswegen gab das Zug-Gevögel den Mann, diesen lebendigen Vogelbeerbaum, worauf es aß und nistete, für eine heimliche Schneuß aus und konnte die sichtbaren Beere vor unsichtbaren Haarschlingen kaum sehen.

Zwischen zwei Schlagflüssen hatt' er sein Testament aufgesetzt und dem Magistrate anvertraut. Noch als er den Depositionsschein den sieben Präsumtiv-Erben halbsterbend über-

9

gab: sagt' er mit altem Tone, er wolle nicht hoffen, daß dieses Zeichen seines Ablebens gesetzte Männer niederschlage, die er sich viel lieber als lachende Erben denke denn als weinende; und nur einer davon, der kalte Ironiker, der Polizei-Inspektor Harprecht, erwiderte dem warmen: ihr sämtlicher Anteil an einem solchen Verluste stehe wohl nicht in ihrer Gewalt.

Endlich erschienen die sieben Erben mit ihrem Depositions-schein auf dem Rathause, namentlich der Kirchenrat Glanz, der Polizei-Inspektor, der Hofagent Neupeter, der Hoffiskal Knoll, der Buchhändler Paßvogel, der Frühprediger Flachs und Flitte aus Elsaß. Sie drangen bei dem Magistrate auf die vom sel. Kabel insinuierte Charte und die Öffnung des Testa-ments ordentlich und geziemend. Der Ober-Exekutor des letz-tern war der regierende Bürgermeister selber, die Unter-Exekutores der restierende Stadt-Rat. Sofort wurden Charte und Testament aus der Rats-Kammer vorgeholt in die Rats-stube – sämtlichen Rats- und Erbherrn herumgezeigt, damit sie das darauf gedruckte Stadt-Sekret besähen – die auf die Charte geschriebene Insinuations-Registratur vom Stadtschreiber den sieben Erben laut vorgelesen und ihnen dadurch bekannt gemacht, daß der Selige die Charte dem Magistrate wirklich insinuiert und scrinio rei publicae anvertraut, und daß er am Tage der Insinuation noch vernünftig gewesen – endlich wur-den die sieben Siegel, die er selber darauf gesetzt, ganz befun-den. Jetzt konnte das Testament – nachdem der Stadtschreiber wieder über dieses alles eine kurze Registratur abgefasset – in Gottes Namen aufgemacht und vom regierenden Bürgermei-ster so vorgelesen werden, wie folgt:

Ich Van der Kabel testiere 179☉ den 7. Mai hier in meinem Hause in Haßlau in der Hundsgasse ohne viele Millionen Worte, ob ich gleich ein deutscher Notarius und ein holländi-scher Dominé gewesen. Doch glaub' ich, werd' ich in der Notariatskunst noch so zu Hause sein, daß ich als ordentlicher Testator und Erblasser auftreten kann.

Testatoren stellen die bewegenden Ursachen ihrer Testamente voran. Diese sind bei mir, wie gewöhnlich, der selige Hintritt und die Verlassenschaft, welche von vielen gewünscht wird. Über Begraben und dergleichen zu reden, ist zu weich und dumm. Das aber, als was Ich übrig bleibe, setze die ewige Sonne droben in einen ihrer grünen Frühlinge, in keinen düstern Winter.

Die milden Gestifte, nach denen Notarien zu fragen haben, mach' ich so, daß ich für dreitausend hiesige Stadtarmen jeder Stände ebenso viele leichte Gulden aussetze, wofür sie an meinem Todes-Tage im künftigen Jahre auf der Gemeinhut, wenn nicht gerade das Revüe-Lager da steht, ihres aufschlagen und beziehen, das Geld froh verspeisen und dann in die Zelte sich kleiden können. Auch vermach' ich allen Schulmeistern unsers Fürstentums, dem Mann einen Augustd'or, so wie hiesiger Judenschaft meinen Kirchenstand in der Hofkirche. Da ich mein Testament in Klauseln eingeteilt haben will, so ist diese die erste.

2te Klausel

Allgemein wird Erbsatzung und Enterbung unter die wesentlichsten Testamentsstücke gezählt. Demzufolge vermach' ich denn dem Herrn Kirchenrat *Glanz*, dem Herrn Hoffiskal *Knoll*, dem Herrn Hofagent Peter *Neupeter*, dem Herrn Polizei-Inspektor *Harprecht*, dem Herrn Frühprediger *Flachs* und dem Herrn Hofbuchhändler *Paßvogel* und Herrn *Flitten* vor der Hand nichts, weniger weil ihnen als den weitläuftigsten Anverwandten keine Trebellianica gebührt, oder weil die meisten selber genug zu vererben haben, als weil ich aus ihrem eigenen Munde weiß, daß sie meine geringe Person lieber haben als mein großes Vermögen, bei welcher ich sie denn lasse, so wenig auch an ihr zu holen ist. – –

Sieben lange Gesichtslängen fuhren hier wie Siebenschläfer auf. Am meisten fand sich der Kirchenrat, ein noch junger, aber durch gesprochene und gedruckte Kanzelreden in ganz Deutschland berühmter Mann, durch solche Stiche beleidigt – dem Elsasser Flitte entging im Sessionszimmer ein leicht geschnalzter Fluch – Flachsen, dem Frühprediger, wuchs das Kinn zu einem Bart abwärts – mehrere leise Stoß-Nachrufe an den seligen Kabel, mit Namen Schubjack, Narr, Unchrist usw., konnte der Stadtrat hören. Aber der regierende Bürgermeister *Kuhnold* winkte mit der Hand, der Hoffiskal und der Buchhändler spannten alle Spring- und Schlagfedern an ihren Gesichtern wie an Fallen wieder an, und jener las fort, obwohl mit erzwungenem Ernste:

3te Klausel

Ausgenommen gegenwärtiges Haus in der Hundsgasse, als welches nach dieser meiner dritten Klausel ganz so, wie es steht und geht, demjenigen von meinen sieben genannten Herren Anverwandten anfallen und zugehören soll, welcher in einer halben Stunde (von der Vorlesung der Klausel an gerechnet) früher als die übrigen sechs Nebenbuhler eine oder ein Paar Tränen über mich, seinen dahingegangenen Onkel, vergießen kann vor einem löblichen Magistrate, der es protokolliert. Bleibt aber alles trocken, so muß das Haus gleichfalls dem Universalerben verfallen, den ich sogleich nennen werde. –

Hier machte der Bürgermeister das Testament zu, merkte an, die Bedingung sei wohl ungewöhnlich, aber doch nicht gesetzwidrig, sondern das Gericht müsse dem ersten, der weine, das Haus zusprechen, legte seine Uhr auf den Sessionstisch, welche auf 11½ Uhr zeigte, und setzte sich ruhig nieder, um als Testaments-Vollstrecker so gut wie das ganze Gericht aufzumerken, wer zuerst die begehrten Tränen über den Testator vergösse.
    – Daß es, solange die Erde geht und steht, je auf ihr einen

betrübtern und krausern Kongreß gegeben als diesen von sieben gleichsam zum Weinen vereinigten trocknen Provinzen, kann wohl ohne Parteilichkeit nicht angenommen werden. Anfangs wurde noch kostbare Minuten hindurch bloß verwirrt gestaunt und gelächelt; der Kongreß sah sich zu plötzlich in jenen Hund umgesetzt, dem mitten im zornigsten Losrennen der Feind zurief: wart' auf! – und der plötzlich auf die Hinterfüße stieg und Zähne-blöckend aufwartete – vom Verwünschen wurde man zu schnell ins Beweinen emporgerissen.

An reine Rührung konnte – das sah jeder – keiner denken, so im Galopp an Platzregen, an Jagdtaufe der Augen; doch konnte in 26 Minuten etwas geschehen.

Der Kaufmann Neupeter fragte, ob das nicht ein verfluchter Handel und Narrensposse sei für einen verständigen Mann, und verstand sich zu nichts; doch verspürt' er bei dem Gedanken, daß ihm ein Haus auf *einer* Zähre in den Beutel schwimmen könnte, sonderbaren Drüsen-Reiz und sah wie eine kranke Lerche aus, die man mit einem eingeölten Stecknadelknopfe – das Haus war der Knopf – klystiert.

Der Hoffiskal Knoll verzog sein Gesicht wie ein armer Handwerksmann, den ein Gesell Sonnabendabends bei einem Schusterlicht rasiert und radiert; er war fürchterlich erboset auf den Mißbrauch des Titels von Testamenten und nahe genug an Tränen des Grimms.

Der listige Buchhändler Paßvogel machte sich sogleich still an die Sache selber und durchging flüchtig alles Rührende, was er teils im Verlage hatte, teils in Kommission; und hoffte etwas zu brauen; noch sah er dabei aus wie ein Hund, der das Brechmittel, das ihm der Pariser Hundarzt Hemet auf die Nase gestrichen, langsam ableckt; es war durchaus Zeit erforderlich zum Effekt.

Flitte aus Elsaß tanzte geradezu im Sessionszimmer, besah lachend alle Ernste und schwur, er sei nicht der Reichste unter ihnen, aber für ganz Straßburg und Elsaß dazu wär' er nicht imstande, bei einem solchen Spaß zu weinen. –

Zuletzt sah ihn der Polizei-Inspektor Harprecht sehr bedeutend an und versicherte: falls Monsieur etwan hoffe, durch Gelächter aus den sehr bekannten Drüsen und aus den Meibomischen und der Karunkel und andern die begehrten Tropfen zu erpressen und sich diebisch mit diesem Fensterschweiß zu beschlagen, so wolle er ihn erinnern, daß er damit so wenig gewinnen könne, als wenn er die Nase schneuzen und davon profitieren wollte, indem in letztere, wie bekannt, durch den ductus nasalis mehr aus den Augen fließe als in jeden Kirchenstuhl hinein unter einer Leichenpredigt. – Aber der Elsasser versicherte, er lache nur zum Spaß, nicht aus ernstern Absichten.

Der Inspektor seinerseits, bekannt mit seinem dephlegmierten Herzen, suchte dadurch etwas Passendes in die Augen zu treiben, daß er mit ihnen sehr starr und weit offen blickte.

Der Frühprediger Flachs sah aus wie ein reitender Betteljude, mit welchem ein Hengst durchgeht; indes hätt' er mit seinem Herzen, das durch Haus- und Kirchenjammer schon die besten schwülsten Wolken um sich hatte, leicht wie eine Sonne vor elendem Wetter auf der Stelle das nötigste Wasser aufgezogen, wär' ihm nur nicht das herschiffende Flöß-Haus immer dazwischengekommen als ein gar zu erfreulicher Anblick und Damm.

Der Kirchenrat, der seine Natur kannte aus Neujahrs- und Leichenpredigten, und der gewiß wußte, daß er sich selber zuerst erweiche, sobald er nur an andere Erweichungs-Reden halte, stand auf – da er sich und andere so lang am Trockenseile hängen sah – und sagte mit Würde, jeder, der seine gedruckten Werke gelesen, wisse gewiß, daß er ein Herz im Busen trage, das so heilige Zeichen, wie Tränen sind, eher zurückzudrängen, um keinem Nebenmenschen damit etwas zu entziehen, als mühsam hervorzureizen nötig habe aus Nebenabsichten – »Dies Herz hat sie schon vergossen, aber heimlich, denn Kabel war ja mein Freund«, sagt' er und sah umher.

Mit Vergnügen bemerkte er, daß alle noch so trocken dasaßen wie Korkhölzer; besonders jetzt konnten Krokodile, Hirsche, Elefanten, Hexen, Reben leichter weinen als die Erben, von Glanzen so gestört und grimmig gemacht. Bloß Flachsen schlugs heimlich zu; dieser hielt sich Kabels Wohltaten und die schlechten Röcke und grauen Haare seiner Zuhörerinnen des Frühgottesdienstes, den Lazarus mit seinen Hunden und seinen eigenen langen Sarg in der Eile vor, ferner das Köpfen so mancher Menschen, Werthers Leiden, ein kleines Schlachtfeld und sich selber, wie er sich da so erbärmlich um den Testaments-Artikel in seinen jungen Jahren abquäle und abringe – noch drei Stöße hatt' er zu tun mit dem Pumpenstiefel, so hatte er sein Wasser und Haus.

»O Kabel, mein Kabel,« – fuhr Glanz fort, fast vor Freude über nahe Trauertränen weinend – »einst wenn neben deine mit Erde bedeckte Brust voll Liebe auch die meinige zum Vermod« – –

»Ich glaube, meine verehrtesten Herren,« – sagte Flachs, betrübt aufstehend und überfließend umhersehend – »ich weine« – setzte sich darauf nieder und ließ es vergnügter laufen; er war nun auf dem Trocknen; vor den Akzessit-Augen hatt' er Glanzen das Preis-Haus weggefischt, den jetzt seine Anstrengung ungemein verdroß, weil er sich ohne Nutzen den halben Appetit weggesprochen hatte. Die Rührung Flachsens wurde zu Protokoll gebracht und ihm das Haus in der Hundsgasse auf immer zugeschlagen. Der Bürgermeister gönnt' es dem armen Teufel von Herzen; es war das erstemal im Fürstentum Haßlau, daß Schul- und Kirchenlehrers-Tränen sich, nicht wie die der Heliaden in leichten Bernstein, der ein Insekt einschließet, sondern wie die der Göttin Freia, in Gold verwandelten. Glanz gratulierte Flachsen sehr und machte ihm froh bemerklich, vielleicht hab' er selber ihn rühren helfen. Die übrigen trennten sich durch ihre Scheidung auf dem trockenen Weg von der Flachsischen auf dem nassen sichtbar, blieben aber noch auf das restierende Testament erpicht.

Nun wurd' es weiter verlesen.

Von jeher habe ich zu einem Universalerben meiner Activa – also meines Gartens vor dem Schaftore, meines Wäldleins auf dem Berge und der 11 000 Georgd'ors in der Südseehandlung in Berlin und endlich der beiden Fronbauern im Dorf *Elterlein* der dazu gehörigen Grundstücke – sehr viel gefodert, viel leibliche Armut und geistlichen Reichtum. Endlich habe ich in meiner letzten Krankheit in Elterlein ein solches Subjekt aufgetrieben. Ich glaubte nicht, daß es in einem Dutzend- und Taschenfürstentümlein einen blutarmen, grund-guten, herzlich-frohen Menschen gebe, der vielleicht unter allen, die je den Menschen liebt, es am stärksten tut. Er hat einmal zu mir ein paar Worte gesagt, und zweimal im Dunkeln eine Tat getan, daß ich nun auf den Jüngling baue, fast auf ewig. Ja ich weiß, dieses Universalerben tät' ihm sogar wehe, wenn er nicht arme Eltern hätte. Ob er gleich ein juristischer Kandidat ist, so ist er doch kindlich, ohne Falsch, rein, naiv und zart, ordentlich ein frommer Jüngling aus der alten Väterzeit und hat dreißigmal mehr Kopf, als er denkt. Nur hat er das Böse, daß er erstlich ein etwas elastischer Poet ist, und daß er zweitens, wie viele Staaten von meiner Bekanntschaft bei Sitten-Anstalten, gern das Pulver auf die Kugel lädt, auch am Stundenzeiger schiebt, um den Minutenzeiger zu drehen. Es ist nicht glaublich, daß er je eine Studenten-Mausfalle aufstellen lernt; und wie gewiß ihm ein Reisekoffer, den man ihm abgeschnitten, auf ewig aus den Händen wäre, erhellet daraus, daß er durchaus nicht zu spezifizieren wüßte, was darin gewesen und wie er ausgesehen.

Dieser Universalerbe ist der Schulzen-Sohn in Elterlein, namens *Gottwalt Peter Harnisch*, ein recht feines, blondes, liebes Bürschchen – –

*

Die sieben Präsumtiv-Erben wollten fragen und außer sich sein; aber sie mußten forthören.

5te Klausel

Allein er hat Nüsse vorher aufzubeißen. Bekanntlich erbte ich seine Erbschaft selber erst von meinem unvergeßlichen Adoptivvater Van der Kabel in Broek im Waterland, dem ich fast nichts dafür geben konnte als zwei elende Worte, Friedrich Richter, meinen Namen. Harnisch soll sie wieder erben, wenn er mein Leben, wie folgt, wieder nach- und durchlebt.

6te Klausel

Spaßhaft und leicht mags dem leichten poetischen Hospes dünken, wenn er hört, daß ich deshalb bloß fordere und verordne, er soll – denn alles das lebt' ich eben selber durch, nur länger – weiter nichts tun als:

a) Einen Tag lang Klavierstimmer sein – ferner
b) Einen Monat lang mein Gärtchen als Obergärtner bestellen – ferner
c) Ein Vierteljahr Notarius – ferner
d) so lange bei einem Jäger sein, bis er einen Hasen erlegt, es dauere nun 2 Stunden oder 2 Jahre –
e) er soll als Korrektor 12 Bogen gut durchsehen –
f) er soll eine buchhändlerische Meßwoche mit Herrn Paßvogel beziehen, wenn dieser will –
g) er soll bei jedem der Herren Akzessit-Erben eine Woche lang wohnen (der Erbe müßt' es sich denn verbitten) und alle Wünsche des zeitigen Mietsherrn, die sich mit der Ehre vertragen, gut erfüllen –
h) er soll ein paar Wochen lang auf dem Lande Schule halten – endlich
i) soll er ein Pfarrer werden; dann erhält er mit der Vokation die Erbschaft. – Das sind seine *neun* Erb-Ämter.

Spaßhaft, sagt' ich in der vorigen, wird ihm das vorkommen, besonders da ich ihm verstatte, meine Lebens-Rollen zu versetzen und z. B. früher die Schulstube als die Messe zu beziehen – bloß mit dem Pfarrer muß er schließen –; aber, Freund Harnisch, dem Testament bieg' ich zu jeder Rolle einen versiegelten Regulier-Tarif, genannt die geheimen Artikel, bei, worin ich Euch in den Fällen, wo Ihr das Pulver auf die Kugel ladet, z. B. in Notariatsinstrumenten, kurz, gerade für eben die Fehler, die ich sonst selber begangen, entweder um einen Abzug von der Erbschaft abstrafe, oder mit dem Aufschube ihrer Auslieferung. Seid klug, Poet, und bedenkt Euren Vater, der so manchem Edelmann im -a-n gleicht, dessen Vermögen wie das eines russischen zwar in Bauern besteht, aber doch nur in einem einzigen, welches er selber ist. Bedenkt Euren vagabunden Bruder, der vielleicht, eh' Ihrs denkt, aus seinen Wanderjahren mit einem halben Rocke vor Eure Türe kommen und sagen kann: »Hast du nichts Altes für deinen Bruder? Sieh diese Schuhe an!« – Habt also Einsichten, Universalerbe!

Den Herrn Kirchenrat Glanz und alle bis zu Herrn Buchhändler Paßvogel und Flitte (inclusive) mach' ich aufmerksam darauf, wie schwer Harnisch die ganze Erbschaft erobern wird, wenn sie auch nichts erwägen als das einzige hier an den Rand genähte Blatt, worauf der Poet flüchtig einen Lieblings-Wunsch ausgemalt, nämlich den, Pfarrer in Schweden zu werden.« (Herr Bürgermeister Kuhnold fragte hier, ob ers mitlesen solle; aber alle schnappten nach mehreren Klauseln, und er fuhr fort:) »Meine T. Herren Anverwandten fleh' ich daher – wofür ich freilich wenig tue, wenn ich nur zu einiger Erkenntlichkeit ihnen zu gleichen Teilen hier sowohl jährlich zehn Prozent aller Kapitalien als die Nutznießung meines Immobiliar-

Vermögens, wie es auch heiße, so lange zuspreche, als besagter Harnisch noch nicht die Erbschaft nach der sechsten Klausel hat antreten können – solche fleh' ich als ein Christ die Christen an, gleichsam als sieben Weise dem jungen möglichen Universalerben scharf aufzupassen und ihm nicht den kleinsten Fehltritt, womit er den Aufschub oder Abzug der Erbschaft verschulden mag, unbemerkt nachzusehen, sondern vielmehr jeden gerichtlich zu bescheinigen. Das kann den leichten Poeten vorwärts bringen und ihn schleifen und abwetzen. Wenn es wahr ist, ihr sieben Verwandten, daß ihr nur meine Person geliebt, so zeigt es dadurch, daß ihr das Ebenbild derselben recht schüttelt (den Nutzen hat das Ebenbild) und ordentlich, obwohl christlich, chikaniert und vexiert und sein Regen- und Siebengestirn seid und seine böse Sieben. Muß er recht büßen, nämlich passen, desto ersprießlicher für ihn und für euch.

9te Klausel

Ritte der Teufel meinen Universalerben so, daß er die Ehe bräche, so verlör' er die Viertels-Erbschaft – sie fiele den sieben Anverwandten heim –; ein Sechstel aber nur, wenn er ein Mädchen verführte. – Tagreisen und Sitzen im Kerker können nicht zur Erwerbzeit der Erbschaft geschlagen werden, wohl aber Liegen auf dem Kranken- und Totenbette.

10te Klausel

Stirbt der junge Harnisch innerhalb 20 Jahren, so verfället die Erbschaft den hiesigen corporibus piis. Ist er als christlicher Kandidat examiniert und bestanden: so zieht er, bis man ihn voziert, zehn p.c. mit den übrigen Herren Erben, damit er nicht verhungere.

11te Klausel

Harnisch muß an Eides Statt geloben, nichts auf die künftige Erbschaft zu borgen.

12te Klausel

Es ist nur mein letzter Wunsch, obwohl nicht eben mein letzter Wille, daß, wie ich den Van der Kabelschen Namen, er so den Richterschen bei Antritt der Erbschaft annehme und fortführe; es kommt aber sehr auf seine Eltern an.

13te Klausel

Ließe sich ein habiler, dazu gesattelter Schriftsteller von Gaben auftreiben und gewinnen, der in Bibliotheken wohl gelitten wäre: so soll man dem venerabeln Mann den Antrag tun, die Geschichte und Erwerbzeit meines möglichen Universalerben und Adoptivsohnes, so gut er kann, zu schreiben. Das wird nicht nur diesem, sondern auch dem Erblasser – weil er auf allen Blättern vorkommt – Ansehen geben. Der treffliche, mir zur Zeit noch unbekannte Historiker aber nehme von mir als schwaches Andenken für jedes Kapitel *eine* Nummer aus meinem Kunst- und Naturalienkabinet an. Man soll den Mann reichlich mit Notizen versorgen.

14te Klausel

Schlägt aber Harnisch die ganze Erbschaft aus, so ists so viel, als hätt' er zugleich die Ehe gebrochen und wäre Todes verfahren; und die 9te und 10te Klausel treten mit vollen Kräften ein.

15te Klausel

Zu Exekutoren des Testaments ernenn' ich dieselben hochedlen Personen, denen oblatio testamenti geschehen; indes ist der regierende Bürgermeister, Herr Kuhnold, der Ober-Vollstrecker. Nur er allein eröffnet stets denjenigen unter den geheimen Artikeln des Reguliertarifs vorher, welcher für das jedesmalige gerade von Harnisch gewählte *Erb-Amt* überschrieben ist. – In diesem Tarif ist es auf das Genaueste bestimmt, wie viel Harnischen z. B. für das Notariuswerden beizuschießen ist – denn was hat er? – und wie viel jedem Akzessit-Erben zu geben, der gerade ins *Erbamt* verwickelt ist, z. B. Herrn Paßvogel für die Buchhändler-Woche oder für siebentägigen Hauszins. Man wird allgemein zufrieden sein.

16te Klausel

Folioseite 276 seiner vierten Auflage fodert Volkmannus emendatus von Erblassern die providentia oder »zeitige Fürsehung«, so daß ich also in dieser Klausel festzusetzen habe, daß jeder der sieben Akzessit-Erben oder alle, die mein Testament gerichtlich anzufechten oder zu rumpieren suchen, während des Prozesses keinen Heller Zinsen erhalten, als welche den andern oder – streiten sie alle – dem Universalerben zufließen.

17te und letzte Klausel

Ein jeder Wille darf toll und halb und weder gehauen noch gestochen sein, nur aber der letzte nicht, sondern dieser muß, um sich zum zweiten-, dritten-, viertenmal zu *rfinden*, also *konzentrisch*, wie überall bei den Juristen, zur clausula salutaris, zur donatio mortis causa und zur reservatio ambulatoriae voluntatis greifen. So will ich denn hiemit darzu gegriffen haben, mit kurzen und vorigen Worten. – Weiter brauch' ich mich der Welt nicht aufzutun, vor der mich die nahe Stunde bald zusperren wird. – Sonstiger Fr. Richter, jetziger Van der Kabel.

✻

So weit das Testament. Alle Formalien des Unterzeichnens und Untersiegelns etc. etc. fanden die sieben Erben richtig beobachtet.

N$\underline{\text{ro}}$ 2: KATZENSILBER AUS THÜRINGEN

J. P. F. R.s Brief an den Stadtrat

Der Verfasser dieser Geschichte wurde von der Testaments-Exekution, besonders vom trefflichen Kuhnold, zum Verfasser gewählt. Auf einen solchen ehrenvollen Auftrag gab er folgende Antwort.

P. P.

Einem hochedlen Stadtrat oder einer trefflichen Testaments-Exekution die Freude zu malen, daß Sie und die Klausel: *Ließe sich ein habiler, dazu gesattelter Schriftsteller etc.* mich aus 55000 zeitigen Autoren zum Geschichtschreiber eines Harnisch ausgelesen; Ihnen mit bunten Farben das Vergnügen zu schildern, daß ich mit solchen Arbeiten und Mitarbeitern beehrt worden: dazu hatt' ich vorgestern, da ich mit Weib und Kind und allem von Meinungen nach Koburg zog und unzählige Dinge auf- und abzuladen hatte, ganz natürlich keine Zeit. Ja, kaum war ich zum Stadt-Tore und zur Haus-Türe hinein, so ging ich wieder heraus auf die Berge, wo eine Menge schöner Gegenden neben- und hintereinander wohnen: »Wie oft«, sagt' ich droben, »wirst du dich nicht künftig auf diesen Tabors verklären!«

Hier send' ich dem etc. etc. Stadtrate die erste Nummer,

22

Bleiglanz überschrieben, ganz ausgearbeitet; ich bitte aber die trefflichen Exekutoren, zu bedenken, daß die künftigen Nummern reicher und feiner ausfallen und ich mich darin mehr werde zeigen können als in der ersten, wo ich fast nichts zu machen hatte als die Abschrift der erhaltenen Testaments-Kopie. Das *Katzensilber aus Thüringen* habe ganz erhalten; nächstens läuft das Kapitel dafür ein, das aus einer Kopie des gegenwärtigen Briefes, für die Leser, bestehen soll. Ein weder zu barocker noch zu verbrauchter Titel für das Werk ist auch schon fertig; *Flegeljahre* ist es betitelt.

So hat denn die Maschine ihren ordentlichen Mühlengang. Wenn die Van der Kabelsche Kunst- und Naturalien-Sammlung siebentausend und zweihundertunddrei Stücke und Nummern stark ist, wie ich aus dem Inventarium ersehe: so werden wir wohl, da der Selige für jedes Stück sein ganzes Kapitel haben will, die Kapitel etwas einlaufen lassen müssen, weil sonst ein Werk herauskäme, das sich länger ausstreckte als alle meine opera omnia (inclusive dieses) zusammengenommen. In der gelehrten Welt sind ja alle Kapitel erlaubt, Kapitel von *einem* Alphabet bis zu Kapiteln von *einer* Zeile.

Was die Arbeit selber anlangt, so verpfändet sich der Meister einem hochedlen Stadtrate dafür, daß er eine liefern will, die man keck jedem Mitmeister, er sei Stadt- oder Frei- und Gnadenmeister, zu beschauen geben kann, besonders da ich vielleicht mit dem sel. Van der Kabel, sonst Richter, selber verwandt bin. Das Werk – um nur einiges vorauszusagen – soll alles befassen, was man in Bibliotheken viel zu zerstreut antrifft; denn es soll ein kleiner Supplementband zum Buche der Natur werden und ein Vorbericht und Bogen A zum Buche der Seligen –

Dienstboten, angehenden Knaben und erwachsenen Töchtern wie auch Landmännern und Fürsten werden darin die Collegia conduitica gelesen –

Ein Stylisticum lieset das Ganze –

Für den Geschmack der fernsten, selber der geschmacklosesten Völker wird darin gesorgt; die Nachwelt soll darin ihre Rechnung nicht mehr finden als Mit- und Vorwelt –

Ich berühre darin die Vaccine – den Buch- und Wollenhandel – die Monatsschriftsteller – Schellings magnetische Metapher oder Doppelsystem –– die neuen Territorialpfähle – die Schwänzelpfennige – die Feldmäuse samt den Fichtenraupen – und Bonaparten, das berühr' ich, freilich flüchtig als Poet –

Über das weimarsche Theater äußer' ich meine Gedanken, auch über das nicht kleinere der Welt und des Lebens –

Wahrer Scherz und wahre Religion kommen hinein, obwohl diese jetzt so selten ist als ein Fluch in Herrnhut oder ein Bart am Hof –

Böse Charaktere, so mir der hochedle Rat hoffentlich zufertigt, werden tapfer gehandhabt, doch ohne Persönlichkeiten und Anzüglichkeiten; denn schwarze Herzen und schwarze Augen sind ja – näher in letztere gefasset – nur braun; und ein Halbgott und ein Halbvieh können sehr gut dieselbe zweite Hälfte haben, nämlich die menschliche – und darf die Peitsche wohl je so dick sein als die Haut? –

Trockne Rezensenten werden ergriffen und (unter Einschränkung) durch Erinnerungen an ihre goldne Jugend und an so manchen Verlust bis zu Tränen gerührt, wie man mürbe Reliquien ausstellt, damit es regne –

Über das siebzehnte Jahrhundert wird frei gesprochen, und über das achtzehnte human, über das neueste wird gedacht, aber sehr frei –

Das Schaf, das eine Chrestomathie oder Jean Pauls Geist aus meinen Werken auszog mit den Zähnen, bekommt aus jedem Bande einen Band zu extrahieren in die Hand, so daß besagtes gar keine Auslese, sondern nur eine Abschrift zu machen braucht, samt den einfältigsten Noten und Präfationen –

Gleich dem Not- und Hülfs-Büchlein muß das Buch Arzneimittel, Ratschläge, Charaktere, Dialogen und Historien liefern, aber so viele, daß es jenem Not-Büchlein könnte beigebunden werden als Hülfs-Buch, als weitläuftiger Auszug und

Anhang, weil jedes Werk der Darstellung so gut aus einem *Spiegel* in eine *Brille* muß umzuschleifen sein, als venezianische Spiegelscherben zu wirklichen Brillengläsern genommen werden –

In jeden Druckfehler soll sich Verstand verstecken und in die errata Wahrheiten –

Täglich wird das Werkchen höher klettern, aus *Lese*bibliotheken in *Leih*bibliotheken, aus diesen in Ratbibliotheken, die schönsten Ehren- und Parade-Betten und Witwensitze der Musen – –

Aber ich kann leichter halten als versprechen. Denn ein Opus wirds ...

O hochedler Stadtrat! Exekutoren des Testaments! sollt' es mir einst vergönnet werden, in meinem Alter alle Bände der Flegeljahre ganz fertig abgedruckt in hohen, aus Tübingen abgeschickten Ballen um mich stehen zu sehen – –

Bis dahin aber erharr' ich mit sonderbarer Hochachtung

Ew. Wohlgeb.

etc. etc. etc.

J. P. F. Richter

Legaz.

Koburg, den 6. Juni 1803

Die im Briefe an die Exekutoren versprochene Kopie desselben für den Leser ist wohl jetzt nicht mehr nötig, da er ihn eben gelesen. Auf ähnliche Weise setzen uneigennützige Advokaten in ihren Kostenzetteln nur das Macherlohn für die Zettel selber an, setzen aber nachher, wiewohl sie ins Unendliche fort könnten, nichts weiter für das Ansetzen des Ansetzens an.

Ob aber der Verfasser der Flegeljahre nicht noch viel nähere historische Leithämmel und Leithunde zu einer so wichtigen Geschichte vorzutreiben und zu verwenden habe als bloß einen trefflichen Stadtrat; und wer besonders sein herrlichster Hund und Hammel darunter sei – darüber würde man jetzt die Leser mit dem größten Vergnügen beruhigen, wenn man sich überzeugen könnte, es sei sachdienlich, es sei prudentis.

Die Akzessit-Erben – der schwedische Pfarrer

Nach Ablesung des Testaments verwunderten sich die sieben Erben unbeschreiblich auf sieben Weisen im Gesicht. Viele sagten gar nichts. Alle fragten, wer von ihnen den jungen Burschen kenne, ausgenommen der Hoffiskal Knoll, der selber gefragt wurde, weil er in Elterlein Gerichtshalter eines polnischen Generals war. »Es sei nichts Besonderes am jungen Haeredipeta,« versetzte Knoll, »sein Vater aber wollte den Juristen spielen und sei ihm und der Welt schuldig.« – Vergeblich umrangen die Erben den einsylbigen Fiskal, ebenso Rats- als neubegierig.

Er erbat sich vom Gerichte eine Kopie des Testaments und Inventars, andere vornehme Erben wandten gleichfalls die Kopialien auf. Der Bürgermeister erklärte den Erben, man werde den jungen Menschen und seinen Vater auf den Sonnabend vorbescheiden. Knoll erwiderte: »da er übermorgen, das heißet den 13ten hujus, nämlich Donnerstags, in Gerichts-Geschäften nach seiner Gerichtshalterei Elterlein gehe: so sei er imstande, dem jungen Peter Gottwalt Harnisch die Zitation zu insinuieren.« Es wurde bewilligt.

Jetzt suchte der Kirchenrat Glanz nur auf eine kurze Lese-Minute um das Blättchen nach, worauf Harnisch den Wunsch einer schwedischen Pfarrei sollte ausgemalet haben. Er bekams. Drei Schritte hinter ihm stand der Buchhändler Paßvogel und las schnell die Seite zweimal herunter, eh' sie der Kirchenrat umkehrte; zuletzt stellten sich alle Erben hinter ihn, er sah sich um und sagte, es sei wohl besser, wenn ers gar vorlese:

So will ich mir denn diese Wonne ohne allen Rückhalt recht groß hermalen und mich selber unter dem Pfarrer meinen, damit mich die Schilderung, wenn ich sie nach einem Jahre wieder überlese, ganz besonders auswärme. Schon ein Pfarrer an sich ist selig, geschweige in Schweden. Er genießet da Sommer und Winter rein, ohne lange verdrüßliche Unterbrechungen; z. B. in seinen späten Frühling fällt statt des Nachwinters sogleich der ganze reife Vorsommer ein, weißrot und blütenschwer, so daß man in einer Sommernacht das halbe Italien, und in einer Winternacht die halbe zweite Welt haben kann.

Ich will aber bei dem Winter anfangen und das Christfest nehmen.

Der Pfarrer, der aus Deutschland, aus Haßlau in ein sehr nördlich-polarisches Dörflein voziert worden, steht heiter um 7 Uhr auf und brennt bis 9½ Uhr sein dünnes Licht. Noch um 9 Uhr scheinen Sterne, der helle Mond noch länger. Aber dieses Hereinlangen des Sternen-Himmels in den Vormittag gibt ihm liebe Empfindungen, weil er ein Deutscher ist und über einen gestirnten Vormittag erstaunt. Ich sehe den Pfarrer und andere Kirchengänger mit Laternen in die Kirche gehen; die vielen Lichterchen machen die Gemeinde zu einer Familie und setzen den Pfarrer in seine Kinderjahre, in die Winterstunden und Weihnachtsmetten zurück, wo jeder sein Lichtchen mit hatte. Auf der Kanzel sagt er seinen lieben Zuhörern lauter Sachen vor, deren Worte gerade so in der Bibel stehen; vor Gott bleibt doch keine Vernunft vernünftig, aber wohl ein redliches Gemüt. Darauf teilt er mit heimlicher Freude über die Gelegenheit, jeder Person so nahe ins Gesicht zu sehen und ihr wie einem Kinde Trank und Speise einzugeben, das heilige Nachtmahl aus und genießet es jeden Sonntag selber mit, weil er sich nach dem nahen Liebesmahl in den Händen ja sehnen muß. Ich glaube, es müßt' ihm erlaubt sein.

(Hier sah der Kirchenrat mit einem fragenden Rüge-Blick

unter den Zuhörern umher, und Flachs nickte mit dem Kopfe; er hatte aber wenig vernommen, sondern nur an sein Haus gedacht.)

Wenn er dann mit den Seinigen aus der Kirche tritt, geht gerade die helle Christ- und Morgensonne auf und leuchtet ihnen allen ins Gesicht entgegen. Die vielen schwedischen Greise werden ordentlich jung vom Sonnenrot gefärbt. Der Pfarrer könnte dann, wenn er auf die tote Mutter-Erde und den Gottesacker hinsähe, worin die Blumen wie die Menschen begraben liegen, wohl diesen Polymeter dichten:

»Auf der toten Mutter ruhen die toten Kinder in dunkler Stille. Endlich erscheint die ewige Sonne, und die Mutter steht wieder blühend auf, aber später alle ihre Kinder.«

Zu Hause letzt ihn ein warmes Museum samt einem langen Sonnenstreif an der Bücherwand.

Den Nachmittag verbringt er schön, weil er vor einem ganzen Blumen-Gestelle von Freuden kaum weiß, wo er anhalten soll. Ists am heiligen Christfest, so predigt er wieder, vom schönen Morgenlande oder von der Ewigkeit; dabei wirds ganz dämmernd im Tempel; nur zwei Altar-Kerzen werfen wunderbare lange Schatten umher durch die Kirche; der oben herabhängende Taufengel belebt sich ordentlich und fliegt beinahe; draußen scheinen die Sterne oder der Mond herein – der feurige Pfarrer oben im Finstern auf seiner Kanzel bekümmert sich nun um nichts, sondern donnert aus der Nacht herab, mit Tränen und Stürmen, von Welten und Himmeln und allem, was Brust und Herz gewaltig bewegt.

Kommt er flammend herunter: so kann er um 4 Uhr vielleicht schon unter einem am Himmel wallenden Nordschein spazieren gehen, der für ihn gewiß eine aus dem ewigen Südmorgen herüberschlagende Aurora ist, oder ein Wald aus heiligen feurigen Mosis-Büschen um Gottes Thron.

Ists ein anderer Nachmittag, so fahren Gäste mit erwachsenen Töchtern von Betragen an; wie die große Welt diniert er mit ihnen bei Sonnenuntergang um 2 Uhr und trinkt den Kaffee bei Mondschein; das ganze Pfarrhaus ist ein dämmernder Zauberpalast. – Oder er geht auch hinüber zum Schulmeister in die Nachmittagsschule und hat alle Kinder seiner Pfarrkinder gleichsam als Enkel bei Licht um sein Großvater-Knie und ergötzet und belehret sie. –

Ist aber das alles nicht: so kann er ja schon von drei Uhr an in der warmen Dämmerung durch den starken Mondschein in der Stube auf und ab waten und etwas Orangenzucker dazu beißen, um das schöne Welschland mit seinen Gärten auf die Zunge und vor alle Sinne zu bekommen. Kann er nicht bei dem Monde denken, daß dieselbe Silberscheibe jetzt in Italien zwischen Lorbeer-Bäumen hänge? Kann er nicht erwägen, daß die Äolsharfe und die Lerche und die ganze Musik und die Sterne und die Kinder in heißen und kalten Ländern dieselben sind? Wenn nun gar die reitende Post, die aus Italien kommt, durchs Dorf bläset und ihm auf wenigen Tönen blumige Länder an das gefrorne Museums-Fenster hebt; wenn er alte Rosen- und Lilienblätter aus dem vorigen Sommer in die Hand nimmt, wohl auch eine geschenkte Schwanzfeder von einem Paradiesvogel; wenn dabei die prächtigen Klänge Salatzeit, Kirschenzeit, Trinitatissonntage, Rosenblüte, Marientage das Herz anrühren: so wird er kaum mehr wissen, daß er in Schweden ist, wenn Licht gebracht wird und er verdutzt die fremde Stube ansieht. Will ers noch weiter treiben, so kann er sich daran ein Wachskerzchen-Endchen anzünden, um den ganzen Abend in die große Welt hineinzusehen, aus der ers herhat. Denn ich sollte glauben, daß am Stockholmer Hofe, wie anderwärts, von den Hofbedienten Endchen von Wachskerzen, die auf Silber gebrannt hatten, für Geld zu haben wären.

Aber nun nach Verlaufe eines halben Jahres klopft auf einmal etwas Schöners als Italien, wo die Sonne viel früher als in Haßlau untergeht, nämlich der herrlich beladne längste Tag an seine Brust an und hält die Morgenröte voll Lerchengesang schon um 1 Uhr nachts in der Hand. Ein wenig vor 2 Uhr oder Sonnenaufgang trifft die oben gedachte niedliche bunte Reihe im Pfarrhause ein, weil sie mit dem Pfarrer eine kleine Lustreise vor hat. Sie ziehen nach 2 Uhr, wenn alle Blumen blitzen und die Wälder schimmern. Die warme Sonne droht kein Gewitter und keinen Platzregen, weil beide selten sind in Schweden. Der Pfarrer geht so gut in schwedischer Tracht einher wie jeder – er trägt sein kurzes Wams mit breiter Schärpe, sein kurzes Mäntelchen darüber, seinen Rundhut mit wehenden Federn und Schuhe mit hellen Bändern; – natürlich sieht er, wie die andern auch, wie ein spanischer Ritter, wie ein Provenzale oder sonst ein südlicher Mensch aus, zumal da er und die muntere Gesellschaft durch die in wenigen Wochen aus Beeten und Ästen hervorgezogne hohe Blüten- und Blätterfülle fliegen.

Daß ein solcher längster Tag noch kürzer als ein kürzester verfliege, ist leicht zu denken, bei so viel Sonne, Äther, Blüte und Muße. Schon nach 8 Uhr abends bricht die Gesellschaft auf – die Sonne brennt sanfter über den halbgeschlossenen schläfrigen Blumen – um 9 Uhr hat sie ihre Strahlen abgenommen und badet nackt im Blau – gegen 10 Uhr, wo die Gesellschaft im Pfarrdorfe wieder ankommt, wird der Pfarrer seltsam bewegt und weich gemacht, weil im Dorfe, obgleich die tiefe laue Sonne noch ein müdes Rot um die Häuser und an die Scheiben legt, alles schon still und in tiefem Schlafe liegt, so wie auch die Vögel in den gelb-dämmernden Gipfeln schlummern, bis zuletzt die Sonne selber, wie ein Mond, einsam untergeht in der Stille der Welt. Dem romantisch bekleideten Pfarrer ist, als sei jetzt ein rosenfarbnes Reich aufgetan, worin Feen und Geister herumgehen, und ihn würd' es wenig wundern, wenn in dieser goldnen Geisterstunde auf einmal sein in der Kindheit entlaufner Bruder heranträte, wie vom blühenden Zauber-Himmel gefallen.

Der Pfarrer lässet aber seine Reisegesellschaft nicht fort, er hält sie im Pfarrgarten fest, wo jeder, wer will, sagt' er, in schönen Lauben die kurze laue Stunde bis zu Sonnen-Aufgang verschlummern kann.

Es wird allgemein angenommen und der Garten besetzt;

manches schöne Paar tut vielleicht nur, als schlaf' es, hält sich aber wirklich an der Hand. Der glückliche Pfarrer geht einsam in den Beeten auf und ab. Kühle und wenige Sterne kommen. Seine Nachtviolen und Levkoien tun sich auf und duften stark, so hell es auch ist. In Norden raucht vom ewigen Morgen des Pols eine goldhelle Dämmerung auf. Der Pfarrer denkt an sein fernes Kindheitsdörfchen und an das Leben und Sehnen der Menschen und wird still und voll genug. Da greift die frische Morgen-Sonne wieder in die Welt. Mancher, der sie mit der Abend-Sonne vermengen will, tut die Augen wieder zu; aber die Lerchen erklären alles und wecken die Lauben.

Dann geht Lust und Morgen gewaltig wieder an; – – und es fehlt wenig, so schilder' ich mir diesen Tag ebenfalls, ob er gleich vom vorigen vielleicht um kein Blütenblatt verschieden ist.

*

Glanz, dessen Gesicht die günstigste Selbstrezension seiner geschriebenen Werke war, sah, mit einigem Triumphe über ein solches Werk, unter den Erben umher; nur der Polizei-Inspektor Harprecht versetzte mit einem ganzen Swift auf dem Gesicht: »Dieser Nebenbuhler kann uns mit seinem Verstande noch zu schaffen machen.« Der Hoffiskal Knoll und der Hofagent Neupeter und Flitte waren längst aus Ekel vor der Lektüre weg und ans Fenster gegangen, um etwas Vernünftiges zu sprechen.

Sie verließen die Gerichtsstuben. Unterwegs äußerte der Kaufmann Neupeter:

»Das versteh' ich noch nicht, wie ein so gesetzter Mann als unser sel. Vetter noch am Rande des Grabes solche Schnurren treiben kann.« – »Vielleicht aber« – sagte Flachs, der Hausbesitzer, um die andern zu trösten – »nimmt der junge Mensch die Erbschaft gar nicht an, wegen der schweren Bedingungen.« – Knoll fuhr den Hausbesitzer an: »Gerade so schwere wie heute eine. Sehr dumm wär's von ihm und für uns. Denn nach Clausul. IX. *Schlägt aber Harnisch* fielen ja den corporibus piis drei Viertel zu. Wenn er sie aber antritt und lauter Böcke schießet« –

»Das gebe doch Gott«, sagte Harprecht.

»– schießet,« fuhr jener fort, »so haben wir doch die Klauseln *Spaßhaft sagt' ich in der vorigen* – und *Ritte der Teufel* – und *Den Herrn Kirchenrat Glanz und alle* für uns und können viel tun.« Sie erwählten ihn sämtlich zum Schirmherrn ihrer Rechte und rühmten sein Gedächtnis. – »Ich erinnere mich noch,« sagte der Kirchenrat, »daß er nach der Klausel der *Erb-Ämter* vorher zu einem geistlichen Amte gelangen soll, wiewohl er jetzt nur Jurist ist« – – –

»Da wollt ihr nämlich,« versetzte Knoll geschwind, »ihr geistlichen Herren und Narren, dem Examinanden schon so einheizen, so zwicken – wahrhaftig das glaub' ich« – und der Polizei-Inspektor fügte bei, er hoffe das selber. Da aber der Kirchenrat, dem beide schon als alte Kanzel-Stürmer, als Baumschänder kanonischer Haine bekannt waren, noch vergnügt einen Rest von Eß-Lust verspürte, der ihm zu teuer war, um ihn wegzudisputieren: so suchte er sich nicht recht sonderlich zu ärgern, sondern sah nach.

Man trennte sich. Der Hoffiskal begleitete den Hofagenten, dessen Gerichtsagent er war, nach Hause und eröffnete ihm, daß der junge Harnisch schon längst habe – als riech' er etwas vom Testamente, das dergleichen auch fordere – Notarius werden und nachher in die Stadt ziehen wollen, und daß er am Donnerstag nach Elterlein gehe, um ihn dazu zu kreieren. (Knoll war Pfalzgraf.) »So mög' er doch machen,« bat der Agent, »daß der Mensch bei ihm logiere, da er eben ein schlechtes unbrauchbares Dachstübchen für ihn leer habe.« – »Sehr leicht«, versetzte Knoll.

Das erste, was dieser zu Hause und in der ganzen Sache machte, war ein Billet an den alten Schulz in Elterlein, worin er ihm bedeutete, »er werde übermorgen Donnerstags durch und retour passieren und unterwegs, gegen Abend, seinen Sohn zum Notarius kreieren; auch hab' er ein treffliches, aber wohlfeiles Quartier für solchen bei einem vornehmen Freunde bestanden«. – Vor dem regierenden Bürgermeister hatt' er demnach eine Verabredung, die er jetzt erst traf, schon für eine getroffne ausgegeben, um, wie es scheint, das Macherlohn für einen Notar, das ihm der Testator auszahlte, vorher auch von den Eltern zu erheben.

In allen Erzählungen und Äußerungen blieb er äußerst wahrhaft, solange sie nur nicht in die Praxis einschlugen; denn alsdann trug er (da Raubtiere nur in der Nacht ziehen) sein nötiges Stückchen Nacht bei sich, das er entweder aus blauem Dunst verfertigte als Advokat, oder aus arsenikalischen Dämpfen als Fiskal.

Nᵣₒ 4: MAMMUTSKNOCHEN AUS ASTRAKAN

Das Zauberprisma

Der alte beerdigte Kabel war ein Erdbeben unter dem Meere von Haßlau, so unruhig liefen die Seelen wie Wellen untereinander, um etwas vom jungen Harnisch zu erfahren. Eine kleine Stadt ist ein großes Haus, die Gassen sind nur Treppen. Mancher junge Herr nahm sogar ein Pferd und stieg in Elterlein ab, um nur den Erben zu sehen; er war aber immer auf die Berge und Felder gelaufen. Der General *Zablocki*, der ein Rittergut im Dorfe hatte, beschied seinen Verwalter in die Stadt, um zu fragen. Manche halfen sich damit, daß sie einen eben angekommenen Flöten-Virtuosen, Van der Harnisch, für den gleichnamigen Erben nahmen und davon sprachen; besonders tatens einhörige Leute, die, dabei taub auf dem zweiten Ohre, alles nur mit halbem hörten. Erst Mittwochs abends – am Dienstage war Testaments-Öffnung gewesen – bekam die Stadt Licht, in der Vorstadt bei dem Wirt zum weichen Krebs.

Ansehnliche Glieder aus Kollegien gossen da gewöhnlich in

die Dinte ihres Schreib-Tages einiges Abendbier, um die schwarze Farbe des Lebens zu verdünnen. Da bei dem weichen Krebswirte der alte Schultheiß Harnisch seit 20 Jahren einkehrte: so war er imstande, wenigstens vom Vater ihnen zu erzählen, daß er jede Woche Regierung und Kammer anlaufe mit leeren Fragen, und daß er jedesmal unter vielen Worten die alten Historien von seinem schweren Amte, seinen vielen juristischen Einsichten und Büchern und seiner »zweiherrigen« Wirtschaft und seinen Zwillingssöhnen abendelang vorsinge, ohne doch je in seinem Leben mehr dabei zu verzehren als einen Hering und seinen Krug – Es führe zwar, fuhr der Wirt fort, der Schulz sehr starke hochtrabende Worte, sei aber ein Hase, der seine Frau schickte bei handfesten Vorfällen, oder er reiche eine lange Schreiberei ein; hab' auch ein zu nobles Naturell und könne sich über eine krumme Miene zu Tagen kränken und habe noch unverdauete Nasen, die er im Winter von der Regierung bekommen, im Magen.

Nur von der Hauptsache, beschloß er, von den Söhnen, wiss' er nichts, als daß der eine, der Spitzbube, der Flötenpfeifer Vult, im 14½ Jahre mit einem solchen Herrn – er zeigte auf Herrn van der Harnisch – durchgegangen; und vom andern, der der Erbe sei, könne gewiß der Herr unten mit den schwarzen Knopflöchern die beste Auskunft geben, denn es sei der Herr Kandidat und Schulmeister *Schomaker* aus Elterlein, sein gewesener Präzeptor.

Der Kandidat Schomaker hatte eben in einem Makulaturbogen einen Druckfehler mit Bleistift korrigiert, eh' er ihn dick um ein halbes Lot Arsenik wickelte. Er antwortete nicht, sondern wickelte wieder weißes Papier über das bedruckte, siegelte es ein und schrieb an alle Ecken: Gift! – darauf überwickelte und überschrieb er wieder und ließ nicht nach, bis ers siebenmal getan und ein dickes Oktav-Paquet vor sich hatte.

Jetzt stand er auf, ein breiter, starker Mann, und sagte sehr furchtsam, indem er Kommata und andere Interpunktionen so deutlich im Sprechen absetzte als jeder im Schreiben: »Ganz wahr, daß er mein Schüler, und hinlänglich, erstlich, daß er so ädel ist, zweitens, daß er treffliche Gedichte, nach einem neuen Metrum, machet, so er den Streckvers nennet, ich einen Polymeter.«

Bei diesen Worten fing der Flöten-Virtuose van der Harnisch, der bisher kalt die Runde um die Stube gemacht, plötzlich Feuer. Wie andere Virtuosen hatt' er aus großen Städten die Verachtung kleiner mitgebracht – ein Dorf schätzen sie wieder –, weil in kleinen das Rathaus kein Odeum, die Privathäuser keine Bilderkabinette, die Kirchen keine Antiken-Tempel sind. Er bat verbindlich den Kandidaten um Ausführlichkeit. »Fodert meine Pflicht schon,« versetzte dieser, »daß ich morgen, bei der Heimkunft, dem Erben selber, die Eröffnung eines Vermächtnisses noch nicht eröffne, weil es erst die Obrigkeit, am Sonnabend, tuet, wie vielmehr, daß ich die ganze Geschichte eines lebenden Menschen, nie ohne seine Erlaubnis, kundtue, wie vielmehr – Aber Gott, wer von uns wird die Leiche sein!« setzt' er dazu, da er die Stundenglocke ins Gebetläuten tönen hörte; und griff sogleich zu einer darnebenliegenden Schlacht in der Zeitung, um dreist zu werden, weil wohl nichts den Menschen so sehr zum kalten Waghalse gegen sein Totenbette macht als eine oder ein paar Quadratmeilen, worauf unzählige rote Glieder und ein Tod nach dem andern liegt.

Über diesen religiösen Skrupel-Luxus zog der Flötenist ein sehr verächtliches Gesicht und sagte – indem er ein Prisma aus der Tasche holte und vier Lichter verlangte – verdrüßlich: »Ich könnte es bald wissen, wer die Leiche sein wird; aber ich will Ihnen, Herr Kandidat, lieber alles erzählen aus diesem Zauber-Prisma, was Sie mir nicht erzählen wollen.« Er sagte, das Prisma verschließe die viererlei Wasser, welche man aus den vier Welt-Ecken sammle, man reib' es am Herzen warm, fordere leise, was man in der Vergangenheit oder Zukunft zu sehen wünsche, und wenn man vorher etwas vorgenommen, was er ohne Todes-Gefahr nicht sagen dürfte – daher das

Geheimnis immer nur von Sterbenden mitgeteilet werde, oder auch von Selbstmördern –, alsdann entstehe in den viererlei Wassern ein Nebel, dieser ringe und arbeite, bis er sich in helle Menschengestalten zusammengezogen, welche nun ihre Vergangenheit wiederholen oder in ihrer Zukunft oder auch Gegenwart spielen, wie man es eben gefordert.

Der Schulmeister Schomaker erhielt sich noch ziemlich gleichgültig und fest gegen das Prisma, weil er wußte, ihm habe, wenn er bete, kein Teufel viel an. Van der Harnisch zog seine Taufdecke aus der Tasche und sie sich über den Kopf und war darunter rege und leise; endlich hörte man das Wort: Schomakers Stube. Jetzt warf er sie zurück, starrete erschrocken in das Prisma hinein und beschrieb laut und eintönig jede Kleinigkeit, die in dessen stillem Zölibats-Zimmer war, von einer Druckerpresse an bis auf die Vögel hinter dem Ofen, ja sogar bis auf die Maus, die eben darin umherlief.

Noch immer stiegen dem Kandidaten wenig oder keine Haare zu Berge; als aber der Seher sagte: »Irgendein Geister-Schatte in der leeren Stube hat Ihren Schlafrock an und spielt Sie nach und legt sich in Ihr Bette« – so überlief es ihn sehr kalt. »Das war etwas Gegenwart von Ihnen«, sagte der Virtuose; »nun einige wenige Vergangenheit, und dann soviel Zukunft, als man braucht, um zu sehen, ob Sie etwan die diesjährige Leiche werden.«

Umsonst stellte ihm der Kandidat das Unmoralische der Rück- und Vor-Seherei entgegen; er versetzte, er halte sich ganz an die Geister, die es ausbaden möchten, und fing schon an, im Prisma zu sehen, daß der Kandidat als junger Mensch eine Frühpredigers-Stelle und eine Ehe ausschlug, bloß aus 11 000 Gewissensskrupeln.

Der Wirt sagte dem gepeinigten Schulmann etwas ins Ohr, wovon das Wort Schlägerei vorklang. Schomaker, der noch mehr seine Zukunft als seine Vergangenheit zu hören mied, schlug auf moralische Unkosten der Geister den Ausweg vor, er wolle selber lieber die Geschichte der jetzt durch Vermächtnisse so interessanten Harnischischen Familie geben; Herr van der Harnisch möge dabei ins Prisma sehen und ihm einhelfen.

Das hatte der quälende Virtuose gewollt. Beide arbeiteten nun miteinander eine kurze Vor-Geschichte des Testaments-Helden aus, welche man um so lieber im *Vogtländischen Marmor mit mäusefahlen Adern* – denn so heißet die folgende Nummer – finden wird, da sich nach so vielen Druckbogen wohl jeder sehnt, auf den Helden näher zu stoßen, wär's auch nur im Hintergrunde. Der Verfasser wird dabei die Pflicht beobachten, beide Eutrope zu verschmelzen zu einem Livius und diesen noch dadurch auszuglätten, daß er ihm Patavinitä-ten ausstreicht und etwas Glanz-Stil *an*.

Nro 5: VOGTLÄNDISCHER MARMOR MIT MÄUSEFAHLEN ADERN

Vorgeschichte

Der Schultheiß Harnisch – der Vater des Universalerben – hatte sich in seiner Jugend schon zum Maurergesellen aufge-schwungen und wäre bei seinen Anlagen zu Mathematik und Stubensitzen – denn er las Sonntage lang draußen im Reiche – weit gekommen, hätt' er sich nicht an einem frohen Marientage in einem Wirtshause in das Fliegenglas der Werber zu tief ver-flogen, in die Flasche. Vergeblich wollt' er am andern Morgen aus dem engen Hals wieder heraus; sie hatten ihn fest und darin. Er war unschlüssig, sollt' er hinausschleichen und sich in der Küche die Vorderzähne ausschlagen, um keine für die Patronen zum Regimente zu bringen, oder sollt' er lieber – denn es konnt' ihn doch die Artillerie als Stückknecht fassen – vor den Fenstern des Werb- und Wirtshauses einen Dachs-schliefer niedermachen, um unehrlich zu werden und dadurch nach damaliger Sitte kantonfrei. Er zog die Unehrlichkeit und das Gebiß vor. Allein der erlegte Dachs machte ihn zwar aus den Werber-Händen los, aber er biß ihn wie ein Zerberus aus seiner Gewerkschaft aus.

»Nu, nu,« sagte Lukas in seinen Land-Bildern, »lieber einen Schlitz in dem Strumpf aufgerissen, als einen in der Wade zugenäht.« – So sehr floh er, wie ein Gelehrter, den Wehrstand.

Damals starb sein Vater, auch Schultheiß; er kam nach Hause und war der Erbe des Hauses wie der Kronerbe des Amts; obwohl seine Krongüter in Kron-Schulden bestanden. In kurzem vermehrte er diese Krongüter beträchtlich. Er warf sich mit Leib und Seele auf das Jus – versaß seine kanonischen Stunden an angeborgten Akten und gekauften Büchern, teilte auf alle Seiten umsonst responsa aus, ganze Bogen und Tage lang – jeden Schulzen-Aktus berichtete er schriftlich und konzipierte und mundierte das Schreiben mit schöner gebrochener Fraktur und schiefer Kurrent, wobei ers noch für sich selber kopierte – schauete als Schulz überall nach, lief überall hin und regierte den ganzen Tag. Durch alles dieses blühte wenigstens das Dorf mehr als seine Äcker und Wiesen, und das Amt lebte von ihm, nicht er vom Amte. Er konnte gleich den besten Städtern, die ein gutes Haus machen, sich nun, wie die Sorbonne, als das ärmste unterschreiben (pauperrima domus). Alle verständige Elterleiner traten darin einander bei, daß er ohne sein hantierendes Weib – eine gesunde Vernunft in corpore –, das an *einem* Morgen für Vieh und Menschen kochte, grasete, mähte, längst mit dem Schulzenzepter in der einen Hand und mit dem Bettelstabe in der andern hätte von seinem regierenden Haus und Hof ziehen müssen, wovon er eigentlich nur der Pächter seiner Gläubiger war.

Nur eine Arzenei gabs für ihn, nämlich den Entschluß, das Haus und dadurch die Schultheißerei wegzugeben. Aber er ließ sich ebensogerne köpfen, als er diese Arzenei nur roch oder einnahm, einen Gifttrunk seiner ganzen Zukunft.

Erstlich war die Dorfschulzenschaft seit undenklichen Zeiten bei seiner Familie gewesen, wie die Regentengeschichte derselben beweiset; sein Jus und Herz hing daran, ja seine ewige Seligkeit, weil er wußte, daß im ganzen Dorfe kein so guter Jurist für diesen Posten zu finden war als er, wiewohl Sachverständige erklärten, es werde zu diesem Posten nicht mehr gefordert als zu einem römischen Kaiser nach der goldnen Bulle[1], nämlich ein gerechter, guter und brauchbarer Mann. Sein Haus anlangend, so trat vollends folgender frappanter Jammer ein.

Elterlein war zweiherrig: am *rechten* Bachufer lagen die Lehnmänner des Fürsten, am *linken* die Einsassen des Edelmanns; wiewohl sie einander im gemeinen Leben nur schlecht die *Rechten* und *Linken* hießen. Nun lief nach allen Flurbüchern und Grenzrezessen in alten Zeiten die Demarkationslinie, der Bach, dicht an des Schulzen Hause vorbei. Nachher veränderte der Bach sein Bette, oder ein dürrer Sommer nahm ihn gen Himmel; kurz Harnischens Wohnung wurde so weit hinübergebaut, daß nicht nur *ein* Dachstuhl auf zwei Territorien stand, sondern auch *eine* Stubendecke und, wenn man ihn hinsetzte, *ein* Krüpelstuhl.

Aber so wurde dieses Haus des alten Schulzen juristischer Vorhimmel, so wie zugleich seine kameralistische Vorhölle. Mit unsäglichem Vergnügen sah er oft in seiner Wohnstube – die an der Wand ein fürstlicher Grenz- und Wappenpfahl abmarkte – sich um und warf publizistische Blicke bald auf landesherrliche, bald auf ritterschäftliche Stubenbretter und Gerechtsame und bedachte, daß er nachts ein Rechter wäre – weil er fürstlich schlief – und nur am Tage ein Linker, weil Tisch und Ofen geadelt waren. Es war seinen Söhnen nichts Seltenes, daß er Sonntags vor dem Abend-Essen, wenn er viel gedacht hatte, mehrmals heiter und hastig den Kopf schüttelte und dabei murmelte: »Mein Haus ist einem redlichen Iktus[2], sag' ich, ordentlich wie auf den Leib gemacht – ein jeder anderer Mann würde die besten importantesten Gerechtsame und Territorien darin verschleudern, weil er gar nicht der Mann

1 Aur. bull. 1. homo justus, bonus et utilis.
2 Juristen.

dazu wäre – denn er wäre in der Sache gar nicht zu Hause –, und ich alter verständiger Iktus soll heraus, solls losschlagen, höre, Vronel?« – Erst nach langer Zeit antwortete er sich selber: »Nun und nimmermehr«, ohne die Antwort Veronikas, seiner Frau, zu hören.

Freilich wenn er sich täglich gegen seine Gläubiger mehr in die Zitadelle seines Hauses zurückzog und ihnen dabei wie andere Kommendanten die Vorstädte, nämlich das Feld, d. h. die Felder räumte und, so gut er konnte, mit dem Hause zugleich seinen Schulzenposten, den Spielraum seiner Kenntnisse, zu versteigern aufschob, statt solchen zu steigern – gleichsam sein schlagendes Herz, den Saitensteg seines lauten Lebens, wenn er das tat: so hatt' er noch vier von ihm selber gezeugte Hände im Auge, die ihm helfen und den Steg seiner hellsten Töne und Mißtöne wieder stellen sollten; nämlich seine Zwillingssöhne.

Als Veronika mit diesen niederkommen wollte, hielt er, als sei sie eine sizilianische oder englische Königin, hinlängliche Geburtszeugen bereit, die nachher sich in Taufzeugen einteilten. Das Kindbette hatt' er ins ritterschaftliche Territorium geschoben, weil es einen Sohn geben konnte, den man durch diese Bettstelle der Bettstelle den landesherrlichen Händen entzog, die ihm eine Soldatenbinde umlegen konnten statt der schon bestimmten Themisbinde. In der Tat trat auch der Held dieses Werkes, *Peter Gottwalt*, ans Licht.

Aber die Kreißende fuhr fort; der Vater hielt es für Pflicht und Vorsicht, das Bette dem Fürsten zuzuschieben, damit jeder sein Recht bekomme. »Höchstens gibts ein Mädchen,« sagte er, »oder *was Gott will*.« Es war keines, sondern das letztere; daher der Knabe nach des Kandidaten Schomakers Übersetzung den Namen des Bischofs von Karthago unter Geiserich, nämlich Quod Deus vult, oder *Vult* im Alltagswesen bekam.

Jetzt wurden in der Stube scharfe Markungen, Einhegungen und Teilungs-Traktate gemacht, Wiegen und alles wurde geschieden. Gottwalt schlief und wachte und trank als Linker, Vult als Rechter; späterhin, als beide ein wenig kriechen konnten, wurde Gottwalten, dem adeligen Sassen, das fürstliche Gebiet durch ein kleines Gitterwerk – das man bloß am Hühner- und andern Ställen auszuheben brauchte – leicht zugesperrt; und ebenso sprang der wilde Vult hinter seinem Pfahlwerk, der dadurch fast das Ansehen eines auf- und ablaufenden Leoparden im Käfig gewann.

Erst mit langer Mühe und Strenge schaffte Veronika die lächerliche Ab- und Erbsonderung ab; denn der alte Lukas hatte, wie jeder Gelehrte, eine besondere Hartnäckigkeit der Meinungen und bei aller Ehrliebe steifen Kaltsinn gegen das Lächerlichwerden.

Bald wurde deutlich, daß wissenschaftliche Fächer künftig Gottwalts Fach sein würden; ohne alle elterliche Vorliebe war leicht zu bemerken, daß er weißlockig, dünnarmig, zartstämmig und, wenn er einen ganzen Sommer Schafhirtlein gewesen, noch schnee- und lilienweiß in solchem Grade war, daß der Vater sagte: einen Stiefel woll' er mit einem Eiweiß-Häutchen statt Pfundleder ebensogut besohlen, als den Jungen zum Bauersmann einrichten. Dabei hatte der Knabe ein so gläubiges, verschämtes, überzartes, frommes, gelehriges, träumerisches Wesen und war zugleich bis zum Lächerlichen so eckig und elastisch-aufspringend, daß zum Verdrusse des Vaters – der sich einen Juristen nachziehen wollte – jedermann im Dorfe, selber der Pfarrer, sagte, er müsse, wie Cäsar, der erste im Dorfe werden, nämlich der Pfarrer. Denn wie? – fragte man – Gottwalt, der blauäugige Blondin mit aschgrauem Haar und feiner Schneehaut – wie? dieser soll einmal ein Kriminalist werden und unter dem großen Triumphator Carpzov dienen, welcher bloß mit seinem Federmesser, wozu er das Themis-Schwert ausgeschliffen, an zwanzigtausend Mann niedergehauen? So schickt ihn doch, fuhr man fort, nur versuchsweise mit einem Gerichtssiegel zu einer blassen Witwe, die mit gefalteten Händen auf dem Sessel sitzt und die schwach und leise

41

ihre Effekten anzeigt, und lasset ihn den Auftrag, unbehindert alle ihre alten Türen und Schränke und des Mannes letzte Andenken gerichtlich zu verpetschieren, vollziehen und seht zu, ob ers kann, vor Herzklopfen und Mitleiden! –

Aber der jüngere Zwilling, Vult, sagte man in froherem Tone, der schwarzhaarige, pockennarbige, stämmige Spitzbube, der sich mit dem halben Dorfe rauft und immer umher streift und ein wahres tragbares theatre aux Italiens ist, das jede Physiognomie und Stimme nachspielt – dieser ist ein anderer Mensch, dem gebt Akten unter den Arm, oder einen Schöppenstuhl unter den Steiß. Wenn Walt am Fastnachtstage in der tanzenden Schulstube den Kandidaten und dessen Geige mit dem Bäßlein unterstützte und mit nichts hüpfte als mit ungemein freudigen Blicken und mit dem Bogen: so sprang Vult zugleich allein tanzend und mit einer Groschenflöte im Maule herum und fand noch Zeit und Glieder zu vielem Schabernack – Sollen solche Talente nicht für das Jus benutzt werden, Herr Schulz? beschloß man – –

Sie sollens, sagt' er. Also Gottwalt wurde auf die *Himmelsleiter* gesetzt als zukünftiger Pfarrer und Konsistorialvogel; Vult aber mußte sich die *Grubenleiter* in die delphische Rechtshöhle zimmern, damit er ein juristischer *Steiger* würde, von welchem der Schultheiß alle Ausbeuten seiner Zukunft erwartete, und der ihn aus der giftigen Grube ziehen sollte, zugleich mit Gold- und Silber-Geäder umwunden, es sei nun, daß der Sohn Prozesse für ihn führte, oder schwere ihm ersparte, oder Gerichtshalter im Orte wurde, oder Regierungsrat, oder wie es etwa ginge, oder daß er ihm jeden Quatember viel schenkte.

Allein Vult hatte außerdem, daß er bei dem Schulmeister und Kandidaten Schomaker nichts lernen wollte, noch das Verdrüßliche an sich, daß er ewig blies auf einer Batzenflöte, und daß er sich im 14. Jahr bei der Kirms unten vor die spielende Flöten-Uhr des Schlosses hinstellte, um bei ihr als seiner ersten Lehrerin, wenn nicht Stunden zu nehmen, doch Viertelstunden. – Hier sollte Zeit sein, das Axiom einzuschichten, daß überhaupt die Menschen mehr in Viertelstunden als in Stunden gelernt. Kurz, an einem Tage, wo Lukas ihn in die Stadt und unter das Rekrutenmaß geführet (Scheines und Ordnung halber), lief er mit einem betrunkenen Musikus, der nur noch sein Instrument, aber nicht mehr sich und die Zunge regieren konnte, in die weite breite Welt hinein. Er blieb dann weg.

Jetzt mußte Gottwalt Peter daran, ans Jus. Aber er wollte auf keine Weise. Da er stets las – was das Volk beten heißet, wie Cicero religio von relegere, *oft lesen*, ableitet –, so lief er dem Dorfe schon als Pfarrherrlein durch die Finger, ja ein Metzger aus Tyrol nannte ihn bald den Pfarrbuben, bald den Pfarrknecht[1], weil er in der Tat ein kleiner Kaplan und Küster, nämlich dessen Koadjutorie war, insofern er die schwarze Bibel gern auf die Kanzel trug, das Kommunikantentüchlein am Altare den Oblaten und dem Kelche unterhielt, allein den Nachmittagsgottesdienst, wenn Schomaker sich nach Hause geschlichen, hinausorgelte und ein fleißiger Kirchengänger bei Wochentaufen war. Ja, sah abends der Pfarrer nach dem Studieren mit Mütze und Pfeife aus dem Fenster, so hofft' er nicht zurückzubleiben, wenn er sich mit einer leeren kalten Pfeife und weißen Mütze an seines legte, welche letztere dem Knabengesicht ein zu altväterisches Ansehen gab. Nahm er nicht einmal an einem Winterabend ein Gesangbuch unter den Arm und stattete, wie der Pfarrer, bei einer ihm ganz gleichgültigen, arthritischen, steinalten Schneidersfrau einen ordentlichen Krankenbesuch ab und fing an, aus dem Liede: »O Ewigkeit, du Freudenwort« ihr vorzulesen? Und mußt' er nicht schon bei dem zweiten Verse den Aktus einstellen, weil ihn Tränen übermannten, nicht über die taube, trockne Frau, sondern über den Aktus?

Schomaker nahm sich seines Lieblings so sehr an, daß er eines Abends vor dem *Gerichtsmann* – »so hör' ich mich lieber nennen als Schulz«, sagte Lukas – frei erklärte, er glaubte, im geistlichen Stande komme man besser fort, besonders zarte Naturelle.

Da nun der Kandidat selber nichts geworden war als sein

1 Jener bedeutet in Tyrol den Pfarrer, dieser den Diakonus.

eignes Minus und seine eigne Vakanzstelle, so beantwortete der Gerichtsmann die Rede bloß mit einem höflichen Gemurmel und führte nur seine schimmlige Geschichte wieder auf, daß einmal ein juristischer Professor seine Studenten so angeredet habe: »Meine Hochzuverehrende Herren Justizminister, geheime Kabinetsräte, wirkliche Geheime Räte, Präsidenten, Finanz-, Staats- und andere Räte und Syndikus, denn man weiß ja noch nicht, was aus Ihnen allen wird!« Er führte noch an, im Preußischen werde die Stunde eines Advokaten auf 45 Kreuzer von den Gesetzen selber taxiert, und bat, man solle das nur einmal für ein Jahr ausschlagen – ferner einem rechten Juristen komme der Teufel selber nicht bei, und er wolle ebensogut ein Ferkel am eingeseiften Schwanz festhalten als einen Advokaten am jus – (welches wohl im edlern Stile heißen würde: Kenntnis des Rechts ist die um einen Mann geschriebene Münz-Legende und verwehrt das Beschneiden des Stücks) – und Heringe wie sein Peter Walt wären eben die ganzen Hechte; je dünner der Messerrücken, desto schärfer die Schneide; und er kenne Iktusse, die durch Nadelöhre zu fädeln waren, die aber ungemein zustachen.

Wie immer, halfen seine Reden nichts; aber die verständige Veronika, seine Frau, wollte gegen die Sitte der Weiber, die im häuslichen Konsistorium immer als geistliche Räte gegen die weltlichen stimmen, den Sohn aus dem geistlichen Schafstall in die juristische Fleischscharre treiben; und das bloß, weil sie einmal bei einem Stadtpfarrer gekocht habe und das Wesen kenne, wie sie sagte.

Diese hielt, als sie einst allein mit dem Sohne war, der mehr an ihr als am Vater hing, ihm bloß so viel vor: »Mein Gottwalt, ich kann dich nicht zwingen, daß du dem Vater folgst; aber höre mich an: das erstemal, wo du predigst, so tue ich meinen Trauerrock an und die weißen Tücher um und gehe in die Kirche und bücke mich unter der ganzen Predigt wie bei einer Leichenpredigt mit dem Kopfe nieder und weine, und wenn mich die Weiber fragen, so zeig' ich auf dich.« – Dieses Bild packte seine Phantasie so gewaltsam an, daß er weinend Nein Nein schrie – womit er das Trauer-Verhüllen meinte – und Ja Ja zum Advozieren sagte.

So werden uns die Lebens-Bahnen, wie die Ideen, vom Zufall angewiesen; nur das Fort- und Absetzen der einen wie der andern bleibt der Willkür freigestellt.

Walt erlernte nun, wie Völker, Sprachen fast von selber. Er warf dadurch den Vater in ein Freuden-Meer; denn Dorfleute finden, wie die Schulleute, fast bloß auf der Zunge den Unterschied des Lehr- und Nährstandes. Der Ex-Mäuerer bauete daher in einem trocknen Frühjahr ohne allen Widerspruch des toten Dachshundes und des Gewerks ein eignes Studierstübchen für seinen Iktus. Dieser frequentierte das Lyzeum (illustre) *Johanneum;* darauf wurd' er ins Gymnasium (illustre) *Alexandrinum* geschickt; – welches beides niemand war als in kollegialischer Eintracht der Kandidat Schomaker allein, der *Johann Alexander* hieß. Anfangs hatte Walt noch mit Vulten, eh' er davongelaufen, die Kleintertia und darauf die Großtertia sowohl besucht als repräsentiert; aber nachher mußt' er ohne den Pfeifer die ganze Sekunda und Prima allein ausmachen, worin er das Hebräische, das in beiden Klassen die Theologen trieben, wie gewöhnlich auch mit aufschnappte. Im zwanzigsten Jahre war er vom Gymnasium oder Gymnasiarchen unmittelbar als Abiturient abgegangen auf die hohe Schule Leipzig, in welche er aus Mangel einer höhern so lange täglich ging, als er es vor Hunger aushalten konnte. »Seit Ostern sitzt er bei den Eltern und wird morgen abendes zum Notarius kreieret, um zu leben«, beschloß der Kandidat Schomaker die artige Historie.

Quod Deus Vultiana

Nach dem Ende der Geschichte trat der Flötenist mit grimmigem Gesicht an den betrübten Schulmeister, fragend: »Wäret Ihr nicht wert, daß ich sogleich ins Prisma sähe und Euch darin als lange Leiche anträfe? Wie, Ihr moralischer Mikrolog, Ihr moralischer esprit de bagatelle, Ihr konntet Euch aus Furcht vor schätzbaren Weissagungen erfrechen, gegen Euer Gewissen die Geheimnisse zweier bedeutender Brüder und Eltern aus dem Laub herauszuziehen? Es soll Euch gereuen, wenn ich Euch entdecke, daß ich kein wahres Wort gesagt und daß ich die Geheimnisse nicht vom Prisma, sondern von dem davongelaufenen Flötenisten Vult selber erfahren, der ein ganz anderer Mensch ist. Ich habe mit dem Manne im andern *Elterlein*, nämlich im Bergstädtlein bei Annaberg, vereint geblasen. Damit ich aber nach dem bisherigen Weismachen der Gesellschaft glaubhaft werde, so will ichs ihr so beschwören: ewig verdammt will ich sein, kenn' ich ihn nicht und habe ich nicht alles von ihm.«

Es war kein Meineid; denn er war ja jener entlaufne Vult selber, aber ein starker Schelm.

Der Kandidat nahm alles friedlich hin, weil ihn eine neue Lage, in welche er sich immer so schnell geworfen fühlte, daß er keine Sekunde Zeit zum Ausarbeiten eines moralischen Modells und Lineals bekam, über alles abstieß. Es gab wenige Kasuisten und Pastoraltheologen, die er nicht gelesen, sogar den Talmud, bloß um selig zu werden.

Er hielt mit jedem Steckbrief seine eigne Person zusammen, um, im Falle sie zufällig der begehrten gleichsähe, sofort juristisch und sittlich gesattelt zu sein, so wie er sich häufig des Mords, der Notzucht und anderer Fraischfälle heimlich aus Spaß anklagte, um sich darein zu finden, falls ein Bösewicht öffentlich dasselbe täte im Ernst.

Er versetzte daher nur, daß er dem Bruder Gottwalt keine

frohere Nachricht bringen könne als die von Vults Leben, da er den Flüchtling unendlich liebe. »So, lebt die Fliege noch?« fiel der Wirt ein. »Wir hielten sie sämtlich für krepiert. Wie sah *er* denn aus, gnädiger Herr?«

»Sehr wie ich,« (versetzte Vult und sah bedeutend trinkende Dikasterianten an) »falls nicht das Geschlecht einen Unterschied macht; denn ich könnte wohl ebensogut eine verkleidete Ritterin d'Eon sein als diese bekannte Frau, Messiurs, – ob wir gleich davon abbrechen wollen. – Vult selber ist wohl der artigste Mann und der schönste, ohne es aber zu wissen, dem ich je ins Gesicht gesehen, nur zu ernst und zu gelehrt, nämlich für einen Musikus. Sie alle sollten ihn sehen, das heißet hören. – Und doch so bescheiden, wie schon gesagt. ›Der Musikdirektor der Sphärenmusik werd' ich doch nie‹, sagt' er einst, sich verbeugend die Flöte weglegend, und meinte wahrscheinlich Gott. Jeder konnte mit ihm so frei reden wie mit einem russischen Kaiser, der in Kaisersprache in die Kulisse von der Bühne kommt und fühlt, daß ihn Kotzebue geschaffen und er diesen. – Er war herzensgut und voll Liebe, nur aber zu aufgebracht auf sämtliche Menschen. Ich weiß, daß er Fliegen, die ihn plagten, *einen* Flügel auszupfte und sie auf die Stube warf mit den Worten: ›Kriecht! die Stube ist für euch und mich weit genug‹, indes er gleichwohl mehreren ältlichen Herren ins Gesicht sagte, sie wären siebenfache Spitzbuben, alte, obwohl in Milch eingeweichte Heringe, die sich dadurch für frische gäben; inzwischen, setzt' er sogleich dazu, er hoffe, sie deuteten ihn nicht falsch, und bewies ihnen jede Artigkeit. – Unsere erste Bekanntschaft machte sich, als er von einer fürstlichen Versteigerung herkam und einen erstandenen Nachttopf aus Silber öffentlich so närrisch vor sich her und heim trug, daß jede Gasse stutzig wurde, wodurch er ging. – Ich wollte, er wäre mit hier und besuchte die Seinigen. – Ich habe eine so besondere Liebhaberei für die Harnische, als meine Namensvettern, daß ich sogar im Leipziger Reichsanzeiger mir ihren Stammbaum und Stammwald bestimmt ausbat ohne Effekt.«

Jetzt schied er kurz und höflich und ging auf sein Zimmer, nachdem er bei allem milden Scheine eines Mannes von Welt den ganzen Tag alles getan, was er gewollt. Er roch ohne Anstand an Fensterblumen vorübergehend; – er rückte auf dem Markte einem bettelnden Judenjungen seinen schlechten Bettel-Stil vor und zeigte ihm öffentlich, wie er anzuhalten habe – er setzte seinen französischen Paß in keinen deutschen um, bloß deshalb, um unter dem Stadttore die sämtliche Torschreiberei dadurch in Zank und Buchstabieren zu verflechten, indes er still dabei wartete und sagte, er steife sich auf seinen Paß – und am ersten Tage machte er den Scherz der Zauberschlägerei, von welcher oben der Wirt dem Kandidaten ins Ohr erzählt hatte. Er wußte nämlich ganz allein in seinem Zimmer ein solches Kunst-Geräusch zu erregen, daß es die vorübergehende Scharwache hörte und schwur, eine Schlägerei zwischen fünf Mann falle im zweiten Stocke vor; als sie straffertig hinaufeilte und die Türe aufriß, drehte sich Quod deus Vult vor dem Rasier-Spiegel mit eingeseiftem Gesichte ganz verwundert halb um und fragte, indem er das Messer hoch hielt, verdrüßlich, ob man etwas suche; – ja nachts repetierte er die akustische Schlägerei und fuhr die hineinguckende Obrigkeit aus dem Bette schlaftrunken mit den Worten an: »Wer Henker steht draußen und stört die Menschen im ersten Schlafe?«

Dies alles kam daher, daß er in jeder kleinen Stadt zuerst den Regimentsstab wenig schätzte, dann Obrigkeit und Hof, etwa Bürger aber mehr. Bei einer solchen in Lustigkeit eingekleideten Verachtung konnt' ers nicht von sich erhalten, sich den Kleinstädtern, die ihn in seinen glänzenden Tagen unter Großstädtern nicht gesehen, in diesen überwölkten als Bauerssohn aus Elterlein zu zeigen; lieber adelte er sich selber eigenhändig.

Nach Haßlau war er nur gekommen, um ein Konzert zu geben, dann nach Elterlein zu laufen und Eltern und Geschwister inkognito zu sehen, aber durchaus ungesehen. Unmöglich wars ihm, daß er nach einem Dezennium Abwesenheit, worin er über so viele europäische Städte wie eine elektrische Korkspinne, ohne zu spinnen und zu fangen, gesprungen war, wieder vor seinen dürftigen Eltern erscheinen sollte, aber nämlich, o Himmel, als was? –

Als dürftiger Querpfeifer in langer Strumpfhose, gelbem Studentenkollet und grünem Reisehut und mit nichts in der Tasche (wenige Spezies ausgenommen) als mit einem Spiel gesiegelter Entrée-Karten für künftige Flötenkonzerte? – »Nein,« sagt' er, »eh' ich das täte, lieber wollt' ich täglich Essig aus Kupfer trinken, oder eine Fischotter an meiner Brust groß säugen, oder eine kantianische Messe lesen oder hören, eine Ostermesse.« Denn wenn er auch zuletzt den phantastischen Vater endlich zu überwältigen hoffen konnte durch einige Musik-Stunden und durch Erzählungen aus fremden Ländern: so blieb doch die unbestechliche Mutter unverändert übrig mit ihren kalten hellen Augen, mit ihren eindringenden Fragen, die seine Vergangenheit samt seiner Zukunft unerbittlich zergliederten.

Aber jetzt seit dem Abend und hundert andern Stunden hatte sich alles in ihm verändert – aus dem fremden Zimmer brachte er die ruhige Oberfläche und eine bewegte Tiefe in das seinige hinauf. – Walts Liebe gegen ihn hatt' ihn ordentlich angegriffen – dessen poetische Morgensonne wollt' er ganz nahe besehen und drehen und an ihre Achse Erddiameter und an ihre Kraft Licht- und Wärme-Messer anlegen – Kabels Testament gab dem Poeten noch mehr Gewicht – – Kurz, Vult konnte kaum den künftigen Tag erwarten, um nach Elterlein zu laufen, heimlich Walts Notariats-Examen zu behorchen und alle zu beschauen und am Ende sich dem Bruder zu entdecken, wenn ers verdiente. Mit welcher Ungeduld der gegenwärtige Schreiber auf den offiziellen, den Helden endlich aus seinen tiefen Spiegeln hervorziehenden Bericht des folgenden Kapitels mag gepasset haben, ermesse die Welt aus ihrer.

Kindheits-Dörfchen – der große Mann

Vult van der Harnisch reisete aus der Haßlauer Vorstadt nach Elterlein aus, als die halbe Sonne noch frisch und waagrecht über die tauige Fluren-Welt hinblitzte. Die Sonne war aus den Zwillingen in den Krebs getreten; er fand Ähnlichkeiten und dachte, er sei unter den vieren der Zwilling, der am stärksten glühe, desgleichen der zweite Krebs. In der Tat hatte schon in der Bergstadt Elterlein bei Annaberg seine Sehnsucht nach dem gleichnamigen Geburtsdorf angefangen und zugenommen auf allen Gassen; schon ein gleichnamiger Mensch, wie vielmehr ein gleichnamiger Ort drängt sich warm ins Herz. Auf der lebendigen Haßlauer Straße – die ein verlängerter Markt schien – nahm er seine Flöte heraus und warf allen Passagiers durch Flötenansätze Konzertansätze entgegen und nach, schnappte aber häufig in guten Koloraturen und in bösen Dissonanzen ab und suchte sein Schnupftuch, oder sah sich ruhig um. Die Landschaft stieg bald rüstig auf und ab, bald zerlief sie in ein breites ebenes Grasmeer, worin Kornfluren und Raine die Wellen vorstellten und Baumklumpen die Schiffe. Rechts in Osten lief wie eine hohe Nebelküste die ferne Bergkette von Pestitz mit, links in Abend floß die Welt eben hinab, gleichsam den Abendröten nach.

Da Vult erst nachts anzulangen brauchte, so hielt er sich überall auf. Seine Sanduhr der Julius-Tagszeiten waren die gemähten Wiesen, eine Linnäische Blumenuhr aus Gras: stehendes zeigte auf 4 Uhr morgens – liegendes auf 5 bis 7 – zusammengeharkte Ameishaufen daraus auf 10 Uhr – Hügel aus Heu auf 3 – Berge auf den Abend. Aber er sah auf dieses Zifferblatt der Arbeits-Idylle an diesem Tage zum erstenmal; so sehr hatten bisher die langen Fußreisen das übersättigte Auge blind gemacht.

Eben da der Hügel in dieser Sanduhr am höchsten anlief: so

zogen sich die Kirsch- und Apfelbäume wie die Abend-Schatten lang dahin – runde grüne Obstfolgen wurden häufiger – in einem Tale lief schon als dunkle Linie das Bächlein, das durch Elterlein hüpft – vor ihm grünte auf einem Hügel, von der Abendsonne golden durchschlagen, das runde dünne Fichten-Gehölz, woraus die Bretter seiner Wiege geschnitten waren, und worin man oben gerade in das Dorf hinuntersah.

Er lief ins Gehölz und dessen schwimmendes Sonnen-Gold hinein, für ihn eine Kinder-Aurora. Jetzt schlug die wohlbekannte kleinliche Dorfglocke aus, und der Stundenton fuhr so tief in die Zeit und in seine Seele hinunter, daß ihm war, als sei er ein Knabe, und jetzt sei Feierabend; und noch schöner läuteten ihn die Viehglocken in ein Rosenfest.

Die einzelnen rotweißen Häuser schwankten durch die besonnten Baumstämme. Endlich sah er draußen das traute Elterlein dem Hügel zu Füßen liegen – ihm gegenüber standen die Glocken des weißen Schieferturms und die Fahne des Maienbaums und das hohe Schloß auf dem runden Wall voll Bäume – unten liefen die Poststraße und der Bach breit durchs offne Dorf – auf beiden Seiten standen die Häuser einzeln, jedes mit seiner Ehrenwache von Fruchtstämmen – um das Dörfchen schlang sich ein Lustlager von Heu-Hügeln wie von Zelten und von Wagen und Leuten herum, und über dasselbe hinaus brannten fettgelbe Rübsenflächen für Bienen und Öl heiter dem Auge entgegen.

Als er von diesem Grenzhügel des gelobten Kinderlandes hinunterstieg, hört' er hinter den Stauden in einer Wiese eine bekannte Stimme sagen: »Leute, Leute, sponselt doch euer Vieh; hab' ichs nicht schon so Millionenmal anbefohlen? – Bube, sage zu Hause, der Gerichtsmann hat gesagt, morgen wird ungesäumt mit zwei Mann gefront, auf der Klosterwiese.« Es war sein Vater; der mattäugige, schmächtige, bleichfarbige Mann (in dessen Gesicht der warme Heu-Tag noch einige weiße Farbenkörner mehr gesäet) schritt mit einer leuchtenden Sense auf der Achsel aus den Rainen in die Straße herein. Vult mußte umblicken, um nicht erblickt zu werden, und ließ den Vater voraus. Dann fiel er ihm mit einigen klingenden Paradiesen der Flöte, und zwar – weil er wußte, wie ihm Chorale schmeckten – mit diesen in den Rücken.

Lukas schritt noch träger fort, um länger zurückzuhören – und die ganze Welt war hübsch. Braune Dirnen mit schwarzen Augen und weißen Zähnen setzten die Grassicheln an die Augenbrauen, um den vorbeipfeifenden Studenten ungeblendet zu sehen – die Viehhirtinnen zogen mit ihren Wandel-Glöckchen auf beiden Seiten mit – Lukas schneuzte sich, weil ihn der Choral bewegte, und sah ein ungesponseltes Weide-Pferd nur ernsthaft an – aus den Schornsteinen des Schlosses und Pfarrhauses und des väterlichen hoben sich vergoldete Rauchsäulen ins windstille kühle Blau –

Und so kam Vult ins überschattete Elterlein hinab, wo er das närrische verhüllte träumende Ding, das bekannte Leben, den langen Traum, angehoben und wo er im Bette zu diesem Traum, weil er erst ein kurzer Knabe war, sich noch nicht hatte zu krümmen gebraucht.

Im Dorfe war das Alte das Alte. Das große Haus der Eltern stand jenseits des Bachs unverändert mit der weißen Jahrszahl 1784 auf dem Dach-Schiefer da. – Er lehnte sich mit dem Flötenliede: »Wer nur den lieben Gott läßt walten« an den glatten Maienbaum und blies ins Gebetläuten hinein. Der Vater ging, sehr langsam unter dem Scheine des Umsehens, über den Bachsteg in sein Haus und henkte die Sense an den hölzernen Pflock an der Treppe. Die rüstige Mutter trat aus der Türe in einem Manns-Wamse und schüttete, ohne aufs Flöten zu hören, das abgeblattete Unkraut des Salats aus einem Scheffel, und beide sagten zueinander – wie Land-Gatten pflegen – nichts.

Vult ging ins nachbarliche Wirtshaus. Von dem Wirte erfuhr er, daß der Pfalzgraf Knoll mit dem jungen Harnisch Felder beschaue, weil die Notariusmacherei erst abends angehe. »Trefflich,« dachte Vult, »so wirds immer dunkler, und ich stelle mich ans Backofen-Fenster und sehe ihrem Kreieren drinnen zu.« Der alte Lukas trat jetzt schon gepudert in einer großblumigen Damast-Weste an die Türe heraus und wetzte in Hemdärmeln an der Schwelle das Messer für das Souper des Notarius-Schöpfers ab. »Aber das Pürschlein solls auch nicht herausreißen«, setzte der Wirt hinzu, der ein Linker war; »der Alte hat mir seine schöne Branntweinsgerechtigkeit verkauft, und der Sohn hat von der Blase studiert. Aber lieber das Haus sollt' er weggeben, und zwar an einen gescheuten Schenkwirt; sapperment! dem würden Biergäste zufliegen, der Bierhahn wäre Hahn im Korbe, aber ganz natürlich. Denn die Stube hat zweierlei Grenzen, und man könnte darin zuprügeln und kontrebandieren und bliebe doch ein gedeckter Mann.« –

Vult nahm keinen so spaßhaften Anteil am Wirte, als er sonst getan hätte; er erstaunte ganz, daß er unter der Hand ordentlich in eine heftige Sehnsucht nach Eltern und Bruder, besonders nach der Mutter, hineingeraten war, »was doch«, sagt' er, »auf der ganzen Reise gar nicht mein Fall gewesen«. Es war ihm erwünscht, daß ihn der Wirt beim Ärmel ergriff, um ihm den Pfalzgrafen zu zeigen, der eben in des Schulzen Haus, aber ohne Gottwalt ging; Vult eilte aus seinem, um drüben alles zu sehen.

Draußen fand er das Dorf so voll Dämmerung, daß ihm war, als steck' er selber wieder in der helldunkeln Kinderzeit, und die ältesten Gefühle flatterten unter den Nachtschmetterlingen. Hart am Stege watete er durch den alten lieben Bach, worin er sonst breite Steine aufgezogen, um eine Grundel zu greifen. Er machte einen Bogen-Umweg durch ferne Bauernhöfe, um hinter den Gärten dem Hause in den Rücken zu kommen. Endlich kam er ans Backofenfenster und blickte in die breite zweiherrige Grenzstube – keine Seele war darin, die einer schreienden Grille ausgenommen, Türen und Fenster standen offen; aber alles war in den Stein der Ewigkeit gehauen: der rote Tisch, die roten Wandbänke, die runden Löffel in der hölzernen Wand-Leiste, um den Ofen das Trocken-Gerüste, der tiefe Stubenbalken mit herunterhängenden Kalendern und Herings-Köpfen, alles war über das Meer der langen Zeit, gut eingepackt, ganz und wie neu herübergeführt, auch die alte Dürftigkeit.

Er wollte am Fenster länger empfinden, als er über sich Leute hörte und am Apfelbaum den Lichtschimmer der obern Stube erblickte. Er lief auf den Baum, woran der Vater Treppe und Altan gebaut; und sah nun gerade in die Stube hinein und hatte das ganze Nest.

Darin sah er seine Mutter Veronika mit einer weißen Küchenschürze stehend, eine starke, etwas breite, gesund nachblühende Frau, das stille, scharfe, aber höfliche Weiberauge auf den Hoffiskal gelegt – dieser ruhig sitzend und an seinem breiten Kopfe das Nabel-Gehenke eines Pfeifenkopfes befestigend – der Vater gepudert und im heiligen Abendmahls-Rock unruhig laufend, halb aus achtender Angst vor dem großen eingefleischten corpus juris neben ihm, das gegen Fürsten und alle Welt gerade so keck war als er selber scheu, halb aus sorgender, das corpus nehm' es übel, daß Walt noch fehlte. Am Fenster, das dem Baum und Vulten am nächsten war, saß *Goldine*, eine bildschöne, aber bucklige Jüdin, auf ihr rotes Knäul niedersehend, woraus sie einen schafwollenen Rotstrumpf strickte; Veronika ernährte die blutarme, aber fein-geschickte Waise, weil Gottwalt sie ungemein liebte und lobte und sie einen kleinen Edelstein hieß, der Fassung brauchte, um nicht verloren zu gehen.

»Der Knecht ist nach dem Spitzbuben ausgeschickt«, versetzte Lukas, als der Fiskal unwillig erzählte, Walt habe nicht einmal seine eignen Felder, geschweige des sel. Van der Kabels seine ihm zu zeigen gewußt, sondern ihm einen Fronbauern Kabels dazu hergeholt und sei wie ein Grobian weggeblieben. Vom erfreulichen Testamente, sah Vult, hatte der Fiskal noch kein Wort gesagt.

Auf einmal fuhr Gottwalt in einem Schanzlooper herein, verbeugte sich eckig und eilig vor dem Fiskal und stand stumm da, und helle Freuden-Tränen liefen aus den blauen Augen über sein glühendes Gesicht.

»Was ist dir?« fragte die Mutter. »O meine liebe Mutter,« (sagt' er sanft) »gar nichts. Ich kann mich gleich examinieren lassen.«

– »Und dazu heulst du?« fragte Lukas. Jetzt stieg sein Auge und sein Ton: »Vater, ich habe«, sagte er, »heute einen großen Mann gesehen.« – »So?« versetzte Lukas kühl – »Und hast dich vom großen Kerl wamsen lassen und zudecken? Gut!«

»Ach Gott«, rief er; und wandte sich an die aufmerksame Goldine, um es so dem Examinator mit zu erzählen. Er hatte nämlich oben im Fichtenwäldchen eine haltende Kutsche gefunden und unweit davon am Waldhügel einen bejahrten Mann mit kranken Augen, der die schöne Gegend im Sonnenuntergange ansah. Gottwalt erkannte leicht zwischen dem Manne und dem Kupferstiche eines großen deutschen Schriftstellers – dessen deutscher Name hier bloß griechisch übersetzt werde, in den des Plato – die Ähnlichkeit. »Ich tat« – fuhr er feurig fort – »meinen Hut ab, sah ihn still immerfort an, bis ich vor Entzückung und Liebe weinen mußte. Hätt' er mich angefahren, so hätte ich doch mit seinem Bedienten über ihn viel gesprochen und gefragt. Aber er war ganz sanft und redete mit der süßesten Stimme mich an, ja, er fragte nach mir und meinem Leben, ihr Eltern; ich wollt', ich hätt' ein längeres gehabt, um es ihm aufzutun. Aber ich macht' es ganz kurz, um ihn mehr zu vernehmen. Worte, wie süße Bienen, flogen dann von seinen Blumen-Lippen, sie stachen mein Herz mit Amors Pfeilen wund, sie füllten wieder die Wunden mit Honig aus: O der Liebliche! Ich fühlt' es ordentlich, wie er Gott liebt und jedes Kind. Ach, ich möcht' ihn wohl heimlich sehen, wenn er betete, und auch, wenn er selber weinen müßte in einem großen Glück. – Ich fahre sogleich fort«, unterbrach sich Walt, weil er vor Rührung nicht fortfahren konnte; bezwang sie aber etwas leichter, als er umhersah und gar keine sonderliche Fremde fand.

»Er sagte« – fuhr er fort – »die besten Sachen. Gott, sagt' er, gibt in der Natur wie die Orakel die Antwort, eh die Frage getan ist – desgleichen, Goldine: was uns Schwefelregen der Strafe und Hölle deucht, offenbart sich zuletzt als bloßer gelber Blumenstaub eines zukünftigen Flors. Und einen sehr guten Ausspruch hab' ich ganz vergessen, weil ich meine Augen zu sehr auf seine richtete. Ja, da war die Welt rings umher voll Zauberspiegel gestellt, und überall stand eine Sonne, und auf der Erde gab es für mich keine Schmerzen als die seiner lieben Augen. Liebe Goldine, ich machte auf der Stelle, so begeistert war ich, den Polymeter: ›Doppelte Sterne erscheinen am Himmel als einer, aber o Einziger, du zergehest in einen ganzen Himmel voll Sterne.‹ Dann nahm er meine Hand mit seiner sehr weichen, zarten, und ich mußte ihm unser Dorf zeigen; da sagt' ich kühn den Polymeter: ›Sehet, wie sich alles schön verkehrt, die Sonne folgt der Sonnenblume.‹ Da sagt' er, das tue nur Gott gegen die Menschen, der sich mehr ihnen zuwende als sie ihm. Darauf ermunterte er mich zur Poesie, scherzte aber artig über ein gewisses Feuer, was ich mir auch morgen abgewöhne; Gefühle, sagt' er, sind Sterne, die bloß bei hellem Himmel leiten, aber die Vernunft ist eine Magnetnadel, die das Schiff noch ferner führt, wenn jene auch verborgen sind und nicht mehr leuchten. So mag gewiß der letzte Satz geheißen haben; denn ich hörte nur den ersten, weil es mich erschreckte, daß er an den Wagen ging und scheiden wollte.

Da sah er mich sehr freundlich an, gleichsam zum Troste, daß mir war, als klängen aus den Abendröten Flötentöne.« –

»Ich blies in die Röten hinein«, sagte Vult, war aber etwas bewegt.

»Ja endlich, glaubt mirs, Eltern, drückt' er mich an seine Brust und an den lieblichen Mund, und der Wagen rollte mit dem Himmlischen dahin.« – –

»Und« – fragte der alte Lukas, der bisher, zumal wegen Platos vornehmen Amtsnamen, jede Minute gewärtig gewesen, daß der Sohn einen beträchtlichen Beutel vorzöge, den ihm der große Mann in die Hand gedrückt – »er ist weggefahren und hat dir keinen Pfennig geschenkt?« – »O wie denn das, Vater?« fragte Walt. »Ihr kennt ja sein weiches Gemüt«, sagte die Mutter. »Ich kenne diesen Skribenten nicht«, sagte der Pfalzgraf; »aber ich dächte, statt solcher leerer Historien, die zu nichts führen, fingen wir einmal das Examen an, das ich anstellen muß, eh' ich jemand zum Notarius kreieren will.«

»Hier steh' ich«, sagte Walt, im Schanzlooper hin und von Goldinen weg fahrend, deren Hand er für ihre Teilnahme an seiner Seligkeit öffentlich genommen hatte.

N⍛ 8: KOBOLDBLÜTE

Das Notariats-Examen

»Wie heißet Herr Notariand?« fing Knoll an – Alles war nämlich so, erstlich, daß Knoll als ein zusammengewachsenes verknöchertes Revolutionstribunal das Vorhängschloß des Pfeifen-Kopfes am eignen hatte und zu allem saß – ferner, daß Lukas seinen auf zwei Ellenbogen wie auf Karyatiden gestützten Kopf auf den Tisch setzte, jeder Frage nachsinnend, eine Stellung, die seine matten grauen Augen und sein blutloses Gelehrten-Gesicht, zumal unter dem Leichenpuder auf der gebräunten Haut, sehr ins nahe Licht setzte, so wie seinen ewigen regnerischen Feldzug gegen das Geschick – ferner, daß Veronika dicht neben dem Sohne, mit den Händen auf dem Magen betend, stand und das stille Weiber-Auge, das in die närrischen Arbeits-Logen der Männer dringen will, zwischen Examinator und Examinanden hin und wieder gleiten ließ – und zuletzt, daß Vult mit seinen leisen Flüchen zwischen den unreifen Pelzäpfeln saß und neben ihm – da ja alle Leser durch ein Fenster in die Stube sehen – auf den benachbarten Ästen sämtliche 10 deutsche Reichs- und Lese-Kreise oder Lese-Zirkel; so viele tausend Leser und Seelen von jedem Stande, was in dieser Zusammenstellung auf dem Baume lächerlich genug wird. – – Alles ist in der größten Erwartung über den Ablauf des Examens, Knoll in der allergrößten, weil er nicht wußte, ob nicht vielleicht manche mögliche Ignoranzen den Notariandus nach den geheimen Artikeln des Testaments auf mehrere Monate zurückschöben oder sonst beschädigten.

»Wie heißet Herr Notariand?« fing er bekanntlich an.

»Peter Gottwalt«, versetzte der sonst blöde Walt auffallend frei und laut. – Der geliebte entflogne Göttermensch hob noch seine Brust; nach einem solchen Anblicke werden, wie in der ersten Liebe, uns alle Menschen zwar näher und lieber, aber kleiner. Er dachte mehr an Plato als an Knoll und sich und träumte sich bloß in die Stunde, wo er recht lange darüber mit Goldinen sprechen könnte. »Peter Gottwalt«, hatt' er geantwortet.

»›Harnisch‹ muß noch bei«, sagte sein Vater.

»Dessen selben Eltern und Wohnort?« fragte Knoll – Walt hatte die besten Antworten bei der Hand.

»Ist Herr Harnisch ehelich geboren?« fragte Knoll – Gottwalt konnte schamhaft nicht antworten. »Das Taufzeugnis ist gelöset«, sagte der Schulz. »Es ist nur um Ordnung willen«, sagte Knoll und fragte weiter:

»Wie alt?« –

»So alt als mein Bruder Vult,« (sagte Walt) »vierundzwanzig« – »Jahre nämlich«, sagte der Vater.

»Was Religion? – Wo studiert? usw.«

Gute Antworten fehlten nicht.

»Wen hat Herr Harnisch von den Kontrakten gelesen? – Wie viele Personen sind zu einem Gerichte erforderlich? – Wie viel wesentliche Stücke gehören zu einem ordentlichen Prozesse?« – Der Notariand nannte sehr nötige, schlug aber die Ungehorsams-Beschuldigung nicht an. »Nein, Herr, 13 sind schon nach Beieri Volkmanno emendato«, sagte der Pfalzgraf heftig.

»Hat man Kaiser Maximilians Notariats-Ordnung von

anno 1512 zu Cölln aufgerichtet nicht nur oft, sondern auch recht gelesen?« fragt' er weiter.

»Sauberer und eigenhändiger konnte mans ihm nicht abschreiben als ich, Herr Hofpfalzgraf!« sagte der Schulz.

»Was sind Lytae?« fragte Knoll.

»Lytae oder litones oder Leute« (antwortete freudig Walt, und Knoll rauchte ruhig zu seiner Vermengung fort) »waren bei den alten Sachsen Knechte, die noch ein Drittel Eigentum besaßen und daher Kontrakte schließen konnten.« –

»Eine Zitation dazu!« sagte der Pfalzgraf.

»Möser«, versetzte Walt.

»Sehr wohl« – antwortete der Fiskal spät und rückte die Pfeife in die Ecke des formlosen Mundes, der nun einer aufgeschlitzten Wunde glich, die man ihm ins Siberien des Lebens mitgegeben – »sehr wohl! Aber lytae sind sehr verschieden von litonibus; lytae sind die jungen Juristen, die zu Justinianus' Zeiten im vierten Jahre ihres Kurses den Rest der Pandekten absolvierten[1]; und die Antwort war eine Ignoranz.«

Gottwalt antwortete gutmütig: »Wahrhaftig, das hab' ich nicht gewußt.«

»So wird man wohl auch nicht wissen, was auf den Strümpfen, die der Kaiser bei der Krönung in Frankfurt anhat, steht?« – »Ein Zwickel, Gottwalt«, soufflierte hinter ihm Goldine. »Natürlich«, fuhr Knoll fort; »Herr Tychsen hat es uns folgender Gestalt ins Deutsche übersetzt aus dem arabischen Texte: ›Ein prächtiges königliches Strumpfband.‹« – Darüber, über den Text und Übersetzer der Strümpfe, fuhr das Mädchen in ein freies Gelächter aus; aber Vater und Sohn nickten ehrerbietig.

Unmittelbar nachdem Walt aus der durchlöcherten Fischwaage des Examens blöde und stumm gestiegen war, ging der Pfalzgraf ans Kreieren. Er sprach mit der Pfeife und auf dem Sessel Walten den Notariats-Eid auswendig zum Erstaunen aller vor; und Walt sagte ihn mit gerührter Stimme nach. Der

1 Heinecc. hist. jur. civ. stud. Ritter. L. I. § 393.

Vater nahm die Mütze ab; Goldine hielt ihre Strumpfwirkerei innen. Der erste Eid macht den Menschen ernst; denn der Meineid ist die Sünde gegen den Heiligen Geist, weil er mit der höchsten Besonnenheit und Frechheit ganz dicht vor dem Throne des moralischen Gesetzes begangen wird.

Jetzt wurde der Notarius bis auf das letzte Glied, auf die Fersen gar ausgeschaffen. Dinte, Feder und Papier wurden ihm von Knollen überreicht und dabei gesagt, man investiere ihn hiemit. Ein goldner Ring wurde seinem Finger angesteckt und sogleich wieder abgezogen. Endlich brachte der Comes palatinus ein rundes Käppchen (Barettlein hieß ers) aus der Tasche und setzte es dem Notarius mit dem Beifügen auf den Kopf, ebenso ohne Falten und rund sollen seine Notarien-Händel sein.

Goldine rief ihm zu, sich umzudrehen; er drehte ihr und Vulten ein Paar große blaue unschuldige Augen zu, eine hochgewölbte Stirne und ein einfaches beseeltes durchsichtiges, mehr von der innern als von der äußern Welt ausgebildetes Gesicht mit einem feinen Munde, welches auf einem etwas schiefen Torso stand, der wieder seinerseits auf eingeklappten Knie-Winkeln ruhte; aber Goldinen kam er lächerlich und dem Bruder wie ein rührendes Lustspiel vor und im Schanzlooper wie ein Meistersänger aus Nürnberg. Noch wurd' sein Notariats-Signet und das in Haßlau verfaßte Diplom dieser Würde übergeben; – und so hatte Knoll in seiner Glashütte mit seiner Pfeife den Notarius fertig und rund geblasen – oder bloß in einer andern Metapher, er brachte aus dem Backofen einen ausgebacknen offnen geschwornen Notarius auf der Schaufel heraus.

Hierauf ging dieser zum Vater und sagte gerührt mit Hände-Drücken: »Wahrhaftig, Vater, Ihr sollet sehen, welche Wogen auch .....« Mehr konnt' er nicht vor Rührung oder Bescheidenheit sagen. »Konsideriere besonders, Peter, daß du Gott und dem Kaiser geschworen, bei Testamenten ›absonderlich derer Hospitäler und anderer notdürftiger Personen Sachen, desgleichen gemeine Wege befördern zu helfen‹. – Du weißt, wie schlecht die Wege ums Dorf sind, und unter den notdürftigen Personen bist du die allererste.« – »Nein, ich will die letzte sein«, versetzte der Sohn. Die Mutter gab dem Vater einen silberhaltigen Papier-Wickel – denn die Menschen versilbern, so zu sagen, die Pille des rohen Geldes einander durch Papier, erstlich aus feiner Schonung des fremden Eigennutzes, und zweitens, um es zu verstecken, wenn es zu wenig sein sollte –; der Vater drückt’es höflich in die fiskalische langgedehnte haarige Hand mit den Worten: »Pro rata, Herr Hoffiskalis! Es ist das Schwanz-Geld von unserer Kuh und etwas darüber. – Vom Kaufschilling des Viehs soll der Notarius auskommen in der Stadt. – Morgen reitet er das Pferd des Fleischers hinein, der sie uns abgekauft. Es ist blutwenig, aber aller Anfang ist schwer; beim Aufgehen der Jagd hinken die Hunde noch; ich habe manchen gelehrten Hungerleider gesehen, der anfangs von nichts lebte. – Sei nur besonders vigilant, Peter, denn sobald der Mensch auf der Welt einmal etwas Braves gelernt« – –

»Ein Notarius« – fing heiter Knoll unter dem Geld-Einstecken an und hielt die Pfeife lange ans Licht, eh’ er fortfuhr – »ist zwar nichts Sonderliches, im Reiche seynd viel, nämlich Notarii, sagt der Reichs-Abschied von 1500 Art. XIV, wiewohl ich selber meines Orts nur Notarien machen kann, und doch kein Instrument.« –

»Wie mancher Pfalzgraf und mancher Vater« – sagte leise Goldine – »keine Gedichte, aber doch einen Dichter.« –

»Indes ist in Haßlau« – fuhr er fort – »so oft bald ein Testament, bald ein Interrogatorium, bald ein Vidimus, zuweilen, aber höchst selten eine donatio inter vivos zu machen; falls nun der junge Mensch advoziert« –

»Das muß mein Peter«, sagte Lukas –

»– Falls ers aber« – fuhr er fort – »recht macht, anfangs schlechte, zweideutige Prozesse mit Freuden annimmt, weil große Advokaten sie von der Hand weisen, letztere häufig konsultiert, sich windet und bückt und dreht« –

»So kann er ein rechtes Wasser auf desjenigen Mühle werden, der sein Vater ist, ja eine ganze Mühlwelle; er kann ihm ja nach Gelegenheit von Zeit zu Zeit ein beträchtliches Stück Geld zufertigen«, sagte der Vater –

»O meine Eltern, wenn ich das einmal könnte!« sagte leise Walt entzückt.

»O Gott, steh' mir bei,« sagte Lukas zornig, »wer denn sonst? Etwan dein Spitzbube, dein Landläufer und Querpfeifer, der Vult?« –

Dieser schwur auf seinem Baume, vor einem solchen Vater sich ewig zu verkappen.

»Falls nun« – fuhr Knoll lauter und unwillig über das Stören fort – »der junge Anfänger kein eingebildeter Narr oder Neuling ist, sondern ein Mensch, der bloß im juristischen Fache lebt und webt, wie hier sein vernünftiger Vater, der vielleicht mehr vom Jus versteht . . . . .«

Nun konnte Lukas sich nicht mehr halten: »Herr Hoffiskalis! Peter hat seines Vaters Sinn nicht; mich hätte man jura lassen sollen. Gott! ich hatte Gaben und mein Pferdgedächtnis und Sitzfleisch. – Es ist nur ein schlechter Gerichtsmann, der nicht zugleich ein Zivilist – ein Kameralist – ein Kriminalist – ein Feudalist – ein Kanolist – ein Publist ist, soweit er kann. Längst hätt' ich dieses mein Amt niedergelegt – denn was zieh' ich weiter davon als jährlich 3 Scheffel Besoldung und die Faß-Kanne und viel Versäumnis und Verdrüßlichkeit –, wär' im ganzen Dorf ein Mensch zu haben, ders wieder nähme und scharmant versähe. Wo sind denn die vielen Schulzen hier zu Lande, die vier Schulzenordnungen im Hause haben wie ich, nämlich die alte gothaische, die kursächsische, die württembergische und die haarhaarische? – Und setz' ich nicht in jede Bücherlotterie und erstehe die gescheutesten Sachen, unter andern: ›Julii Bernhards von Rohr vollständiges Haushaltungs-Recht, in welchem die nützlichsten Rechtslehren, welche sowohl beiden Landgütern überhaupt, derselben Kaufung, Verkaufung und Verpachtung, als insonderheit bei dem Ackerbau, Gärtnerei etc. etc. und andern ökonomischen Materien vorkommen, der gesunden Vernunft, denen römisch- und teutschen Gesetzen nach ordentlich abgehandelt werden, allen denenjenigen, so Landgüter besitzen, oder dieselben zu *administrien* haben, höchst nützlich und ohnentbehrlich. Die andere Auflage. Leipzig, 1738. Verlegts J. Ch. Martini, Buchhändler in der Grimmischen Straße.‹ Es macht aber zwei Bände, sehen Sie!« – »Ich habe sie selber«, sagte Knoll. – »Nun wohl!« (schloß der Vater daraus weiter fort) »Muß ein Gerichtsmann nicht wie ein Hufschmidt die Taschen schon im Schurzfell bei der Hand haben, nicht erst in den Hosen? O du lieber Gott, Herr Fiskalis, wo zu pfänden ist – zu taxieren – zu einquartieren – mündlich und schriftlich Unzähliges anzuzeigen – wo Kränze um Brunnen zu machen, Zigeuner aus dem Lande zu jagen, auf Straßen und Feuerschau zu schauen – wo in Dörfern Pesten, Exzesse, Spitzbübereien sind: – da ist ja ein Gerichtsmann der erste dabei und zeigt die Sachen an, sowohl bei löblicher Landeshauptmannschaft als, wenn der Fall, bei der Ritterschaft. Was Wetter! da kann er nicht wie eine Kanzeluhr die Woche nur einmal gehen, Tag für Tag läuft er zum größten Schaden seiner Wirtschaft in alle Löcher – in alle Felder und Wälder – in alle Häuser und nachher in die Stadt und rapportierts mündlich, worauf ers schriftlich aus der Tasche zieht. Es sollen mir Pferdner und Anspänner oder Hintersättler hertreten und sagen: Lukas, lasse die Flausen! Du bist auch da und da fahrlässig gewesen! O solche große Verleumder! sehen sie denn nicht, daß ich mich darüber klaftertief in Schulden stecke, und wäre künftig der Notarius und Tabellio nicht. …«

»Hör’ einmal auf, Gerichtsmann«, sagte Veronika und wandte sich an den Fiskal, dessen Schuldner ihr Mann war – »Herr Fiskal, er sagt das nur so, um etwas zu sagen. Begehren Sie nichts? – Und ich habe nachher eine große Frage zu tun.«

Lukas schwieg sehr willig und schon gewohnt, daß in seiner Ehe-Sonatine die linke Hand, die Frau, weit über die rechte heraufgriff in die höchsten Töne zum harmonischen Vorteil.

»Er schnapse gern vor dem Essen«, versetzte Knoll zu Walts Erstaunen über ein solches Postillions-Zeitwort von einem Stadt- und Hofmann.

Die Mutter ging und brachte in der einen Hand das Extrapost-Blut und Elementarfeuer, aber in der andern ein dickes Manuskript. Walt nahm es ihr blutrot weg. Goldinens Augen schimmerten entzückt. »Du mußt aus dem Liederbuch lesen,« sagte die Mutter, »der gelehrte Herr sollen sagen, ob es taugt. Herr Kandidat Schomaker will es sehr loben.«

»Und ich lob' es wirklich«, sagte Goldine. Da trat der Kandidat selber herein, warf sich bloß vor dem Fiskale krumm und salutierte mit blitzenden Augen. Er sah aus allen, daß die Freuden-Post des Testaments noch nicht in der Stube erschollen war. »Sehr spät,« sagte Lukas, »der exzellente Aktus ist ganz vorbei.« Ausführlich beteuerte der Kandidat, er sei erst gegen Vesperzeit aus der Stadt gekommen; »ich steh' auch« – sagte er und sah gern den Schulzen an, vergnügt, daß er nicht einen so vornehmen und bedenklichen Herrn wie Knoll beschauen mußte – »schon seit einer geraumen Vierteil-Stunde unten im Hofe, habe mich aber vor fünf Gänsen, welche vor der Türe Flügel und Schnabel gegen mich aufgemachet, nicht hereingetraut.« – »Nein, sechs warens«, sagte die satirische Jüdin. »Oder auch sechs«, versetzte er; »genung, eine ist genung, wie ich gelesen, um einen Menschen durch einen wütigen Biß ganz toll und wasserscheu zu machen.«

»Ah ça!« wandt' er sich zu Walten (mehr französisch konnt' er nicht), »Ihre Polymeter!« »Was sinds?« fragte Knoll trinkend. »Herr Graf,« (sagte Schomaker und ließ die Pfalz weg) »in der Tat eine neue Erfindung des jungen Kandidaten, meines Schülers, er machet Gedichte nach einem freien Metrum, so nur einen einzigen, aber reimfreien Vers haben, den er nach Belieben verlängert, seiten-, bogenlang; was er den *Streckvers* nennt, ich einen *Polymeter*.«

Vult fluchte aus Ungeduld zwischen den Äpfeln. Walt stellte sich endlich mit dem Manuskripte und mit dem Profil seiner

Bogenstirn und seiner geraden Nase vor das Licht – blätterte über alle Beschreibung lange und blöde nach dem Frontispiz seines Musentempels – der Kandidat tat mit der einen Hand in der Weste, mit der andern in der Hose drei Streck-Schritte nach Vults Fenster, um hinaus zu – spucken. Stotternd, aber mit schreiender ungebildeter Stimme fing der Dichter an:

No 9: SCHWEFELBLUMEN

Streckverse

»Ich weiß nicht, ich finde jetzt kein rechtes Gedicht, ich muß auf geratewohl ausheben:

Der Widerschein des Vesuvs im Meer

›Seht, wie fliegen drunten die Flammen unter die Sterne, rote Ströme wälzen sich schwer um den Berg der Tiefe und fressen die schönen Gärten. Aber unversehrt gleiten wir über die kühlen Flammen, und unsere Bilder lächeln aus brennender Woge.‹ Das sagte der Schiffer erfreut und blickte besorgt nach dem donnernden Berg' auf. Aber ich sagte: ›Siehe, so trägt die Muse leicht im ewigen Spiegel den schweren Jammer der Welt, und die Unglücklichen blicken hinein, aber auch sie erfreuet der Schmerz.‹«

*

»Was weint denn der wunderliche Mensch, da er ja alles sich selber ausgesonnen?« rief Lukas. »Weil er selig ist«, sagte Goldine, ohne es zu treffen; es war bloß das Weinen der Bewegung, die weder eine entzückte noch betrübte, sondern nur eine Bewegung zu sein braucht. Er las jetzt:

»Der Kindersarg in den Armen

Wie schön, nicht nur das Kind wird leicht in den Armen gewiegt, auch die Wiege.

Die Kinder

Ihr Kleinen steht nahe bei Gott, die kleinste Erde ist ja der Sonne am nächsten.

Der Tod unter dem Erdbeben[1]

Der Jüngling stand neben der schlummernden Geliebten im Myrtenhaine, um sie schlief der Himmel, und die Erde war leise – die Vögel schwiegen – der Zephyr schlummerte in den Rosen ihres Haars und rückte kein Löckchen. Aber das Meer stieg lebendig auf, und die Wellen zogen in Herden heran. ›Aphrodite,‹ betete der Jüngling, ›du bist nahe, dein Meer bewegt sich gewaltig, und die Erde ist furchtsam, erhöre mich, herrliche Göttin, verbinde den Liebenden ewig mit seiner Geliebten.‹ Da umflocht ihm mit unsichtbarem Netze den Fuß der heilige Boden, die Myrten bogen sich zu ihm, und die Erde donnerte, und ihre Tore sprangen ihm auf. – Und drunten im Elysium erwachte die Geliebte, und der selige Jüngling stand bei ihr, denn die Göttin hatte sein Gebet gehört.«

*

Vult fluchte gewaltig im Laube vor lauter Jubel, seine sonst leicht zufallende Seele stand weit den Musen offen: »Liebes Gottwältlein! du allein sollst mich kennen lernen; ja bei Gott, das geht an, das muß er mit ausführen – Himmel! wie wird der blöde göttliche Narr erstaunen, wenn ichs ihm vorlege«, sagte er und hatte einen neugebornen Plan im Sinne.

---

1 Bekanntlich ist vor dem Erdbeben meist die Luft still, nur das Meer woget.

»Ich sollte meinen,« (sagte Schomaker) »daß er die Auktoren der Anthologie nicht ohne Nutz unter mir studieret.«

Da Knoll nicht antwortete, sagte der Vater: »Lies weiter!« Mit schwächerer Stimme las Walt:

»Bei einem brennenden Theatervorhang

Neue erfreuliche Spiele zeigtest du sonst, stiegst du langsam hinauf. Jetzt verschlingt dich schnell die hungrige Flamme, und verworren, unselig und dampfend erscheint die Bühne der Freude. Leise steige und falle der Vorhang der Liebe, aber nie sink' er als feurige Asche auf immer darnieder.

Die nächste Sonne

Hinter den Sonnen ruhen Sonnen im letzten Blau, ihr fremder Strahl fliegt seit Jahrtausenden auf dem Wege zur kleinen Erde, aber er kommt nicht an. O du sanfter, naher Gott, kaum tut ja der Menschengeist sein kleines, junges Aug auf, so strahlst du schon hinein, o Sonne der Sonnen und Geister!

Der Tod eines Bettlers

Einst schlief ein alter Bettler neben einem armen Mann und stöhnte sehr im Schlaf. Da rief der Arme laut, um den Greis aus einem bösen Traum aufzuwecken, damit den matten Busen nicht die Nacht noch drücke. Der Bettler wurde nicht wach, aber ein Schimmer flog über das Stroh; da sah der Arme ihn an, und er war jetzt gestorben; denn Gott hatt' ihn aus einem längern Traum aufgeweckt.

Die alten Menschen

Wohl sind sie lange Schatten, und ihre Abendsonne liegt kalt auf der Erde; aber sie zeigen alle nach Morgen.

›O schönstes, liebstes Kind, fest hinunter gesperrt ins tiefe dunkle Haus, ewig halt’ ich den Schlüssel deiner Hütte, und niemals, niemals tut er sie auf!‹ – Da zog vor der jammernden Mutter die Tochter blühend und glänzend die Sterne hinan und rief herunter: ›Mutter, wirf den Schlüssel weg, ich bin droben und nicht drunten!‹«

N̲ͭ 10: STINKHOLZ

Das Kapaunengefecht der Prosaisten

»O Himmel, wär’s nur morgen, Brüderlein! Es ist verdammt, man sollte nie passen müssen«, sagte Vult. – »Ich habe genug«, sagte Knoll, der bisher die eine Tabakswolke gerade so groß und so langsam geschaffen hatte wie die andere. – »Ich meines Parts«, sagte Lukas, »kann mir nichts Rechts daraus nehmen, und den Versen fehlt auch der rechte Schwanz, aber gib her.« – »Fromme und traurige Sachen stehen wohl darin«, sagte die Mutter. Gottwalt hatte Kopf und Ohren noch in der goldnen Morgenwolke der Dichtkunst, und außen vor der Wolke stehe, kam es ihm vor, der ferne Plato als Sonnenball und durchglühe sie. Der Kandidat Schomaker sah scharf auf den Pfalzgrafen und passete auf Entscheidungen. Aus religiöser Freiheit glaubte er überall zu sündigen, wo er eilen sollte und wagen. Daher hatt’ er nicht den chirurgischen Mut, seine Schulkinder ordentlich zu prügeln – er ängstigte sich vor möglichen Frakturen, Wundfiebern und dergleichen –, sondern er suchte sie von weitem zu züchtigen, indem er in einer Nebenkammer dem Züchtling entsetzliche Zerrgesichter vorschnitt.

»Meine Meinung« – fing Knoll mit bösem Niederzug seiner schwarzwaldigen Augenbraunen an – »ist ganz kurz diese: Dergleichen ist wahrlich rechter Zeitverderb. Ich verachte einen Vers nicht, wenn er lateinisch ist, oder doch gereimt. Ich machte selber sonst als junger Gelbschnabel dergleichen Possen und – schmeichl' ich mir nicht – etwas andere als diese. Ja, als comes palatinus kreier' ich ja eigenhändig Poeten und kann sie also am wenigsten ganz verwerfen. Kapitalisten oder Rittergutsbesitzer, die nichts zu tun und genug zu leben haben, können in der Tat Gedichte machen und lesen, so viele sie wollen; aber nur kein gesetzter Mensch, der sein gutes solides Fach hat und einen vernünftigen Juristen vorstellen will – der soll es verachten, besonders Verse ohne allen Reim und Metrum, dergleichen ich 1000 in einer Stunde hecke, wenns sein muß.« –

Vult genoß still den Gedanken, daß er in Haßlau schon Zeit und Ort finden werde, dem Pfalzgrafen durch Öl ins Feuer und durch Wasser ins brennende Öl zur Belohnung irgendein Bad zu bereiten und zu gesegnen. – Und doch konnt' ers vor Zorn kaum aushalten, wenn er bedachte, daß der Kandidat und der Pfalzgraf so lange dastanden, ohne des erfreuenden Testaments zu gedenken. Hätt' er sehen und schreiben können, er hätte einen Stein mit einem Rapport-Wickel als sanfte Taubenpost durchs Fenster fliegen lassen.

»Hörst du?« sagte Lukas. »Sie sind auch eben nicht schön geschrieben, wie ich sehe« und machte blätternd einen Versuch, das Manuskript ins Licht hinein zu halten. Aber der bisher halbgesenkt in die Flamme blickende Dichter entriß es ihm plötzlich mit greifender Faust. – »In den Nebenstunden aber denn doch so etwa?« fragte Schomaker, für welchen der einzige Titel *Hoffiskal* einen Ruprechts-Zwilling und Doppelhaken in sich faßte; denn schon, wo einem Worte *Hof* oder *Leib* zum Vorsprung anhing – und wars an einem Hofpauker und Leibvorreiter –: da sah er in eine gehelmte Vorrede (praefatio galeata) und hatte seine Schauer; wie vielmehr bei dem Worte *Fiskal*, das jeden auf Pfähle oder in Türme zu stecken drohte.

»In meinen Nebenstunden«, versetzte Knoll, »las ich alle mögliche auftreibliche Aktenstücke und wurde vielleicht das, was ich bin. Überspannte Floskeln hingegen greifen zuletzt in dem Geschäftsstil Platz und vergiften ihn ganz; ein Gericht weiset dergleichen dann zurück als inept.« – »Natürlich denn und verzeihlich daher,« (fing Schomaker als Selbstkrummschließer an) »daß ich aus Unkunde der Rechtskunde diese mit der Poesie vereinbaren wollen; aber ganz wahrscheinlich deshalb, daß Herr Harnisch, seinem alleinigen Fache heißer sich weihend, nun ganz vom poetischen absteht: nicht gewiß, gewiß, Herr Notar?«

Da fuhr und schnaubte der bisher sanfte Mensch – den Abfall des sonst lobenden Lehrers für eine Hofmännerei ansehend, die gleich einem Balbiermesser sich vor- und rückwärts beugt, obgleich Schomaker bloß nicht fähig war, so auf der Stelle, in der Schnelle, einem Thron-Diener gegenüber und bei der Liebe für den Schüler im Herzen sogleich das Jus auszufinden, sondern immer zu leicht fürchtete, unter der Hand gegen seinen Fürsten zu rebellieren, indes er sonst bei dem Bewußtsein des Rechts jeder Not und Gewalt entgegengezogen wäre – da schnaubte der sanfte Walt wie ein getroffener Löwe empor, sprang vor den Kandidaten und ergriff dessen Achseln mit beiden Händen und schrie aus lang gemarterter Brust so heftig auf, daß der Kandidat wie vor nahem Totschlag aufhüpfte: »Kandidat! bei Gott, ich werde ein guter Jurist von fleißiger Praxis, meiner armen Eltern wegen. Aber, Kandidat, ein Donnerkeil spalte mein Herz, der Ewige werfe mich dem glühendsten Teufel zu, wenn ich je den Streckvers lasse und die himmlische Dichtkunst.«

Hier sah er wild ausfordernd umher und sagte wichtig: »Ich dichte fort« – alle schwiegen erstaunt – in Schomaker hielt noch halbes Leben – Knoll allein zeigte ein grimmiges eisernes Lächeln – auch Vult wurde auf seinem Aste wild, schrie: »Recht, recht!« und griff blindlings nach unreifen Pelzäpfeln, um eine Handvoll gegen die prosaische Session zu schleudern. – Darauf ging der Notar als Sieger hinaus, und Goldine ging ihm mit dem Murmeln nach: »Es geschieht euch recht, ihr Prosaner!« –

Wider Vults Erwarten stellte der Notarius sich unter seinen Apfelbaum und hob nach der Sternenseite des Lebens, nach dem Himmel, das beseelte Antlitz, auf welchem alle seine Gedichte und Träume zu zählen waren. Beinahe wäre der Flötenspieler auf die verletzte Brust als ein weicher Pfühl herabgefallen; er hätte gern den nassen guten Sangvogel, dem es wie der Lerche gegangen, die auf das tote Meer, als wäre es blühendes Land, heruntergestürzt und darin ersäuft, hoch unter die trocknende Sonne gehalten; aber Goldinens Ankunft verbot die schöne Erkennung, sie nahm Walts Hand, aber er schaute noch immer mit tauben Augen nach der Höhe, wo nur helle Sterne, keine trübe Erde standen. »Herr Gottwalt,« sagte sie, »denken Sie nicht mehr über die prosaischen Pinsel. Sie haben Sie abgetrumpft. Dem Juristen streu' ich heute noch Pfeffer in den Tabak und dem Kandidaten Tabak in den Pfeffer.« – »Nein, liebe Goldine,« fing er mit schmerzlich sanfter Stimme an, »nein, ich war es heute nicht wert, daß mich der große Plato küßte. War es denn möglich? – Gott! es sollte ein froher letzter Abend werden. – Teuere Eltern geben schwer erdarbtes Geld zum Notariate her – der arme Kandidat gibt mir von Kindesbeinen an Lehrstunden fast in allem – Gott segnet mich mit dem Himmel an Platos Herzen – – und ich Satan fahre so höllisch auf! O Gott, o Gott! – Aber mein alter Glaube, Goldine, wie trifft er immer ein: nach jeder rechter inniger Seligkeit des Herzens folgt ein schweres Unglück.«

»Das dacht' ich gleich«, sagte Goldine zornig; »man schlage Sie ans Kreuz, so werden Sie eine festgenagelte Hand vom Querbalken losarbeiten, um damit einem Kriegsknecht seine zu drücken. – Haben denn Sie oder die Strohköpfe droben den heutigen Weinmonat, ich möchte sagen zum Weinessigmonat, versäuert?« – »Ich kenne«, versetzte er, »keine andere Ungerechtigkeiten gewiß und genau, als die ich an andern verübe; – die, so andere an mir begehen, können mir wegen der Ungewißheit der Gesinnungen nie ganz klar und entschieden sein. Ach es gibt ja mehr Irrtümer des Hasses als der Liebe. Wenn

nun einmal eine Natur, welche die Antithese und Dissonanz
der meinigen ist, existieren sollte, wie von allem die Antithesen: so könnte sie mir ja leicht begegnen; und da ich ebensowohl ihre Dissonanz bin als sie meine, so hab' ich nicht mehr
über sie zu klagen als sie über mich.«

Goldine konnte, wie Vult, nichts gegen diese Denkweise
einwenden, aber beiden war sie äußerst verdrüßlich. Da rief
sanft die Mutter den Sohn und heftig der Vater: »Renne, Peter,
renne, wir stehen im Testament und werden vorbeschieden auf
den 15ten hujus.«

N<u>ro</u> 11: FISETHOLZ

Lust-Chaos

Der Pfalzgraf hatte das Erstarren über Walts Sturmlaufen mit
der Bemerkung flüssiger gemacht, daß der »Sansfaçon« es nicht
verdiene, in einem wichtigen Testamente zu stehen, zu dessen
Eröffnung er ihn vorzuladen habe, und dessen Bedingungen
sich eben nicht sehr mit der Reimerei vertrügen. Da war das
Anschlagerad und der Dämpfer gerichtlich von des Schulmei-
sters ton- und wortvoller Seele abgehoben, und er konnte nun
alle Glocken läuten – er wußte und gab die angenehmsten Artikel des Testaments, welche der Fiskal durch die unangenehmen
ganz bestätigte. Der Kandidat handelte so lange ungewöhnlich
sanft nach einer Beleidigung, bis man ihn ersuchte, sie zu vergeben. Lukas rief schon im halben Hören Walten wie toll hinein, um nur etwas zu reden.

Von zarter Schamröte durchdrungen, erschien dieser – niemand gab auf ihn acht – man steckte im Testamente, ausgenommen Knoll. Dieser hatte gegen den Jüngling seit dessen Vorlesen einen ordentlichen Haß gefaßt – so wie die Musik zwar
Nachtigallen zum Schlagen reizt, aber Hunde zum Heulen –,
weil ihm der eine Umstand, daß ein so schlechter poetischer

Jurist mehr als er erben sollte (was seinen fiskalischen Kern anfraß), mehr wehe tat als der andere süß, daß sein Eigennutz selber keinen Erben hätte auslesen können, der geschickter wäre, die Erbschaft zu verscherzen.

Walt hörte gerührt der Wiederholung und Forterzählung der Erb-Ämter und der Erbstücke zu. Als um Lukas Ohren jetzt die Worte »11000 Georgd'ors in der Südsee-Handlung und zwei Fronbauern samt Feldern in Elterlein« flatterten, stand sein Gesicht, das der plötzliche warme Süd-Zephyr des Glückes umspülte, wie zergangen und verblüfft da, und er fragte: »Den 15ten? 11000?« – Darauf warf er seine Mütze, die er in der Hand hatte, weit über die Stube weg – sagte: »Den hujus dieses?« – Darauf schleuderte er ein Bierglas gegen die Stubentüre über Schomakern weg. »Gerichtsmann,« rief die Frau, »was ist Euch?« – »Ich habe so mein Gaudium«, sagte er. »Nun aber komme mir der erste beste Hund aus der Stadt, ich will ihn lausen, breit tret' ich das Vieh. Und wir werden alle geadelt, wie wir hier sitzen, und ich bleibe der adelige Gerichtsherr – oder ich werde der Gerichthalter und studiere. Und auf meine Kabelschen Grundstücke säe ich nichts als Reps.«

»Mein Freund,« sagte verdrüßlich der Fiskal, »Sein poetischer Sohn hat noch vorher einige Nüsse aufzubeißen, dann ist *der* der Erbe.« – Mit Freuden-Tränen trat der Notar zum enterbten Fiskal und zog dessen zähe Hände mit der Versicherung an sich: »Glauben Sie mir, Freuden-Bote und Evangelist, ich werde alles tun, um die Erbschaft zu erringen, alles, was Sie gefodert haben« – (»Was wollt Ihr mit mir?« sagte Knoll, die Hände wegziehend) – »denn ich tue es ja für Menschen,« (fuhr Walt fort, alle andere ansehend) »die noch mehr für mich getan, vielleicht für den Bruder, wenn er noch lebt. Sind denn die Bedingungen nicht so leicht, und die letzte so schön, die vom Pfarrerwerden? – Der gute Van der Kabel! Warum ist er denn so gut gegen uns? Ich entsinne mich seiner lebhaft, aber ich dachte, er liebte mich nicht. Doch mußt' ich ihm meine Streckverse vorlesen. Kann man denn zu gut von den Menschen denken?«

Vult lachte und sagte: »Kaum!«

Ganz blöde und schamhaft trat Walt zu Schomaker mit den Worten: »Vielleicht verdanke ich der Dichtkunst die Erbschaft – und gewiß die Dichtkunst dem Lehrer, der mir die vorige Minute vergebe!« –

»So sei vergessen,« versetzte dieser, »daß man mich vorhin nicht einmal mehr Herr genannt, was doch so allgemein. Wonne herrsche jetz! – Aber Ihr Herr Bruder, dessen Sie gedachten, lebt noch und im Flore. Ein lebhafter Herr van der Harnisch vergewisserte mich dessen, zohe mich aber in eine unerlaubte Ausschwatzung Ihres Hauses hinein, für die mir Ihre Verzeihung so wenig entstehe, als Ihnen die meine!«

Der Notar rief es durch das Zimmer, der Bruder lebe noch. »Im erzgebürgischen Elterlein traf ihn der Herr in der Stadt«, sagte Schomaker. – »O Gott, er kommt gewiß heut oder morgen, beste Eltern«, rief Walt entzückt. – »'Soll mir lieb sein,« sagte der Schulz, »ich werd' ihm unter der Haustüre mit der Habern-Sense die Beine abmähen und ihn mit einem Holzapfel erstecken, einen solchen Vagabunden!« – Gottwalt aber trat zu Goldinen, die er weinen sah, und sagte: »O ich weiß es worüber, Gute« – und setzte leise hinzu: »Über das Glück Ihres Freundes.« – »Ja bei Gott!« antwortete sie und sah ihn entzückter an.

Die Mutter warf nur die Bemerkung, wie oft ihr Gemüt durch ähnliche Sagen von ihres guten Kindes Wiederkunft betrogen worden, flüchtig unter die Männer, um sich bloß mit dem verdrüßlichen Fiskale abzugeben, welchem sie freundlich alle böse Klauseln des Testaments deutlich abfragte. Den Pfalzgrafen aber verdroß das von seiner Erbportion bestrittene Freudenfest am Ende dermaßen, daß er hastig aufstand, die Zitationsgebühren im Namen des Ratsdieners forderte und den männlichen Jubelköpfen die Hoffnung aufsagte, ihn am Abendtische unter sich zu haben, weil er lieber, gab er vor, bei dem Wirte drüben speise, der schon seinem Vater ein Darlehn schuldig sei, wovon er seit so vielen Jahren, sooft er Gericht halte, etwas abesse und abtrinke, um zu dem Seinigen zu kommen.

Als er fort war, stieg Veronika auf ihre weibliche Kanzel und hielt ihre Brandpredigten und Inspektionsreden an die Männer: sie müßtens haben, wenn der Fiskal ihnen das Kapital aufkündigte; ihr Frohtun habe ihn als einen ausgeschlossenen Erben ja verschnupfen müssen. – »Zieht denn aber er oder ich die Interessen für jetz, he? – Er!« sagte Lukas. – Schomaker fügte noch den Bericht bei, daß schon der Frühprediger Flachs das Kabelsche ganze Haus in der Hundsgasse durch weniges Weinen erstanden. Der Schulz fuhr klagend auf und versicherte, das Haus sei seinem Sohne so gut wie gestohlen; denn weinen könne jeder; dieser aber sagte, es tröst' ihn ordentlich über sein Glück, daß ein anderer armer Erbe auch etwas habe. Veronika versetzte: »Du hast noch nichts. Ich bin nur eine Frau, aber im ganzen Testamente merk' ich eine Partitenmacherei. Seit vorgestern wurde schon im Dorfe von Erbschaften gemunkelt von fremden Stadtherren, ich sagte aber gern meinem Gerichtsmanne nichts. Du, Walt, hast gar kein Geschick zu Welthändeln; und so können leicht zehn Jahre verstreichen, und du hast nichts, und bist doch auch nichts; wie dann, Gerichtsmann?« – »So schlag' ich ihn«, sagte dieser, »tot, wenn er nicht so viel Verstand zeigt wie ein Vieh; und von dir, Vronel, wars auch keiner, mich nicht zu avertieren.« –

»Ich verpfände mich«, sagte Schomaker, »für Herrn Notars Finesse. Poeten sind durchtriebene Füchse, und haben Wind von allem. Ein Grotius, der Humanist, war ein Gesandter – ein Dante, der Dichter, ein Staatsmann – ein Voltaire, der beides, auch beides.«

Vult lachte, nicht über den Schulmann, aber über den gutherzigen Walt, als dieser sanft beifügte: »Ich habe vielleicht aus Büchern mehr Weltklugheit geschöpft als Ihr denkt, liebe Mutter. – Aber nun nach zwei Jahren, allgütiger Gott! – Wenigstens malen wollen wir uns heute die glänzende Zeit, wo alle hier frei und freudig leben, und ich nichts von allem brauche und wünsche, weil ich zu glücklich auf zwei alten heiligen Höhen wohne, auf der Kanzel und dem Musenberg« – »Du sollst dann auch«, sagte Lukas, »streckversen den ganzen Tag, weil du doch ein Narr darauf bist, wie dein Vater aufs Jus.« – »Jetzt aber werd' ich sehr aufmerksam«, sagte Walt, »das Notarienwesen treiben, besonders da ich es als mein erstes vorgeschriebenes Erbamt versehe; das Advozieren kann nun wohl wegbleiben.« –

»Seht ihr,« rief die Mutter, »er will nur wieder recht über seine langen Verse her, denn er hats ja vorhin so gotteslästerlich beschworen – ich hab' es nicht vergessen, Walt!«

»So wollt' ich doch, daß Donner und Teufel« – rief Lukas, der rein-froh sein wollte – »muß man denn aus jedem Turmknopf einen Nadelknopf machen wie du?« Er wollte gerade das Umgekehrte vorbringen. Er zog den Ehemanns-Vexierzug: »Schweig!« Sie tats immer sogleich, wiewohl mit dem Entschluß, etwas später erst recht anzufangen.

Man schritt zur Abend-Tafel, wie man dastand, Walt im Schanzlooper, obgleich in der Heu-Ernte, weil er sein Nanking-Röckchen schonte. Goldinens Freudenwein war mit vielen Tränen über die Trennung des Morgens gewässert. Der Notar war unendlich entzückt über die Entzückung des Vaters, welcher allmählich, da er sie ein wenig verdauet hatte, nun milder wurde und anfing, mit Trenchiermesser und Gabel der noch fliegenden gebratenen Taube der Erbschaft entgegenzugehen und dem Sohne zum erstenmal in seinem Leben zu sagen: »Du bist mein Glück.« So lange verharrte Vult auf dem Baume. Als aber die Mutter nun erst die ausführlichen Berichte Schomakers über den Flötenspieler um ihr warmes Herz versammeln wollte, stieg er, um nichts zu hören, weil ihm der Tadel bitterer war als das Lob süß, vom Baume herunter, schon beglückt genug durch den Bruder, dessen Unschuld und Dichtkunst ihn so liebend-eng umstrickten, daß er gern die

Nacht im Abendrot ersäuft hätte, um nur den Tag zu haben und den Poeten an der Brust.

N⁰ 12: UNECHTE WENDELTREPPE

Reiterstück

Früh am betaueten blauen Morgen stand der Notar schon unter der Haustüre reit- und reisefertig. Er hatte statt des Schanzloopers den guten gelben Sommer- und Frühlings-Rock von Nanking am Leibe, weil er als Universalerbe mehr aufwenden konnte, einen runden weißen braungeflammten Hut auf dem Kopf, die Reit-Gerte in der Hand und Kindestränen in den Augen. Der Schulz rief halt, sprang zurück und sogleich wieder her mit Kaiser Maximilians Notariatsordnung, die er ihm in die Tasche steckte. Drüben vor dem Wirtshause stand der knappe flinke Student Vult im grünen Reisehut und der Wirt, welcher der Familien-Antichrist und ein Linker war. Das Dorf wußte alles und paßte. Es war des Universalerben erster Ritt in seinem Leben. Veronika – die ihm den ganzen Morgen Lebensregeln für Eröffnung und Erfüllung des Testaments vorgezeichnet hatte – zerrete den Schimmel am langen Zügel aus dem Stall. Walt sollte hinauf.

Über den Ritt und Gaul wurde von der Welt schon viel gesprochen – mehr als ein Elterleiner versuchte davon ein leidliches Reiterstück zu geben, lieferte aber freilich mehr die rohen Farbhölzer auf die Leinwand als deren feinsten Absud – auch ist das mein erstes Tierstück von Belang, das ich in die Gänge dieses Werks aufhänge und festmache ––: ich werde demnach einige Mühe daran wenden und die größte Wahrheit und Pracht.

In der Apokalypsis stand so lang ein alter verschimmelter Schimmel, bis ihn der Fleischer bestieg und aus ihr in die Zeit herüberritt. Der poetische Lenz liegt weit hinter dem Gaul, wo er eignes Fleisch statt des fremden trug und mit eignen Haaren den Sattel auspolsterte; er hat das Leben und den Menschen – dieses reitende Folterpferd der wunden Natur – zu lange getragen. Der aus zitternden Fühlfaden gesponnene Notar, der den Tag vorher im Stalle um dessen Keilschrift der Zeit, um die Stigmen von Sporen, Sattel und Stangengebiß, herumging, hätte für Geld keinen Finger in die Narben legen können, geschweige am Tage darauf die Knuten-Schneide oder den Sporendolch. Hätte doch der Himmel dem Konföderations-Tiere des Menschen nur irgendeinen Schmerzenslaut beschert, damit der Mensch, dem das Herz nur in den Ohren sitzt, sich seiner erbarmte. Jeder Tierwärter ist der Plagegeist seines Tiers; indes er gegen ein anderes, z. B. der Jäger gegen das Pferd, der Fuhrmann gegen den Jagdhund, der Offizier gegen Leute außer dem Soldatenstande, ein wahres weichwolliges Lamm ist.

Dieser Schimmel betrat am Morgen die Bühne. Der Notar hatte den Tag vorher den Gaul an eine seiner Gehirnwände festgebunden und – wie die *rechte* Seite des *Konvents* und des *Rheins* – sich immer die *linke* vorgestellt, um daran aufzusteigen; – in alle Stellungen hatt' er in seinen vier Gehirnkammern das Schulroß gedreht, geschwind es links bestiegen und so sich selber völlig zugeritten für den Gaul. Dieser wurde gebracht und gewandt. Gottwalts Auge blieb fest an den linken Steigbügel gepicht – aber sein Ich wurd' ihm unter den Händen zu groß für sein Ich – seine Tränen zu dunkel für sein Auge – er besteige, merkt' er, mehr einen Thron als einen Sattel – die linke Roß-Seite hielt er noch fest; nur kam jetzt die neue Aufgabe, wie er die eigne linke so damit verknüpfen könnte, daß beide die Gesichter vorwärts kehrten. –

Wozu die teuflische Qual! Er probierte, wie ein preußischer Kavallerist, rechts aufzuspringen. Pfiffen Leute wie Vult und der Wirt seine Probe aus, so zeigten sie weiter nichts, als daß sie nie gesehen hatten, wie emsig preußische Kavalleristen auf dem rechten Bügel aufsitzen lernen, um gesattelt zu sein, falls einmal der linke entzweigeschossen wird.

Auf dem Sattel hat nun Walt als Selbst-Quartiermeister das Seinige zu tun, alles zu setzen – sich gerade und sattelfest –, auszubreiten – die Finger in die Zügel, die Rockschöße über den Pferderücken –, einzuschichten – die Stiefel in die Steigeisen –; und anzufangen – den Abschied und Ausritt.

An letztern wollte der gesetzte Schimmel nicht gerne gehen. Walts delikates Rückwärtsschnalzen mit der Gerte war dem Gaule so viel, als wichse man ihn mit einem Pferde-Haar. Ein paar mütterliche Handschläge auf den Nacken nahm er für Streicheln. Endlich kehrte der Gerichtsmann eine Heugabel um und gab ihm mit dem Stiel auf den Hinterbacken einen schwachen Ritterschlag, um damit seinen Sohn als Reiter aus dem Dorfe in die Welt zu schicken, sowohl in die gelehrte als schöne. Das war dem Tier ein Wink, bis an den Bach vorzuschreiten; hier stand es vor dem Bilde des Reiters fest, kredenzte den Spiegel, und als der Notar droben mit unsäglicher Systole und Diastole der Füße und Bügel arbeitete, weil das halbe Dorf lachte und der Wirt ohnehin, glaubte der Harttraber seinen Irrtum des Stehens einzusehen und trug Walten von der Tränke wieder vor die Stalltüre hin, stört' aber die Rührungen des Reiters bedeutend.

»Wart' nur!« sagte, ins Haus laufend, der Vater, kam wieder und langte ihm eine Büchsenkugel zu: »Setz' ihm die ins Ohr,« sagt' er, »so will ich kavieren, er zieht aus, weil doch das Blei die Bestie kühlen muß, glaub' ich.«

Kaum war das Rennpferd, wie ein Geschütz, mit dem Kopf gegen das Tor gerichtet und das Ohr mit der Schnellkugel geladen: so fuhr es durchs Tor und davon; – und durch das mit Augen bestellte Dorf und vor des Kandidaten Glückwunsch flog der Notarius vorüber, oben sitzend, mit dem Gießbuckel des ersten Versuchs, als ein gebogenes Komma. »Weg ist er!« sagte Lukas und ging zu den Heuschobern hinaus. Still wischte die Mutter mit der Schürze das Auge und fragte den Großknecht, worauf er noch warte und gaffe. Nur *ein* weinendes Auge hatte Goldine mit dem Tuche bedeckt, um mit dem andern nachzublicken, und sagte: »Es geh' Ihm gut!« und ging langsam in sein leeres Studierstübchen hinauf.

Vult eilte dem reitenden Bruder nach. Als er aber vor dem Maienbaume des Dorfs vorüberging und am Fenster die schön-äugige Goldine und im Hausgärtchen die einsame Mutter erblickte, die mit tropfenden Augen, noch im Sitzen gebückt, große Bohnen steckte und Knoblauch band: so überströmte seines Bruders warmes mildes Blut plötzlich sein Herz, und er lehnte sich an den Baum und blies einen Kirchenchoral, damit beider Augen sich süßer löseten und ihr Gemüt aufginge; denn er hatte an beiden den kecken scharfen Seelen-Umriß innigst wert gewonnen.

Es war schade, daß der Notarius, der samt dem Schimmel auf Wiesenflächen zwischen grünschimmernden Hügeln, im blauen wehenden Tage flog, es nicht wußte, daß hinter ihm sein Bruder sein fernes Dörfchen und gerührte liebe Herzen mit Echos erfülle. Oben auf einem Berge legte Walt sich auf den Hals des Flugpferds, um aus dem Ohr die Druckkugel zu gra-ben. Da er sie erwischt hatte: so trat das Tier wieder gesetzter einher als ein Mensch hinter einer Leiche; und nur der Berg schob es herunter, und in der Ebene ging es, wie ein silberner glatter Fluß, unmerklich weiter.

Jetzt genoß der zur Ruhe gesetzte Notarius ganz seine sit-zende Lebensart auf dem Sattel und den weiten singenden Tag. Sein hoher Aufenthalt auf der Sattelwarte stellte ihm, diesem ewigen Fußgänger, alle Berge und Auen unter ihn, und er regierte die glänzende Gegend. An einer neuen Anhöhe stieg ein Wagenzug von sieben Fuhrleuten auf, den er gern zu Pferde eingeholt und überritten hätte, um nicht in seinen Träumen durch ihr Umschauen gestört zu werden; aber am Hügel-Fuße wollte der gerittene Blondin so gut die Natur genießen – die für ihn in Gras bestand – als der reitende und stand sehr fest. Walt setzte sich zwar anfangs dagegen und stark, wirkte auf viele Seiten des Viehs vor- und rückwärts; aber da es auf dem Fest-stehen bestand, ließ ers fressen und setzte sich selber herum auf dem Sattel, um die ausgedehnte Natur hinter sich mit seligen Blicken auszumessen und gelegentlich diese sieben spöttischen Fuhr-Hemden so weit vorauszulassen, daß ihnen nicht mehr unter die Augen nachzureiten war.

Am Ende kommt doch eines, ein Ende – der Bereiter wünschte am Hügelfuße, als er sich wieder vorwärts gesetzt, sich herzlich von der Stelle und etwa hinauf; denn die sieben Plejaden mußten nun längst untergegangen sein. Auch sah er den netten Studenten nachkommen, der das Besteigen gesehen. Aber setzte irgend jemand besondern Wert auf Ernte-Ferien, so tats der Schimmel – vor solcher Anhöhe vollends stand er im Drachenschwanz, im aufsteigenden Knoten – die Zäume, die Fußbälle auf der Erde, alle brachten ihn nicht vorwärts. Da nun der Notar auch die lebendige Quecksilberkugel jetzt nicht wieder mit diesem fixierten weißen Merkurius verquicken wollte – wegen der unglaublichen Mühe, sie aus dem Ohr zu fischen –: so saß er lieber ab und spannte sich seiner eigenen Vorspann vor, indem er sie durch den Flaschenzug des Zügels wirklich hinaufwand. Oben blühte frische Not: hinter sich sah er eine lange katholische Wallfahrt nachschleichen, gerade vor sich unten im langen Dorfe die böse Fuhr-Sieben trinken und tränken, die er einholen mußte, er mochte wollen oder nicht.

Es grünte ihm auf der andern Seite Hoffnung, aber fruchtlos; er hatte Aussichten, durch des Kleppers Allegro ma non troppo den haltenden Fuhrleuten ziemlich vorzusprengen; er ritt erheitert in starkem Schritt den Berg hinab, ins Dorf hinein; – aber da kehrte das Filial-Pferd ohne sonderliches Disputieren ein, es kannte den Wirt, jeder Krug war seine Tochter-, jeder Gasthof seine Mutterkirche. »Gut, gut,« sagte der Notar, »anfangs wars ja selber mein Gedanke« – und befahl unbestimmt einem Unbestimmten, dem Gaule etwas zu geben. Jetzt kam auch der flinke Grünhut nach. Vults Herz wallete auf vor Liebe, da er sah', wie der erhitzte schöne Bruder von der schneeweißen Bogenstirn den Hut lüftete, und wie im Morgenwehen seine Locken das zarte, mit Rosenblute durchgossene kindliche Gesicht anflatterten, und wie seine Augen so liebend und anspruchlos auf alle Menschen sanken, sogar auf das Siebengestirn. Gleichwohl konnte Vult den Spott über das Pferd nicht lassen: »Der Gaul«, sagt' er, mit seinen schwarzen Augen auf den Bruder blitzend und die Mähne streichelnd, »geht besser, als er aussieht; wie ein Musenpferd schwang er sich über das Dorf.« – »Ach das arme Tier!« sagte Walt mitleidig und entwaffnete Vulten.

Sämtliche Passagiere tranken im Freien – die Pilgrime gingen singend durchs Dorf – alle Tiere auf dem Dorfe und in der Luft wieherten und krähten vor Lust – der kühlende Nord-Ost durchblätterte den Obstgarten und rauschte allen gesunden Herzen zu: weiter hinaus ins freie weite Leben! – »Ein sehr göttlicher Tag,« sagte Vult, »verzeihen Sie, mein Herr!« Walt sah ihn blöde an und sagte doch heftig: »O gewiß, mein Herr! Die ganze Natur stimmt ordentlich ein jubelndes herzerfrischendes Jagdlied an, und aus den blauen Höhen tönen doch auch sanfte Alphörner herunter.«

Da hingen die Fuhrleute die Gebisse wieder ein. Er zahlte schnell, nahm den Überschuß nicht an und saß im Wirrwarr auf, willens, allen vorzufliegen. Es ist ein Grundsatz der Pferde, gleich den Planeten nur in der Sonnen-Nähe eines Wirtshauses schnell zu gehen, aber langsam daraus weg ins Aphelium; der Schimmel heftete seine vier Fuß-Wurzeln als Stifte eines Nürnberger Spielpferdes fest ins lackierte Brett der Erde und behauptete seinen Ankerplatz. Der bewegte Zaum war nur sein Ankertau – fremde leidenschaftliche Bewegung setzt' ihn in eigne nicht – umsonst schnalzte der leichte Reiter in grün-atlasener Weste und mit braunen Hutflammen, er konnte ebensogut den Sattel über einen Bergrücken geschnallet haben und diesen spornen.

Einige dieser sanftesten Fuhrleute bestrichen die Hinterbeine des Quietisten; er hob sie, aber ohne vordere. Lange genug hatte nun Walt auf sein Mitleiden gegen das Vieh gehört; jetzt warf er ohne weiters dem Trauerpferd den Schusser ins

Ohr – die Kugel konnte die Massa, den Queue fortstoßen ins grüne Billard. Walt flog. Er rauschte schnell dicht hinter der Hühner-Kette von Pilgern, die scheu auseinanderspritzte, bis leider auf eine an der Spitze gehende taube Vorsängerin, die Reiten und Warnen nicht vernahm – umsonst zupften seine sterbenden Finger voll Todesnot im Ohr und wollten Kugelzieher sein – seine fliegende Kniescheibe rannte an ihr Schulterblatt und warf sie um – sie erstand schleunigst, um frühe genug, unterstützt von allen ihren Konfessions-Verwandten, ihm über alle Beschreibung nachzufluchen. Weit hinter dem Fluchen bracht' er nach langer Ballotage die Glücks- und Unglückskugel zwischen dem Daumen und Zeigefinger heraus, teuer schwörend, nie dieses Oberons-Horn mehr anzusetzen.

Wenn er freilich jetzt die Bestie wie eine Harmonika traktierte, nämlich langsam – so daß jeder die größten Schulden auf ihr absitzen konnte, sogar ein Staat, wenns anders für diesen einen andern Schuldturm geben könnte außer dem Babelturm –: so wär' es wohl gegangen, hätt' er sich nicht umgedreht und gesehen, was hinter seiner Statua equestris und curulis zog; ein Heer, sah er, setz' ihm hitzig mit und ohne Wagen nach, Pilger voll Flüche, sieben weiße Weisen voll Spaß und der Student. Der menschliche Verstand muß sehr irren, oder an dem, was er nachher tat, hatte die Vermutung aus dem Vorigen großen Teil, daß der nachschwimmende Hintergrund nicht nur seinen Durchgang durch ein rotes Meer erzwingen, sondern daß sogar das Meer selber mit ihm gehen würde; weil er auf seinem lebendigen Laufstuhl niemand zu entrinnen vermochte. Schon das bloße Zurückdenken an den Nachtrab mußte wie Lärmtrommeln in die schönsten leisen Klänge fahren, die er jetzt am blauesten Tage aus den Himmels-Sphären seiner Phantasie leicht herunterhören konnte.

Deshalb ritt er geradezu aus der Landstraße über Wiesen in eine Schäferei hinein, wo er halb gleichgültig gegen lächerlichen Schein, halb mit errötender Ruhmliebe – für Geld, gute Worte und sanfte Augen – es sich von der Schäferin erbat, daß dem Schimmel so lange – denn er verstand nichts von Roß-Diätetik – Heu vorgesetzet würde, bis etwan die Feinde sich eine Stunde voraus- und ihn mathematisch gewiß gemacht hätten, daß sie nicht zu ereilen wären, gesetzt auch, sie fütterten zwei Stunden.

So *neu*-selig und erlöset setzt' er sich hinter das Haus unter eine schwarzgrüne Linde in den frischen Schatten-Winter und tauchte sein Auge still in den Glanz der grünen Berge, in die Nacht des tiefen Äthers und in den Schnee der Silberwölkchen. Darauf stieg er nach seiner alten Weise über die Gartenmauer der Zukunft und schauete in sein Paradies hinein: welche volle rote Blumen und welches weiße Blütengestöber füllte den Garten! –

Endlich – nach einer und der andern Himmelfahrt – machte er drei Streckverse, einen über den Tod, einen über einen Kinderball und einen über eine Sonnenblume und Nachtviole. Kaum wollte er, da das Pferd Heu genug hatte, von der kühlen Linde fort; er entschloß sich, heute nicht weiter zu reisen als nach dem sogenannten Wirtshaus zum Wirtshaus, eine kleine Meile von der Stadt. Indes eben in diesem Wirtshaus hatten alle seine Feinde um 1 Uhr Halt und Mittag gemacht; und sein Bruder war da geblieben, um ihn zu erwarten, weil er wußte, daß die Landstraße und der Schimmel und Bruder durch den Hof liefen. Vult mußte lange passen und seine Gedanken über die nächsten Gegenstände haben, z.B. über den Wirt, einen Herrnhuter, der auf sein Schild nichts weiter malen lassen als wieder ein Wirtshausschild mit einem ähnlichen Schild, auf dem wieder das Gleiche stand; es ist das die jetzige Philosophie des Witzes, die, wenn der ähnliche Witz der Philosophie das Ich-Subjekt zum Objekt und umgekehrt macht, ebenso dessen Ideen sub-objektiv widerscheinen lässet; z.B. ich bin tiefsinnig und schwer, wenn ich sage: Ich rezensiere die Rezension einer Rezension vom Rezensieren des Rezensierens, oder ich reflektiere auf das Reflektieren auf die Reflexion einer Reflexion über eine Bürste. Lauter schwere Sätze von einem Widerschein ins

Unendliche und einer Tiefe, die wohl nicht jedermanns Gabe ist; ja vielleicht darf nur einer, der imstande ist, denselben *Infinitiv*, von welchem Zeitwort man will, im *Genitiv* mehrmals hintereinander zu schreiben, zu sich sagen: ich philosophiere.

Endlich um 6 Uhr hörte Vult, der aus seiner Stube sah, den Wirt oben aus dem Dachfenster rufen: »He, Patron, scher' Er sich droben weg! – Will Er ins Guckgucks Namen wegreiten?!« – Das Wirtshaus stand auf einem Birken-Hügel. Gottwalt war seitwärts aus dem Wege an den herrnhutischen Gottesacker hinaufgeritten, aus welchem der Schimmel Schoten aus den Staketen zog, während der Herr das dichterische Auge in den zierlichen Garten voll gesäeter Gärtner irren ließ. Wiewohl er den Kalkanten der groben Pedalstimme nicht durch die Birken sehen konnte: so zog er doch – da den Menschen überhaupt nach einer Grobheit feinstes Empfinden schwer verfolgt – sogleich den rupfenden Rüssel aus dem Spaliere auf und gelangte bald mit den Schoten im nassen Gebisse vor der Stall-Tür an.

Er tat an den sehr ernst unter seiner Türe stehenden Wirt von fernen – umsonst wollt' er gar vor ihn hinreiten – barhaupt am Stalle die Frage, ob er *hier* mit seinem Gaul logieren könne.

Ein ganzer heller Sternenhimmel fuhr Vulten durch die Brust und brannte nach.

Auch der Wirt wurde sternig und sonnig; aber wie wär' er – sonst hätt' er höflicher aus dem Dache gesprochen – darauf gekommen, daß ein Passagier zu Pferde in dieser Nähe der Stadt und Ferne der Nacht ihn mit einem Stillager beehren werde. – Als er wahrnahm, daß der Passagier ein besonderes Vieleck oder Dreieck mit dem rechten Beine über dem Gaule absitzend beschrieb, und daß er die schweren, mit einem organisierten Sattel behangenen Schenkel ins Haus trug, ohne weiter nach dem Tiere oder Stalle zu sehen: so wußte der Schelm sehr gut, wen er vor sich habe; und lachte zwar nicht mit den Lippen, aber mit den Augen den Gast aus, ganz verwundert, daß dieser ihn für ehrlich und es für möglich hielt, er werde den

Hafer, den er morgen in die Rechnung eintragen konnte, schon heute dem Schimmel vorsetzen.

»Nun geht«, sagte Vult bildlich, der mit Herzklopfen die Treppe hinab dem Bruder entgegenging, »ein ganz neues Kapitel an.« Unbildlich geschiehts ohnehin.

N⁰ 13: BERLINER MARMOR MIT GLÄNZENDEN FLECKEN

Ver- und Erkennung

Unten im Korrelationssaal und Simultanzimmer der Gäste forderte der Notar nach Art der Reise-Neulinge *schnell* einen Trunk, eine einmännige Stube und dergleichen Abendmahlzeit, damit der Wirt nicht denken sollte, er verzehre wenig. Der lustige Vult trat ein, tat mit Welt-Manier ganz vertraulich und freute sich sehr des gemeinschaftlichen Übernachtens: »Wenn – Ihr Schimmel zu haben ist,« sagt' er, »so hab' ich Auftrag, ihn für jemand zu einem Schießpferd zu kaufen, denn ich glaube, daß er steht.« – »Es ist nicht der meinige«, sagte Walt. »Er frisset aber brav«, sagte der Wirt, der ihn bat, nachzufolgen in sein Zimmer. Als ers aufschloß, war die Abendwand nicht sowohl ganz zerstört – denn sie lag ein Stockwerk tiefer unten in ziemlichen Stücken – als wahrhaft verdoppelt – denn die neue lag als Stein und Kalk unten darneben –. »Weiter,« fügte der Herrnhuter seelenruhig bei, als der Gast ein wenig erstaunt mit dem großen Auge durch das sieben Schritt breite Luftfenster durchfuhr, »weiter hab' ich im ganzen Hause nichts leer, und jetzt ists Sommer.« – »Gut«, sagte Walt stark und suchte zu befehlen; »aber einen Besen!« – Der Wirt lief demütig und gehorchend hinab.

»Ist unser Wirt nicht ein wahrer Filou?« sagte Vult. »Im Grunde, mein Herr,« – versetzte jener freudig – »ist das für mich schöner. Welcher herrliche lange Strom von Feldern und

Dörfern, der hereinglänzt und das Auge trägt und zieht; und die Abendsonne und -röte und den Mond hat man ganz vor sich, sogar im Bette die ganze Nacht!« – Diese Einstimmung ins Geschick und ins Wirtshaus kam aber nicht bloß von seiner angebornen Milde, überall nur die übermalte, nicht die leere Seite der Menschen und des Lebens vorzudrehen, sondern auch von jener göttlichen Entzückung und Berauschung her, womit besonders Dichter, die nie auf Reisen waren, einen von Träumen und Gegenden nachblitzenden Reisetag beschließen; die prosaischen Felder des Lebens werden ihnen, wie in Italien die wirklichen, von poetischen Myrten umkränzt und die leeren Pappeln von Trauben erstiegen.

Vult lobte ihn wegen der Gemsenartigkeit, womit er, wie er sehe, von Gipfeln zu Gipfeln setze über Abgründe. »Der Mensch soll«, versetzte Walt, »das Leben wie einen hitzigen Falken auf der Hand forttragen, ihn in den Äther auflassen und wieder herunterrufen können, wie es nötig ist, so denk' ich.« – »Der Mars, der Saturn, der Mond und die Kometen ohne Zahl stören« (antwortete Vult) »unsere Erde bekanntlich sehr im Laufe; – aber die Erdkugel in uns, sehr gut das Herz genannt, sollte beim Henker sich von keiner fremden laufenden Welt aus der Bahn bringen lassen, wenns nicht etwa eine solche tut wie die weise Pallas – oder die reiche Ceres – und die schöne Venus, die als Hesper und als Luzifer die Erdbewohner schön mit dem lebendigen *Merkur* verbindet. – Und erlauben Sie es, mein Herr, so werfen wir heute unsere Soupers zusammen, und ich speise mit hier vor der Breche, wo das Mondsviertel in der Suppe schwimmen und die Abendröte den Braten übergolden kann.«

Walt sagte heiter Ja. Auf Reisen macht man abends lieber romantische Bekanntschaften als morgens. Auch trachtete er, wie alle Jünglinge, stark, viele zu machen, besonders vornehme, unter welche er den lustigen Kauz mit seinem grünen Reise-Hute rechnete, diesem Gegenhut eines Bischofs, der einen nur innen grünen und außen schwarzen trägt.

Da kam der Wirt und der Besen, um den Bau-Abhub und Bodensatz über die Stube hinauszufegen; in den linken Fingern hing ihm ein breiter, in Holz eingerahmter Schiefer. Er zeigte an, sie müßten ihre Namen daraufsetzen, weil es hier zu Lande wie im Gothaischen wäre, wo jeder Dorfwirt den Schiefer am Tage darauf mit den Namen aller derer, die nachts bei ihm logieret hätten, in die Stadt an die Behörde tragen müßte.

»O man kennt euch Wirte« – sagte Vult und faßte die ganze Tafel – »ihr seid wohl ebenso begierig darhinter her, was euer Gast für ein Vogel ist, als irgendein regierender Hof in Deutschland, der gleich abends nach dem Tor- und Nachtzettel aller Einpassanten greift, weil er keinen bessern Index Autorum kennt als diesen.«

Vult setzte mit einem angeketteten Schiefer-Stift auf den Schiefer mit Schiefer – so wie unser Fichtisches Ich zugleich Schreiber, Papier, Feder, Dinte, Buchstaben und Leser ist – seinen Namen so: »Peter Gottwalt Harnisch, K. K. offner geschworner Notarius und Tabellio, geht nach Haßlau.« Darauf nahm ihn Walt, um sich auch als Notarius selber zu verhören und seinen Namen und Charakter zu Protokoll und zu Papier zu bringen.

Erstaunt sah er sich schon darauf und schauete den Grünhut an, dann den Wirt, welcher wartete, bis Vult den Schiefer nahm und dem Wirte mit den Worten gab: »Nachher, Freund! – ce n'est qu'un petit tour que je joue à notre hôte«, sagt' er mit so schneller Aussprache, daß Walt kein Wort verstand und daher erwiderte: »Oui.« Aber durch seinen verwirrten Rauch schlugen die freudigsten Funken; alles verhieß, glaubte er, eines der schönsten Abenteuer; denn er war dermaßen mit Erwartungen ganz romantischer Naturspiele des Schicksals, frappanter Meerwunder zu Lande ausgefüllet, daß er es eben nicht über sein Vermuten gefunden hätte – bei aller Achtung eines Stubengelehrten und Schulzensohns für höhere Stände –, falls ihm etwa eine Fürstentochter einmal ans Herz gefallen wäre, oder der fürstliche Hut ihres Herrn Vaters auf den Kopf. Man weiß so wenig, wie die Menschen wachen, noch weniger, wie sie träumen, nicht ihre größte Furcht, geschweige ihre größte Hoffnung. Der Schiefer war ihm eine Kometenkarte, die ihm Gott weiß welchen neuen feurigen Bartstern ansagte, der durch seinen einförmigen Lebens-Himmel fahren würde. »Herr Wirt,« – sagte Vult freudig, dem seine beherrschende Rolle so wohltat wie sein sanfter Bruder ohne Stolz – »servier' Er hier ein reiches Souper, und trag' Er uns ein Paar Flaschen vom besten aufrichtigsten Krätzer auf, den er auf dem Lager hält.«

Walten schlug er einen Spaziergang auf den benachbarten Herrnhuter Gottesacker vor, während man fege; »ich ziehe droben«, fügt' er bei, »mein Flauto traverso heraus und blase ein wenig in die Abendsonne und über die toten Herrnhuter hinüber; – lieben Sie das Flauto?« – »O wie sehr gut sind Sie gegen einen fremden Menschen!« antwortete Walt mit Augen voll Liebe; denn das Ganze des Flötenspielers verkündigte bei allem Mutwillen des Blicks und Mundes heimliche Treue, Liebe und Rechtlichkeit. »Wohl lieb' ich«, fuhr er fort, »die Flöte, den Zauberstab, der die innere Welt verwandelt, wenn er sie berührt, eine Wünschelrute, vor der die innere Tiefe aufgeht.« – »Die wahre Mondachse des innern Monds«, sagte Vult. »Ach, sie ist mir noch sonst teuer«, sagte Walt und erzählte nun, wie er durch sie oder an ihr einen geliebten Bruder verloren – und welchen Schmerz er und die Eltern bisher getragen, da es ein kleinerer sei, einen Verwandten im Grabe zu haben, als in jeder frohen Stunde sich zu fragen: mit welcher dunklen, kalten mag jetzt der Flüchtling auf seinem Brett im Weltmeer ringen? »Da aber Ihr Herr Bruder ein Mann von musikalischem Gewicht sein soll, so kann er ja ebensogut im Überflusse schwimmen als im Weltmeer«, sagte er selber.

»Ich meine,« versetzte Walt, »sonst dachten wir so traurig, jetzt nicht mehr; und da war es kein Wunder, wenn man jede Flöte für ein Stummenglöckchen hielt, das der in Nacht hinaus verlorne Bruder hören ließ, weil er nicht zu uns reden konnte.« Unwillkürlich fuhr Vult nach dessen Hand, gab sie ebenso schnell zurück, sagte: »Genug! Mich rühren 100 Sachen zu stark – Himmel, die ganze Landschaft hängt ja voll Duft und Gold!«

Aber nun vermochte sein entbranntes Herz keine halbe Stunde länger den Kuß des brüderlichen aufzuschieben; so sehr hatte die vertrauende unbefangene Bruderseele heute und gestern in seiner Brust, aus welcher die Winde der Reisen eine Liebes-Kohle nach der andern verweht hatten, ein neues Feuer der Bruderflammen angezündet, welche frei und hoch aufschlugen ohne das kleinste Hindernis. Stiller gingen jetzt beide im schönen Abend. Als sie den Gottesacker öffneten, schwamm er flammig im Schmelz und Brand der Abendsonne. Hätte Vult zehn Meilen umher nach einem schönen Postamente für eine Gruppe zwillings-brüderlicher Erkennung gesucht, ein besseres hätt' er schwerlich aufgetrieben, als der Herrnhuter Totengarten war mit seinen flachen Beeten, worin Gärtner aus Amerika, Asia und Barby gesäet waren, die sich alle auf einander mit dem schönen Lebens-*Endreim* »heimgegangen« reimten. Wie schön war hier der Knochenbau des Todes in Jugend-Fleisch gekleidet und der letzte blasse Schlaf mit Blüten und Blättern zugedeckt! Um jedes stille Beet mit seinem Saat-Herzen lebten treue Bäume, und die ganze lebendige Natur sah mit ihrem jungen Angesicht herein.

Vult, der jetzt noch ernster geworden, freuete sich, daß er aller Wahrscheinlichkeit nach vor keinem Kenner zu blasen habe, weil seine Brust, solcher Erschütterungen ungewohnt, heute nicht genug Atem für sein Spiel behielt. Er stellte sich weg vom Bruder, gegenüber der strahlenlosen Abendsonne, an einen Kirschbaum, aus welchem das Brust- und Halsgeschmeide eines blühenden Jelängerjelieber wie eigne Blüte hing; und blies statt der schwersten Flöten-Passaden nur solche einfache Ariosos nebst einigen eingestreuten Echos ab, wovon er glauben durfte, daß sie ins unerzogne Ohr eines juristischen Kandidaten mit dem größten Glanz und Freuden-Gefolge ziehen würden.

Sie tatens auch. Immer langsamer ging Gottwalt, mit einem langen Kirschzweige in der Hand, zwischen der Morgen- und der Abend-Gegend auf und nieder. Seliger als nie in seinem trockenen Leben war er, als er auf die liebäugelnde Rosen-Sonne losging und über ein breites goldgrünes Land mit Turm-spitzen in Obstwäldern und in das glatte weiße Mutterdorf der schlafenden stummen Kolonisten im Garten hineinsah, und wenn dann die Zephyre der Melodien die duftige Landschaft wehend aufzublättern und zu bewegen schienen. Kehrt' er sich um, mit gefärbtem Blick, nach dem Osthimmel und sah die Ebene voll grüner auf- und ablaufender Hügel wie Landhäuser und Rotunden stehen und den Schwung der Laubholzwälder auf den fernen Bergen und den Himmel in ihre Windungen eingesenkt: so lagen und spielten die Töne wieder drüben auf den roten Höhen und zuckten in den vergoldeten Vögeln, die wie Aurorens Flocken umherschwammen, und weckten an einer düstern schlafenden Morgenwolke die lebendigen Blicke aufgehender Blitze auf. Vom Gewitter wandt' er sich wieder gegen das vielfarbige Sonnenland – ein Wehen von Osten trug die Töne – schwamm mit ihnen an die Sonne – auf den blühen-den Abendwolken sang das kleine Echo, das liebliche Kind, die Spiele leise nach. – Die Lieder der Lerchen flogen gaukelnd dazwischen und störten nichts. – –

Jetzt brannte und zitterte in zartem Umriß eine Obstallee durchsichtig und riesenhaft in der Abendglut – schwer und schlummernd schwamm die Sonne auf ihrem Meer – es zog sie hinunter – ihr goldner Heiligenschein glühte fort im leeren Blau – und die Echotöne schwebten und starben auf dem Glanz: Da kehrte sich jetzt Vult, mit der Flöte am Munde, nach dem Bruder um und sah es, wie er hinter ihm stand, von den Scharlachflügeln der Abendröte und der gerührten Entzük-kung überdeckt und mit blödem stillen Weinen im blauen Auge. – Die heilige Musik zeigt den Menschen eine Vergangen-heit und eine Zukunft, die sie nie erleben. Auch dem Flöten-spieler quoll jetzt die Brust voll von ungestümer Liebe. Walt schrieb sie bloß den Tönen zu, drückte aber wild und voll lauterer Liebe die schöpferische Hand. Vult sah ihn scharf an, wie fragend. »Auch an meinen Bruder denk' ich«, sagte Walt; »und wie sollt' ich mich jetzt nicht nach ihm sehnen?«

Nun warf Vult Kopf-schüttelnd die Flöte weg – ergriff ihn – hielt ihn von sich, da er ihn umarmen wollte – sah ihm brennend ins fromme Gesicht und sagte: »Gottwalt, kennst du mich nicht mehr? Ich bin ja der Bruder.« – »Du? O schöner Himmel! – Und du bist mein Bruder Vult?« schrie Walt und stürzte an ihn. Sie weinten lange. Es donnerte sanft in Morgen. »Höre unsern guten Allgütigen!« sagte Walt. Der Bruder antwortete nichts. Ohne weitere Worte gingen beide langsam Hand in Hand aus dem Gottesacker.

Nᵒ 14: MODELL EINES HEBAMMENSTUHLS

Projekt der Äther-Mühle – der Zauberabend

Für zwei luftige Komödianten, die den Orest und Pylades sich einander abhören, mußte jeder beide halten, der ihnen aus dem Wirtshaus nachsah, wie sie unten in einer abgemähten Wiese sich in Lauf-Zirkeln umtrieben, mit langen Zweigen in der Hand, um ihre Vergangenheiten gegeneinander auszutauschen. Aber der Tausch war zu schwer. Der Flötenspieler versicherte, sein Reiseroman – so künstlich gespielt auf dem breiten Europa – so niedlich durchflochten mit den seltensten confessions – stets von neuem gehoben durch die Windlade und Hebemaschine der Flûte de travers – wäre zwar für die Magdeburger Zenturiatoren, wenn sie ihm nachschreibend nachgezogen wären, ein Stoff und Fund gewesen, aber nicht für ihn jetzt, der dem Bruder andere Sachen zu sagen habe, besonders zu fragen, besonders über dessen Leben. Etwas von dieser Kürze mocht' ihm auch der Gedanke diktieren, daß in seiner Geschichte Kapitel vorkämen, welche die herzliche Zuneigung, womit der unschuldige, ihn freudig beschauende Jüngling seine erwiderte, in einem so weltunerfahrenen reinen Gemüte eben nicht vermehren könnten; er merkte an sich – da man auf Reisen unverschämt ist –, er sei fast zu Hause.

Walts Lebens-Roman hingegen wäre schnell in einen Universitätsroman zusammengeschrumpft, den er zu Hause auf dem Sessel spielte durch Lesen der Romane, und seine Acta eruditorum in den Gang eingelaufen, den er in den Hörsaal machte und zurück in sein viertes Stockwerk – wenn nicht das Van der Kabelsche Testament gewesen wäre; aber durch dieses hob sich der Notar mit seiner Geschichte.

Er wollte den Bruder mit den Notizen davon überraschen; aber dieser versicherte, er wisse schon alles, sei gestern beim Examen gewesen und unter dem Zanke auf dem Pelzapfelbaum gesessen. –

Der Notar glühte schamrot, daß Vult seinen Zorn-Kaskatellen und seinen Versen zugehorcht; – er sei wohl, fragt' er verwirrt, schon mit dem Herrn van der Harnisch angekommen, der mit dem Kandidaten von ihm gesprochen. »Jawohl,« sagte Vult, »denn ich bin jener Edelmann selber.« Walt mußte fortstaunen und fortfragen, wer ihm denn den Adel gegeben. »Ich an Kaisers Statt,« versetzte dieser, »gleichsam so als augenblicklicher sächsischer Reichsvikarius des guten Kaisers; es ist freilich nur Vikariats-Adel.« – Walt schüttelte moralisch den Kopf. »Und nicht einmal der,« sagte Vult, »sondern etwas ganz Erlaubtes nach Wiarda[1], welcher sagt, man könne ohne Bedenken ein *von* entweder vor den Ort oder auch vor den Vater setzen, von welchem man komme; ich konnte mich nach ihm ebensogut Herr von Elterlein umtaufen als Herr von Harnisch. Nennt mich einer gnädiger Herr, so weiß ich schon, daß ich einen Wiener höre, der jeden bürgerlichen *Gentleman* so anspricht, und lass' ihm gern seine so unschuldige Sitte.« –

»Aber du konntest es gestern aushalten,« sagte Walt, »die Eltern zu sehen und den Jammer der Mutter unter dem Essen

1 Wiarda über deutsche Vor- und Geschlechtsnamen, S. 216-221.

über dein Schicksal zu hören, ohne herab und hinein an die besorgten Herzen zu stürzen?« –

»So lange saß ich nicht auf dem Baume – – Walt,« sagt' er, plötzlich vor ihn vorspringend – »Sieh mich an! Wie Leute gewöhnlich sonst aus ihren Not- und Ehrenzügen durch Europa heimkommen, besonders wie morsch, wie zerschabt, wie zerschossen gleich Fahnen, braucht dir wohl niemand bei deiner ausgedehnten Lektüre lange zu sagen; – ob es gleich sehr erläutert würde, wenn man dir dazu einen Fahnenträger dieser Art – dir unbekannt, aber aus einem altgräflichen Hause gebürtig und dessen Ahnenbildersaal mit sich als Hogarths Schwanzstück und Finalstock beschließend – wenn man dir jenen Grafen vorhalten könnte, der eben jetzt vollends in London versiert und einst nie mehr Arbeit vor sich finden wird, als wenn er von den Toten auferstehen will und sich seine Glieder, wie ein Frühstück in Paris, in der halben alten Welt zusammenklauben muß, die Wirbelhaare auf den Straßendämmen nach Wien – die Stimme in den Konservatorien zu Rom – seine erste Nase in Neapel, wo sich mehrere Statuen mit zweiten ergänzen – seine anus cerebri (diese Gedächtnis-Sitze nach Hoobocken) und seine Zirbeldrüse und mehrere Sachen in der Propaganda des Todes mehr als des Lebens – – Kurz der Tropf (er hat mir den Redefaden verworren) findet nichts auf dem Kirchhof neben sich als das, worein er jetzt, wie andere Leichen auf dem St. Innozenz-Kirchhof in Paris, ganz verwandelt ist, das Fett – – Nun aber beschau' mich und die Jünglingsrosen – das Männermark – die Reisebräune – die Augenflammen – das volle Leben: was fehlt mir? Was dir fehlet – etwas zu leben. Notar, ich bin nicht sehr bei Geld.«

»Desto besser« – versetzte Walt so gleichgültig, als kenn' er das Schöpfrad aller Virtuosen ganz gut, das sich immer zu füllen und zu leeren, eigentlich aber nur durch beides umzuschwingen sucht – »ich habe auch nichts, doch haben wir beide die Erbschaft« ... Er wollte noch etwas Freigebiges sagen, aber Vult unterfuhr ihn: »Ich wollte vorhin nur andeuten, Freund,

94

daß ich mithin in Ewigkeit nie mich in verlorner Sohnes-Gestalt vor die Mutter stelle – und vollends vor den Vater! – Freilich, könnt' ich mit einer langen Stange von Gold in die Haustüre einschreiten! – – Bei Gott, ich wollte sie oft beschenken – ich nahm einmal absichtlich Extrapost, um ihnen eine erkleckliche Spiel-Summe (nicht auf der Flöte, sondern auf der Karte erspielt) zugleich mit meiner Person schneller zu überreichen; leider aber zehr' ichs gerade durch die Schnelle selber auf und muß auf halbem Weg leer umwenden. Glaub' es mir, guter Bruder, ob ichs gleich sage. Sooft ich auch nachher ging und flötete, das Geld ging auch flöten.«

»Immer das Geld!« – sagte Walt – »die Eltern geht nur ihr Kind, nicht dessen Gaben an; könntest du so scheiden und zumal die liebe Mutter in der langen nagenden Sorge lassen, woraus du mich erlöset?« – »Gut!« sagt' er. »So mög' ihnen denn durch irgendeinen glaubwürdigen Mann aus Amsterdam oder Haag, etwan durch einen Herrn van der Harnisch, geschrieben werden, ihr schätzbarer Sohn, den er persönlich kenne und schätze, emergiere mehr, habe jetzt Mittel und vor tausenden das Prä und lange künftig *an*, so wie jetzt *aus*. Ach was! Ich könnte selber nach Elterlein hinausreiten, Vults Geschichte erzählen und beschwören und falsche Briefe von ihm an mich vorzeigen – die noch dazu wahre wären –, nämlich dem Vater; die Mutter, glaub' ich, erriete mich, oder sie bewegte mich, denn ich liebe sie wohl kindlich! – Scheiden, sagtest du? Ich bleibe ja bei dir, Bruder!«

Das überfiel den Notarius wie eine versteckte Musik, die an einem Geburtstage herausbricht. Er konnte nicht aufhören, zu jubeln und zu loben. Vult aber eröffnete, warum er dableibe, nämlich erstlich und hauptsächlich, um ihm als einem arglosen Singvogel, der besser oben fliegen als unten scharren könne, unter dem adeligen Inkognito gegen die sieben Spitzbuben beizustehen; denn, wie gesagt, er glaube nicht sonderlich an dessen Sieg.

»Du bist freilich«, versetzte Walt betroffen, »ein gereiseter

Weltmann, und ich hätte zu wenig gelesen und gesehen, wollt'
ich das nicht merken; aber ich hoffe doch, daß ich, wenn ich
mir immer meine Eltern vorhalte, wie sie so lange angekettet
auf dem dunstigen Ruderschiffe der Schulden ein bitteres
Leben befahren, und wenn ich alle meine Kräfte zur Erfüllung
der Testaments-Bedingungen zusammennehme, ich hoffe
wohl, daß ich dann die Stunde erzwinge, wo ihnen die Ketten
entzweigeschlagen und sie auf ein grünes Ufer einer Zuckerinsel ausgeschifft sind und wir uns alle frei unter dem Himmel
umarmen. Ja, ich hatte bisher gerade die umgekehrte Sorge für
die armen Erben selber, an deren Stelle ich mich dachte, wenn
ich sie um alles brächte; und nur die Betrachtung machte mich
ruhig, daß sie doch die Erbschaft, schlüg' ich sie auch aus, nicht
bekämen und daß ja meine Eltern weit ärmer sind und mir
näher.«

»Der zweite Grund,« – versetzte Vult –, »warum ich in Haßlau verbleibe, hat mit dem ersten nichts zu tun, sondern alles
bloß mit einer göttlichen Windmühle, die der blaue Äther
treibt, und auf welcher wir beide Brot – du erbst indes immer
fort –, soviel wir brauchen, mahlen können. Ich weiß nicht, ob
es sonst nicht noch für uns beide etwas so Angenehmes oder
Nützliches gibt als eben die Äthermühle, die ich projektieren
will; die Frisiermühlen der Tuchscherer, die Bandmühlen der
Berner, die Molae asinariae oder Eselsmühlen der Römer kommen nicht in Betracht gegen meine.«

Walt war in größter Spannung und bat sehr darum. »Droben
bei einem Glas Krätzer«, versetzte Vult. Sie eilten den Hügel
auf zum Wirtshaus. Drinnen taten sich schon an einem Tische,
der die Marschalls-, Pagen- und Lakaientafel war, schnelle
Freßzangen auf und zu. Der Wein wurde auf einen Stuhl
gesetzt ins Freie. Das weiße Tischtuch ihres verschobenen Soupers glänzte schon aus der wandlosen Stube herab. Vult fing
damit an, daß er dem Modelle der künftigen Äthermühle das
Lob von Walts gestrigen Streckversen vorausschickte – daß er
sein Erstaunen bezeugte, wie Walt, bei sonstigem Überwallen

im Leben, doch jene Ruhe im Dichten habe, durch welche ein Dichter es dem Wasser-Rennen der Bayerinnen gleichtut, welche mit einem Scheffel Wasser oder Hippokrene auf dem Kopfe unter der Bedingung wettlaufen, nichts zu verschütten, und daß er fragte, wie er als Jurist zu dieser poetischen Ausbildung gekommen.

Der Notarius trank mit Geschmack den Krätzer und sagte, zweifelnd vor Freude: wenn würklich etwas Poetisches an ihm wäre, auch nur der Flaum einer Dichterschwinge, so käme es freilich von seinem ewigen Bestreben in Leipzig her, in allen vom Jus freigelassenen Stunden an gar nichts zu hangen, an gar nichts aufzuklettern als am hohen Olymp der Musen, dem Göttersitze des Herzens, wiewohl ihm noch niemand recht gegeben als Goldine und der Kandidat; »aber, guter Vult, scherze hier nicht mit mir. Die Mutter nannte dich schon früh den Spaßer. Ist dein Urteil Ernst?« – »Ich will hier den Hals brechen, Tabellio,« versetzte Vult, »bewunder' ich nicht dich und deine Verse aus voller Kunst-Seele. Hör' erst weiter!« –

»Ach warum werd' ich denn so überglücklich?« (unterbrach ihn Walt und trank) »Gestern find' ich den Plato, heute dich, gerade zwei Nummern nach meinem Aberglauben. Du hörtest gestern alle Verse?« – Mitten unter dem heftigen Auf- und Abschreiten suchte er immer das Wirtskind, das im Hofe unter der Baute von Kartoffeln-Samenkapseln furchtsam aufguckte, jedesmal sehr anzulächeln, damit es nicht erschräke.

Vult fing, ohne ihm zu antworten, sein Mühlen-Modell folgendermaßen vorzulegen an, sehr unbesorgt, wie jeder Reisende, über ein zufälliges fünftes Ohr:

»Andächtiger Mitbruder und Zwilling! Es gibt Deutsche. Für sie schreiben dergleichen. Jene fassen es nicht ganz, sondern rezensieren es, besonders exzellenten Spaß. Sie wollen der poetischen Schönheitslinie ein Linienblatt unterlegen; dabei soll der Autor noch nebenher ein Amt haben, was aber so schlimm ist, als wenn eine Schwangere die Pocken zugleich hat. Die Kunst sei ihr Weg und Ziel zugleich. Durch den jüdischen

Tempel durfte man nach Lightfoot nicht gehen, um bloß nach einem andern Orte zu gelangen; so ist auch ein bloßer Durchgang durch den Musentempel verboten. Man darf nicht den Parnaß passieren, um in ein fettes Tal zu laufen. – Verdammt! Lass' mich anders anfangen! zanke nicht! Trinke! – Jetzt:

Walt!

Ich habe nämlich auf meinen Flötenreisen ein satirisches Werk in den Druck gegeben als Manuskript, die *grönländischen Prozesse* in zwei Bänden anno 1783 bei Voß und Sohn in Berlin.« (»Ich erstaune ganz«, sagte Walt verehrend.) »Ich würde dich inzwischen ohne Grund mit Lügen besetzen, wenn ich dir verkündigen wollte, die Bekanntmachung dieser Bände hätte etwan mich oder die Sachen selber im geringsten bekannt gemacht. Nimmt man sechs oder sieben Schergen, zugleich Schächer und Schächter, aus – und hier fallen zwei auf die Allgemeine deutsche Bibliothek, die also wohl einer sind –, so hat leider keine Seele die Scripta getadelt und gekannt. Es ist hier – wegen deiner Ungeduld nach der versprochenen Äthermühle – wohl nicht der Ort, es glücklich auseinanderzusetzen *warum;* – habe genug, wenn ich dir schwöre, daß die Rezensenten Sünder sind, aber arme, echte Gurkenmaler, die sich daher Gurken herausnehmen, Grenzgötter ohne Arme und Beine auf den Grenzhügeln der Wissenschaften, und daß wir alle hinauf und hinab florieren würden, gäb' es nur so viele gute Kunstrichter als Zeitungen, für jede einen, so wie es wirklich so viele meisterhafte Schauspieler gibt als – eine in die andere übergerechnet – Truppen.

Es ist eine der verwünschtesten Sachen. Oft rezensiert die Jugend das Alter, noch öfter das Alter die Jugend, eine Rektors-Schlafhaube kämpfet gegen eine Jünglings-Sturmhaube –

Wie Kochbücher arbeiten sie für den Geschmack, ohne ihn zu haben –

Solchen Sekanten, Kosekanten, Tangenten, Kotangenten kommt alles exzentrisch vor, besonders das Zentrum; der

Kurzsichtige findet nach Lambert[1] den Kometenschwanz viel länger als der Weitsichtige –

Sie wollen den Schiffskiel des Autors lenken, nämlich den ordentlichen Schreib-Kiel, sie wollen den Autor mit ihrem Richterstabe, wie Minerva mit ihrem Zauber-Stabe den Ulysses, in einen Bettler und Greis verkehren –

Sie wollen die erbärmlichsten Dinge bei Gott« – (Des Notars Gesicht zog sich dabei sichtlich ins lange, weil er wie jeder, der nur gelehrte Zeitungen hält, aber nicht macht und kennt, von einer gewissen Achtung für sie, vielleicht gar einer hoffenden, nicht frei war.)

»Indes jeder Mensch« – fuhr jener fort – »sei billig; denn ich darf nicht übersehen, daß es mit Büchern ist wie mit Pökelfleisch, von welchem Huxham dartat, daß es zwar durch mäßiges Salz sich lange halte, aber auch durch zu vieles sogleich faule und stinke – Notarius, ich machte das Buch zu gut, mithin zu schlecht.« –

»Du wimmelst von Einfällen« – (versetzte Walt) »scherzhaft zu reden, hast du so viele Windungen und Köpfe wie die lernäische Schlange.«

»Ich bin nicht ohne Witz,« erwiderte Vult in vergeblicher Absicht, daß der Bruder lache –, »aber du reißest mich aus dem Zusammenhang. – Was kann ich nun dabei machen? Ich allein nichts; aber mit dir viel, nämlich ein Werk; *ein* Paar Zwillinge müssen, als ihr eigenes Widerspiel, zusammen einen Einling, *ein* Buch zeugen, einen trefflichen Doppel-Roman. Ich lache darin, du weinst dabei oder fliegst doch – du bist der Evangelist, ich das Vieh darhinter – jeder hebt den andern – alle Parteien werden befriedigt, Mann und Weib, Hof und Haus, ich und du. – Wirt, mehr Krätzer, aber aufrichtigen! – Und was sagst du nun zu diesem Projekt und Mühlengang – wodurch wir beide herrlich den Mahlgästen Himmelsbrot verschaffen können, und uns Erdenbrot, was sagst du zu dieser Musenroß-Mühle?« –

1 Lamberts Beiträge zur Mathematik III. B. p. 236.

Aber der Notar konnte nichts sagen, er fuhr bloß mit einer Umhalsung an den Projektmacher. Nichts erschüttert den Menschen mehr – zumal den belesenen – als der erste Gedanke seines Drucks. Alte tiefe Wünsche der Brust standen auf einmal aufgewachsen in Walten da und blühten voll; wie in einem südlichen Klima fuhr in ihm jedes nordische Strauchwerk zum Palmenhain auf; er sah sich bereichert und berühmt und wochenlang auf dem poetischen Geburtsstuhl. Er zweifelte in der Entzückung an nichts als an der Möglichkeit und fragte, wie zwei Menschen schreiben könnten, und woher ein romantischer Plan zu nehmen sei.

»Geschichten, Walt, hab' ich auf meinen Reisen an 1001 erlebt, nicht einmal gehört; diese werden sämtlich genommen, sehr gut verschnitten und verkleidet. Wie Zwillinge in *ein* Dintenfaß tunken? Beaumont und Fletcher, sich hundsfremd, nähten an *einem* gemeinschaftlichen Schneider-Tische Schauspiele, nach deren Naht und Suturen noch bis heute die Kritiker fühlen und tasten. Bei den spanischen Dichtern hatte oft ein Kind an neun Väter, nämlich eine Komödie, nämlich Autoren. Und im 1sten Buch Mosis kannst du es am allerersten lesen, wenn du den Professor Eichhorn dazu liesest, der allein in der Sündflut drei Autoren annimmt, außer dem vierten im Himmel. Es gibt in jedem epischen Werke Kapitel, worüber der Mensch lachen muß, Ausschweifungen, die das Leben des Helden unterbrechen; diese kann, denk' ich, der Bruder machen und liefern, der die Flöte bläset. Freilich Parität, wie in Reichsstädten, muß sein, die eine Partei muß so viele Zensoren, Büttel, Nachtwächter haben als die andere. Geschieht nun das mit Verstand, so mag wohl ein Werk zu hecken sein, ein Ledas-Ei, das sich sogar vom Wolfischen Homer unterscheidet, an dem so viele Homeriden schrieben und vielleicht Homer selber.« –

»Genug, genug«, rief Walt. »Betrachte lieber den himmlischen Abend um uns her!« In der Tat blühten Lust und Lebens-Lob in allen Augen. Mehrere Gäste, die schon abgegessen, tranken ihren Krug im Freien, alle Stände standen untereinander, die Autoren mitten im tiers-état. Die Fledermäuse schossen als Tropikvögel eines schönen Morgens um die Köpfe. An einer Rosen-Staude krochen die Funken der Johanniswürmlein. Die fernen Dorfglocken riefen wie schöne verhallende Zeiten herüber und ins dunkle Hirtengeschrei auf den Feldern hinein. Man brauchte so spät auf allen Wegen, nicht einmal in dem Gehölze, Lichter, und man konnte bei dem Schein der Abendröte die hellen Köpfe deutlich durch das hohe Getreide waten sehen. Die Dämmerung lagerte sich weit und breit nach Westen hinein, mit der scharfen Mond-Krone von Silber auf dem Kopfe; nur hinter dem Hause schlich sich, aber ungesehen, die große hohle Nacht aus Osten heran. In Mitternacht glomm es leise wie Apfelblüte an, und liebliche Blitze aus Morgen spielten herüber in das junge Rot. Die nahen Birken dufteten zu den Brüdern hinab, die Heu-Berge unten dufteten hinauf. Mancher Stern half sich heraus in die Dämmerung und wurde eine Flug-Maschine der Seele.

Vult vergabs dem Notar, daß er kaum zu bleiben wußte. Er hatte so viele Dinge und unter ihnen den Krätzer im Kopfe; denn in diesem entsetzlichen Weine, wahrem Weinbergs-Unkraut für Vult, hatte sich der arme Teufel – dem Wein so hoch klang wie Äther – immer tiefer in seine Jahre zurückgetrunken, ins 20te, 18te und letztlich ins 15te.

Auf Reisen trifft man Leute an, die darauf zurückschwimmen bis ins 1te Jahr, bis an die Quelle. Vormittags predigen es die Äbte in ihren Visitationspredigten: werdet wie die Kinder! Und abends werden sie es samt dem Kloster, und beide lallen kindlich.

»Warum siehst du mich so an, geliebter Vult?« sagte Walt. – »Ich denke an die vergangenen Zeiten,« versetzte jener, »wo wir uns so oft geprügelt haben; wie Familienstücke hängen die Bataillenstücke in meiner Brust – ich ärgerte mich damals, daß ich stärker und zorniger war und du mich doch durch deine elastische wütige Schnelle aller Glieder häufig unter bekamst. Die unschuldigen Kinderfreuden kommen nie wieder, Walt!«

Aber der Notar hörte und sah nichts als Apollos flammenden Sonnenwagen in sich rollen, worauf schon die Gestalten seines künftigen Doppelromans kolossalisch standen und kamen; unwillkürlich macht' er große Stücke vom Buche fertig und konnte sie dem verwunderten Bruder zuwerfen. Dieser wollte endlich davon aufhören, aber der Notar drang noch auf den Titel ihres Buchs. Vult schlug *Flegeljahre* vor; der Notar sagte offen heraus, wie ihm ein Titel widerstehe, der teils so auffallend sei, teils so wild. »Gut, so mag denn die Duplizität der Arbeit schon auf dem ersten Blatte bezeichnet werden, wie es auch ein neuerer beliebter Autor tut, etwan: *Hoppelpoppel* oder das Herz.« Bei diesem Titel mußte es bleiben.

Beide mengten sich wieder in die Gegenwart ein.

Der Notar nahm ein Glas und drehte sich von der Gesellschaft ab und sagte mit tropfenden Augen zu Vult: »Auf das Glück unserer Eltern und auch der armen Goldine! Sie sitzen jetzt gewiß ohne Licht in der Stube und reden von uns.« – Hierauf zog der Flötenist sein Instrument hervor und blies der Gesellschaft einige gemeine Schleifer vor. Der lange Wirt tanzte darnach langsam und zerrend mit dem schläfrigen Knaben; manche Gäste regten den Takt-Schenkel; der Notarius weinte dazu selig und sah ins Abendrot. »Ich möchte wohl« – sagt' er dem Bruder ins Ohr – »die armen Fuhrleute sämtlich in Bier freihalten.« – »Wahrscheinlich,« sagte Vult, »würfen sie dich dann aus point d'honneur den Hügel hinunter. Himmel! sie sind ja Krösi gegen uns und sehen herab.« Vult ließ den Wirt plötzlich, statt zu tanzen, servieren; so ungern der Notarius in seine Entzückung hinein essen und käuen wollte.

»Ich denke roher,« sagte Vult, »ich respektiere alles, was zum Magen gehört, diese Montgolfiere des Menschen-Zentaurs; der Realismus ist der Sancho Pansa des Idealismus. – Aber oft geh' ich weit und mache in mir edle Seelen, z. B. weibliche, zum Teil lächerlich, indem ich sie essen und als Selbst-Futterbänke ihre untern Kinnbacken so bewegen lasse, daß sie dem Tier vorschneiden.«

Walt unterdrückte sein Mißfallen an der Rede. Beglückt aßen sie oben vor der ausgebrochenen Wand; die Abendröte war das Tafellicht. Auf einmal rauschte mit verlornem Donnern eine frische Frühlingswolke auf Laub und Gräser herunter, der helle goldne Abendsaum blickte durch die herabtropfende Nacht, die Natur wurde eine einzige Blume und duftete herein, und die erquickte gebadete Nachtigall zog wie einen langen Strahl einen heißen langen Schlag durch die kühle Luft.

»Vermissest du jetzt sonderlich«, fragte Vult, »die Park-Bäume, den Paruckenbaum, den Gerberbaum – oder hier oben die Bedienten, die Servicen, den Goldteller mit seinem Spiegel, damit darauf die Portion mit falschen Farben schwimme?« – »Wahrlich nicht«, sagte Walt; »sieh, die schönsten Edelsteine setzt die Natur auf den Ring unseres Bundes« – und meinte die Blitze. Die Luftschlösser seiner Zukunft waren golden erleuchtet. Er wollte wieder vom Doppel-Romane und dem Stoff dazu anfangen – und sagte, er habe hinter der Schäferei heute drei hineinpassende Streckverse gemacht. Aber der Flötenist, einer und derselben Materie bald überdrüssig und nach Rührungen ordentlich des Spaßes bedürftig, fragte ihn: warum er zu Pferde gegangen? »Ich und der Vater«, sagte Walt ernst, »dachten, eh wir von der Erbschaft wußten, ich würde dadurch der Stadt und den Kunden bekannter, weil man unter dem Tore, wie du weißt, nur die Reiter ins Intelligenzblatt setzt.« Da brachte der Flötenist wieder den alten Reiterscherz auf die Bahn und sagte: »der Schimmel gehe, wie nach Winckelmann die großen Griechen, stets langsam und gesetzt – er habe nicht den Fehler der Uhren, die immer schneller gehen, je älter sie werden – ja vielleicht sei er nicht älter als Walt, wiewohl ein Pferd stets etwas jünger sein sollte als der Reiter, so wie die Frau jünger als der Mann – ein schönes römisches Sta Viator, Steh', Weg-Machender! bleibe der Gaul für den, so darauf sitze« ...

»O lieber Bruder,« – sagte Walt sanft, aber mit der Röte der Empfindlichkeit und Vults Laune noch wenig fassend und belachend – »zieh mich damit nicht mehr auf, was kann ich

dafür?« – »Nu, nu, warmer Aschgraukopf,« – sagte Vult und
fuhr mit der Hand über den Tisch und unter alle seine weiche
Locken, streichelnd Haar und Stirn – »lies mir denn deine drei
Polymeter vor, die du hinter der Schäferei gelammet.«

Er las folgende:

Das offene Auge des Toten

Blick' mich nicht an, kaltes, starres, blindes Auge, du bist ein
Toter, ja der Tod. O drücket das Auge zu, ihr Freunde, dann
ist es nur Schlummer.

»Warst du so trübe gestimmt an einem so schönen Tage?«
fragte Vult. »Selig war ich wie jetzt«, sagte Walt. Da drückte
ihm Vult die Hand und sagte bedeutend: »Dann gefällts mir,
das ist der Dichter. Weiter!«

Der Kinderball

Wie lächelt, wie hüpfet ihr, blumige Genien, kaum von der
Wolke gestiegen! Der Kunst-Tanz und der Wahn schleppt
euch nicht, und ihr hüpfet über die Regel hinweg. – Wie, es tritt
die Zeit herein und berührt sie? Große Männer und Frauen
stehen da? Der kleine Tanz ist erstarrt, sie heben sich zum
Gang und schauen einander ernst ins schwere Gesicht? Nein,
nein, spielet ihr Kinder, gaukelt nur fort in eurem Traum, es
war nur einer von mir.

Die Sonnenblume und die Nachtviole

Am Tage sprach die volle Sonnenblume: »Apollo strahlt, und
ich breite mich aus, er wandelt über die Welt, und ich folge ihm
nach.« In der Nacht sagte die Viole: »Niedrig steh' ich und
verborgen – und blühe in kurzer Nacht; zuweilen schimmert
Phöbus milde Schwester auf mich, da werd' ich gesehen und
gebrochen und sterbe an der Brust.«

»Die Nachtviole bleibe die letzte Blume im heutigen Kranz!«
sagte Vult gerührt, weil die Kunst gerade so leicht mit ihm spielen konnte als er mit der Natur, und er schied mit einer Umarmung. In Walts Nacht wurden lange Violenbeete gesäet – an
das Kopfkissen kamen durch die offne Wand die Düfte der
erquickten Landschaft heran und die hellen Morgentöne der
Lerche – sooft er das Auge auftat, fiel es in den blauen vollge-
stirnten Westen, an welchem die späten Sternbilder nacheinander hinunterzogen als Vorläufer des schönen Morgens.

N$\underline{^{ro}}$ 15: RIESENMUSCHEL

Die Stadt – chambre garnie

Walt stand mit einem Kopfe voll Morgenrot auf und suchte
den brüderlichen, als er seinen Vater, der sich schon um 1 Uhr
auf seine langen Beine gemacht, mit weiten Schritten und reise-
bleich durch den Hof laufen sah. Er hielt ihn an. Er mußte
lange gegen den Strafprediger seine Gegenwart durch die ausgebrochene Mauer herunter verteidigen. Darauf bat er den
müden Vater, zu reiten, indes er zu Fuße neben ihm laufe.
Lukas nahm es ohne Dank an. Sehnsüchtig nach dem Bruder,
der sich nicht zeigen durfte, verließ Walt die Bühne eines so
holden Spielabends.

Auf dem waagrechten Wege, der keinen Wassertropfen rollen ließ, bewegte sich das Pferd ohne Tadel und hielt Schritt mit
dem tauben Sohne, dem der Vater von der Sattel-Kanzel unzählige Rechts- und Lebensregeln herabwarf. Was konnte
Gottwalt hören? Er sah nur in und außer sich glänzende Mor-
genwiesen des Jugendlebens, ferner die Landschaft auf beiden
Seiten der Chaussée, ferner die dunklen Blumengärten der
Liebe, den hohen hellen Musenberg und endlich die Türme
und Rauchsäulen der ausgebreiteten Stadt. Jetzt saß der Vater
mit dem Befehle an den Notarius ab, durchs Tor zum Fleischer

zu reiten, in sein Logis, und um 10 Uhr in den weichen Krebs zu gehen, wo man auf ihn warten wolle, um mit ihm gehörig vor dem Magistrate zu erscheinen.

Walt saß auf und flog wie ein Cherub durch den Himmel. Die Zeit war so anmutig; an den Häuser-Reihen glänzte weißer Tag, in den grünen tauigen Gärten bunter Morgen, selber sein Vieh wurde poetisch und trabte ungeheißen, weil es seinem Stall nahe und aus dem herrnhutischen hungrig kam. – Der Notarius sang laut im Fluge des Schimmels. Im ganzen Fürstentum stand kein Ich auf einem so hohen Gehirnhügel als sein eigenes, welches davon herab wie von einem Ätna in ein so weites Leben voll morganischer Feen hineinsah, daß die blitzenden Säulen, die umgekehrten Städte und Schiffe den ganzen Tag hängen blieben in der Spiegelluft.

Unter dem Tore befragte man ihn: *woher*? »*Von* Haßlau«, versetzte er entzückt, bis er den lächerlichen Irrtum eilig umbesserte und sagte: »*Nach* Haßlau.« Das Pferd regierte wie ein Weiser sich selber und brachte ihn leicht durch die bevölkerten Gassen an den Stall, wo er mit Dank und in Eile abstieg, um sofort seine »chambre garnie« zu beziehen. Auf den hellen Gassen voll Feldgeschrei, gleichsam Kompagniegassen eines Lustlagers, sah ers gern, daß er seinen Hausherrn, den Hofagent Neupeter, kaum finden konnte. Er gewann damit die Zeit, die verschüttete Gottes-Stadt der Kindheit auszuscharren und den Schutt wegzufahren, so daß zuletzt völlig dieselben Gassen ans Sonnenlicht kamen, ebenso prächtig, so breit und voll Paläste und Damen, wie die waren, durch welche er einmal als Kind gegangen. Ganz wie zum erstenmale faßte ihn die Pracht des ewigen Getöses, die schnellen Wagen, die hohen Häuser mit ihren Statuen darauf und die flitternen Opern- und Galakleider mancher Person. Er konnte kaum annehmen, daß es in einer Stadt einen Mittwoch, einen Sonnabend und andere platte Bauerntage gebe, und nicht jede Woche ein hohes Fest von sieben Feiertagen. Auch sehr sauer wurd' es ihm, zu glauben – sehen mußt' ers freilich –, daß so gemeine Leute wie

Schuhflicker, Schneidermeister, Schmidte und andere Acker-
pferde des Staats, die auf die Dörfer gehörten, mitten unter den
feinsten Leuten wohnten und gingen.

Er erstaunte über jeden Werkeltagshabit, weil er selber mitten in der Woche den Sonntag anhabend – den Nanking –
gekommen war; alle große Häuser füllte er mit geputzten
Gästen und sehr artigen Herren und Damen an, die jene liebe-
winkend bewirteten, und er sah nach ihnen an alle Balkons und
Erker hinauf. Er warf helle Augen auf jeden vorübergehenden
lackierten Wagen und auf jeden roten Schaul, auf jeden Friseur,
der sogar werkeltags arbeitete und tafelfähig machte, und auf
den Kopfsalat, der im Springbrunnen schon vormittags gewaschen wurde, anstatt in Elterlein nur Sonntagsabends.

Endlich stieß er auf die lackierte Türe mit dem goldgelben
Titelblatt »Material-Handlung von Peter Neupeter et Compagnie« und ging durch die Ladentüre ein. Im Gewölbe wartete
er es ab, bis die hin- und herspringenden Ladenschürzen alle
Welt abgefertigt hätten. Zuletzt, da endlich nach der Ancienneté der Mahlgäste auch *seine* Reihe kam, fragte ihn ein freund-
liches Pürschchen, was ihm beliebe. »Nichts« – versetzte er so
sanft, als es seine Stimme nur vermochte – »ich bekomme hier
eine chambre garnie und wünsche dem Herrn Hofagenten
mich zu zeigen.« – Man wies ihn an die Glastüre der Schreib-
stube. Der Agent – mehr Seide im Schlafrock tragend als die
Gerichtsmännin im Sonntagsputz – schrieb den Brief-Perioden
gar aus und empfing mit einem Apfel-roten und -runden
Gesichte den Mietsmann.

Der Notarius gedachte wahrscheinlich, mit seinem Roßge-
ruch und seiner Spießgerte zu imponieren als Reiter; aber für
den Agenten – den wöchentlichen Lieferanten der größten
Leute und den jährlichen Gläubiger derselben – war ein Schock
berittener Notarien von keiner sonderlichen Importanz.

Er rief ganz kurz einem Laden-Pagen herrisch zu, den Herrn
anzuweisen. Der Page rief wieder auf der ersten Treppe ein
bildschönes nettes, sehr verdrüßliches Mädchen heraus, damit

sie den Herrn mit der Spießgerte bis zur vierten brächte. Die Treppen waren breit und glänzend, die Geländer figurierte Eisen-Guirlanden, alles froh erhellt, die Tür-Schlösser und Leisten schienen vergoldet, an den Schwellen lagen lange bunte Teppiche. Unterwegs suchte er die Stumme dadurch zu erfreuen und zu belohnen, daß er sanft ihren Namen zu wissen wünschte. Flora heißet der Name, womit das schöne mürrische Ding auf die Nachwelt übergeht.

Die chambre garnie ging auf. – Freilich nicht für jeden wäre sie gewesen, ausgenommen als chambre ardente; mancher, der im roten Hause zu Frankfurt oder im Egalitäts-Palaste geschlafen, hätte an diesem langen Menschen-Koben voll Urururur-Möbeln, die man vor dem glänzenden Hause hier zu verstecken suchte, vieles freimütig ausgesetzt. Aber ein Polymetriker im Göttermonat der Jugend, ein ewig entzückter Mensch, der das harte Leben stets, wie Kenner die harten Cartons von Raffael, bloß im (poetischen) Spiegel beschauet und mildert – der an einer Fischer-, Hunds- und jeder Hütte ein Fenster aufmacht und ruft: ist das nicht prächtig draußen? – der überall, er sei im Eskurial, das wie ein Rost, oder in Karlsruh, das wie ein Fächer, oder in Meinungen, das wie eine Harfe, oder in einem Seewurm-Gehäuse, das wie eine Pfeife gebauet ist, die Sommerseite findet und dem Roste Feuerung abgewinnet, dem Fächer Kühlung, der Harfen Töne, der See-Pfeife desfalls – ich meine überhaupt, ein Mensch wie der Notarius, der mit einem solchen Kopfe voll Aussichten über die weite Bienenflora seiner Zukunft hin in den Bienenkorb einfliegt und einen flüchtigen Überschlag des Honigs macht, den er darein aus tausend Blumen tragen wird, ein solcher Mensch darf uns weiter nicht sehr in Verwunderung setzen, wenn er sogleich ans Abend-Fenster schreitet, es aufreißet und vor Floren entzückt ausruft: »Göttliche Aussicht! Da unten der Park – ein Abschnitt Marktplatz – dort die zwei Kirchtürme – drüben die Berge – Wahrlich sehr schön!« – Denn dem Mädchen wollt' er auch eine kleine Freude zuwenden durch die Zeichen der seinigen.

Er warf jetzt sein gelbes Röckchen ab, um als Selbstquartiermeister in Hemdärmeln alles so zu ordnen, daß, wenn er von der verdrüßlichen Erscheinung vor dem Stadtrate nach Hause käme, er sogleich ganz wie zu Hause sein könnte und nichts zu machen brauchte als die Fortsetzung seines Himmels und seinen Streckvers und etwas von dem abgekarteten Doppelroman. Den Abhub der Zeit, den Bodensatz der Mode, den der Agent im Zimmer fallen lassen, nahm er für schöne Handelszeichen, womit der Handelsmann eine besondere Sorgfalt für ihn offenbaren wollen. Mit Freuden trug er von zwölf grünen, in Tuch und Kuhhaar gekleideten Sesseln die Hälfte – man konnte sonst vor Sitzen nicht stehen – ins Schlafgemach zu einem lackierten Regenschirm von Wachstuch und einem Ofenschirm mit einem Frauen-Schattenriß. Aus einer Kommode – einem Häuschen im Haus – zog er mit beiden Händen ein Stockwerk nach dem andern aus, um seine nachgefahrne fahrende Habe darein zu schaffen. Auf einem Teetischchen von Zinn konnte alles Kalte und das Heiße getrunken werden, da es beides so kühlte. Er erstaunte über den Überfluß, worin er künftig schwimmen sollte. Denn es war noch eine Paphose da (er wußte gar nicht, was es war) – ein Bücherschrank mit Glastüren, deren Rahmen und Schlösser ihm, weil die Gläser fehlten, ganz unbegreiflich waren, und worein er oben die Bücher schickte, unten die Notariats-Händel – ein blau angestrichener Tisch mit Schubfach, worauf ausgeschnittene bunte Bilder, Jagd-, Blumen- und andere Stücke, zerstreuet aufgepappt waren, und auf welchem er dichten konnte, wenn ers nicht lieber auf einem Arbeitstischchen mit Rehfüßen und einem Einsatz von lackiertem Blech tun wollte – endlich ein Kammerdiener oder eine Servante, die er als Sekretär an den Schreibtisch drehte, um auf ihre Scheiben Papier, eine feine Feder zur Poesie, eine grobe zum Jus zu legen. Das sind vielleicht die wichtigern Pertinenzstücke seiner Stube, wobei man Lappalien, leere Markenkästchen, ein Nähpult, einen schwarzen basaltenen Kaligula, der aus Brust-

Mangel nicht mehr stehen konnte, ein Wandschränklein usw., nicht anschlagen wollte.

Nachdem er noch einmal seine Stiftshütte und deren Ordnung vergnügt überschauet und sich zum Fenster hinausgelegt und unten die weißen Kiesgänge und dunkeln vollaubigen Bäume besehen hatte: machte er sich auf den Weg zum Vater und freuete sich auf den Treppen, daß er in einem so kostbaren Hause ein elendes Wohn-Nest besitze. Auf der Treppe wurde er von einem hellblauen Couvert an die Hofagentin festgehalten. Es roch wie ein Garten, so daß er bald auf der Duft-Wolke mitten in die niedlichsten Schreibzimmer der schönsten Königinnen und Herzoginnen und Landgräfinnen hineinschwamm; indes hielt ers für Pflicht, durch das Ladengewölbe zu gehen und das Couvert redlich mit den Worten abzugeben: hier sei etwas an Madame. Hinter seinem Rücken lachte sämtliche Handels-Pagerie ungewöhnlich.

Er traf seinen Vater in historischer Arbeit und Freude an. Dieser stellte ihn als Universalerben sämtlichen Gästen vor. Er schämte sich, als eine Merkwürdigkeit *dieser* Art lange dem Beschauen bloßzustehen, und beschleunigte die Erscheinung vor dem Stadtrat. Verschämt und bange trat er in die Ratsstube, wo er gegen seine Natur als ein hoher Saitensteg dastehen sollte, auf welchen andere Menschen wie Saiten gespannt waren; er schlug die Augen vor den Akzessit-Erben nieder, die gekommen waren, ihren Brotdieb abzuwägen. Bloß der stolze Neupeter fehlte samt dem Kirchenrat Glanz, der ein viel zu berühmter Prediger auf dem Kanzel- und dem Schreibpulte war, um zur Schau eines ungedruckten Menschen nur drei Schritte zu tun, von dem er die größte Begierde forderte, vielmehr Glanzen aufzusuchen.

Der regierende Bürgermeister und Exekutor Kuhnold wurde mit *einem* Blick der heimliche Freund des Jünglings, der mit so errötendem Schmerz sich allein, vor den Augen stehender gefräßiger Zuschauer, an die gedeckte Glückstafel setzte. Lukas aber besichtigte jeden sehr scharf.

Das Testament wurde verlesen. Nach dem Ende der 3ten Klausel zeigte Kuhnold auf den Frühprediger Flachs, als den redlichen Finder und Gewinner des Kabelschen Hauses; und Walt warf schnell die Augen auf ihn, und sie standen voll Glückwünsche und Gönnen.

Als er in der 4ten Klausel sich anreden hörte vom toten Wohltäter: so wäre er den Tränen, deren er sich in der Rats-stube schämte, zu nahe gekommen, wenn er nicht über Lob und Tadel wechselnd hätte erröten müssen. Der Lorbeerkranz und die Zärtlichkeit, womit Kabel ihm jenen aufsetzte, begei-sterte ihn mit einer ganz andern, heißern Liebe als das Füll-horn, das er über seine Zukunft ausschüttete. – Die darauf fol-genden Stellen, welche für den Vorteil der sieben Erben allerlei aussprachen, versetzten dem Schultheiß den Atem, indem sie dem Sohne einen freiern gaben. Nur bei der 14ten Klausel, der seiner unbefleckten Schwanenbrust den Schandfleck einer weiblichen Verführung zutrauete oder verbot, wurde sein Ge-sicht eine rote Flamme; wie konnte, dachte er, ein sterbender Menschenfreund so oft so unzart schreiben?

Nach der Ablesung des Testaments begehrte Knoll nach der 11ten Klausel »*Harnisch muß*« einen Eid von ihm, nichts auf das Testament zu entlehnen. Kuhnold sagte, er sei nur »an Eides Statt« es zu geloben schuldig. »Ich kann ja zweierlei tun; denn es ist ja einerlei, Eid und an Eides Statt und jedes bloße Wort«, sagte Walt; aber der biedere Kuhnold ließ es nicht zu. Es wurde protokolliert, daß Walt den Notarius zum ersten Erbamt auswähle – Der Vater erbat sich Testaments-Kopie, um davon eine für den Sohn zu nehmen, welche dieser täglich als sein altes und neues Testament lesen und befolgen sollte – Der Buchhändler Paßvogel besah und studierte den Gesamt-Erben nicht ohne Vergnügen und verbarg ihm seine Sehnsucht nach den Gedichten nicht, deren das Testament, sagt’ er, flüchtig erwähne – Der Polizei-Inspektor Harprecht nahm ihn bei der Hand und sagte: »Wir müssen uns öfters suchen, Sie werden kein *Erb-Feind* von mir sein, und ich bin ein *Erbfreund*; man gewöhnt sich zusammen und kann sich dann so wenig entbehren wie einen alten Pfahl vor seinem Fenster, den man, wie Le Vayer sagt, nie ohne Empfindung ausreißen sieht. Wir wollen einander dann wechselseitig mit Worten verkleinern; denn die Liebe spricht gern mit Verkleinerungswörtern.« Walt sah ihm arglos ins Auge, aber Harprecht hielt es lange aus.

Ohne Umstände schied Lukas vom gerührten Sohne, um die Kabelschen Erbstücke, den Garten und das Wäldchen vor dem Tore und das verlorne Haus in der Hundsgasse, so lange zu besehen, bis der Ratsschreiber den letzten Willen mochte abgeschrieben haben.

Gottwalt schöpfte wieder Frühlings-Atem, als er die Ratsstube wie ein enges dumpfiges Winterhaus voll finsterer Blumen aus Eis verlassen hatte; so vieles hatt' ihn bedrängt; er hatte der unreinen Mimik des Hunds- und Heißhungers gemeiner Welt-Herzen zuschauen – und sich verhaßt und verworren sehen müssen – die Erbschaft hatte, wie ein Berg, die bisher von der Ferne und der Phantasie versteckten und gefüllten Gräben und Täler jetzt in der Nähe aufgedeckt und sich selber weiter hinausgerückt – der Bruder und der Doppelroman hatten unaufhörlich ihm in die enge Welt hinein die Zeichen einer unendlichen gegeben und ihn gelockt, wie den Gefangnen blühende Zweige und Schmetterlinge, die sich außen vor seinen Gittern bewegen.

Der liebliche Jesuiterrausch, den jeder den ganzen ersten Tag in einer neuen großen Stadt im Kopfe hat, war in der Ratsstube meistens verraucht. An der Wirtstafel, an der er sich einmietete, kam unter der rauhen ehelosen Zivil-Kaserne von Sachwaltern und Kanzelisten über seine Zunge, außer etwas Weniges von einer geräucherten, nichts, kein warmer Bruder-Laut, den er hätte aussprechen oder erwidern können. Den Bruder Vult wußt' er nicht zu finden; und am schönsten Tage blieb er daheim, damit ihn dieser nicht fehlginge. In der Einsamkeit setzte er ein kleines Inserat für den Haßlauer Kriegs- und Friedens-Boten auf, worin er als Notarius anzeigte, wer und wo er sei; ferner einen kurzen anonymen Streckvers für den Poeten-Winkel des Blattes – Poets corner –, überschrieben.

Der Fremde

⏑ — — — — ⏑ ⏑ ⏑ ⏑ — ⏑ ⏑ —, — ⏑ — ⏑ — ⏑ —,
— — — ⏑ — ⏑ ⏑ —, — ⏑ — ⏑ — ⏑ — ⏑ — ⏑ — ⏑ — ⏑ ⏑ —,
— — —, ⏑ — ⏑ ⏑, — ⏑ — ⏑ — ⏑ — ⏑ ⏑ —.

Gemein und dunkel wird oft die Seele verhüllt, die so rein und offen ist; so deckt graue Rinde das Eis, das zerschlagen innen licht und hell und blau wie Äther erscheint. Bleib' euch stets die Hülle fremd, bleib' es euch nur der Verhüllte nicht.

*

Schwerlich werden einem Haßlauer Ohre von einiger Zärte die Härten dieses Verses – z. B. der Proceleusmatikus: kĕl wĭrd ŏft dĭe – der zweite Päon: dĭe Hüllĕ frĕmd – der Molossus: blēib' ēuch stēts – entwischen; durfte aber nicht der Dichter seine Ideen-Kürze durch einige metrische Rauheit erkaufen? – Ich bemerke bei dieser Gelegenheit, daß es dem Dichter keinen Vorteil schafft, daß man seine Streck- und Einverse nicht als *eine* Zeile drucken lassen kann; und es wäre zu wünschen, es gäbe dem Werke keinen lächerlichen Anstrich, wenn man aus demselben arm-lange Papierwickel wie Flughäute flattern ließe, die herausgeschlagen dem Kinde etwan wie ein Segelwerk von Wickelbändern säßen; aber ich glaube nicht, daß es Glück machte.

Darauf kaufte sich der Notar im Laden drei unbedeutende Visitenkarten, weil er glaubte, er müsse auf ihnen an die beiden Töchter und die Frau des Hauses seinen Namen abgeben; und gab sie ab. Als er eilig seine Inserate in der nahen Zeitungsdruckerei ablieferte: fiel sein Auge erschreckend auf das neueste Wochenblatt, worin noch mit nassen Buchstaben stand:

»Das Flötenkonzert muß ich noch immer verschieben, weil ein schnell wachsendes Augen-Übel mir verbietet, Noten anzusehen.

J. van der Harnisch«

Welch einen schweren Kummer trug er aus der Druckerei in sein Stübchen zurück! Auf den ganzen Frühling seiner Zukunft war tiefer Schnee gefallen, sobald sein freudiger Bruder die freudigen Augen verloren, die er an seiner Seite darauf werfen sollte. Er lief müßig im Zimmer auf und ab und dachte nur an ihn. Die Sonne stand schon gerade auf den Abendbergen und füllte das Zimmer mit Goldstaub; noch war der Geliebte unsichtbar, den er gestern von derselben Sonnenzeit erst wieder bekommen. Zuletzt fing er wie ein Kind zu weinen an, aus stürmischem Heimwehe nach ihm, zumal da er nicht einmal am Morgen hatte sagen können: guten Morgen und lebe wohl, Vult! –

Da ging die Türe auf und der festlich gekleidete Flötenist herein. »O mein Bruder!« rief Walt schmerzlich-freudig. »Donner! leise,« fluchte Vult leise, »es geht hinter mir – nenne mich Sie!« – Flora kam nach. »Morgen Vormittag demnach, Herr Notarius,« fuhr Vult fort, »wünsche ich, daß Sie den Mietkontrakt zu Papier brächten. Tu parles français, Monsieur?« – »Misérablement,« versetzte Walt, »ou non«. – »Darum, Monsieur, komme ich so spät,« erwiderte Vult, »weil ich erstlich meine eigne Wohnung suchte und bezog und zweitens in einer und der andern fremden einsprach; denn wer in einer Stadt viele Bekanntschaften machen will, der tue es in den ersten Tagen, wo er einpassiert; da sucht man noch die seinige, um ihn nur überhaupt zu sehen; später, wenn man ihn hundertmal gesehen, ist man ein alter Hering, der zu lange in der aufgeschlagenen Tonne auf dem Markte bloßgestanden.«

»Gut,« sagte Walt, »aber mein ganzer Himmel fiel mir aus dem Herzen heraus, da ich vorhin in dem Wochenblatte die Augenkrankheit las« – und zog leise die Türe des Schlafkämmerchens zu, worin Flora bettete. »Die Sache bleibt wohl die«

– fing Vult an und stieß kopfschüttelnd die Pforte wieder auf – »pudoris gratia factum est atque formositatis[1]«, erwiderte Walt auf das Schütteln – »bleibt wohl die, sag' ich, was Sie auch mögen hier eingewendet haben, die, daß das deutsche Kunstpublikum sich in nichts inniger verbeißet als in Wunden oder in Metastasen. Ich meine aber weiter nichts als soviel: daß das Publikum z.B. einen Maler sehr gut bezahlt und rekommandiert, der aber etwan mit dem linken Fuße pinselte – oder einen Hornisten, der aber mit der Nase bliese – desgleichen einen Harfenierer, der mit beiden Zahnreihen griffe – auch einen Poeten, der Verse machte, aber im Schlafe – und so demnach auch in etwas einen Flautotraversisten, der sonst gut pfiffe, aber doch den zweiten Vorzug Dülons hätte, stockblind zu sein. – Ich sagte noch Metastasen, nämlich musikalische. Ich gab einmal einem Fagottisten und einem Bratschisten, die zusammen reiseten, den Rat, ihr Glück dadurch zu machen, daß der Fagottist sich auf dem Zettel anheischig machte, auf dem Fagott etwas Bratschen-Gleiches zu geben, und der andere, auf der Bratsche so etwas vom Fagott. Ihr machts nur so, sagt' ich, daß ihr euch ein finsteres Zimmer wie die Mund-Harmoniker oder Lolli bedingt; da spiele denn jeder sein Instrument und geb' es für das fremde, so wie jener ein Pferd, das er mit dem Schwanze an die Krippe gebunden, als eine besondere Merkwürdigkeit sehen ließ, die den Kopf hinten trage. – Ich weiß aber nicht, ob sie es getan.«

Flora ging; und Vult fragte ihn, was er mit der Türschließerei und dem Latein gewollt.

Gottwalt umarmte ihn erst recht als Bruder und sagte dann, er sei nun so, daß er sich schäme und quäle, wenn er eine Schönheit wie Flora in die knechtischen Verhältnisse der Arbeit gestürzt und vergraben sehe; eine niedrig hantierende Schönheit sei ihm eine welsche Madonna mitten auf einem niederländischen Gemälde. – »Oder jener Correggio, den man in

1 »Es geschah der Schamhaftigkeit und Wohlgestalt zu Liebe.«

Schweden an die königlichen Stallfenster annagelte als Stall-Gardine[1]« – sagte Vult –; »aber erzähle das Testament!«

Walt tats und vergaß etwan ein Drittel: »Seit die poetischen Äthermühlflügel, die du Mühlenbaumeister angegeben, sich vor mir auf ihren Höhen regen, ist mir die Testaments-Sache schon sehr unscheinbar geworden«, setzte er dazu. –

»Das ist mir gar nicht recht«, versetzte Vult. »Ich habe den ganzen heutigen Nachmittag auf eine ennuyante Weise lange schwere Dollonds und Reflektors gehalten, um die Herren Akzessit-Erben von weitem zu sehen – so die meisten davon verdienen den Galgenstrang als Nabelschnur der zweiten Welt. Du bekommst wahrlich schwere Aufgaben durch sie.« – Walt sah sehr ernsthaft aus. – »Denn«, fuhr jener lustiger fort, »erwägt man dein liebliches Nein und Addio, als Flora vorhin nach Befehlen fragte, und ihr belvedere, d. h. ihre belle-vue von schönem Gesicht und dazu das enterbte Diebs- und Siebenge-stirn, das dir vielleicht bloß wegen der Klausel, die dich um ein Sechstel puncto Sexti zu strafen droht, eine Flora so nahe mag hergesetzt haben, die zu deflorieren« – – –

»Bruder!« – unterbrach ihn der zorn- und schamrote Jüng-ling und hoffte, eine ironische Frage zu tun – »ist das die Spra-che eines Weltmanns wie du?« – »Auch wollt' ich effleurer sagen statt déflorer«, sagte Vult. »O, reiner starker Freund, die Poesie ist ja doch ein Paar Schlittschuh, womit man auf dem glatten reinen krystallenen Boden des Ideals leicht fliegt, aber miserabel forthumpelt auf gemeiner Gasse.« Er brach ab und fragte nach der Ursache, warum er ihn vorhin so traurend gefunden. Walt, jetzt zu verschämt, sein Sehnen zu bekennen, sagte bloß, wie es gestern so schön gewesen und wie immer, so wie in andere Feste Krankheiten[2] fallen, so in die heiligsten der Menschen Schmerzen, und wie ihm das Augen-Übel in der Zeitung wehegetan, das er noch nicht recht verstehe.

Vult entdeckt' ihm den Plan, daß er nämlich vorhabe, so

---

1 Winckelmann von der Nachahmung etc.
2 Weil die meisten Feste in große Wetter-Krisen treffen.

gesund auch sein Auge sei, es jeden Markttag im Wochenblatt für kränker und zuletzt für stockblind auszurufen und als ein blinder Mann ein Flötenkonzert zu geben, das ebenso viele Zuschauer als Zuhörer anziehe. »Ich sehe,« sagte Vult, »du willst jetzt auf die Kanzeltreppe hinauf; aber predige nicht; die Menschen verdienen Betrug – Gegen dich hingegen bin ich rein und offen, und deine Liebe gegen den Menschen lieb' ich etwas mehr als den Menschen selber.« – »O wie darf denn ein Mensch so stolz sein und sich für den einzigen halten, dem allein die volle Wahrheit zufließe?« fragte Walt. – »Einen Menschen«, versetzte Vult, »muß jeder, der auf den Rest Dampf und Nebel loslässet, besitzen, einen Auserwählten, vor dem er Panzer und Brust aufmacht und sagt: guck' hinein. *Der* Glückliche bist nun du; bloß weil du – soviel du auch, merk' ich, Welt hast – doch im ganzen ein frommer, fester Geselle bist, ein reiner Dichter und dabei mein Bruder, ja Zwilling und – so lass' es dabei!« –

Walt wußte sich in keine Stelle so leicht und gut zu setzen als in die fremde; er sah der schönen Gestalt des Geliebten diese Sommersprossen und Hitzblattern des Reiselebens nach und glaubte, ein Schattenleben wie seines hätte Vulten diese vielfärbige moralische Nesselsucht gewiß erspart. Bis tief in die Nacht brachten beide mit friedlichen Entwürfen und Grenzrezessen ihres Doppelromans zu, und das ganze historische erste Viertel ihrer romantischen Himmelskugel stieg so hell am Horizonte empor, daß Walt den andern Tag weiter nichts brauchte als Stuhl und Dinte und Papier und anzufangen. Froh sah er dem morgenden Sonntag entgegen; der Flötenist aber jenem Abend, wo er, wie er sagte, wie ein Finke geblendet pfeife.

Sonntag eines Dichters

Walt setzte sich schon im Bette auf, als die Spitzen der Abendberge und der Türme dunkelrot vor der frühen July-Sonne
standen, und verrichtete sein Morgengebet, worin er Gott für
seine Zukunft dankte. Die Welt war noch leise, an den Gebürgen verlief das Nachtmeer still, ferne Entzückungen oder Para-
diesvögel flogen stumm auf den Sonntag zu. Walt hätte sich
gefürchtet, seine namenlose Wonne laut zu machen, wenns
nicht vor Gott gewesen wäre. Er begann nun den Doppelroman. Es ist bekannt genug, daß unter allen Kapiteln keine seliger geschrieben werden (auch oft gelesen) als das erste und
dann das letzte, gleichsam auch ein Sonntag und ein Sonnabend. Besonders erfrischt' es ihn, daß er nun einmal ohne allen
juristischen Gewissensbiß auf dem Parnaß spazieren gehen
durfte und oben mit einer Muse spielen; indem er, hofft' er,
gestern im juristischen Fache das Seinige gearbeitet, nämlich
das Testament vernommen und erwogen. Da den Abend vorher war ausgemacht worden, daß der Held des Doppelromans
einen langen Band hindurch sich nach nichts sehnen sollte als
bloß nach einem Freunde, nicht nach einer Heldin: so ließ er
ihn es zwei Stunden, oder im Buche selber so viele Jahre lang,
wirklich tun; er selber aber sehnte sich auch mit und über die
Maßen. Das Schmachten nach Freundschaft, dieser Doppel-
flöte des Lebens, holt' er ganz aus eigner Brust; denn der
geliebte Bruder konnte ihm so wenig wie der geliebte Vater
einen Freund ersparen.

Oft sprang er auf, beschauete den duftigen goldhellen Morgen, öffnete das Fenster und segnete die ganze frohe Welt, vom
Mädchen am Springbrunnen an bis zur lustigen Schwalbe im
blauen Himmel. So rückt die Bergluft der eignen Dichtung alle
Wesen näher an das Herz des Dichters, und ihm, erhoben über
das Leben, nähern die Lebendigen sich mehr, und das Größte

in seiner Brust befreundet ihn mit dem Kleinsten in der fremden. Fremde Dichtungen hingegen erheben den Leser allein, aber den Boden und die Nachbarschaft nicht mit.

Allmählich ließ ihn der Sonntag mit seinem Schwalbengeschrei, Kirchengeläute, seinen Ladendiener-Klopfwerken und Nach-Walkmühlen an Sonntagsröcken in allen Korridoren schwer mehr sitzen; er sehnte sich nach einem und dem andern leibhaften Strahl der Morgensonne, von welcher ihm in seinem Abendstübchen nichts zu Gesichte kam als der Tag. Nachdem lange der Schreibtisch und die sonnenhelle Natur ihre magnetischen Stäbe an ihn gehalten und er sich vergeblich zwei Ichs gewünscht, um mit dem einen spazieren zu gehen, während das andere mit der Feder saß: so verkehrte er dieses in jenes und trug die Brust voll Himmelsluft und den Kopf voll Landschaften (Aurorens Gold-Wölkchen spielten ihm auf der Gasse noch um die Augen) über den frohen lauten Markt und zog mit dem Viertels-Flügel der fürstlichen Kriegsmacht fort, welcher blies und trommelte, und der Nikolaiturm warf dazu seine Blasemusik in die untere hinein, die mit ihr im verbotenen Grade der Sekunde verwandt wurde. Draußen vor dem Tore hörte er, daß das magische, wie von fernen kommende Freudengeschrei in seinem Innern von einem schwarzen fliegenden Corps oder Chor Kurrendschüler ausgesprochen wurde, das in der Vorstadt fugierte und schrie. Herrlich wiegte sich in bunter Fülle der Van der Kabelsche Garten vor ihm, den er einmal erben konnte, wenn ers recht anfing und recht ausmachte; er ging aber verschämt nicht hinein, weil Menschen darin saßen, sondern erstieg das nahe Kabelsche Wäldchen auf dem Hügel.

Darin saß er denn entzückt auf Glanz und Tau und sah gen Himmel und über die Erde. Allmählich sank er ins *Vorträumen* hinein – was so verschieden vom engern *Nachträumen* ist, da die Wirklichkeit dieses einzäunt, indes der Spielplatz der Möglichkeit jenem frei liegt. Auf diesem heitern Spielplatze beschloß er das große Götterbild eines Freundes aufzurichten und solches ganz so zu meißeln – was er im Romane nicht gedurft –, wie ers für sich brauchte. »Mein ewig teurer Freund, den ich einmal gewiß bekomme,« – sagt' er zu sich –, »ist göttlich, ein schöner Jüngling und dabei von Stande, etwa ein Erbprinz oder Graf; – und eben dadurch so zart ausgebildet für das Zarte. Im Gesicht hat er viel Römisches und Griechisches, eine klassische Nase, aus deutscher Erde gegraben; aber er ist doch die mildeste Seele, nicht bloß die feurigste, die ich je gefunden, weil er in der Eisen-Brust zur Wehre ein Wachs-Herz zur Liebe trägt. So treuen, unbefleckten, starken Gemüts, mit großen Felsen-Kräften, gleich einer Bergreihe, nur *gerade* gehend – ein wahres philosophisches Genie oder auch ein militärisches oder ein diplomatisches – daher setzt er mich und viele eben in ein wahres Staunen, daß ihn Gedichte und Tonkunst entzükken bis zu Tränen. Anfangs scheuete ich ordentlich den gerüsteten Kriegsgott; aber endlich einmal in einem Garten in der Frühlings-Dämmerung, oder weil er ein Gedicht über die Freundschaft der zurückgetretenen Zeiten hörte, über den griechischen Phalanx, der bis in den Tod kämpfte und liebte, über das deutsche Schutz- und Trutzbündnis befreundeter Männer, da greift ihm das Verlangen nach der Freundschaft wie ein Schmerz nach dem Herzen, und er träumt sich seufzend eine Seele, die sich sehnet wie er. Wenn diese Seele – das Schicksal will, daß ichs sei – endlich neben seinen schönen Augen voll Tränen steht, alles recht gut errät, ihm offen entgegenkommt, ihn ihre Liebe, ihre Wünsche, ihren guten Willen wie klare Quellen durchschauen lässet, gleichsam als wollte sie fragen: ist dir weniges genug?, so könnt' es wohl ein zweites gutes Schicksal fügen, daß der Graf, gleich Gott alle Seelen liebend, auch wie ein Gott sich meine zum Sohne des Herzens erwählte, der dem Gotte dann gleich werden kann – daß dann wir beide in der hellsten Lebensstunde einen Bund ewiger, starker, unverfälschter Liebe beschwüren« . . . . .

Den Traum durchriß ein schöner langer Jüngling, der in roter Uniform auf einem Engländer unten auf der Heerstraße vorüberflog, dem Stadttore zu. Ein gut gekleideter Bettler lief mit dem offnen Hute ihm entgegen – dann ihm nach, dann voraus – der Jüngling kehrte das Roß um – der Bettler sich – und jetzt hielt jener, in den Taschen suchend, den stolzen Waffentanz des schönen Rosses so lange auf, daß Walt ziemlich leicht die Melancholie auf dem prangenden Gesicht, wie Mondschein auf einem Frühling, bemerken konnte, so wie einen solchen Stolz der Nase und der Augen, als könn' er die Siegszeichen des Lebens verschenken. Der Jüngling warf dem Manne seine Uhr in den Hut, welche dieser lang an der Kette trug, indem er mit dem Danke dem Galoppe nachzukommen suchte.

Jetzt war der Notarius nicht mehr imstande, eine Minute aus der Stadt zu bleiben, wohin der Reiter geflogen war, der ihm fast als der Freund, nämlich als der Gott vorkam, den er vorher im Traume mit den Abzeichen aller übrigen Götter (signis Pantheis) geputzt hatte. »Befreunden« – sagt' er zu sich, in seinem romantischen, durch das Testament noch gestärkten Mute, und auf sein liebe-quellendes Herz vertrauend – »wollten wir uns leicht, falls wir uns erst hätten.« – Er wäre gern zu seinem Bruder gegangen, um sowohl das dürstende Herz an dessen Brust zu kühlen, als ihn über den schönen Jüngling auszufragen; aber Vult hatte ihn gebeten, der Spionen wegen und besonders vor dem Blinden-Konzert den Besuch viel lieber anzunehmen als abzustatten.

Mitten aus dem heiligen Opferfeuer rief ihn der Hofagent Neupeter in seine dunkle Schreib-Stube hinein, damit er darin vor dem Essen einige Wechsel protestierte. Wie an einem Käfer, der erst vom Fluge gekommen, hingen an ihm die Flügel noch lang unter den Flügeldecken heraus; aber er protestierte doch mit wahrer Lust, es war sein erster Notariats-Aktus; und – was ihm noch mehr galt – seine erste Dankhandlung gegen den Agenten. Nichts wurde ihm länger und lästiger als das erste Vierteljahr, worin ein Mensch ihn beherbergte oder bediente oder beköstigte, bloß weil ihm der Mensch so viele Dienste und Mühen vorschoß, ohne von ihm noch das Geringste zu ziehen. Er protestierte gut und sehr, mußte sich aber vom lächelnden

Kaufmann den Monatstag ausbitten und war überhaupt kaum bei sich; denn immerhin komme ein Mensch mit der poetischen Luftkugel, die er durch Adler in alle helle Ätherräume hat reißen lassen, plötzlich unten auf der Erde an, so hängt er doch noch entzückt unter dem Glob' und sieht verblüfft umher.

Das war der Sonntags-Vormittag. Der Nachmittag schien sich anders anzufangen. Walt war von der hellen Wirtstafel – wo er mit seinem Puder und Nanking zwischen Atlas, Manchester, Lackzöpfen, Degen, Battist, Ringen und Federbüschen wettgeeifert und gespeiset hatte – in seine Schattenstube im völligen Sonntagsputz zurückgegangen, den er nicht ausziehen konnte, weil eben der Putz in nichts als in einigem Puder bestand, womit er sich sonntäglich besäete. Sah er so weiß aus, so schmeckt' er freilich so gut als der Fürst, was sowohl Sonntage heißen als Putz. Sogar dem Bettler bleibt stets der Himmel des Putzwerkes offen; denn das Glück weht ihm irgendeinen Lappen zu, womit er sein größtes Loch zuflickt; dann schauet er neugeboren und aufgeblasen umher und bietet es still schlechtem porösen Bettel-Volk. Nur aber war der frohe Vorsatz, den ganzen Nachmittag seinem Kopfe und seinem Romane dichtend zu leben, jetzt über seine Kräfte, bloß wegen des Sonntags-Schmucks; ein gepuderter Kopf arbeitet schwer. So müßte zum Beispiel gegenwärtiger Verfasser – steckte man ihn in dieser Minute zur Probe in Königsmäntel, in Krönungsstrümpfe, in Sporenstiefel, unter Kurhüte –, auf solche Weise verziert, die Feder weglegen und verstopft aufstehen, ohne den Nachmittag zu Ende gemalt zu haben; denn es geht gar nicht im herrlichsten Anzug; – ausgenommen allein bei dem verstorbenen Büffon, von welchem Madame Necker berichtet, daß er zuerst sich wie zur Gala und darauf erst seine Bemerkungen eingekleidet, um welche er als ein geputzter und putzender Kammerdiener herum ging, indem er ihnen vormittags die Nennwörter anzog, und nachmittags die Beiwörter.

Den Notar störte außer dem Puder noch das Herz. Die Nachmittags-Sonne glitt jetzt herein, und ihre Blicke sogen und zogen hinaus in die helle Welt, ins Freie; er bekam das *Sonntags-Heimweh*, was fast armen Teufeln mehr bekannt und beschwerlich ist als reichen. Wie oft trug er in Leipzig an schönen Sonntagen die Vesper-Wehmut durch die entvölkerten Alleen um die Stadt! Nur erst abends, wenn die Sonne und die Lust-Gäste heimgingen, wurd' ihm wieder besser. Ich habe geplagte Kammerjungfern gekannt, welche imstande waren, wöchentlich siebenthalbe Tage zu lachen und zu springen, nur aber Sonntags nach dem Essen unmöglich; das Herz und das Leben wurd' ihnen nachmittags zu schwer, sie strichen so lange in ihrer unbekannten kleinen Vergangenheit herum, bis sie darin auf irgendein dunkles Plätzchen stießen, etwan auf ein altes niedriges Grab, worauf sie sich setzten, um sich auszuweinen, bis die Herrschaft wiederkam. Gräfin, Baronesse, Fürstin, Mulattin, Holländerin oder Freiin, die du nach weiblicher Weise immer noch herrischer gegen die Sklavin bist als gegen den Sklaven – sei das doch Sonntags nach dem Essen nicht! Die Leute in deinem Dienste sind arme Landteufel, für welche der Sonntag, der in großen Städten, in der großen Welt und auf großen Reisen gar nicht zu haben ist, sonst ein Ruhe-Tag war, als sie noch glücklicher waren, nämlich noch Kinder. Gern werden sie, ohne etwas zu wünschen, leer und trocken bei deinen Hoffesten, Hochzeit- und Leichenfesten stehen und die Teller und die Kleider halten; aber an dem Sonntage, dem Volks- und Menschenfest, auf das alle Wochen-Hoffnungen zielen, glauben die Armen, daß ihnen irgendeine Freude der Erde gebühre, da ihnen zumal die Kinderzeit einfallen muß, wo sie an diesem Bundes-Feste der Lust wirklich etwas hatten, keine Schulstunde – schöne Kleider – spaßhafte Eltern – Spielkinder – Abendbraten – grünende Wiesen und einen Spaziergang, wo gesellige Freiheit dem frischen Herzen die frische Welt ausschmückte. Liebe Freiin! wenn dann am Sonntage, wo gedachte Person weniger in der Arbeit, der Lethe des Lebens, watet, das jetzige dumpfe Leben sie erstickend umfängt und ihr über die Unfruchtbarkeit der tauben Gegenwart die helle Kinderzeit, die ja allen Menschen einerlei Eden verheißet, mit süßen Klängen wie neu herüberkommt: dann strafe die armen Tränen nicht, sondern entlasse die Sehnsüchtige etwan bis Sonnen-Untergang aus deinem Schlosse! –

Als der Notar sich noch sehnte, stürmte lustig Vult herein, den Mittagswein im Kopf, ein schwarzes Seidenband um *ein* Auge, mit offenem Hals und losem Haar, und fragte, warum er noch zu Hause sitze, und wie viel er vormittags geschrieben. Walt gab es ihm. Als ers durch hatte, sagte er: »Du bist ja des Teufels, Götterchen, und ein Engel im Schreiben. So fahre fort! – Ich habe auch« (fuhr er mit kälterer Stimme fort und zog das Manuskript aus der Tasche) »diesen Morgen in unserm *Hoppelpoppel oder das Herz* gearbeitet und darin ausgeschweift, so viel als nötig für ein erstes Kapitel. Ich will dir den Schwanzstern (so nenn' ich jede Digression) halb vorsagen – wenn du mich nur, o Gott, mehr zu goutieren wüßtest! –, nicht vorlesen, denn eben darum! Ich fahre im Schwanzstern besonders wild auf die jungen Schreiber los, die von dir abweichen und in ihren Romanen die arme Freundschaft nur als Tür- und Degengriff der Liebe vornen an diese so unnütz anbringen wie den Kalender und das genealogische Verzeichnis der regierenden Häupter vornen an die Blumenlesen. Der Spitzbube, der Kränkling von Schwächling von Helden will nämlich auf den ersten paar Bogen sich stellen, als seufz' er ziemlich nach einem Freunde, als klaffe auf sein Herz nach einer Unendlichkeit – schreibt sogar das Sehnen nach einem Freund, wenns Werk in Briefen ist, an einen, den er schon hat zum Epistolieren – ja er verrät noch Schmachtungen nach der zweiten Welt und Kunst; – kaum aber ersieht und erwischt die Bestie ihr Mädchen (der Operngucker sieht immer nach dem Freunde hin), so hat sie satt und das Ihrige; wiewohl der Freund noch elendiglich mehrere Bogen nebenher mitstapeln muß bis zu dem Bogen Ix, auf welchem dem geliebten Freunde wegen einer Treulosigkeit des Mädchens frei gesagt wird, es gebe auf der Erde kein Herz, keine Tugend und gar nichts. Hier spei' ich, Bruder, auf das schreibende Publikum Feuer; Spitzbube, so rede ich im Schwanzstern an, Walt, Spitzbube, sei wenigstens ehrlich und tue dann, was du willst, da doch dein Unterschied zwischen einem Freund und einem Liebhaber nur der zwischen einem Sau- und einem Hunds-Igel ist!« – –

Hier sah Vult lange das Papier, dann Walten an. »Der ist aber?« fragte dieser. – »So fragt auch mein Schwanzstern«, sagte jener. »*Keiner* nämlich. – Denn es gibt eben keine Schwein-Igel nach Bechstein[1], sondern was man dafür nahm, waren *Weibchen* oder *Junge*. Mit den Schweins-Dächsen ists ebenso. Was hilfts, ihr romantischen Autoren,« (las Vult weiter und sah immer vom Papier weg, um das Komische mehr zu sagen als, weil ers wenig konnte, vorzulesen) »daß ihr euere unterirdische Blattseite gegen den Himmel aufstülpet? Sie dreht sich wieder um; wie an Glastafeln wird nur euere der Erde zugekehrte Seite betauet; wie an elektrischen Katzen müsset ihr vorher aus eurem *Bürzel* einen Funken locken, bevor ihr einen aus dem *Kopfe* wieder bekommt und vice versa. Seid des Teufels lebendig; aber nur offen; liebt entsetzlich, denn das kann jedes Tier und jedes Mädchen, das sich deshalb für eine Edle, eine Dichterin und einen Welt-Solitär ansieht – aber befreundet euch nicht, was ja an liebendem Vieh so selten ist wie bei euch. Denn ihr habt nie aus Johann Müllers Briefen oder aus dem alten Testament oder aus den Alten gelernt, was heilige Freundschaft ist und ihr hoher Unterschied von Liebe, und daß es das Trachten – nicht eines Halbgeistes nach einer ehelichen oder sonstigen Hälfte, sondern – eines Ganzen nach einem Ganzen, eines Bruders nach einem Bruder, eines Gottes nach einem Universum ist, mehr um zu schaffen und dann zu lieben, als um zu lieben und dann zu schaffen ..... Und so geht denn der Schwanzstern weiter«, beschloß Vult, der sich nicht erwehren konnte, ein wenig die Hand des Bruders zu drücken, dessen voriges Freundschafts-Kapitel ordentlich wie helles warmes angebornes Blut in sein Herz gelaufen war.

1 Dessen Naturgeschichte Deutschlands. 1. B. 2te Auflage.

Walt schien davon entzückt zu sein, fragte aber, ob nicht auch oft die Freundschaft *nach* der Liebe und Ehe komme, oft sogar für dieselbe Person – ob nicht der treueste Liebhaber eben darum der treueste Freund sei – ob nicht die Liebe mehr romantische Poesie habe als die Freundschaft – ob jene am Ende nicht in die gegen Kinder übergehe – ob er nicht fast hart mit seinen Bildern sei; – und noch mehr wollte Gottwalt lindern und schlichten. Aber Vult fuhr auf, sowohl aus voriger Rührung als aus Erwartung eines viel weniger bedingten Lobes, hielt sich die Ohren vor Rechtfertigungen der Menschen zu und klagte: er sehe nur gar zu gut voraus, wie ihm künftig Walt eine Erbosung nach der andern versalzen werde durch sein Überzuckern; beifügend, in ihrem »Hoppelpoppel oder das Herz« gewännen ja eben die süßen Darstellungen am meisten durch die schärfsten, und gerade hinter dem scharfen Fingernagel liege das weichste empfindsamste Fleisch; »aber«, fuhr er fort, »von etwas Angenehmerem, von den sieben Erb-Dieben, wobei ich mir wieder deinetwegen Mühe gegeben! Ich muß etwas bei dir sitzen.«

»Noch etwas Angenehmes vorher«, versetzte Walt und schilderte ihm den roten götterschönen Jüngling, und daß solcher, wie ein Donnergott auf einem Sturmvogel, zwischen Aurora und Iris gezogen und unter dem blauen Himmel wie durch eine Ehrenpforte geritten wäre. »Ach, nur seine Hand,« endigte er, »wenn ich sie je anrühren könnte, dacht' ich heute, zumal nach dem Freundschafts-Kapitel. O kennst du ihn?«

»Kenn' ihn so nicht, deinen Donner- und Wetter---Gott!« (sagte Vult kühl und nahm Stock und Hut) »Verschimmle nur nicht in deinem Storchnest – lauf hinaus ins *Rosental* wie ich, wo du alle Haßlauer beau monde's-Rudel mit *einem* Sau-Garn überziehen und fangen kannst, und ihn mit. Vielleicht jag' ich darunter den gedachten Donnergott auf –– möglich ists der Graf *Klothar* – Nein, Freund, ich gehe absichtlich ohne dich; auch tu' überhaupt nicht draußen, als ob du mich sonderlich kenntest, falls ich etwa zu nahe vor dir vorübergehen sollte vor

Augen-Schwäche; denn nachgerade muß ich mich blind machen, ich meine die Leute. Addio!«

Nᵣₒ 17: ROSENHOLZ

Rosental

In drei Minuten stand der Notar, dem Vults Verstimmung entgangen war, freudig auf dem grünen Wege nach dem Haßlauer Rosentale, das sich vom schönen Leipziger besonders dadurch unterscheidet, daß es sowohl Rosen hat als auch ein Tal und daher mehr der Fantasie bei Baireuth ähnlich ist, die bloß die Zuckerbäcker-Arabesken und *Phantasie-Blumen* und Prunk-Pfähle vor ihm voraushat. Aus der Stadt zog er eigentlich kaum, denn er fand die halbe unterwegs; und alle seine Seelen-Winkel wurden voll Sonnenlicht bei dem Gedanken, so mitzugehen unter Leuten, die mitgehen, mitfahren, mitreiten. Rechts und links standen die Wiesen, die wallenden Felder und der Sommer. Aus der Stadt lief das Nachmittags-Geläute der Kirche in die grüne warme Welt heraus, und er dachte sich hinein, wie jetzt die Kirchengänger sich herausdenken und ihn und das freie luftige Leben göttlich finden würden, in den schmalen, kalten, steinernen Kirchen auf langen leeren Bänken einzeln schreiend, mit schönen breiten Sonnenstreifen auf den Schenkeln und mit der Hoffnung, nach der Kirche nachzumarschieren so schnell als möglich.

Die Zugherings-Herde von Menschen legte sich in die Bucht des Rosentals an. Die Laubbäume taten sich auf und zeigten ihm die glänzende offne Tafel des July-Sonntags, die aus einbeinigen Täfelchen unter Bäumen bestand – »köstlich«, sagte der Notar zu sich, »ist doch wahrlich das allgemeine Sesselholen, Zeltaufschlagen, Rennen grüner Lauferschürzen, Weglegen der Schauls und Stöcke, Ausziehen der Körke und Wählen eines Tischchens, die stolzen Federhüte zwischendurch, die

Kinder im Grase, die Musikanten hinten, die gewiß gleich anfangen, die warmblühenden Mädchen-Stirnen, die durchschimmernden Gartenrosen unter den weißen Schleiern, die Arbeitsbeutel, die Goldanker und Kreuze und andere Gehenke auf ihren Hälsen und die Pracht und die Hoffnung, und daß noch immer mehr Leute nachströmen –– O ihr lieben Menschen, macht euch nur recht viel Lust, wünsch' ich!« –

Er selber setzte sich an ein einsames Tischchen, um kein geselliges zu stören. Vom Zuckerguß seines stillen Vergnügtseins fest überlegt, saß er daran, sich erfreuend, daß jetzt fast in ganz Europa Sonn- und Lusttag sei, und nichts begehrend als neue Köpfe, weil er jeden zwischen die Augen nahm, um auszufühlen, ob er dem roten Jüngling angehöre, wornach seiner Seele alle ihre Blütenblätter standen.

Ein Geistlicher spazierte vorüber, vor dem er sitzend den Hut abnahm, weil er glaubte, daß Priester, gewohnt, durch ihre Rockfarbe jeden Hut zu bewegen auf dem Lande, jedesmal Schmerzen in der Stadt empfinden müßten, wenn ein ganz fester vorbeiginge. Der Geistliche sah ihn scharf an, fand aber, daß er ihn nicht kenne. Jetzt trabten zwei Reiter heran, von welchen der eine wenig zu leben hatte, der andere aber nichts, Vult und Flitte.

Der Elsasser tanzte reichgekleidet und lustig – obgleich seine te deum laudamus in laus deo bestanden – nach seinem eignen Gesang vom Steigbügel unter seine Bekanntschaften, d.h. sämtliche Anwesende hinein; geliebt von jedem, dem er nichts schuldig war. Er überstand lustig eine kurze Aufmerksamkeit auf sich als den Menschen, der die Kabelsche Erbportion eingebüßet, welche er schon als Faustpfand so oft wie den Reliquienkopf eines Heiligen vervielfacht unter seine Gläubiger verteilt hatte, weil das marseillische Schiff, worauf er eine große, ebensooft verpfändete Dividende hatte, jedem zu lange ausblieb. Walt wunderte und freute sich, daß der singende Tänzer, der alle Weiber grüßte, der kühn ihre Fächer und Sonnenschirme und Armbands-Medaillons handhabe und kühner die

Häng-Medaillen und Häng-Uhren von jeder weißen Brust mit den Fingern ans Auge erhob, sich gerade vor den Tisch der drei häßlichsten postierte, denen er Wasser und Aufwärter holte, sogar schöne Gespielinnen. Es waren die drei Neupeterischen Damen, bei welchen Gottwalt gestern drei Visiten-Karten abgegeben. Der Elsasser machte in kurzem umherlaufend das ganze Rosental mit dem dort sitzenden Nanking bekannt, der den alten Kabel beerbte; aber Walt, zu aufmerksam auf andere und zu wenig sich voraussetzend, entging durch sein menschenfreundliches Träumen dem Mißvergnügen, das allgemeine Schielen zu sehen. – Zuletzt trat Flitte gar zu ihm und verriet durch einen Gruß ihn der Kaufmannschaft. Unter allen sieben Erben schien der lustige Bettler gerade am wenigsten erbittert auf Walten zu sein; auch dieser gewann ihn herzlich lieb, da er zuerst den Spielteller der Musikanten nahm, belegte und herumtrug, und gern hätt' er ihm ein großes Stück der Erbportion oder des Testaments zum Lohne mit daraufgeworfen.

Der Notar war besonders auf die feinste Lebensart seines Bruders neugierig. Diese bestand aber darin, daß er sich um nichts bekümmerte, sondern auswärts tat, als sitz' er warm zu Hause und es gebe keine Fremden auf der Welt. Sollt' es nicht einige Verachtung oder Härte anzeigen, dachte Walt, durchaus keine fremde erste Stunde anzuerkennen, sondern nur eine vertraute zweite, zehnte etc.? – Dabei machte Vult das ruhigste Gesicht von der Welt vor jedem schönsten, trat sehr nahe an dieses, klagte, sein Auge komme täglich mehr herunter, und blickte (als Schein-Myops) unbeschreiblich kalt an und weg, als sitze die Physiognomie, verblasen zu einem gestaltlosen Nebel, an einer Bergspitze hängend vor ihm da. Sehr fiel dem Notarius – welcher glaubte, auch gesehen zu haben in Leipzig in Rudolphs Garten, was feinste Sitten und Menschen sind, und mit welchen forcierten Märschen junge männliche Kaufmannschaft weibliche bedient und bezaubert, gleichsam willige Kartesianische Teufelchen, die der Damenfinger auf- und niederspringen lässet – sehr fiel ihm Vults männliche Ruhe auf, bis er zuletzt gar seine Definition des Anstands änderte und sich folgende für den »*Hoppelpoppel*« aus dem weltgewandten Bruder abzog: »Körperlicher Anstand ist kleinste Bewegung; nämlich ein halber Schritt oder schwacher Ausbug statt eines Gemsensprunges – ein mäßiger Bogen des Ellenbogens statt einer ausgereckten spitzen Fechter-Tangente, das ist die Manier, woran ich den Weltmann erprobe.« –

Zuletzt wurde der Notar auch keck und voll Welt und Lebensart und stand auf mit dem Vorsatz, wacker hin und her zu spazieren. Er konnte so zuweilen ein Wort seines Bruders von der Seite wegschnappen; und besonders irgendwo den roten Liebling des Morgens auffischen. Die Musik, welche die Dienste des Vogelgesangs tat eben durch Unbedeutsamkeit, schwemmte ihn über manche Klippe hinüber. Aber welche Flora von Honoratioren! Er genoß jetzt das stille Glück, das er oft gewünscht, den Hut abzuziehen vor mehr als einem Bekannten, vor Neupeter et Compagnie, die ihm kaum dankten; und er konnte sich nicht enthalten, manche frohe Vergleichungen seiner jetzigen lachenden Lage im Haßlauer Rosental mit seiner sonstigen anonymen im Leipziger anzustellen, wo ihn außer den wenigen, die er nicht richtig bezahlen konnte, fast keine Katze kannte. Wie oft war er in jener unbekannten Zeit versucht, öffentlich auf *einem* Beine zu tanzen, oder auch mit zwei zinnernen Kaffeekannen in der Hand, oder geradezu eine Flammen-Rede über Himmel und Erde zu halten, um nur Seelen-Bekannte sich ans Herz zu holen! – So sehr setzt der Mensch – der älter kaum bedeutenden Menschen und Büchern zuläuft – jünger schon bloß neuen Leuten und Werken feurig nach.

Mit Freuden bemerkt' er im Gehen, wie Vult in seine Ruhe und Würde so viel insinuante Verbindlichkeit, und in sein Gespräch so viele selber an Ort und Stelle geerntete Kenntnisse von Europens Bilderkabinetten, Künstlern, berühmten Leuten und öffentlichen Plätzen zu legen wußte, daß er wirklich bezauberte; worin ihn freilich seine Verbindung mit seinen schwarzen Augen (darin bestand besonders seine schwarze Kunst bei Weibern) und wieder die Kälte, welche imponiert (Wasser gefriert sich immer *erhoben*), sichtbar unterstützte. Eine alte Hofdame des regierenden Häuschens von Haßlau wollte schwer von ihm weg; und bedeutende Herren befragten ihn. – Aber er hatte den Fehler, nichts so sehr zu lieben – das Bezaubern ausgenommen – als Entzaubern darauf, und besonders die Sucht, Weiber, wie ein elektrisierter Körper leichte Sachen, anzuziehen, um sie abzustoßen. Walt mußte über Vults Einfälle über Weiber bei Weibern selber erstaunen; denn er konnte im Vorübergehen recht gut vernehmen, daß Vult sagte: sie kehrten stets im Leben und sonst, wie an ihren Fächern, gerade die reichste bemalte Fläche andern zu und behielten die leere – und mehr dergleichen, als z.B.: sie machten, wie man die Coeurs auf Karten zu Gesichtern mit malerischer Spielerei umgewandelt, wieder leicht aus ihrem und einem fremden Gesicht ein Coeur – oder auch: die rechte poetische, aber spitzbübische Art der Männer, sie zu interessieren, sei, ihnen immer die geistige Vergangenheit, ihre Lieblingin, vortönen zu lassen, als z.B. welche Träume vergangen, und wie sich sonst das Herz gesehnt usw.; das sei die kleine Sourdine die man in die Weite des Waldhorns stecke, dessen nahes Blasen dann wie fernes Echo klinge.

»Sie pfeifen auf der Flöte?« sagte die Hofagentin Neupeter. Er zog die Ansätze und Mittelstücke aus der Tasche und wies alles vor. Ihre beiden häßlichen Töchter und fremde schöne baten um einige Stücke und Griffe. Er steckte aber die Ansätze kalt ein und verwies bittend auf sein Konzert. »Sie geben wohl Stunden?« fragte die Agentin. »Nur schriftliche,« versetzt' er, »da ich bald da, bald dort bin. Denn längst ließ ich in den Reichs-Anzeiger folgendes setzen:

›Endes Unterschriebener kündigt an, daß er in portofreien Briefen – die ausgenommen, die er selber schreibt – allen, die sich darin an ihn wenden, Unterricht auf der herrlichen Flûte traversière (sie hier zu loben, ist wohl unnötig) zu geben verspricht. Wie die Finger zu setzen, die Löcher zu greifen, die Noten zu lesen, die Töne zu halten, will er brieflich posttäglich mitteilen. Fehler, die man ihm schreibt, wird er im nächsten Briefe verbessern.‹

Unten stand mein Name. Gleicherweise kegle ich auch in Briefen mit einem sehr eingezognen Bischof (ich wollt', ich könnt' ihn nennen); wir schreiben uns, redlicher vielleicht als Forstbeamte, wie viel Holz jeder gemacht; der andere stellt und legt seine Kegel genau nach dem Briefe und schiebt dann seinerseits.«

Die Haßlauer mußten lachen, ob sie gleich ihm glaubten; aber die Agentin strich sich mit innerer Hand so rot als einen Postwagen, dessen Stöße Herr Peter Neupeter am besten kannte, an und fragte die Töchter nach Tee. Das Kirwanentee-Kästchen war vergessen. Flitte war froh, sagte, er sitze auf nach dem Kästchen, hoffe es in fünf Minuten aus der Stadt herzureiten, und sollte sein Gaul fallen – d. h. der geborgte, denn sein Zutritt in allen Häusern war auch einer in allen Ställen –, und er denke sogar noch dem Herrn van der Harnisch eine bewährte Starbrille mitzubringen. Vult behandelte, glaubte Walt, das Anerbieten und das Männchen etwas zu stolz.

Wirklich kam Flitte nach 7 Minuten zurückgesprengt, ohne Starbrille – denn er hatte sie nur versprochen –, aber mit dem Neupeterischen Tee-Kästchen von Mahagony, dessen Deckel einen Spiegel mit der Tee-Doublette aufschlug.

Plötzlich fuhr Vult, als aus dem sogenannten Poetengange des Rosentals eine reiche rote Uniform mit rundem Hut heraustrat, auf den spazierenden Notarius los – tat kurzsichtig, als glaub' er ihn zu kennen – fragte ihn unter vielen Komplimenten leise, ob jener rote Bediente des Grafen von Klothar der bewußte sei – entschuldigte sich nach dem Kopfschütteln des bestürzten Notars laut mit seinem Kurzblicke, der jetzt Bekannte und Unbekannte durcheinanderwerfe, und setzte hinzu: »Verzeihen Sie einem Halbblinden, ich hielt Sie für den Herrn Waldherrn Pamsen aus Hamburg, meinen Intimen« –

und ließ ihn im Bewußtsein einer Verlegenheit, deren Quelle der redliche Notar nicht in seiner Wahrhaftigkeit suchte, sondern in seinem Mangel an Reisen, die immer das Hölzerne aus den Menschen wegnehmen, wie die Versetzungen das Holzige aus den Kohlrüben.

Jetzt trat nach dem dienerischen Abendrote der Aurora, hinter welcher der Notar seine Lebens-Sonne finden wollte, wirklich der Reiter des Morgens im blauen Überrock, aber mit Federbusch und Ordensstern aus dem dichten Laubholze heraus samt Gesprächen mit einem fremden Herrn. Der Flötenspieler brauchte bloß auf einen brennenden Blick des Notars seinen kalten zu werfen, um fest zu wissen, daß der Morgen-Mann dem Feuer-Herzen des Bruders wieder erschiene, den er nur aus Ironie mit der Verwechslung des roten Bedienten mit dem blauen Herrn geneckt. Walt ging ihm entgegen; in der Nähe erschien diesem der Musengott seiner Gefühle noch länger, blühender, edler. Unwillkürlich nahm er den Hut ab; der vornehme Jüngling dankte stumm fragend und setzte sich ans erste beste Tischchen, ohne durch den sprungfertigen Rot-Rock etwas zu fodern. Der Notar ging auf und ab, um, wie er hoffte, vielleicht unter das Füllhorn der Reden zu kommen, das der schöne Jüngling über den Begleiter goß. »Wenn auch . . . .« (fing der Jüngling an, und der Wind wehte das Hauptwort *Bücher* weg) »nicht gut oder schlecht machen, besser oder schlechter machen sie doch.« Wie rührend und nur aus dem Innersten in das Innerste dringend klang ihm diese Stimme, welche des schönen wehmütigen Flors um das Angesicht würdig war! – Darauf versetzte der andere Herr: »Die Dichtkunst führt ihre Inhaber zu keinem bestimmten menschlichen Charakter; wie Kunstpferde machen sie Küssen und Totstellen und Komplimentieren und andere fremde Künste nach; sind aber nicht die dauerhaftesten Pferde zum Marsch.« – Das Gespräch war offenbar im Poetengange aufgewachsen.

»Ich bin gar nicht in Abrede,« – versetzte der blaue Jüngling ruhig ohne alle Gestus, und Gottwalt ging immer schneller und öfter vorüber, um ihn zu hören –, »sondern vielmehr in der Meinung, daß jede, auch willkürliche Wissenschaft, dergleichen Theologie, Jurisprudenz, Wappenkunde und andere sind, eine ganz neue, aber feste Seite an den Menschen oder der Menschheit nicht nur zeige, auch wirklich hervorbringe. Aber desto besser! Der Staat macht den Menschen nur einseitig und folglich einförmig. Der Dichter sollte also, wenn er könnte, alle Wissenschaften, d. h. alle Einseitigkeiten in sich senden; alle sind dann Vielseitigkeit; denn er allein ist ja der einzige im Staat, der die Einseitigkeiten unter *einen* Gesichtspunkt zu fassen Ruf und Kräfte hat und sie höher verknüpfen und durch loses Schweben alles überblicken kann.«

»Ganz evident«, sagte der Fremde, »ist mir das nicht.« – »Ich will ein Beispiel geben«, versetzte der Graf Klothar. »Im ganzen mineralogischen, atomistischen oder toten Reiche der Krystallisation herrschet nur die *gerade* Linie, der scharfe Winkel, das Eck; hingegen im dynamischen Reiche von den Pflanzen bis zu den Menschen regiert der *Zirkel*, die Kugel, die Walze, die Schönheitswelle! Der Staat, Sir, und die positive Wissenschaft wollen nur, daß sein Arsenik, seine Salze, sein Demant, sein Uranmetall in platten Tafeln, Prismen, langrautigen Parallelepipedis usw. anschießen, um leichter eingemauert zu werden. Hingegen die organisierende Kraft, eben darum die isolierende, will das nicht, das ganze Wesen will kein Stück sein; es lebt von sich und von der ganzen Welt. So ist die Kunst; sie sucht die beweglichste und vollste Form und ist, wie sonst Gott, nur wie ein Zirkel oder ein Augapfel abzubilden.«

Aber der Notar zwang ihn aufzuhören. – Er hatte sich darüber Skrupel gemacht, daß er so im Auf- und Abschleichen die obwohl lauten Meinungen des edeln Jünglings heimlich weghorche; daher lehnt' er sich aus Gewissen an einen Baum und sah unter dem Hören dem Blaurock deutlich ins Gesicht, um ihm anzuzeigen, daß er aufpasse. Aber den Jüngling verdroß es, und er verließ den Tisch.

Herzlich wünschte der nachgehende Notar den Flötenisten

herbei, um durch ihn mehr hinter den Donnergott zu kommen. Zum Glücke teilte und durchschritt der Graf einen bunten Menschen-Klumpen, der sich um ein Kunstwerk ansetzte. Es war ein knabenhohes und -langes Kauffahrteischiff, womit ein armer Kerl auf der Achse zu Lande ging, um mit diesem Weberschiffchen die Fäden seines hungrigen Lebens zu durchschießen und zusammenzuhalten. Als der Notar sah, daß der Jüngling sich ans Fahrzeug und Notruder des Menschen stellte, drang er ihm nach, um dicht neben ihm zu halten. Der Schiffspatron sang sein altes Lied von den Schiffsteilen, den Masten, Stengen, Reen, Segel- und Touw-Werk ab. »Das muß ihm hundslangweilig werden, es täglich wiederholen«, sagte der Herr zum Grafen.

»Es folgen sich« versetzte dieser mit einigem Lehrtone, »in jeder Sache, die man täglich treibt, drei Perioden: in der ersten ist sie neu, in der nächsten alt und langweilig, in der dritten keines von beiden, sondern gewohnt.«

Hier kam Vult. Der Notar gab ihm durch Winke die entbehrliche Nachricht des Funds. »Aber, Patron,« sagte der Graf zum Schiffsherrn, »die Brassen der Fock-Ree müssen ja mitten von dem großen Stag an nach den Schinkel-Blocken laufen, dann sieben oder sechs Fuß tiefer nach dem großen Stag durch die Blocke und so weiter nach dem Verdeck. Und wo habt Ihr denn den Vor-Teckel, die Schoten des Vor-Mars-Segels, die Gy-Touwen des Bezaans-Segels und das Fall von dem Seyn?« – Hier ließ der Graf verachtend den Schiffer, der seinen Mangel durch Bewunderung fremder Kenntnis verkleistern wollte, in einer zweiten, aufrichtigern über eine Geld-Fracht stehen, dergleichen ihm sein Proviantschiff und Brotwagen noch nie aus den beiden Indien des Adels- und des Bürgerstandes zugefahren.

Walt – auch in einem süßen Erstaunen über die nautischen Einsichten bei so viel philosophischen – ließ den blauen stolzen Jüngling schwer durchpassieren und sich von ihm statt an die Brust doch recht an die Seite so lange drücken, daß der Blaurock ziemlich ernsthaft ihn ansah. Vult war verschwunden. Der Jüngling flog bald mit seinem Bedienten auf schönen Pferden davon. Aber der Notarius blieb als ein Seliger in diesem Josaphats-Tal zurück, ein geheimer stiller Bacchant des Herzens. »Das ist ja gerade der Mensch,« sagt' er heftig, »den du feurig wolltest, so jung, so blühend, so edel, so stolz – höchst wahrscheinlich ein Engländer, weil er Philosophie und Schiffsbau und Poesie wie drei Kronen trägt. Lieber Jüngling, wie kannst du nicht geliebt werden, wenn du es verstattest!«

Jetzt verschüttete die Abendsonne unter ihre Rosen das Tal. Die Musikanten schwiegen, von dem Spielteller das Silber speisend, der umgelaufen war. Die Menschen zogen nach Hause. Der Notarius ging noch eilig um vier leere Tische, woran holde Mädchen gesessen, bloß um die Freude einer solchen Tischnachbarschaft mitzunehmen. Er wurde nun im langsamen Strome ein Tropfen, aber ein rosenroter heller, der ein Abendrot und eine Sonne auffaßte und trug. »Bald«, sagt' er sich, als er die drei Stadttürme sah, an welchen das Abendgold herunterschmolz, »erfahr' ich von meinem Vult, wer er ist und wo – und dann wird mir ihn Gott wohl schenken.« Wie liebt' er alle Jünglinge auf dem Wege, bloß des blauen wegen! »Warum liebt man«, sagt' er zu sich, »nur Kinder, nicht Jünglinge, gleichsam als wären diese nicht eben so unschuldig?« – Ungemein gefiel ihm der Sonntag, worin jeder sich schon durch den Anzug poetisch fühlte. Die erhitzten Herren trugen Hüte in Händen und sprachen laut. Die Hunde liefen lustig und ohne scharfe Befehle. Ein Postzug Kinder hatte sich vor eine volle Kinderkutsche gespannt, und Pferde und Passagiere waren sehr gut angezogen. Ein Soldat mit dem Gewehr auf der Achsel führte sein Söhnchen nach Hause. Einer führte seinen Hund an seinem rotseidnen Halstuch. Viele Menschen gingen Hand in Hand, und Walt begriff nicht, wie manche Fußgänger solche Finger-Paare und Liebes-Ketten trennen konnten, um nur gerade zu gehen; denn er ging gern herum. Sehr erfreuet' es ihn, daß sogar gemeine Mägde etwas vom Jahrhundert hatten und ihre Schürzen so weit und griechisch in die Höhe banden, daß ein geringer Unterschied zwischen ihnen und den vornehmsten Herrschaften verblieb. Nahe um die Stadt unter dem ersten Tore rasete die Schuljugend, ja ein gedachtes Mädchen gab der herrischen Schildwache einen Blumenstrauß keck neben das Gewehr – und so schien dem Notar die ganze Welt so tief in die Abendröte geworfen, daß die Rosenwolken herrlich wie Blumen und Wogen in die Welt hineinschlugen.

Ende des ersten Bändchens

ZWEITES BÄNDCHEN

N⁰ 18: ECHINIT

Der Schmollgeist

Es braucht keinen großen diplomatischen Verstand, um zu erraten, daß der Notar in der Sonntags-Nacht nicht zu Hause blieb, sondern noch spät zu dem Theater-Schneider *Purzel* gehen wollte, wo sein Bruder wohnte, um bei ihm mehr über den blauen Jüngling zu hören. Aber dieser empfing herunter-eilend ihn auf der Gasse, die er als Saal und Corso des Volks in Feier-Nächten erhob und zum Spaziergange vorschlug. Ziemlich entzückt nahms Walt an. So Sonntags in der Nacht unter den Sternen mit Hunderten auf- und abzugehen, sagt' er, das zeig' ihm, was Italien sei; zumal da man den Hut aufbehalten und ungestört zu Fuße träumen könne. Er wollte sofort viel reden und fragen, aber Vult bat ihn, bis in andere, einsamere Gassen zu schweigen und nicht Du zu sagen. »Wie so gern!« sagte Walt. Unbemerkt war ihm in der Dämmerung die Brust voll Liebe gelaufen wie eine Blume voll Tau – sooft er durfte, streift' er mit der Hand ein wenig an eine jede blutfremde vor-beigehende an, weil er nicht wissen könne, dacht' er, ob er sie je wieder berühre – ja, er wagt' es in schattigern Stellen der Nacht sogar, zu Erkern und Balkons, wo deutlich die vornehmsten Mädchen standen, aufzusehen und sich von der Gasse hinauf-zudenken mitten darunter mit einer an der Hand als Bräuti-gam, den sein Himmel halb erstickt.

Endlich spannt' er vor dem Flötenspieler in einer schickli-chen Sackgasse das glänzende historische Blatt von seinem innern Banquet und Freuden-Gewühle eines Nachmittags auf, der darin bestand – als Vult neugierig näher nachsah –, daß er draußen hin und her gegangen und den Blaurock getroffen. »Man sollte geschworen haben,« versetzte Vult, »Sie kämen eben aus Gladheim[1] statt aus dem Rosentale her und hätten sich entweder die Freya oder die Siöfna oder die Gunnur oder die Gierskogul oder die Mista oder sonst eine Göttin zur Ehe abgeholt, und ein Paar Taschen voll Weltkugeln als Brautgabe dazu. – Doch ists zu rühmen, wenn ein Mann das Galakleid der Lust noch so wenig abgetragen – die Fäden zähl' ich auf meinem –, ausgenommen wenn der Mann nicht bedenkt, daß Zauberschlösser leicht die Vorzimmer von Raubschlössern sind.«

Aber jetzt wies ihm Walt den Berg der heutigen Weinlese, den blauen Jüngling, und fragte nach dessen Namen und Wohnung. Der Bruder erwiderte gelassen, es sei der Graf Klothar, ein sehr reicher, stolzer, sonderbarer Philosoph, der fast den Briten spiele, sonst gut genug. Dem Notar wollte der Ton nicht gefallen, er legte Vulten Klothars reiche Worte und Kenntnisse vor. Vult erwiderte, darin seh' er fast einige merkliche *Eitelkeit des Stolzes*. »Ich könnt' es nicht ertragen,« versetzte Walt, »wenn Menschen gewisser Größe demütig wären.« – »Und ich kann«, versetzte Vult, »es nicht erdulden, wenn der englische Stolz, oder der irländische oder der schottische, der sich sehr gut in Bücher-Darstellungen ausnimmt, in der Wirklichkeit auftritt und pustet. In Romanen gefällt uns fremde Liebe und Stolziererei und Empfindelei; – aber darüber hinaus schlecht.«

»Nein, nein,« (sagte Walt) »wie mir denn dein eigener Stolz gefällt. Wenn wir uns recht fragen, so erzürnt uns nie der Stolz selber, sondern nur sein Mangel an Grund – daher kann uns oft Demut ebensogut quälen; – daher ist unser Haß des Stolzes kein Neid gegen Vorzüge; denn indes wir allzeit größere über uns anerkennen und nur erstohlne, vorgespiegelte hassen: so ist unser Haß nicht Liebe gegen uns, sondern eine gegen die Gerechtigkeit.« – »Sie philosophieren ja wie ein Graf«, sagte Vult. »Hier wohnt der Graf.« Mit unsäglicher Freude sah Walt an die leuchtenden Fenster-Reihen einer Garten-Villa hinauf, die der Gasse den glänzenden Rücken zeigte und in welche ein langer Garten durch eine breite Vorhalle von Bäumen-Ord-

1 Das Freuden-Tal in Walhalla.

nungen führte. Jetzt ließ Walt vor dem Bruder eine durstige Seele in alle ihre Gedichte und Hoffnungen der Liebe ausbrechen. Der Flötenspieler sagte (eine gewöhnliche Ergießung seines Zorns): »Freilich in gewissen Stücken – indessen – zumal so – insofern ja freilich, o Himmel!« und fügte bei, seines schwachen Bedünkens sei Klothar vielleicht nicht weit von dem entfernt, was man im gemeinen Sprachgebrauch einen Egoisten nennt.

Walt hielt es jetzt schon für Freundes-Pflicht, den unbekannten Grafen hierüber heftig zu beschützen, und berief sich auf dessen edle Physiognomie, die gewiß darum, vermutete er, so trübe beschattet sei, weil er fruchtlos nach einer Sonne sehe, die ihm auf irgendeinem Altare voll Opfer-Asche den alten Phönix der Freundschaft erwecke; und ganz reiner Liebe schließe gewiß kein Herz sich zu. »Wenigstens setzen Sie vorher,« sagte Vult, »eh' Sie vor seinen Kammerdiener treten, einen Fürstenhut auf, ziehen einen Stern an, binden ein blaues Hosenband um: – dann mögen Sie bei ihm zur Cour vorfahren; so nicht wohl. Ich ja selber, der ich von einem so eisgrauen Adel bin, daß er vor Alters-Marasmus fast erloschen ist, mußte vorher bei ihm eigne Verdienste vorschützen. – Und wie wollen Sie ihm Ihre Freundschaft promulgieren? Denn bloßes Hegen derselben tuts nicht.« –

»Von morgen an«, sagte Walt unschuldig, »such' ich ihm so nahe zu kommen, daß er alles deutlich lesen kann in meinem Herzen und Gesicht, was die Liebe an ihn hineingeschrieben, Vult!« – »Van der Harnisch, zum Henker! Was ist zu Vulten? Sie bauen demnach auf Ihren Diskurs und dessen Gewalt?« versetzte Vult. – »Jawohl,« sagte Walt, »was hat denn der Mensch außer so seltnen Taten noch anderes?« – Aber den Flötenspieler überraschte an einem so bescheidenen Wesen, das höhere Stände vergötterte, dieses stille feste Vertrauen auf Sieg ausnehmend. Die Sache war indes, daß der Notar schon seit geraumen Jahren, wo er Petrarcas Leben gelesen, sich für den zweiten Petrarca still ansah, nicht bloß in der ähnlichen Zeugungskraft kleiner Gedichte – oder darin, daß der Welsche von seinem Vater nach Montpellier geschickt wurde, um das Jus zu studieren, das er gegen Verse später fahren ließ –, sondern auch – und hauptsächlich – darin mit, daß der erste Petrarca ein gewandter zierlicher Staatsmann war. Der Notar glaubte, er dürfe, nach den Reden zu schließen, die er mehrmals siegend an Goldinen und die Mutter gehalten, ohne Unbescheidenheit auf einige Ähnlichkeit mit dem Italiener rechnen, falls man ihn nur in die rechten Lagen brächte. So geht eigentlich in dieser Minute kein Jüngling in ganz Jena, Weimar, Berlin usw. über den Markt, der nicht glauben müßte, als Schrein – Sakraments-häuschen – Heiligen-Haus – Rindenhaus – oder Mumienkasten irgendeines jetzt oder sonst lebenden Geister-Riesen heimlich herumzulaufen, so daß, wenn man besagten Schrein und Mumienkasten aufschlüge, der gedachte Riese deutlich ausgestreckt darin läge und munter blickte. Ja, Schreiber dieses war früher fünf bis sechs große Männer schnell nacheinander, so wie er sie eben gerade nachahmte. Kommt man freilich zu Jahren, nämlich zu Einsichten, besonders zu den größten, so ist man nichts.

»Wir wollen doch in einem fort hier auf- und abgehen«, sagte Walt, der in Vults Repliken, zumal von seiner Himmelsluft berauscht, nichts spürte als dessen Manier. »Ins Bette lieber; – wir stören vielleicht Klotharn, der schon darin liegt, denn ich höre, morgen verreiset er auf einige Tage sehr frühe« – berichtete Vult, als woll' er, ordentlich sich selber zur Pein, aus Walts vollem Herzen recht viel Liebe vorpressen.

»So ruhe sanft, Geliebter!« sagte Walt und schied gern von der lieben Stelle und dann vom verdrüßlichen Bruder. Voll Freude und Friede zog der Notar nach Hause – in die stillen Gassen schaueten nur die hohen Sterne – er sah im Marktwasser einer nach Norden offnen Straße die Mitternachts-Röte abgespiegelt – im Himmel zogen helle Wölkchen wie verspätet aus dem Tage heim und trugen vielleicht oben die Genien, die den Menschentag reich beschenket hatten – und Walt konnte, als er so glücklich in sein einsames dämmerndes Stübchen zurück-kam, sich sowohl des Weinens als des Dankens nicht enthalten.

Sehr früh bekam er am Morgen von Vulten ein Briefchen, mit einer versiegelten Inlage, überschrieben: »tempori!«

Jenes lautete:

»Freund, ich fodere nichts von Euch als eine kurze Unsichtbar-keit, bis mein Blinden- und Flötenkonzert gegeben ist, zumal da ich dazu Gründe habe, die Ihr selber habt. Schreiben kön-nen wir uns sehr. Wächst mein Erblinden so hastig fort wie bisher: so blas' ich den vierzehnten, obgleich als stockblinder Dülon, bloß um nur das arme Ohren-Publikum nicht länger aus einem Wochentagsblatt ins andere zu schleppen. – Ich bitt' Euch, macht kein Instrument, ohne mirs zu schreiben. – Ich hoffe, daß Ihr die Familien-Ehre schonet, wenn Ihr in den Webstuhl tretet, um das bewußte Freundschafts-Band zu weben, und daß Ihr darauf rechnet, daß ich nötigsten Falls auch ein paar Fußstöße im Stuhle mitzutun bereit wäre. Auf Beilage setzt Euer Siegel neben meines und schickt sie zurück; zu gehö-riger Stunde wird sie vor Euch einst erbrochen. Addio!

v. d. H.

N.S. Man muß jetzt meiner Augen wegen mit ellenlangen Buchstaben an mich schreiben wie diese da.«

✳

Letzteres tat Walt in seiner Antwort gern, aber der Blindheit gedacht' er nicht, aus Wahrheitsliebe. Er versprach alles Ver-langte und beklagte leidend die Trennung einer so kurzen Ver-einigung; beteuerte aber, daß Vult jeden Schritt und jedes Glück bei dem Grafen mit ihm schriftlich teilen solle. – Übri-gens erkannte Walt in dieser Unsichtbarkeit den Bruder nur als einen rechten Weltluchs, der sich auch gegen das kleinste Wet-ter-Leuchten des Zufalls einbauet, das den Menschen oft mit-

ten in seiner besten Dunkelheit vom Scheitel bis zur Sohle aufrecht erhellet.

Das geheime Paquet hätte man dem Notar ebensogut unver-
siegelt geben können, so sehr erfreute er sich, eine Gelegenheit
der Treue gegen andere und sich zu erleben.

Das versiegelte Blatt lautete so:

»Da es ungewiß ist, ob du je diesen Brief an dich lesen darfst: so
kann ich offen genug schreiben. Es hat mich ungemein und
diese ganze Nacht durch gekränkt, lieber Bruder – wer weiß,
ob wir uns noch so anreden bei dem Erbruche dieses Blattes,
der entweder im schlimmsten oder im besten Falle geschieht –,
daß du von der Freundschaft deines Bruders nicht so wie er von
deiner befriedigt wirst, sondern schon eine neue suchst. Daß
ich deinetwegen im dummen Haßlau bleibe, oder daß ich für
dich mit Würg-Engeln und Scharf- und Höllenrichtern mich
herumschlagen würde – daraus kann nicht viel gemacht werden; aber daß ein Mensch, dem auf seinem Reisewagen das
Herz halb ausgefahren, gerädert, ja abgeschnitten worden,
doch für dich allein eines mitbringt, das darf er anrechnen,
zumal in einem Tausche gegen deines, das zwar unbeschreiblich rein und heiß, aber auch sehr offen – der Windrose aller
Weltgegenden – dasteht. Und nun wirds gar einem Grafen aufgemacht, der als Freund den Thron besteigt, indes ich auf dem
Geschwister-Bänkchen oder Kinder-Stühlchen sitze – o Bruder, das durchbrennt mich. So rottenweise, so in der Landsmannschaft aller Menschen auch mit geliebt zu werden und um
ein Herz sich mit seinem samt hundert andern Herzen wie ein
Archipelagus von Zirkel-Inseln herumzulagern – – Freund, das
ist mein Geschmack nicht. Ich muß wissen und halten, was ich
habe.

Wollt' ich dir freilich meinen schwülen Giftbaum, worunter
ich diese Nacht geschlafen, aufblättern: so kenn' ich dein schönes sanftes opferndes Gemüt; – aber lieber wollt' ich ihn ganz
abernten, eh' ich so demütig wäre. Es verdrießet mich schon,

daß ich vor dir nur so viel schon am Grafen getadelt. Sieh selber – wähle selber – nur deine Empfindung treibe dich, hinzu oder hinweg – Umgekehrt vielmehr werd' ich dir alle mögliche Flugwerke, Strickleitern und Schneckentreppen zum hohen Grafen machen und leihen, dem ich so gram bin; aber dann, wann du entweder ganz bezaubert, oder ganz entzaubert bist, lös' ich das Siegel von folgender Schilderung dieses Herrn:

Er ist nicht zum Ausstehen. Eitelkeit des Stolzes und Egoismus sind die beiden Brenn- oder Frostpunkte seiner Ellipse. Mir mißfällt ein junger elender Fant gar nicht – denn ich seh' ihn nicht –, der ein Narr ist, ein Bilderdiener seines Spiegelbilds, ein Spiegel seiner Pfauenspiegel; und so gern ich in effigie jedem männlichen Fratzen, der sich hinsetzen und als Elegant einem Mode-Journalisten sitzen kann, einen tapfern Fußtritt gäbe: so bekümmern mich doch die Narren zu wenig, ja, ich könnte einem, der frei seine Eitelkeit erklärte, solche nachsehen … Hingegen einem, der sie leugnet – der den Pfauenschweif hinter den Adlersflügeln einheften will – der nur an Sonntagen schwarz gehet, weil da der Schornsteinfeger weiß gehet – der sehr ernst sich bloß die Glatze auskämmt – der wie eine Spinne nächtlich das Gewebe, womit er die Sums-Mücke Lob einfängt, wieder verschluckt und dann wieder ausspannt – und der die Ansprüche des Philosophen und Narren gern verbände – und der natürlich noch dabei vollends so egoistisch ist … Ich sage egoistisch.

Macht sich ein Mensch, Bruder, aus den Menschen nicht viel, so bin ich stiller als einer dazu; nur mach' er sich auch nicht mehr aus sich, und im Streit-Fall seines und fremden Glücks wähl' er großmütig. Hingegen ein echter, recht frecher Selbstsüchtling, der ganz unverschämt gerade die Liebe begehrt, die er verweigert, der die Welt in einer Kochenille-Mühle mahlen könnte, um sich Weste und Wangen rot zu färben, der sich für das Herz der Allheit ansieht, deren Geäder ihm Blut zu- und abführt, und der den Schöpfer und Teufel und Engel und die gewesenen Jahrtausende bloß für die Schaffner und stummen

Knechte, die Weltkugeln für die Dienerhäuser eines einzigen erbärmlichen Ichs nimmt: – Walt, es ist bekannt, einen solchen könnt' ich gelassen und ohne Vorreden totschlagen und verscharren. Die Leidenschaften sind doch wenigstens kecke, großmütige, obwohl zerreißende Löwen; der Egoismus aber ist eine stille sich einbeißende fortsaugende Wanze. Der Mensch hat zwei Herzkammern, in der einen sein Ich; in der andern das fremde, die er aber lieber leer stehen lasse, als falsch besetze. Der Egoist hat, wie Würmer und Insekten, nur eine. Du, glaub' ich, vermietest deine rechte an Weiber, die linke an Männer und behilfst dich, so gut du kannst, im Herzohr oder Herzbeutel. Vom Grafen will ich dir nichts sagen, als daß er als protestantischer Philosoph eine liebliche, aber katholische Braut – dir frappant ähnlich in der Liebe gegen jeden Atem des Lebens – schlechterdings aus ihrer Religion in seine schleppen will, bloß aus egoistischer stolzer Unduldsamkeit gegen einen stillen Glauben in der Ehe, der seinen als einen falschen schölte.

Und dieses Menschen Kebs-Braut wolltest du werden? – Es schmerzet mich jetzt, wo ich mich ins Kühle geschrieben, recht ins Herz hinein, daß du Sanfter bis dahin, bis zur Eröffnung *dieses* Testaments dieses Briefs, so manche Plage von zwei Spitzbuben erdulden wirst, wovon der zweite ich selber bin. Denn wie ich bis dahin schmollen, dich auf harte Proben stellen – z.B. auf die, ob meine Unsichtbarkeit, Ergrimmung und Ungerechtigkeit dir genug ans Herz gehe – und wie ich überhaupt des Teufels gegen dich sein werde, ist Gott und mir am besten bekannt; denn ich kenne meine Schmoll-Natur, welche – so sehr ich mir auf dieser Zeile das Gegenteil vornehme – so wenig als ein schwimmender Kork in einem Gefäß Wasser in der Mitte bleiben kann. Ach, auf jedem frischen Druckbogen des Lebens kommt immer unten der Haupttitel des Werks wieder vor.

Mein Übel aber eben ist der *Schmollgeist*, esprit de dépit d'amour, den mir eine der vermaledeitesten Feen muß in die Nasenlöcher eingeblasen haben. Eine schlimmere Bestie von

Polter- und Plagegeist ist mir in allen Dämonologien und Geisterinseln noch nicht aufgestoßen. – Ordentlich als sei das Lieben nur zum Hassen da, erboset man sich den ganzen Tag auf das süßeste Herz, sucht es sehr zu peinigen, breitzudrücken, einzuquetschen, zu vierteilen, zu beizen –– aber wozu? – Um es halbtot an die Brust zu nehmen und zu schreien: o ich Höllenhund! So gottlos hielt ich mit Freunden Haus, noch gottloser freilich mit Freundinnen. – Dreitausendzweihundertundfünfmal söhnt' ich mich mit einer thüringischen Geliebten in dem kurzen Wonnemonde unserer Liebe aus – mit andern aber öfter –; und kündigte doch gleich darauf, wie ein kopulierter Fürst, die Seelen-Trauung wieder durch Kanonen-Schüsse und Mord-Knälle an, weil ich wieder den kleinsten schönsten allerliebsten *Reif* der Liebe für *Schnee* ansah. – Bei solchen Umständen, das schwur ich feierlich, heirate der Teufel oder ein Gott; denn ist die Person nicht abwesend, die man zu lieben hat (abwesend gehts sehr; auch brieflich), oder was ebensogut ist, abgegangen mit Tod (Liebe und Testament werden durch Sterben erst ewig): so hat man nach den bekannten wenigen Flitter-Sekunden seine Blei-Jahre, bringt sein Leben wie an einem Kamin hin, halb den Steiß im Feuer, halb den Bauch im Frost, oder wie ein Stück Eis im Wasser, oben von der schönen Sonne, unten durch die Wellen zerfließend. – Und da schaue Gott den Jammer! Jeder hüte sich, lehr' ich oft genug, vor dem sauern Schmoll- und Salzgeist, weils keinen schlimmern gibt. – Daß ich immer abreisete von alten Menschen zu neuen, muß ich eben tun, um nicht zu zanken, sondern noch zu lieben. Der Himmel weiß, wie ich dich peinigen werde. Aber vorausgesagt hab' ichs hier in bester Laune; und dann sei dieses Blatt, wenn es aufgemacht wird, mein Schirm-, mein Feigen-, mein Ölblatt.

Q. H.«

Sommers-Zeit – Klothars-Jagd

Jetzt fing das Notariat des Notarius ordentlich erst recht an. Er wurde der allgemeine Instrumenten-Macher der neugierigen Stadt. Gerichtlich bei den Testamentsexekutoren sind die Schuldverschreibungen, die Protokolle über verdorbne Warenfässer, Pachtbriefe über Handelsgewölbe, Kontrakte über zu reparierende Stadt-Uhren und dergleichen niederlegt, die er in so kurzer Zeit ausfertigte, daß ein alter hinkender Notarius nicht wußte, was er dazu sagen sollte aus Grimm, sondern zu Gott hoffte, der Amtsbruder werde, was er da einbrocke, schon einmal auszuessen haben, wenn ihm einst die sieben Erben und die geheimen Testamentsartikel für jedes Notariats-Verbrechen bei den Haaren nehmen, wie ja das sein tägliches Gebet zum Himmel sei. Walt fand nichts dabei unbegreiflich, als daß er – freilich mehr sein Petschaft – imstande sein sollte, die wichtigsten Dinge zu bestätigen, da er kaum begriff, wie er einst einen Ehemann oder Staatsbürger abgeben könnte statt einem leeren Jüngling.

Seinem Bruder schrieb er, wie er mitten unter den Instrumenten den Roman weiter webe, indem er so lange, bis eine Kopie abtrockne, ungehindert dichten könne – so wie D'Aguesseau behauptete, er habe viele seiner Werke im Zwischenraume gemacht, wo er sagte, qu'on serve, und wo man meldete, qu'il etoit servi. Aber Vult schrieb ihm Bitten und Gebote zurück, ums Himmels willen bei sich zu sein, sich nie zu irren, kein Stunden-Datum und andere Beiwerke der Kontrakte zu vergessen, nie zu abbrevieren mit Zeichen oder notis, obgleich notarius davon herstamme; – da er zumal sicher wisse, daß man jedem Federzug auflaure und daß ihm nur deshalb der Hoffiskal das Kunden-Heer zuweise.

Einst schrieb ihm etwas Ähnliches sein Vater Lukas – nachdem er bisher jeden dritten Tag mündlich deswegen gekommen war – in einem kalligraphischen, kopierten Briefe, worin er ihn bei der Erbschaft beschwor, in seinen Instrumenten nichts zu radieren, noch zweierlei Dinte zu nehmen, und darauf befragte, ob es außer Treibers Spatzenrecht, Kluvers Hundsrecht und Müllers Bienenrecht nicht noch Wespenrechte, Hühnerrechte und Rabenrechte gebe, und was das Bienenrecht statuiere, wenn einer nur eine Biene totmache oder ein paar. Der Sohn schickte eine höfliche und ernste Antwort mit einer Spielkarte, worein er einen Maxd'or als einen Ehrensold für den Rat gesteckt. Er hatte das Goldstück gegen übermäßiges Agio von Neupetern erwechselt, und seine Eltern durch das Gold (den Phönix und Messias des Landvolks) in den dritten Himmel zu werfen. Die Botenfrau mußt' ihm aber die Viertelstunde ihrer Ankunft bestimmen und beteuern, damit er erstlich bis dahin in den seligsten Träumen des nahen elterlichen Glückes schwimmen und zweitens doch noch die Viertelstunde kosten könne, wo er entschieden wußte, das ganze Haus in Elterlein sei nun außer sich vor Jubel über den Maxd'or und lasse Schomakern aus dem Schul- und die Goldwaage aus dem Pfarrhause darzu holen. So viel süßer wirds, lieber durch Boten als mit der Hand, lieber fernen Leuten als einem dasitzenden Mann zu schenken, der alles ausmacht, wenn er einsteckt und sich bedankt.

Seine alte Seelen-Schwester Goldine erhielt jetzt einen Brief. Vorn herein schrieb er: »er übertreib' es nicht, wenn er sowohl in Rücksicht seiner jetzigen Bekanntschaften als seiner künftigen Hoffnungen sich für ein Glückskind des gütigsten Schicksals erkläre; und nur mit griechischer Furcht vor der Nemesis bekenn' er, daß sein erster Ausflug fast zu glücklich, seine erste Ziel-Palme schon voll Früchte sei und seine Abende einen Abendstern besäßen, und die Morgen den Morgenstern.«

Darauf ging er weiter zur Malerei des Sommerlebens, an welche er sich ohne Furcht mit folgenden Farben machte:

»Schon der Sommer allein erhöbe! Gott, welche Jahres-Zeit! Wahrlich ich weiß oft nicht, bleib' ich in der Stadt, oder geh' ich aufs Feld, so sehr ists einerlei und hübsch. Geht man zum Tor hinaus: so erfreuen einen die Bettler, die jetzt nicht frieren, und die Postreiter, die mit vieler Lust die ganze Nacht zu Pferde sitzen können, und die Schäfer schlafen im Freien. Man braucht kein dumpfes Haus; jede Staude macht man zur Stube und hat dabei gar meine guten emsigen Bienen vor sich und die prächtigsten Zweifalter. In Gärten auf Bergen sitzen Gymnasiasten und ziehen im Freien Vokabeln aus Lexizis. Wegen des Jagdverbotes wird nichts geschossen, und alles Leben in Büschen und Furchen und auf Ästen kann sich so recht sicher ergötzen. Überall kommen Reisende auf allen Wegen daher, haben die Wagen meist zurückgeschlagen, den Pferden stecken Zweige im Sattel und den Fuhrleuten Rosen im Mund. Die Schatten der Wolken laufen, die Vögel fliegen darzwischen auf und ab, Handwerkspursche wandern leicht mit ihren Bündeln und brauchen keine Arbeit. Sogar im Regenwetter steht man sehr gern draußen und riecht die Erquickung, und es schadet den Viehhirten weiter nichts, die Nässe. Und ists Nacht, so sitzt man nur in einem kühlern Schatten, von wo aus man den Tag deutlich sieht am nördlichen Horizont und an den süßen warmen Himmels-Sternen. Wohin ich nur blicke, so find' ich mein liebes Blau, am Flachs in der Blüte, an den Kornblumen und am göttlichen unendlichen Himmel, in den ich gleich hineinspringen möchte wie in eine Flut. – Kommt man nun wieder nach Hause, so findet sich in der Tat frische Wonne. Die Gasse ist eine wahre Kinder-Stube, sogar abends nach dem Essen werden die Kleinen, ob sie gleich sehr wenig anhaben, wieder ins Freie gelassen, und nicht wie im Winter unter die Bett-Decke gejagt. Man isset am Tage und weiß kaum, wo der Leuchter steht. Im Schlafzimmer sind die Fenster Tag und Nacht offen, auch die meisten Türen, ohne Schaden. Die ältesten Weiber stehen ohne Frost am offnen Fenster und nähen. Überall liegen Blumen, neben dem Dintenfaß, auf den Akten, auf den Sessions- und Ladentischen. Die Kinder lärmen sehr, und man hört das Rollen der Kegelbahnen. Die halbe Nacht geht man in den Gassen auf und ab und spricht laut und sieht die Sterne am hohen Himmel schießen. Selber die Fürstin geht noch abends vor dem Essen im Park spazieren. Die fremden Virtuosen, die gegen Mitternacht nach Hause gehen, geigen noch auf der Gasse fort bis in ihr Quartier, und die Nachbarschaft fährt an die Fenster. Die Extraposten kommen später, und die Pferde wiehern. Man liegt im Lärm am Fenster und schläft ein, man erwacht von Posthörnern, und der ganze gestirnte Himmel hat sich aufgetan. O Gott, welches Freuden-Leben auf dieser kleinen Erde! Und doch ist das erst Deutschland! Denk' ich vollends an Welschland! – Goldine, dabei hab' ich noch die tröstende Aussicht, daß ich diesen Erntetanz der Zeit, den ich Ihnen hier in matter Prosa geschildert, weil ich Ihre Liebe, Ihr Vergeben kenne, mit ganz anderem poetischen Farben-Schmelze malen kann. – – Freundin, ich schreibe einen Roman. – Genug, genug! was ich sonst noch gefunden, was ich vielleicht nach anderthalb Stunden finde – Goldine, dürfte ich diese Freuden in Ihr Herz ausgießen! O müßt' ich nicht vor die glänzenden Sonnen-Wolken verhüllende Erdenwolken ziehen! – Addio, Carissima!«

Aber hier sprang er auf, ließ unabgeschrieben den Kaufbrief liegen, unter dessen Abfassung er heute eben vernommen, daß Klothar zurück und der Himmel in der Nähe sei, und lief in des Grafen Garten. Im Schreiben war Walt Befehlshaber seiner Phantasie beträchtlich, aber im Leben nur Diener derselben; wenn jene spielend ihm ihre Blumen und Früchte wechselnd in den Schoß hinein und über den Kopf hinüber warf: so drang unaufhaltsam sein ernsteres Herz seinen Gärten, seinem Gipfel zu und suchte den Zweig.

In Klothars Park hofft' er auf ein schönes Begegnen. Alle Fenster der Villa standen offen, aber kein Kopf darin. Der Gärtner, der ihn für einen Gartenfreund nahm, ging ihm nach der Sitte mit einem Blumenstrauß in der Hoffnung entgegen, er werde diese Gärtners-Blumen-Schwabacher und Fernschreiberei lesen können und ihm dafür ein paar Groschen schenken.

Der Notar weigerte sich höflich vor dem blühenden Ge-
schenke, nahm es endlich mit den dankbarsten Mienen an und
drückte den aufrichtigsten Dank noch mündlich vor dem Gärtner aus, der sich mit den finstersten überwebte, weil er keinen
Heller bekam. Selig strich der Notar durch die Gänge, in die
dunkeln Busch-Nischen, an betitelte Felsen und Mauern, vor
grüne Bänke der Aussichten – und überall flog ihm ein Blumenkranz auf den Kopf oder ein Sommervogel ans Herz, nämlich
wahre Freuden, weil er überall ein Beet erblickte, woraus, wie
er dachte, sein künftiger Freund sich einige Blumen oder
Früchte des schnellen Lebens-Frühlings ausgezogen. »Der edle
Jüngling kann« – sagte Gottwalt an den verschiedenen Plätzen
– »wohl auf dieser Bank lang der Abendröte nachgesehen
haben – in diesem Blütendickicht dämmernde Herzens-
Träume ausgesponnen – auf dem Hügel wird er an Gott gedacht haben voll Rührung – Hier neben der Statue, o wenn er
hier könnte die sanfte Hand seiner Geliebten genommen
haben, falls er eine hat – wenn er betet, tat ers gewiß in diesem
mächtigen Hain.«

Es gab wenige Bänke im Park, worauf er sich nicht nieder-
setzte, voraussetzend, Klothar habe früher da gesessen. – »Der
englische Garten ist göttlich« – sagt' er abgehend zum stillen
Gärtner an der Pforte – »abends erschein' ich gewiß wieder,
liebster Mann!«

Er machte auch zur versprochnen Zeit die Gartentüre auf. In
der Villa war Musik. Er verbarg sich und seine Wünsche in die
schönste Grotte des Parks. Aus der Felsenwand hinter ihm
drangen Quellen und überhängende Bäume. Vor ihm goß der
glatte Fluß seinen langen Spiegel durch ein Auen-Land. Windmühlen kreiseten ungehört auf den fernen Höhen um. Ein
sanfter Abendwind wehte das rote Sonnengold aus den Blumen
höher um die Hügel. Eine weibliche Statue, die Hände in ein
Vestalinnen-Gewand gehüllt, stand mit gesenktem Haupte
neben ihm. Die Töne der Villa hingen sich wie helle Sterne ins
Quellen-Rauschen und blitzten durch. Da Gottwalt nicht

wußte, welches Instrument Klothar spiele: so gab er ihm lieber alle in die Hand; denn jedes sprach einen hohen, tiefen Gedanken aus, den er dem Herzen des Jünglings leihen mußte.

Er entwarf sich unter den süßen Klängen mehrmals den Umriß von der unerhörten Seligkeit, wenn der Jüngling auf einmal in die Grotte träte und sagte: »Gottwalt, warum stehest du so allein? Komme zu mir, denn ich bin dein Freund.«

Er half sich durch einige Streckverse an Jonathan (so wollt' er im Haßlauer Wochenblatte den Grafen verziffern), die ihm aber schlecht gelangen, weil sein innerer Mensch viel zu rege und zitternd war, um den poetischen Pinsel zu halten. Zwei andere Streckgedichte, unter welcher er jene absichtlich im Wochenblatte zum Scheine mischen wollte, als sei alles Dichtung, waren viel besser und hießen so:

Bei einem Wasserfalle mit dem Regenbogen

O wie schwebt auf dem grimmigen Wassersturm der Bogen des Friedens so fest. So steht Gott am Himmel, und die Ströme der Zeiten stürzen und reißen, und auf allen Wellen schwebet der Bogen seines Friedens.

Die Liebe als Sphinx

Freundlich blickt die fremde Gestalt dich an, und ihr schönes Angesicht lächelt. Aber verstehst du sie nicht: so erhebt sie die Tatzen.

※

Eben kam der Gärtner und befahl ihm an, sich weg zu machen, weil man den Garten schließe. Er dankte und ging willig. Aber zu seinem Erstaunen fuhr er in der Theaterschneiders-Gasse nahe vor einem sechsspännigen Fackel-Wagen vorbei, worin Klothar saß nebst andern, so daß er im Garten manches, sah er, vergeblich empfunden. Er ging noch eine halbe Stunde vor

Vults Fenstern auf und nieder, zwar ohne diesen zu sehen, der ihn sah, aber doch um ihn sich nahe zu denken.

Tags darauf hatt' er das Glück, den Grafen, der mit einer alten krummen Dame englisch sprach, auf einem Garten-Gange zu treffen und vor dessen ernstem schönen Gesicht den Hut mit Liebes-Augen zu ziehen. Er suchte ihm noch sechs- oder siebenmale aufzustoßen und zog ebensooft – aus Unbekanntschaft mit der Garten-Kleiderordnung – den Salutier-Hut, was zuletzt dem Grafen so verdrüßlich fiel, daß er unter Dach und Fach auswich. Auch der Gärtner, der längst über ihn und seine scharfen Beobachtungen des Land-Hauses seine eignen angestellt, wurde konfus und glaubte, etwas zu vermuten.

Noch spät abends kam ein Läufer vom polnischen General Zablocki – der in Elterlein das bekannte Ritterschloß hatte – mit dem Befehle, sich morgen ganz früh punkt 11 Uhr einzustellen, um etwas zu machen. »O lieber wenn doch mein Klothar ein Instrument bei mir bestellte! Gäb' es denn eine holdere Gelegenheit?« dacht' er. Punkt 11 Uhr kam derselbe Läufer und bestellt' ihn ab. Aber an der Wirtstafel vernahm er, welche Himmelskugel nahe vor ihm seitwärts weggezogen war.

Die Tisch-Genossenschaft vereinigte sich nämlich, das göttliche Gemüt einer gewissen »Generals-*Wina*« zu erheben ... Es gibt vielerlei Ewigkeiten in der armen zeitlichen Menschenbrust, ewige Wünsche, ewige Schrecken, ewige Bilder – so auch ewige Töne. Der Laut Wina, ja nur der verwandte Winchen, Wien, Mine, München, erfaßte den Notar ebensosehr, als wenn er an – Aurikeln roch, auf deren Duft-Wolken er sich so lange in *neue* ausländische Welten verschwamm, bis er entdeckte, daß er nur die *frühesten* seines Lebens tauig ausgebreitet sehe. Und die Ursache war eben *eine*. In seiner Kindheit war nämlich, da er an den Blattern blind dalag, ein Fräulein Wina, die Tochter des General Zablocki, dem das halbe Dorf oder die sogenannten Linken gehörte, mit der Mutter zum Schultheiß gekommen. In der Familie hatte sich erhalten, daß das kleine

Mädchen gesagt, der arme Kleine sei ja sehr tot, und sie woll' ihm alle ihre Aurikeln geben, weil sie ihm keine Hand geben dürfte. Der Notar beteuerte, daß er sich es noch klar und süß erinnere, wie ihn Blinden der Aurikeln-Geruch durchdrungen und ordentlich berauscht und aufgelöset habe, und wie er ein peinliches Schmachten gefühlt, nur eine Fingerspitze des Kindes, dessen süßes Stimmchen ihm fern, fern herzukommen schien, anzurühren, und wie er die kühlen Blumenblätter an seinen heißen Lippen totgedrückt. Diese Blumen-Geschichte mußt' ihm, erzählt' er, in der Krankheit und nachher in der Gesundheit unzählige Male erzählt werden, er habe aber Wina nie aus seiner Kindheits-Dämmerung gelassen und sie später nie angesehen, weil er es für Sünde gegen dieses für das Tageslicht ordentlich zu heilige zarte Wesen gehalten. Wenn ansehnliche Dichter ihre Arme und Flügel zusammenstellen, um wie auf einem Minervens-Schilde eine Schönheit emporzuheben durch Wolken hindurch, über schwache Monde, mitten unter die Nacht-Sonnen hinein: so hob doch Walt die ungesehene, süß sprechende Wina viel höher, nämlich in das dunkle tiefste Sternenblau, wo das Höchste und das Schönste glüht und strahlt, ohne Strahlen für uns Tiefe: gleich den großen Zentral-Sonnen Herschels, welche durch ihre unendliche Größe ihren unendlichen Glanz wieder an sich ziehen und ungesehen in ihrem Feuer schweben.

Gottwalt fragte, ob diese Wina die Tochter Zablockis sei. Er hörte, es sei diese eben die Braut – Klothars. Welche Überraschung, sich einen männlichen, markigen, scharfen Geist und Freund mit der sanften Liebe zu denken, mit dem Dämpfer, der das Schmettern zu Nach- und Wiederklängen erweicht, einen Heros neben einer heiligen Jungfrau – und auf der andern Seite sich die Braut eines Freundes zu denken, diese höhere geistige Schwester, diese Gott geweihte Nonne im Tempel der Freundschaft (denn für eine schöne Seele gibt es keine schönere als des Freundes Geliebte) –– mehr Liebe und Freuden-Träume konnte eine einzige Nachricht schwerlich einem Menschen zuwerfen als die neue dem Notar, die neueste ausgenommen, daß heute beim General die Ehepakten aufgesetzt worden oder doch würden. Der Notar, der aus seiner Abbestellung das Widerspiel wußte, fuhr ordentlich vor der aufgeschobenen Herzens-Szene zusammen, die ihm entgangen war; »ich glaube, ich sterbe« – dacht' er – »vor Liebe gegen zwei solche Menschen, die ich auf einmal in ihrer fände; den Kontrakt würd' ich ohnehin mit zehntausend Fehlern aufsetzen, und stände mein Kopf darauf.«

Er hörte aber noch mehr. Der Graf, sagte die Wirtstafel, heirate sie bei seinem Reichtum nur der Schönheit und Ausbildung wegen, denn er habe zehnmal mehr Geld als der General Schulden. »Was tuts,« sagt' ein unbeweibter Komödiant, der *Väter machte*, »die Hehre soll die Liebe und Charis selber sein.« – »Zwar die Mutter in Leipzig, glaub' ich,« – versetzte ein Konsistorial-Sekretär – »konsentiert bequem, da sie lutherischer Konfession ist, so gut wie der Bräutigam; aber der Vater« –– »Wieso?« fragte der Komödiant. »Tochter und Vater sind nämlich Katholiken«, antwortete der Sekretär. – »Wird sie die Religion changieren?« fragte ein Offizier. »Das weiß man eben nicht« – (sagte der Sekretär) »bleibt sie inzwischen bei ihrer, so sind sehr viele Dinge vorher auszumachen; und beide müssen durchaus zweimal kopuliert werden, einmal von einem lutherischen Geistlichen, hernach von einem katholischen.« – »Ihr Konsistorien«, sagte der Offizier, »bleibt doch bei Gott ein ganzer wahrer diffiziler, nichtsnütziger, langweiliger Schnickschnack, der mich ordentlich revoltiert; wie stecht ihr ab gegen einen Feldprediger!« –

So beklommen, als (nach der medizinischen Geschichte) Leute erwachen, die in ihrem Schlafzimmer einen Pomeranzenbaum hatten, der in der Nacht die Blüten auftat und sie mit seinem Duft-Frühling überfiel: so stand Walt, mit der süßnagenden Geschichte am liebewunden Herzen, vom Tische auf. Er wollte, er mußte die Brautleute sehen. Wina, die er früher als der Graf wenigstens gehört, konnt' er ordentlich bitten, ihn dem Bräutigam, und diesen, den er längst gesehen und gesucht, ihn der Braut vorzustellen. Sehr hatt' ihm an der Wirtstafel die Bemerkung gefallen, daß Wina eine Katholikin sei, weil er sich darunter immer eine Nonne und eine welsche Huldin zugleich vorstellte. Auch daß sie eine Polin war, sah er für eine neue Schönheit an; nicht als hätt' er etwa irgendeinem Volke den Blumenkranz der Schönheit zugesprochen, sondern weil er so oft in seinen Phantasien gedacht: Gott, wie köstlich muß es sein, eine Polin zu lieben – oder eine Britin – oder Pariserin – oder eine Römerin – eine Berlinerin – eine Griechin – Schwedin – Schwabin – Koburgerin – oder eine aus dem 13. Säkul – oder aus den Jahrhunderten der Chevalerie – oder aus dem Buche der Richter – oder aus dem Kasten Noäh – oder Evas jüngste Tochter – oder das gute arme Mädchen, das am letzten auf der Erde lebt gleich vor dem Jüngsten Tage. So waren seine Gedanken.

Den ganzen Tag ging er in neuer Stimmung herum – so kühn und leicht, als lieb' er selber, war ihm – und doch war ihm wieder, als wenn er zwar alle habe, aber keine – er wollte Winen eine Brautführerin zuführen, in die er selber sterblich verliebt wäre – er lechzete nach dem Bruder, nicht um ihn darüber zu belehren oder zu vernehmen, sondern um eine liebe Menschenbrust zum Druck an seine zu haben – ein großer Regenbogen abends in Osten spannt' ihn noch höher. Der leichte schwebende Bogen schien ihm ein offnes Farben-Tor für ein unbekanntes Paradies – es war der alte glänzende Siegesbogen der Sonne, durch welchen schon oft so viele schöne, tapfere Tage gegangen, so viele sehnsüchtige Augen gesehen. Auf einmal fiel ihm ein gutes Mittel ein, drei Wünsche zu befriedigen, zwei laute und einen stillen.

Das Klavierstimmen

Es ist bekannt, daß nach der sechsten Klausel des Testamentes der Notar auch einen Tag lang stimmen muß, um zu erben. Längst hatt' ihn außer Vult noch sein Vater, der nicht erwarten konnte, wie der sogenannte Regulier-Tarif oder die geheimen Artikel Fehler setzen und strafen würden, um Verwaltung dieses Erb-Amts als des kürzesten angelegen, um hinter die Ehrlichkeit des sel. Testators zu kommen; aber Walt hatte beiden stets das Unrecht entgegengesetzt, den alten gebenden Mann für einen Schelm zu halten. Aus schönern Gründen hingegen konnt' er jetzt stimmen, wenn er wollte; diese waren die dreifache Hoffnung, er werde, da sein Stimm-Amt vorher im Wochenblatt dem Publikum mußte angeboten werden, in die vornehmsten Häuser und Zimmer kommen – die schönsten Töchter vorfinden (denn Töchter und Instrumente sind nicht weit auseinander) – und wohl auch die köstlichen Mahagony-Piano von Schiedmaier aufdecken, auf deren Tasten Klothar und Wina die beringten Finger gehabt.

Walt betrieb feurig die Sache ohne alles Ratfragen. Er zeigte seinen Willen den Testament-Exekutoren oder dem regierenden Bürgermeister Kuhnold an. Dieser eröffnete ihm, daß er nach dem geheimen Regulier-Tarif 4 Louis aus der Erbschaftskasse erhalte, weil der Testator ihn keiner Verbindlichkeit fremder Bezahlung aussetzen wollen. Wie ein Vater ermahnte er ihn, sein Ohr unter dem Stimmen nicht zu zerstreuen, und er würde ihm deutlicher raten, sagt' er, wenn es seine Pflicht erlaubte. »Auch ich geb' Ihnen ein Instrument«, setzt' er mit einem wohlwollenden Lächeln dazu. Walt – in die Liebe verliebt – erinnerte sich mit Vergnügen an Kuhnolds bekannte fruchttragende Ehe voll Töchter.

Die Sache wurde ins Wochenblatt gesetzt.

Der einsylbige Vult schrieb nach der Erscheinung desselben

einen ganzen, fast ernsthaften Kautelar-Bogen voll Predigten über Saiten-Nummern, Saiten-Sprengen und falsche Temperaturen, samt dem Flehen, doch nur einen Tag lang kein Dichter zu sein. »Sondern Instrumente, statt zu machen wie ein Notar, zu stimmen wie ein ordentlicher Regensburger Komitial-Mensch.«

Am Abend vor dem Stimm-Tag erhielt Walt die Liste der Stimmhäuser; aber darunter war weder sein Wohnhaus – Neupeter war zu stolz dazu – noch Klothars und Zablockis ihre, doch sonst hohe genug.

Als er am Morgen zuerst bei Kuhnold – nach der ancienneté des Meldens hatt' er zu hausieren – als Stimmer ankam: fand er im netten, glatten Klavier-Zimmer statt der Demoiselles Kuhnold den oben gedachten hinkenden grämlichen Notar, den der Fiskal Knoll, als der Kardinalprotektor der sieben Erben, hergeschickt zum Zeugen aller Fehler, weil ein Notar, wie Deutschland weiß, zwei Zeugen schwer wiegt, folglich für das Jus gerade jener nervus probandi und erster Grundsatz des Widerspruchs, jene geistige tonica dominante oder Primzahl ist, wornach so lange schon die Weltweisen wettrennen, um solche nur zu sehen; daher der Jurist in Minuten mehr beweiset als der Philosoph in Säkuln. –

Auch war Knoll weitläuftig schriftlich darauf bestanden, den Stimm-Tag durchaus nicht zu Walts Notariats-Zeit zu schlagen – was sich, replizierte Kuhnold, ja von selber verstanden hätte.

Das heiter-geordnete Zimmer ohne Töchter trug indes überall die Farben-Asche weiblicher Schmetterlings-Flügel, bunte Arbeiten und Arbeitszeug schöner Finger. Das Pianoforte war fast wie gestimmt, nur *zu hoch* um einen Ton – eine Stimmgabel lag dabei – auf den Tasten waren die Nummern der Saiten, auf dem Sangboden neben den Stiften das Tasten-Abc mit schwärzerer Dinte retouchiert – für Stille war in der Nachbarschaft gesorgt – und Kuhnold kam zuweilen nachschauend, aber ohne ein Wort zu sagen. Er bot den Notarien ein Frühstück an. »Wollte Gott,« dachte Walt, »eine oder die andere Tochter trüg' es herein!« Eine runzlige ehrliche männliche Haut von mehr Jahren als Haaren bracht' es so freundlich, als sei sie in der Tat der Wirt. – –

Redlicher Bürgermeister von Haßlau, lasse mich in dieser Minute, wo ich eben die folgende Nummer und Naturalie *Großmaul oder Wydmonder* samt Dokumenten von dir und der Post erhalte, die Geschichte mit der Versicherung stören, daß ich wissen würde, wie hoch ich dich zu stellen habe – wärest du auch weniger der Schirmherr des ewig in Schlingen gehenden Notars –, schon daraus, mein' ich, daß du erstlich einen ganz alten (wahrscheinlich beweibten) Bedienten hast, und daß er zweitens noch vergnügt aussieht.

Beide Notarien frühstückten, und der Exekutor sprach, während die Wachparade gleichsam mit ihrem Rauschgold und Knallsilber auf den Uniformen, mit einem Geschrei auf der Trommel, das nicht bloß an die *Haut* des sie überziehenden Tiers erinnerte, vorbeimarschierte und niemanden sonderlich die Stimme und das Stimmen zuließ. Da hinter der Parade noch Musik englischer Bereiter zog: so versicherte Kuhnold, jetzt höre niemand sein Wort, geschweige den zärtesten Mißton.

So ging der ganze Vormittag unter fehler- und töchter-losem Stimmen vorüber und beide Notarien zum Essen, jeder ganz verdrüßlich, der hinkende darüber, daß er wie ein Narr dagesessen ohne das geringste mögliche Niederschreiben, der stimmende, daß er niemand gesehen. In gewissen Jahren versteht das männliche – und das weibliche Geschlecht unter Niemand das eigne, und unter Jemand das andere.

Zu Buchhändler Paßvogel zogen darauf beide Notars. Dem Flügel des Stimm-Hauses fehlte nicht so sehr die Stimmung als Saiten dazu. Statt des Stimmhammers mußte Walt mit einem Gewölb-Schlüssel drehen und arbeiten für Musikschlüssel. Ein geschmücktes schönes Mädchen von 15 Jahren, Paßvogels Nichte, führte einen Knaben von 5, dessen Sohn, in seinem Hemde herum und suchte leise-singend eine leise Tanz-Musik aus den zufälligen Stimm-Tönen zusammenzuweben für den jungen Satan. Der Kontrast des kleinen Hemdes und der langen Chemise war artig genug. Plötzlich sprangen die drei Saiten a, c, h, nach Haßlauer offiziellen Berichten, welche gleichwohl nicht festsetzen, in welchen gestrichnen Oktaven. »Ja lauter Lettern aus Ihrem Namen, Herr Harnisch«, sagte Paßvogel. »Sie wissen doch die musikalische Anekdote von Bach. Es fehlt Ihnen nur mein p!« – »Ich stimme am b,« sagte Walt, »aber für das Springen kann ich nicht.« – Da der hinkende Notar so viel Verstand besaß, um einzusehen, daß ein Stimm-Schlüssel nicht drei Saiten auf einmal sprenge: so stand er auf und sah nach und fands. »Aus dem *Ach* wird ja ein *Bach!*« (scherzte der Buchhändler ablenkend). »Was macht der Zufall für Wortspiele, die gewiß keine Bibliothek der schönen Wissenschaften unterschriebe oder schriebe!« Allein der hinkende Notar versicherte, die Sache sei sonderbar und protokoll-mäßig; und als er noch einmal den Sangboden besah, guckte gar hinter der Papier-Spirale aus dem Resonanz-Loche eine – Maus heraus. »Die hats gemacht«, sagt' er, schrieb es nieder und schüttelte so, als ob er vermute, der Buchhändler habe sie aus Absichten in den Sangboden schießen lassen. Walt fragte auf einmal sich besinnend: »Stimm' ich denn fort? Ich sehe überall die Mausspuren, und alles springt.« Er legte den Gewölb-Schlüssel sanft hin. Paßvogel wollte als hitziger Mann ausfallen. Aber Walt entkräftete ihn durch die Erklärung, er wolle in der Stadt herumstimmen und zu ihm zuletzt, aber bei andern Saiten kommen.

Sie gingen zu Herrn van der Harnisch, der sich auch auf die Liste gesetzt. Er sagte, er erwartete jede Stunde sein Miet-Pantalon, und ließ beide fast eine ganze lauern. Es verschnupfte ordentlich den hinkenden Notar, der noch dazu nicht faßte, wie der stimmende den Edelmann so liebreich anschauen konnte. Walt schrieb alles dem brüderlichen Sehnen nach Wiedersehen zu, indes Vult dabei die Absicht hatte, dem Tage und Band-Wurm, der an der Erbschaft fraß, ein Stück abzureißen. Endlich ließ er beide unverrichteter Sache abziehen, nachdem er sie ein paarmal gefragt, ob sie noch da wären, weil er sie nicht höre in seiner Blindheit.

Sie kamen zu einer verwittibten schönen Stückjunkerin, die sich mit ihrem Stickrahmen (eine Paukendecke stickte sie) sehr nahe an das gleißend-gebohnte Klavier setzte, das sie ihn vielleicht stimmen ließ, um ihn für sich zu stimmen. Er horchte so vergnügt auf ihre Anreden, daß er einmal den Stimmhammer auf den Sangboden fallen ließ und ein paar Saiten abdrehte. Am Ende des Geschäfts zeigte sie ihm das musikalische Würfelspiel und bat ihn, damit zur Probe zu komponieren. Er tats und spielte seine erste Komposition vom Blatte; er wollte noch länger vorspielen – denn nie spielt der Mensch lieber als nach dem Stimmen –; aber der hinkende Notar setzt' ihm die Testaments-Klausel entgegen. Die Stückjunkerin machte selber einige prüfende Griffe – der Schoß-Hund sprang empor und ging mit vier dergleichen über die Tastatur und verstimmte ein wenig. Walt wollte nachhelfen; aber der hinkende Notar trieb ihn mit der Klausel von dannen. Er ging ungern. Sie war eine blonde Witwe von 30 Jahren, also um 5 oder 7 Jahre jünger als eine Jungfrau von 30. Es freuete ihn, daß die Saite doch einmal der herrufende Klingeldraht der Schönheit geworden; »aber Himmel,« dacht' er, »ein Stimmen kann ich ja im Doppelroman zur Einkleidung aller Zufälle gebrauchen!« –

Er mußte zum Polizei-Inspektor Harprecht, der, wie sein Protokollist sagte, mit einer Herde Töchter geschoren sei. Harprecht empfing ihn sehr verbindlich, stäubte ein altes Hackbrett eilig weiter ab und schob ihm dasselbe freundlich zum Stimmen vor. Töchter waren nicht zu sehen. Walt stutzte und sagte mit langer sanfter Höflichkeit Nein; er setzte auseinander, daß er, da in der 6. Klausel nur von Klavieren die Rede sei, durch heutiges Stimmen – morgendes versprach er ihm gern – gegen die vielen noch restierenden Stimm-Häuser auf der Liste (er wies sie vor) verstoßen würde, die alle ein gleiches Recht auf sein Stimmen ohne Geld besäßen. Auch der hinkende Notar sagte, unter Klavier könne nicht wohl ein Hackbrett begriffen werden.

»Oft doch« – versetzte mit alter Liebreichigkeit Harprecht, lächelnd bloß mit einem Mundwinkel, so wie er nur eine gerade Stirnfalte runzelte –; allein er sei vielleicht so billig als einer; und da er mit dem Hoffiskal Knoll *ein* Instrument gemeinschaftlich gemietet für ihre Kinder, so begleit' er ihn zum Stimmen desselben hin, um sich das Vergnügen seiner Gesellschaft etwas zu verlängern, dürf' aber gewiß bei der Testaments-Exekution darauf antragen, daß das Kompagnie-Instrument und also jeder Stimm-Fehler für zwei gelte, wobei ja Herr Harnisch genug an Zeit und Mühe erspare und gewinne. – »Wahrlich,« versetzte Walt, »ich wollt', es wäre recht, ich fragte nichts darnach.« Harprecht drückte ihm die Hand und sagte, einen solchen jungen Mann hätt' er längst zu finden gewünscht; und alle gingen. »Eben jetzt«, sagte Harprecht unterwegs, »ist Tanz- und Klavierschule bei Knoll und alle meine Töchter.«

Es wird nicht unter der Würde der Geschichte sein, hier anzumerken, daß Harprecht und Knoll sich ein einziges Spinett als eine Finger-Tenne und Palästra für ihre Jugend und deren partielle Gymnastik, ein passives Hammerwerk für ihr aktives, gemeinschaftlich bestanden von einem alten Kanzelisten, und daß das Spinett alternierend von einem Semester zum andern in den Häusern beider Dioskuren stand. Harprecht hatte sogar den Curas und Meidinger aus der Gymnasiumsbibliothek für die gallischen Stunden seiner Töchter geborgt und sagte, er schäme sich dessen gar nicht.

Der kürzere Weg zum Fiskal ging durch grüne, rote, blaue, bunte Gärten, denen der Vor-Herbst schon die Früchte färbte vor den Blättern; und Walt, dem die Vesper-Sonne so warmfreundlich ins Angesicht fiel, sehnte sich in den Abend-Glanz hinaus. »Wären Sie imstande,« sagte Harprecht, »so auf der Stelle ein Gedicht in Ihrer neuen Gattung, die man so lobt, auf was man will, zu machen –? Etwa ein Gedicht über die Dichter selber, z.B. wie sie glücklicherweise so hoch stehen auf ihrer fernen idealischen Welt, daß sie von der kleinen wirklichen wenig oder gar nichts sehen und also verstehen?« – Er sann lange nach; und sah gen Himmel; endlich schlug aus diesem der schöne Blitz eines Gedichtes in sein Herz. Er sagte, er hab' etwas; und bitt' ihn bloß, sich zu dessen Verständnis an die astronomische Meinung zu erinnern, daß das, womit die Sonne leuchtet, nicht ihr Körper sei, sondern ihr Gewölke. Er fing an und deklamierte, in die Sonne schauend:

Die Täuschungen des Dichters

Schön sind und reizend die Irrtümer des Dichters alle, sie erleuchten die Welt, die die gemeinen verfinstern. So steht Phöbus am Himmel; dunkel wird die Erde unter ihrem kalten Gewölke, aber verherrlicht wird der Sonnengott durch seine Wolken, sie reichen allein das *Licht* herab *und* wärmen die kalten Welten; und ohne Wolken ist er auch Erde.

*

»Hübsch und spitzig genug«, sagte der Inspektor mit aufrichtigem Lob einer Ironie, die er im Streckvers fand, die aber nicht der Dichter, sondern das Schicksal hineingelegt. – »In solcher Eile« – versetzte Walt – »kann man zwar wohl den Gedanken schaffen – denn jeder Gedanke des Menschen ist doch ein Impromptu –, aber gar zu schwer den rechten Versbau; ich gäbe ein solches Gedicht nie öffentlich.«

Sie traten ins laute Knollische Zimmer ein, wo außer dem Kompagnie-Spinett und dem Kompagnie-Musik- und Tanzmeisterlein noch der Zusammenwurf beider Nester war, die mit Füßen und mit Händen sausen und brausen wollten – lauter hagere, schmalleibige, hänghäutige, mokante, scharfe Mädchen-Figuren von jedem Alter, worunter zwei Knaben mitturnierten. Sämtliche Tanzschule harrete auf ihre Klavierschule, die wieder auf das Stimmen des Spinetts wartete.

Das Musikmeisterlein schwur, heute sei daran nichts zu brauchen, so toll klinge das Spinett. Gleichwohl hatte sich den Abend vorher der Polizei-Inspektor über das Spinett gemacht, um, wie er sagte zum Fiskal, der ihn vertrauend machen ließ, dem jungen Universal-Erben etwas vorzuarbeiten – hatte aber die meisten Saiten zu *tief* herabgelassen – ferner im Eifer der Vorarbeit zu dicke Nummern auf dreimal gestrichne Noten oder Tasten gespannt – und in der Tat genug gefehlt.

Walt fing an. Er sprengte eine Saite nach der andern entzwei. Harprecht *kegelte* mit Saiten-Rollen aus der einen Hand in die andere und trachtete sehr, wie er sagte, seinem jungen Freunde ein ziemlich langweiliges Geschäft zu versüßen durch Diskurse; auch reicht' er ihm die Saiten-Knäule, die er brauchte. Anfangs hielt der Notar den Tanz bei dem Klavierstimmen so gut aus, daß er sogar, da ihm keines Menschen Freudenstunde gleichgültig war, teils in das stimmende Oktaven- und Quinten-Probieren eine Art leichtern Tanz-Takt zu legen versuchte, teils ins Einhämmern der Stifte, so unangenehm ihm auch die sämtlichen Mädchen erschienen, die sogleich in den jüngsten Jahren die venia aetatis[1], die einem Freiherrn über 300 fl. in Wien kostet, auf dem Gesicht als Brautschatz mitgebracht.

Da aber jede Saite zersprang – und beinahe sein eignes Trommelfell, das er und andere spannten und aufschraubten –: so ersuchte er um erforderliche Stille. Man schwieg allgemein – er stimmte fort und lärmte allein – die Tanzschule samt dem Tanz- und Musikmeisterlein sah jede Minute dem Anfange der Klavierstunde entgegen – Walt durchschwitzte die Wind- und Meerstille – die Saiten sprangen jetzt statt der Tänzer – das Stimmen verstimmte sein Herz und Spinett – er hatte die annahende Nacht und die restierenden Stimmhäuser voll schönster Töchter und Zimmer im Kopfe – verdumpft hatt' er sich schon längst, weil keine Anspannung so hart ins Gehirn drückt als die des Ohrs – an siebenundzwanzig Saiten-Sprünge hatte der hinkende Referent schon zu Papier gebracht – und nun läutete die

1 Alters-Erlaß.

Abendglocke. – Mit Wut warf der Notar den Stimmhammer ins Zimmer und rief: »Der Donner unds ... Was ist das? – Doch der bürgerliche und kanonische Tag ist jetzt zu Ende, Herr Inspektor, und alles; die Saiten zahl' ich.«

Am Morgen darauf wurde ihm von Herrn Kuhnold der geheime Artikel des Regulier-Tarifs eröffnet, welcher bestimmt verordnete, daß ihn jede Saite, die er im Erb-Amte des Stimmens zerrissen hätte, ein Beet der Erb-Äcker kosten sollte, so daß er jetzt, nach dem Protokoll des Hink-Notars, um zweiunddreißig Saiten oder Beete ärmer war. Walt erschrak ungemein seines Vaters wegen. Aber als er dem regierenden redlichen Bürgermeister in das traurige Gesicht recht sah, erriet er etwas, nämlich dessen ganze gestrige Güte, die ihm durch ein hoch gespanntes Instrument und durch jede andere Erleichterung und durch die Entfernung der schönen Töchter sowohl die Gelegenheit zu Saiten-Rissen im eignen Hause abschnitt als auch ein großes Stück Zeit zu mehreren in einem fremden. Dieser erquickende Gewinn einer schönen warmen Erfahrung erstattete ihm den metallischen Verlust so reichlich, daß er den Abschied vom Bürgermeister mit einer frohen dankenden Rührung nahm, die jener nur halb zu verstehen scheinen mußte.

Nᵣₒ 21: DAS GROSSMAUL ODER WYDMONDER

Aussichten

Gottwalt schwur beim Eintritt in sein Haus, er finde darin nach einem solchen Stein-, Platz- und Mäuse-Regen des Schicksals ein sehr hübsches Stück Sonnenschein. Und Flora brachte das Stück, nämlich eine mündliche Einladungskarte – weil man ihn einer schriftlichen nicht wert halten konnte, so lieb ihm auch ein Expektanzdekret eines Himmels, ein Wechselbrief auf Lust gewesen wäre –, nämlich morgen Sonntags mittags zu Neupeters Geburtstags-Diner auf einen Löffel Suppe zu erscheinen. Auf den Diner-Löffel und das Souper-Butterbrot, auf diese Eß-Pole laden die Deutschen ein, nie auf die Mitte, auf Hechte, Hasen, Säue und dergleichen. Flora sagte, des Grafen Klothars wegen feiere man die Geburt schon um 2 Uhr. Walt beteuerte, er komme gewiß.

Ihn wiegte darauf ein zweiter warmer Glückswind, das Wochenblatt mit Vults Nachricht ans Publikum, er flöte lieber Sonntags abends um 7 Uhr öffentlich, so stockblind er jetzt sei, als daß er länger ein verehrtes Publikum forttäusche und herumzerre in großen Erwartungen. Dem Zeitungs-Blatte lag ein Billet an Walten bei, worin ihn Vult um einen Vorschuß von 2 Louis für die Konzert-Dienerschaft ersuchte und um das Protokoll des Stimm-Tags und um ein Paar Ohren für morgen und um das Ohren-Gehenk, das Herz.

Es hat nicht den Anschein, daß einen so schönen und schweren *Terzentriller* der Lust jene Göttin, die immer plötzlich ins arme, von rauhen Wirklichkeiten zerrissene Menschen-Ohr mit linden Melodien herabfährt, je vor dem Notar geschlagen als eben den mitgeteilten. Er war selig und alles und redselig und schrieb erstlich: »Hier das begehrte Darlehn doppelt, was gestern von Kabel für das Stimmen eingelaufen« – dann schrieb er die köstlichen Hoffnungen auf Klothar – zugleich die Streckverse auf den Grafen – die bisherigen Preßgänge und Kesseljagden nach diesem – die Träume vom morgenden Flötengedackt und von der Zukunft eines freiern Bruder-Lebens ohne Blindheit – und den Verlust von 32 Beeten.

Es fürchte doch immer der Mensch die innerste Entzückung, er glaube nur nie ganz toll, es werde jemals ein so leiser sanfter Himmels-Tau, wie sie ist, auf der stürmischen Erde und in ihren Windklüften die seltenen Windstillen finden, worin allein er sich in feste offne Blumenkelche einsenkt, gleichsam die helle gediegne Perle aus dem grauen Wolken-Meer. Sondern der Mensch erwarte, daß er den zweiten Brief sogleich erhalten werde, den Vult an Walt in folgender Stimmung schrieb:

Vult hatte sich nämlich seit dem gestrigen Anblicke des Bruders mit ganz frischer Liebe für denselben versorgt und sich besonders heimlich mit ihm befreunden wollen durch die Bitte, ihm vorzuschießen – er hatte sich gute Plane voll jauchzender Hoffnungen auf die Zeit nach dem Sonn- und Konzert-Tag entworfen und sich gesagt: »Sobald ich nur sehe, was ich gleich nach dem Konzerte tue, so fallen lauter Bundes-Feste des Zusammenlebens und -schreibens vor, und mein versiegelter Brief an ihn wird täglich dümmer« – er war, wie oft, aus seinem eignen Himmels- sein eigner Höllenstürmer geworden – er hatt' es recht tapfer gefühlt, daß einige fliegende Winter des Herzens, den fliegenden Sommern so ähnlich, dessen freudige Wärme nicht mehr wegnehmen als Eisstücke an den Ufern den Lenz.

So bekam er Walts obiges Freudengeschrei und Schreiben an einen Bruder, der so lange als blinder Mann zu Hause gesessen – gegen dessen Unsichtbarkeit der andere sich noch so wenig gesträubt – auf welchen dieser noch kein einziges Streck-Gedicht gemacht, obwohl auf den fremden Narren zwei oder drei – kurz, an einen Mann, der den alliebenden Notar dreitausend Mal mehr liebe und allein ...

Folgendes setzte der Mann an Walten auf:

»Anbei folgen 2 Plus-Louis retour; mehr war ich nicht benötigt, obgleich kein Mensch so viel Geld bedarf als einer, ders verachtet. – Das hole der Teufel, daß 32 Beete jetzt vom Feinde mit Unkraut angesäet werden. Solche Tonleitern sind mehr Höllen- als Himmelsleitern für mich. Bei Gott, ein anderer als der eine von uns hätte vorher zu sich gesagt: pass' auf! Kato schrieb ein Kochbuch; ein Streckdichter könnte wahrlich stimmen, wenn er wollte; nur umgekehrt gehts nicht, daß ein Koch einen Kato schreibt, sondern höchstens ein Cicero, dieser Cicerone alter Römer. Böse Träume, die echten Seelen-Wanzen des armen Schlafs, gegen welche mein Kopf nicht so viel verfangen will als ein Pferde-Kopf gegen Leibes-Wanzen, hatten mir manches vorgepredigt, was ich jetzt nachpredige vor Denenselben, mein Herr!

Noch zeigen Sie mir fast verwundert an, daß Ihnen, nach der Marsch-Ordre vom und zum General Zablocki dahier um 11 Uhr, gerade um dieselbe Stunde Kontre-Ordre zum Kontre-Marsch zugekommen, ohne daß Sie zu erwägen scheinen, daß er sich einen ganzen Tag Zeit genommen, um sich zu ändern. Herr, sind denn die Großen nicht eben das einzige echte Quecksilber der Geisterwelt? – Die erste Ähnlichkeit damit bleibt stets ihre Verschiebbarkeit – ihr Rinnen – Rollen – Durchseigern – Einsickern – Verdammt! die rechten Gleichheiten dringen nach und sind nicht zu zählen. Wie besagtes Quecksilber so kalt und doch nicht zu festem stoischem Eis zu bringen – glänzend ohne Licht – weiß ohne Reinheit – in leichter Kugelform und doch schwer drückend – rein und sogleich zu ätzendem Gift sublimiert – zusammenfließend, ohne den geringsten Zusammenhang – recht zu *Folien* und *Spiegeln* unterzulegen – sich mit nichts so eng verquickend als mit edlen Metallen – und noch, aus wahrer Wahl-Anziehung, etwan mit Quecksilber selber – Männer, die sich mit ihnen befassen, sehr zum *Ausspucken* reizend – – Herr, das wollt' ich die große Welt nennen, deren goldnes Alter immer das quecksilberne ist. Aber auf solchen glatten, blanken Weltkügelchen siedle sich nur niemand an! – Übrigens folgen auch Einlaßbillets für das Flöten-konzert; à revoir, Monsieur!

v. d. H.«

*

Walten taten indes nur die Retour-Louis so weh, als wären sie von Louis XVIII geprägt; sonst nahm er Vults Stampfen aus Zorn für Tanzen aus Lust und für Takt-Treten. Hätt' er ahnen können, mit welchen Peinigungen der Liebe er den Schmoll-geist Vults wechselnd weg- und herbannte: er hätte in seiner ganzen Gegenwart wenige Hoffnungen gefunden. Jetzt schlief er mit der schönsten auf morgen ein.

Peter Neupeters Wiegenfest

Der Notarius konnte den ganzen Morgen nichts Gescheutes machen als Plane, an einem solchen Ehrentage ein neuerer Petrarca zu sein, oder ein in einem Dorfe gebrochner Juwel, der sich auf der Edelsteinmühle der Stadt schon sehr ausgeschliffen. Er hielt sich vor, das sei das erstemal, daß er in den schimmernden Tier-Kreis des feinsten Cercle oder Kränzchens rücke. »Gott, wie fein werden sie alles drehen«, sagte er sich, »und vor Tournüre kaum reden! Madame – kann der Graf sagen –, ich bin zu glücklich, um es zu sein. Herr Graf, kann sie versetzen, Ihr Verdienst und Ihre Schuld – Darf man das Erraten erraten? fragt er – Sollte Fragen mehr erlaubt sein als Antworten? fragt sie – Das eine erspart das andere, versetzt er – Oh Graf, sagt sie – Aber Madame, sagt er; denn nun können sie vor Feinheit nichts mehr vorbringen, und wenn sie toll würden. Ich für meine Person setze vieles in den Hoppelpoppel oder das Herz.«

Walt goß sich bei Zeiten seinen Sonntags-Beschlag, den Nanking, als sein eigner Gelbgießer über und setzte statt des braunflammigen Hutes – den wollt' er in der Hand tragen – mehr Puder als gewöhnlich auf. Er ging geputzt ein paar Stunden leicht auf und ab. Er hörte vergnügt einen Wagen nach dem andern vordonnern; »nur abgeladen!« sprach er, »lauter Fracht und Meßgut für den Roman, in dem ich Leute von Stande so nötig habe als Dinte. Und wie wird sich uns allen mein Klothar von so mannigfachen Seiten zeigen müssen; der alte treue Freund! Gott wird mir schon dazu verhelfen, daß ich auch etwas sagen kann zu ihm.«

Da er endlich bei einem neuen Rollen es für Zeit hielt, sich hinabzumachen und den Cercle zu schließen und zu runden mit seinem eignen Bogen und Bückling: so stellt' er sich oben, mit seinem Hute in der Hand, ans Treppengeländer und schauete so lange hiedurch hinab, bis er dem neuen Nachschuß sich zuschießen konnte, um so unbemerkt und ohne sonderliche Kurvaturen im Saale einzutreffen. Er glänzte sehr, der Saal, die vergoldeten Schlösser waren aus den Papier-Wickeln herausgelassen, dem Lüstre der Staub- und Bußsack ausgezogen, die Seiden-Stühle hatten höflich vor jedem Steiß die Kappen abgenommen, und auf dem getäfelten Fußboden war die Leinwand ganz von den Papiertapeten weggezogen, welche die ostindische Decke so zudeckten, daß diese sowohl sich als den getäfelten Fußboden an einigen Winkeln leicht zeigte. Den Salon selber hatte der Kaufmann, weil lebendige Sachen zuletzt jeden krönen, mit Gästen-Gefüllsel ordentlich wie ein hohes Pasteten-Gewölb satuiert, namentlich mit Aigretten – Chemisen – Schmink-Backen – Rotnasen – feinsten Tuchröcken – spanischen Röhren – Patentwaren und französischen Uhren, so daß vom Kirchenrat Glanz an bis zu netten Reisedienern und ernsten Buchhaltern sich alles mischen mußte. Der große Kaufmann sucht weiter in keine höchste Klasse zu kommen als in die der Gläubiger, wenn seine hohen Schuldner fallieren. Er, als kalter stiller Justierer des Verdienstes, schätzt gleich sehr den niedrigsten Bürger, wenn er Geld hat, und den höchsten Adel, wenn dessen altes Blut in silbernen und goldnen Adern läuft und dessen Stammbaum Nahrungs- und Handelszweige treibt. Freilich – so wie dem Pater Hardouin die Münzen der Alten mehr historische Glaubwürdigkeit hatten als alles Schriftliche derselben – so kann der abwägende Kaufmann Adels-Pergament und sonstige Ehren-Punktierkunst nie so hoch stellen als dessen Münzen, insofern er von fremder Zuverlässigkeit sprechen soll.

Schon die Anfurt des Ehrentages fand der Notar viel lustiger und leichter, als er nur hoffen wollen; denn er bemerkte bald, daß er nicht bemerkt wurde, sondern sich auf jeden Seidenstuhl setzen konnte und ihn zum Weberstuhl seiner Träume machen. Noch hatte er nichts vom Grafen noch vom Wiegenfest und den beiden Töchtern gesehen – als endlich Klothar, der Eßkönig, zu seiner Freude blühend hereintrat, obwohl in Stiefeln und Überrock, als hab' er sich mehr auf parlamentarische Wollen-Säcke zu setzen als auf seidne Agenten-Stühle. »Herr Hofagent,« sagt' er, ohne die Versammlung zu prüfen, »wenn Sie wollen, mich hungert verdammt.« Der Hofagent befahl Suppe und Töchter; denn er schätzte den Grafen längst und innigst, weil er als der Agioteur von dessen Renten am besten wußte, wie viel er war, besonders ihm selber; und er behauptete oft, einem Manne von so vielen jährlichen Einkünften solle doch jede vernünftige Seele es zugute halten, wenn er seine eignen Meinungen habe oder lese, was er wolle.

Plötzlich kam Musik – mit ihr die Suppenterrine mit gedruckten Geburtsfestliedern – dann die beiden Töchter mit einer langen Blumen-Guirlande, die sie Neupeter so geschickt über den Körper wanden, daß er in einem blühenden Ordensband dastand – die Komtoristen liefen und teilten die Gedichte aus – und zuerst ihrem Prinzipal ein vergoldetes – Nun fing andere Instrumentalmusik an, um das Karmen oder vielmehr den Gesang desselben zu begleiten – die Gesellschaft mit ihren Papieren in den Händen stimmte ihn an als ein längeres Tischgebet – und selber Neupeter sah singend in sein Blatt. Vult hätte nicht unter die gehört, die dabei am ernsthaftesten geblieben wären, zumal als der blumige Ordens-Mann sich selber ansang; aber wohl Gottwalt war dazu gemacht. Ein Mensch, sobald er an seine Geburt denkt, ist so wenig lächerlich, als es ein Toter sein kann; da wir, wie sinesische Bilder, zwischen zwei langen Schatten oder langen Schlummern laufen, so ist der Unterschied nicht groß, an welchen Schatten man denke. Walt quälte sich mit leisem Singen bei schlechter Stimme; und als es vorbei und der Alte sehr gerührt war über das fremde Gedächtnis für sein Wiegenfest bei eigner Vergeßlichkeit und die Seinigen ihm früher gratulierten als die Fremden: so war kein Glückwunsch so aufrichtig in irgendeinem Herzen als Gottwalts ferner und stiller; aber es beklemmte ihn, daß der Mensch – »besonders, seh' ich, an Höfen«, dacht' er – gerade den heiligen Tag, wo er sein erneuertes Leben überrechnen und ebnen sollte, im Rauschen fremder Wellen verhört – daß er das neue Dasein mit der lärmenden Wiederholung des alten feiert, anstatt mit neuen Entschlüssen – daß er statt der einsamen Rührung mit den Seinigen, deren Wiegen oder Gräber seinen ja am nächsten stehen, den undankbaren Prunk und trockne Augen sucht. Der Notar setzte sich vor, seinen ersten Geburtstag, an den ihn ein guter Mensch erinnere – denn noch hatt' er in seiner harten Armut keinen einzigen erlebt –, ganz anders zu begehen, nämlich sehr weich, still und fromm. – –

Man setzte sich zu Tisch. Walt wurde neben den zweiten armen Teufel – Flitten – als der erste postiert und rechts neben den jüngsten Buchhalter. Ihm verschlugs wenig; ihm gegenüber saß der Graf. Rund wie Geld, das wie der Tod alles gleichmacht, war die Tafel, gleichsam ein größerer Kompagnie-Teller. Der Notar, ganz geblendet von der Neuheit des Geschirres und dessen Inhalts, streckte statt seiner sonstigen *zwei* linken Hände zwei *rechte* aus und suchte mit wahrem Anstand zu essen und den Ehren-Säbel des Messers zu führen; belesen genug, um mit der Breite des Löffels zu essen, nicht mit der Spitze, erhielt er sich bloß bei bedenklichen Vorfällen durch die alte Vorsicht im Sattel, nicht eher anzuspießen, bis ihm andere das Speisen vorgemacht; wiewohl er sie bei den Artischocken so wenig für nötig erachtete, daß er, Beweisen nach, deren bittern Stuhl und die Spitzblätter aufkäuete, die er hätte in die holländische Sauce getunkt ablecken können und sollen. Was ihm indes weit besser schmeckte als alles, was darin lag, waren die Senfdosen, Dessertlöffel, Eierbecher, Eistassen, goldne Obstmesser, weil er das neue Geschirr in seinen Doppelroman als in einen Küchenschrank abliefern konnte: »Esset ihr in Gottesnamen«, dacht' er, »die Kibitzen-Eier, die Mainzer Schinken und Rauch-Lächse; sobald ich nur die Namen richtig überkomme durch meinen guten Nachbar Flitte, so hab' ich alles, was ich für meinen Roman brauche, und kann auftischen.«

In die höchste Schule der Lebensart gingen seine Augen bei

dem Grafen, der keine Umstände machte – geradezu weißen Portwein forderte – und einen Kapaunenflügel mit nichts abschälte als mit dem Gebiß – des Gebackenen nicht zu gedenken, das er mit den Fingern annahm. Diese schöne Freiheit – eingekleidet noch in Stiefeln und Überrock – spornte Walten an, daß er, als mehrere Herren Konfekt einsteckten für ihre Kinder, sich es zur Pflicht und Welt rechnete, auch einige süße Papierchen oder Süßbriefchen, die ihm ganz gleichgültig waren, in die Tasche zu schaffen. Auch sein Nachbar Flitte, der ungemein fraß und foderte, zeigte deutlich, *wie* man zu leben habe – besonders *wovon*.

Indes war sein ewiger Wunsch der, etwas zu sagen und von Klothar vernommen, wenn nicht gar angeredet zu werden. Aber es ging nicht. Dem Grafen war aus Achtung ein philosophischer Nachbar, der Kirchenrat Glanz, an die linke Seite gebeten – an die rechte die Agentin gesetzt; – aber er aß bloß. Walt sann scharf nach, inwieweit die vorsitzende Vorschrift feinster Sitten zu kopieren sei, kein Wort zu sagen zur Hausfrau. Er behalf sich, wie ein Verliebter, mit optischer Gegenwart auf Kosten der Zukunft. Es war ihm doch einige Erquikkung, wenn der schöne gräfliche Jüngling etwas vom Teller nahm – oder die Flasche – oder froh umhersah – oder träumend in den Himmel hinter dem Fenster – oder in den auf einem lieblichen Gesicht. Aber bitterböse wurd' er auf den Kirchenrat, der einer so fruchttragenden Nachbarschaft ansitzen konnte ohne den geringsten schönsten Gebrauch von derselben, da er doch so leicht, dachte Walt, über Klothars Hand zufällig mit seiner hinstreichen könnte und vollends ihn ins Reden locken. Allein Glanz glänzte lieber – er war vergötterter Kanzelredner und Kanzelschreiber – auf seinem Gesicht stand wie auf den Bologneser-Münzen geprägt: Bononia docet[1] – wie andere Redner die Augen, so schloß er die Ohren unter dem Flusse der Zunge – – Mit einer solchen Autors-Eitelkeit schloß er Klothars stolzen Mund. Darüber aber machte auch Walt sei-

1 Bologna lehrt.

nen nicht auf. Er hielt es für Tisch-Pflicht, jedem Gesicht eine Freuden-Blume über die Tafel hinüber zu werfen – die Artigkeit in Person zu sein – und immer ein wenig zu sprechen. Wie gern hätt' er sich öffentlich ausgedrückt und ausgesprochen! Leider wie Moses saß er mit leuchtendem Antlitz und mit schwerer Zunge da, weil er schon zu lange mit dem Vorsatze gepasset, in das aufgetischte Zungen- und Lippen-Gehäcke, das er fast roh und unbedeutend fand, etwas Bedeutendes seinerseits zu werfen, da es ihm unmöglich war, etwas Rohes wie der Kaufmann zu sagen: ein Westfale, der einen feinen Faden spinnt, ist gar nicht vermögend, einen groben zu ziehen. Je länger ein Mensch seinen sonnigen Aufgang verschob, desto glänzender, glaubt er, müßt' er aufgehen, und sinnet auf eine Sonne dazu; könnt' er endlich mit einer Sonne einfallen, so fehlt ihm wieder der schickliche Osten zum Aufgang, und in Westen will er nicht gern zuerst empor. Auf diese Weise sagen nun die Menschen hienieden nichts.

Walt legte sich indes auf Taten. Die beiden Töchter Neupeters hatten unter allen schönen Gesichtern, die er je gesehen, die häßlichsten. Nicht einmal der Notarius, der wie alle Dichter zu den weiblichen Schönheits-Mitteln gehörte und nur wenige Wochen und Empfindungen brauchte, um ein Wüsten-Gesicht mit Reizen anzusäen, hätte sich darauf einlassen können, eine und die andere Phantasie-Blume in Jahren auf beide Stengel fertig zu sticken. Es war zu schwer. Da er nun gegen nichts so viel Mitleiden trug als gegen eine weibliche Häßlichkeit, die er für einen lebenslangen Schmerz hielt: so sah er die Blonde (Raphaela hieß sie), die ihm zum Glücke Blickschußrecht saß, in einem fort mit unbeschreiblicher Liebe an, um ihr dadurchzu verraten, hofft' er, wie wenig er sich von ihren Gesichts-Ecken abstoßen lasse. Auch auf die Brünette, namens Engelberta, ließ er von Zeit zu Zeit einen sanften ruhenden Seitenblick anfallen, wiewohl er sie wegen ihrer Lustigkeit nur eines mattern Mitleids würdigte. Es stärkte und erquickte ihn ordentlich bei seinem Mitleiden, daß beide Mädchen mit Putz und Pracht jeden weiblichen Neid auf sich zogen; – als vergoldete Wirtschaftsbirnen, geschminkte Blatternarben, in herrlichen Franz gebundene Leberreime mußte man sie anerkennen. Hoch mußt' er bei dieser Denkungsart den sympathetischen Nachbar Flitte stellen, der mit ihm in Aufmerksamkeit und Achtung für dieselbe häßliche Raphaela wetteiferte! Er drückte Flitten – der als armer Teufel nichts weiter von der verhaßten Schönheit wollte als die Hand mit dem Heiratsgut – unter der Serviette die seinige; und sagte nach dem dritten Glas Wein: »Auch ich würde mit einer Häßlichen zuerst sprechen und tanzen unter vielen Schönen.« – »Sehr galant!« (sagte der Elsasser) »Sahen Sie aber je eine superbere Taille?« – Diese nahm jetzt erst der Notar an beiden Töchtern auf Erinnern wahr; wer sie köpfte, machte jede zur Venus, ja mit dem Kopfe sogar konnte jede sich für eine Grazie halten, aber in doppelten Spiegeln. Gelehrte kennen keine Schönheiten als physiognomische; Walt war majorenn geworden, ohne zu wissen, daß er zwei Backenbärte habe, oder andere Leute Taillen, schöne Finger, häßliche Finger usw. – »Wahrhaftig,« antwortete der Notar dem Elsasser, »ich wollte wohl einer Häßlichen ohne allen Gewissensbiß die schöne Taille ins Gesicht sagen und loben, um die Arme damit bekannt und darauf stolz zu machen.« Wenn Flitte etwas gar nicht begriff, so fragte er nichts darnach, sondern sagte schnell Ja. Walt heftete jetzt in einem fort recht sichtbar die Augen auf Raphaelens Taille, um sie damit bekannt zu machen. Die Blonde schielte von seinen Blicken zurück und suchte sich tugendhaft zu beunruhigen über die Frechheit des jungen Harnisch.

»Wer mir lieber, Herr? die Blonde oder Braune?« (sagte der Hofagent, vom Weine lustig) – »Auf jeden Fall die Blonde, sag' ich; denn sie kostet vierteljährlich der Kassa zwölf Groschen weniger. Für 3 Tlr. 12 Gr. gutes Geld verkauft der Mundkoch Goullon in Weimar seine Flasche roten Schminkessig (vinaigre de rouge) nota bene für Blonde; für Braune hingegen jede um nette 4 Tlr.; hat sie vollends schwarzes Haar, so muß ich gar die

Flasche zu 4 Tlr. 12 Gr. verschreiben. Raphel! du sollst leben!«
– »Cher père,« versetzte sie, »nennen Sie mich doch nur
Raphaela.« – »Er verdients,« (dachte Walt, betroffen über
Neupeters Ungeschicklichkeit) »daß sie sagte: Scheer-Bär!«
Denn so hatt' er verstanden.

»Heute gibt der arme blinde Baron sein Flöten-Konzert«,
sagte schnell Raphaela; »ach! ich weiß noch, wie ich über
Dülon geweint.« – »Ich weiß des Menschen Namen nicht« –
sagte die brillantierte Mutter, namens Pulcheria, aus Leipzig,
wohin sie beide Töchter mehrmals abgeführt, als in eine hohe
Schule bester Sitten – »der Habenichts ist aber ein grober Knoll
und dabei ein Flausenmacher.« – Walt arbeitete in sich, wein-
glühend, an der schnellsten Verteidigung. – »Sobald ein powe-
res Edelmännchen«, sagte Engelberta spöttisch, »nur etwas
lernt und versteht, so nehm' ichs nicht so genau.« – »Wer weiß
es denn,« sagte die Mutter, »was er auf der Flöte kann für
Leute, die schon was gehört haben?« – »Er ist«, fuhr Walt in
größter Kürze los, »nicht grob, nicht dürftig, nicht unge-
schickt, nicht manches andere, sondern wahrlich ein königli-
cher Mensch.« Hinterher merkt' er selber die unabsichtliche
Hitze in seiner Stimme und Kürze; aber seinen sanften Geist
hatte die absprechende Kauffrau überrumpelt, die zwar in den
Zeiten hübsch gewesen, wo sie Gellerten reiten sehen, die aber
jetzt – aus ihren eignen Relikten bestehend – als ihr eignes
Gebeinhaus – als ihre eigne bunte Toilettenschachtel – ihren
kostbaren Anzug zum bemalten metallischen, mit Samt ausgeschlagenen, mit vergoldeten Handheben beschlagenen Prunksarg ihrer gepuderten Leiche machte. Walt hatte gar nicht wild
sein wollen, nur gerecht. Man hörte seine vorlaute Phrasis mit
kurzem Erstaunen und Verachten an. Neupeter aber nahm
sofort den Faden auf: »Bulchen,« sagte er zur Frau in angetrun-
kener Barmherzigkeit, »ich will, weils doch eine arme Haut
sein soll und noch dazu blind, drei Billette für euch Weibsen
holen lassen vom powern Wicht.«

»Die ganze Stadt geht hin,« sagte Raphaela, »auch meine teuerste *Wina*. O! Dank, cher père! Wenn ich den Unglücklichen höre, zumal im Adagio, ich freue mich darauf, ich weiß, da ›sammlen sich alle gefangnen Tränen um mein Herz‹[1], ich denke an den blinden Julius im Hesperus, und Tränen begießen die Freuden-Blumen.«

Darauf sah sie nicht nur der Vater entzückt über ihren Sprechstil an – ob er gleich als ein alter Mann den seinigen fortackerte –, desgleichen Flitte begeistert, sondern auch der Notar begab sich mit innigstem Beifall wieder in ihr Gesicht herauf, voll kurzer Wünsche, letzteres wäre auszustehen oder doch zu heben durch Liebe, da er unter einem Dache mit ihr lebte. Aber ihm wurde durch *Winas* Ankündigung ein Sturm in die Seele geschickt – sein beseeltes Auge hing sich an ihren Bräutigam – als plötzlich wieder Raphaela die größten Revolutionen an dem Tische anstiftete durch die Frage an Glanz: »Wie kommts, Herr Kirchenrat, um auf Sehende zu kommen, daß alle Bilder im Auge verkehrt sind, und wir doch nichts verkehrt erblicken?«

Dann als der Kirchenrat langsam und langweilig die Sache aus seiner Lektüre so gut auseinandersetzte, daß die Tafel bewundern mußte: so fing der Graf Feuer. Es sei, daß er satt war des Essens – oder satt des Hörens – oder übersatt der Glanzischen theologischen Halbwisserei und lingua franca, jener schalen Kanzel-Philosophie, wovon ¼ moralisch, ¼ unmoralisch, ¼ verständig, ¼ schief ist und das Ganze gestohlen – genug, der Graf begann und unterhielt ein so langes heftiges Feuern gegen den Kirchenrat – wozu die nahe Nummer *Congeries von mäusefahlen Katzenschwänzen* aus- und eingeräumt wird –, daß er ordentlich nicht mehr Haß gegen das Mattgold der theologischen Moralisten und Autoren hätte zeigen können, wenn er auch der Flötenspieler Quod deus vult selber gewesen wäre, der sich allerdings so aussprach: »Von alten Schimmelwäldchen der Philosophen klauben sich die Theologen die abgefallnen Lese-Früchte auf

1 Die Redensart hat sie aus dem Hesperus.

177

und säen damit an. – Diese größten engsten Egoisten machen Gott zum frère servant der Pönitenzpfarren, wohin sie voziert worden, und auf dem Wege nach dem Filial glauben sie, die Sonnenfinsternis sei gekommen, damit sie weniger schwitzen und schattiger reiten – und so fegen sie die Herzen und Köpfe, wie in Irland die Bedienten die Treppen, mit ihren Perücken.«

N͟r͟o͟ 23: CONGERIES VON MÄUSEFAHLEN KATZENSCHWÄNZEN

Tischreden Klothars und Glanzens

Nachdem also Glanz geäußert hatte: »daß eben, da sich im Auge alle Gegenstände umwenden, also wir uns auch mit, wir mithin nichts von einem Umkehren spüren könnten« –

So entgegnete der Graf: »Warum wird denn das einzige Bild im Auge nicht mit umgekehrt? – Warum greifen operierte Blinde nichts verkehrt? – Was hat denn das Hautbildchen mit dem innern Bilde zu tun? Warum fragt man nicht auch, warum uns nicht alles ebenso klein als jenes Bildchen erscheine?« –

Glanz äußerte nach Garve: »unsere Vorzüge seien am Ende keine und daher Demut unsere Pflicht.«

Der Graf entgegnete: »So seh' ich wenigstens nicht, warum ich Bettler demütig gegen den zweiten Bettler sein soll; – und ist er gar stolz, so hab' ich ja einen zweiten Vorzug vor ihm, die Demut.«

Es wurde ein schöner Satz aus Glanzens gedruckten Reden angeführt: daß die Kinder für Geringschätzung des Alters die vergeltende Strafe gewiß von ihren eigenen Kindern empfangen würden.

Klothar entgegnete: »Folglich hat das gering geschätzte Alter auch einmal gering geschätzt; und es geht ins Unendliche, oder man kann die Strafe erhalten ohne die Sünde.«

Glanz äußerte, wie leicht das Gedächtnis zu überladen sei.

Klothar entgegnete: »Das ist bloß unmöglich. Ist denn, etwas zu behalten, eine Beschwerde für Gehirn oder Geist? Verspürt ein Mann den Schatz, den zwanzig Jahre Leben in ihm niederlegten, wohl an seinem Gedächtnis, als wäre dieses belasteter als in der Jugend? – Aber ferner: der Bauer trägt ebenso viele Ideen in seinem Gedächtnis als der Gelehrte, nur andere, Sachen, Bäume, Äcker, Menschen. Überladung des Gedächtnisses kann also nichts heißen als versäumte Kultur anderer Kräfte.«

Glanz äußerte, man könne bei den Endabsichten leicht sich Voltairens Spotte aussetzen, daß die Nase für die Brille geschaffen sei.

Klothar versetzte: »Und das ist die Nase auch: sobald alle Kräfte einer Welt berechnet wurden, mußte auch die Kraft in Anschlag kommen, Gläser zu schleifen.«

Glanz äußerte: er sei ja dafür und finde in allen seinen gedruckten Reden in der künstlichen Weltordnung einen unendlichen Verstand.

Klothar fragte: »Was soll gedachter Verstand dabei sein?«

Glanz äußerte: »Die Ursache.«

Jener entgegnete: »Jede künstliche Ordnung, z. B. im Körperbau, erklären Sie doch jetzt aus blinden Kräften, nicht aus einer fremden Schöpfung, diese Kräfte wieder aus blinden, und wo wollen Sie denn in der durchaus mechanischen Endlichkeit mit dem Blitze der Geistigkeit einschlagen?« –

Glanz äußerte spät darauf: eine hübsche eingeschränkte Monarchie wie in England sei wohl am besten für jeden.

Klothar versetzte: »Nur nicht für die Freiheit. Warum hatten nur meine Voreltern die Freiheit, sich Gesetze zu wählen, und ich nicht? Wohin ich fliehe, find' ich schon Gesetze. Das Ideal eines Staats wäre, daß die kleinsten Föderativstaaten, die sich immer freie Gesetze gäben, sich in Föderativ-Dörfer – dann in Föderativ-Häuser – und zuletzt in Föderativ-Individuen zerfälleten, die in jeder Minute sich ein neues Gesetzbuch geben könnten.«

Glanz äußerte, durch kleinere Staaten würden freilich eher die Kriege aufhören.

Klothar versetzte: »Gerade umgekehrt. An mehreren Orten zugleich und häufiger in der Zeit entständen sie. Soll auf der ganzen Erde der Krieg aufhören: so muß sie in zwei ungeheure Staaten sich geteilt haben; davon muß der eine den andern verschlingen, und dann bleibt im einzigen Staate auf der Kugel Friede, und die Vaterlandsliebe ist Menschenliebe geworden.«

Glanz glaubte beim Dessert wenigstens so viel äußern zu dürfen, daß es gut sei, daß die Aufklärung den Hexenglauben vertrieben.

Klothar entgegnete: »Noch nicht einmal untersucht hat sie ihn.« Glanz schüttelte leicht. »Ich weiß nicht,« fuhr jener fort, »welche von zwei Meinungen Sie haben, aber da Sie nur eine von beiden hegen können – entweder die, daß alles Trug des Zeitalters, oder die, daß etwas Wunderbares bei der Sache ist: so müssen Sie in beiden Fällen irren.«

Glanz schüttelte sehr, äußerte aber, er sei wie jeder Vernünftige der ersten Meinung.

Klothar versetzte: »Die Wundergeschichte der Hexen ist ebenso historisch bewiesen als die der griechischen Orakel im Herodot; und diese ists geradeso sehr als überhaupt alle Geschichte. Auch Herodot unterscheidet sehr die wahren von den bestochenen Orakeln. In jedem Falle war es eine große Zeit, wo noch Götter die Weltgeschichte lenkten und darin mitspielten; daher ist Herodot so poetisch wie Homer. – Gemeine Seelen machen in der Hexen-Geschichte alles zum Werk der Einbildung. Wer aber viele Hexenprozesse gelesen, findet es unmöglich. Eine durch Völker und Zeiten reichende Einbildung festgehaltener, nuancierter Tatsachen ist so unmöglich als die Einbildung einer Nation, daß sie einen Krieg oder König habe, der nicht ist. Will man die Einbildung als Kopie einer solchen allgemeinen Einbildung erklären, so hat man das Urbild vorher zu deduzieren. Meist waren alte, dürftige, einfältige Frauen die Aktricen des Trauerspiels, mithin gerade am wenigsten fähig der Phantasie; auch malt die Phantasie mehr ins Große und Verschiedene zugleich. Hier findet man nur erbärmliche wiederholte Geschichten der Nachbarschaft – der Buhle, der Teufel, begleitet in gemeiner Kleidung die Frau zu Fuße auf irgendeinen benachbarten Berg, wo sie Tanz, bekannte Spielleute, elendes Essen und Trinken, lauter Bekannte aus dem Dorfe antrifft und nach dem Tanze mit dem Buhlen wieder heimgeht. Die Versammlungen auf dem Blocksberge können bloß für dessen nächste Anwohnerinnen gelten; aber in andern Ländern wurde nur der nachbarliche Berg zum Tanzplatz gewählt. Will man alle Bekenntnisse für Lügengeburten der Folter erklären: so bedenkt man nicht, daß man in den Prozessen findet, daß sie oft nach der Tortur zwei, drei unbedeutende Bekenntnisse, die ihnen den Tod nicht ersparten, feierlich und ängstlich widerriefen; und daß also der halbe Widerruf das halbe Geständnis – besiegelt, umso mehr, da man in damaligen Zeiten zu religiös dachte, um mit Lügen auf der Zunge zu sterben.

Die berauschenden Getränke und Salben, womit sie sich sollen in den Traum vom Blocksberg und dergleichen gezaubert haben, sind nirgends aus den Akten erweislich oder nach der Physiologie möglich – da es kein Getränk gibt, das faktisch bestimmte Visionen erschüfe –; und dann, um nur beide zu brauchen, mußten sie sich ja schon für Hexen halten.«

Glanz äußerte: »Warum gibt es aber jetzt keine mehr? Und warum ist alles so natürlich und alltäglich dabei zugegangen, wie Sie vorhin selber einräumten? Doch mach' ich diese Einwürfe gar nicht, Herr Graf, als wenn ich glaubte, daß Sie im Ernste jener Meinung wären!«

Klothar versetzte: »Dann verkennen Sie meine Denkweise. Wie? kann man aus dem Aussetzen oder Wegbleiben einer Erfahrung, z. B. einer elektrischen, einer somnambulistischen, auf ihre Unmöglichkeit schließen? Nur aus positiven Erscheinungen ist zu beweisen; negative sind ein logischer Widerspruch. Kennen wir die Bedingungen einer Erscheinung? So viele Menschen und Jahre gehen vorüber, kein Genie ist darunter; – und doch gibts Genies; – könnt' es nicht ebenso mit den Sonntags-Kindern sein, die Augen und Verhältnisse für Geister haben? – Was Ihre Alltäglichkeit, die Sie einwenden, anlangt, so gilt diese auch für jede positive Religion, die sich in die Alltäglichkeit ihrer ersten Apostel versteckt; alles Geistige schmiegt sich so scheinbar an das Natürliche an *wie unsere Freiheit an die Naturnotwendigkeit.*«

Glanz äußerte: er wünsche nun doch sehr zu erfahren, was die zweite Meinung für sich habe.

Klothar versetzte: »Zuerst die damaligen Zeugen für die erste. Um eine Frau zu verurteilen, brauchte man statt der *Tatsachen* nur *Zeugenschlüsse*; meistens aus drei ganz fremden Tatsachen, aus dem Alpdruck, dem Drachen-Einflug und einem schnellen Unglück, z. B. Tod des Viehes, der Kinder etc., *schlossen* die Zeugen, und ihre Schlüsse waren ihre Zeugnisse.

Zweitens lief der ganze Zauber-Erfolg auf ein Raupen- oder Schnecken- oder anderes Schadenpulver hinaus, das der Buhle, der Teufel, dem getäuschten Weibe nebst einem Antritts- oder Werbe-Taler gab, den sie zu Hause oft als eine Scherbe befand. Die Macht des Teufels gab ihr weder Reichtum, noch einen Schutzbrief gegen den Scheiterhaufen. Ich schließe aus allem, daß damals die Männer sich des Zauberglaubens bedienten, um unter der leichten Verkleidung eines teufelischen Buhlen die Weiber schnöde zu mißbrauchen; ja daß vielleicht irgendeine geheime Gesellschaft ihren Landtag unter die Hülle eines Hexen-Tanzes verbarg. Immer machten Männer in den Hexenprozessen den Teufel gegen die Weiber, selten umgekehrt. – Nur unbegreiflich bleibts, daß die Weiber bei dem damaligen Schauder vor dem Teufel, so wie vor der Hölle, sich nicht vor seiner Erscheinung und vor der höllischen Umtaufe[1] und Apostasie entsetzet haben.«

Glanz lächelte, äußerte aber, jetzt träfen sie beide ja vielleicht zusammen –

[1] Bekanntlich hob der Buhle die erste Taufe durch eine unreine wieder auf.

Klothar versetzte sehr ernst: »Kaum! denn eine Nachspielerei hebt ein Urbild nicht auf, sie setzt eben eines voraus. Noch mangelt eine rechte Geschichte des Wunder-Glaubens oder vielmehr des Glaubens-Wunders – von den Orakeln, Gespenstern an bis zu den Hexen und sympathetischen Kuren; – aber kein engsichtiger und engsüchtiger Aufklärer könnte sie geben, sondern eine heilige dichterische Seele, welche die höchsten Erscheinungen der Menschheit rein in sich und in ihr anschauet, nicht außer ihr in materiellen Zufälligkeiten sucht und findet – welche das erste Wunder aller Wunder versteht, nämlich Gott selber, diese erste Geistererscheinung in uns vor allen Geistererscheinungen auf dem engen Boden eines endlichen Menschen.«

... Hier konnte sich der Notar nicht länger halten; eine solche schöne Seelenwanderung seiner Gedanken hatt' er in dem hohen Jüngling nicht gesucht: »Auch im Weltall«, hob er an, »war Poesie früher als Prosa, und der Unendliche müßte vielen engen prosaischen Menschen, wenn sie es sagen wollten, nicht prosaisch genug denken.«

»Was wir uns als höhere Wesen denken, sind wir selber, eben weil wir sie denken; wo unser Denken aufhört, fängt das Wesen an«, sagte Klothar feurig, ohne auf den Notarius sonderlich hinzusehen.

»Wir ziehen immer nur einen Theater-Vorhang von einem zweiten weg und sehen nur die gemalte Bühne der Natur«, sagte Walt, der so gut wie Klothar etwas getrunken. Keiner antwortete mehr recht dem andern.

»Gäb' es nichts Unerklärliches mehr, so möcht' ich nicht mehr leben, weder hier noch dort. Ahnung ist später als ihr Gegenstand; ein *ewiger* Durst ist ein Widerspruch, aber auch ein ewiges *Trinken* ist einer. Es muß ein Drittes geben, so wie die Musik die Mittlerin ist zwischen Gegenwart und Zukunft«, sagte der Graf.

»Der heilige, der geistige Ton wird von Gestalten geschaffen, aber er schafft wieder Gestalten«[1], sagte Walt, den die

1 Die Figuren auf klingenden Glasscheiben.

Fülle der Wahrheit allein fortzog, nicht einmal mehr der Wunsch der Freundschaft.

»Eine geistige Kraft bildet den Körper, dann bildet der Körper sie, dann aber bewegt sie am mächtigsten auf der Erde die Körper«, sagte Klothar.

»O die unterirdischen Wasser der tiefen zweiten Welt, die den gemeinen weltweisen Berg-Knappen in seinem Bergbau stören und ersäufen, ihn, der *Höhen* nur zum Durchbohren und Vertiefen haben will – diese sind eben für den rechten Geist der große Todesfluß, der ihn in den Mittelpunkt zieht« … sagte Walt; er stand längst aufrecht am Tisch und hört' und sah nicht mehr.

»Echte Spekulation« – – fing der Graf an.

»Mr. Vogtländer« – unterbrach Neupeter, sich zum Buchhalter wendend und Klotharn am Arm haltend, da er gelehrten Diskursen ebensogern zuhörte als entsprang – »die 23 Ellen *Spekulation* haben Sie doch heute *gebuchet*?[1] Nun aber weiter, Herr Philosoph!« –

Der Graf hörte den Mißton des Mißgriffs und schwieg und stand gern auf, die vergessene, längst wartende Gesellschaft noch lieber. Des Notars Keckheit und Rede-Narrheit hatte am meisten sie unterhalten. Der Kirchenrat Glanz hatt' es seinen Nachbarn leise zu verstehen gegeben, was sie von den gräflichen Sätzen zu halten hätten, und daß dergleichen ihn nicht weniger langweilte und anekelte als jeden.

Walt war in den dritten Himmel gefahren und behielt zwei übrig in der Hand, um sie wegzuschenken. Er und der Graf trugen nun – nach seinem Gefühl – die Ritterkette des Freundschafts-Ordens miteinander; nicht etwan, weil er mit ihm gesprochen – der Notar dachte gar nicht mehr an sich und seinen Wunsch der Audienz –, sondern weil Klothar ihm als eine große, freie, auf einem weiten Meere spielende Seele erschien,

---

1 d.h. zu Buch gebracht. – Spekulation ist in Neupeters Sinn ein ungekreuzter halbleinener, halbseidener Pariser Zeug, der sich von der enzyklopädistischen Spekulation, ebenfalls da gewebt, zu seinem Vorteil unterscheidet.

die alle ihre Ruderringe abgebrochen und in die Wellen geworfen; weil ihm sein kecker Geistes-Gang groß vorkam, der weniger einen weiten Weg als weite Schritte machte, und weil der Notar unter die wenigen Menschen gehörte, die mit unähnlichem Werte sympathisieren, wie das Klavier von fremden Blas- und Bogen-Tönen anklingt.

So lieben Jünglinge; und aller ihrer Fehler ungeachtet ist ihnen, wie den Titanen, noch der *Himmel* ihr Vater, die *Erde* nur ihre Mutter; aber später stirbt ihnen der Vater, und die Mutter kann die Waisen schwer ernähren.

Wie ganz anders – nämlich viel weniger schleichend, weniger stillgiftig, vipernkalt und vipernglatt – stehen die Menschen von Tafeln, selber an Höfen, auf, als sie sich davor niedergesetzt! Wie geflügelt, singend, das Herz federleicht und federwarm! – Neupeter bot leicht seinen Park dem Grafen an – der schlug ein – Walt drang nach. Unterwegs riß der Agent sein blumiges Ordens-Band entzwei und steckt' es ein, weil er, sagt' er, nicht wie ein Narr aussehen wolle.

Nᵒ 24: GLANZKOHLE

Der Park – der Brief

Der Graf ging zwischen seinen Brautführern, wovon der linke im Gehen das Spinnrad drehte zu einem Faden der Rede und Seile der Liebe; doch hielts oft schwer, in den engsten Gängen drei Mann hoch aufzumarschieren. Ein Markthelfer hielt sich hinter ihnen, um aus dem Sande alle 6 Fußstapfen auszubügeln. Der Agent führte Klotharn vor die Glanz-Partien des Parks in der Absicht, Ehrenflinten und -säbel da von Grafenhand zu empfangen – vor Kinderstatuen unter Turm-Bäumen – vor Herkules-Würggruppen unter Blumen; aber den Grafen griff nichts an. Neupeter zählte das »schöne Geld« aufs Rechenbrett hin, das ihm die Bildsäulen schon gefressen, besonders einige

der feinsten, die er gegen Regenwetter in ordentliche wasser-
dichte Über- oder Reitersröcke eingewindet, und bracht' ihn
vor eine eingekleidete Venus im Wachtrock. Klothar schwieg.
Neupeter ging weiter im Versuche und Garten, er setzte
eigenhändig seinen Park herunter gegen einen in England und
erhob z. B. Hagley's seinen darüber; »aber«, sagt' er, »die
Engländer haben auch die Batzen dazu.« Der Graf widerlegte
nichts. Bloß Walt bemerkte: »am Ende werde doch jeder Garten, sei er noch so groß, kurz jede künstliche Eingrenzung
klein und ein Kindergärtchen in der unermeßlichen Natur;
nur das Herz baue den Garten, der noch zehnmal kleiner sein
könne als dieser.«

Darauf fragte der Kaufmann den Grafen, warum er nicht
aufgucke, z. B. an die Bäume, wo manches hänge. Dieser sah
auf: weiße Zolltafeln der Empfindung waren von Raphaelen
daran geschlagen zum Überlesen; »bei Gott, meine Tochter hat
sie ohne fremde Hülfe ersonnen,« sagte der Vater, »und sie sind
sehr neu und hochtragend geschrieben, so glaub' ich.« Der
Graf stand vor den nächsten Gefühls-Brettern und *Herz*-Blät-
tern poetischer Blumen fest; auch der Notar las den an die Welt
wie an Arznei-Gläschen gebundnen Gebrauchzettel herab,
welcher verordnete, wie man schöne Natur einzunehmen
habe, in welchen Löffeln und Stunden. Walten gefiel die
Gefühls-Anstalt, es waren doch Antritts- oder Oster-Pro-
grammen der Frühlings-Natur, Frachtbriefe der Jahrs-Zeiten,
zweite, heimlich abgedruckte Titelblätter der Natur-Bilder-
bibel.

Dennoch strich Klothar stumm darunter hinweg. Aber Walt
sagte, begeistert von den Baum-Not- und Hülfs-Täfelchen:
»Alles ist hier schön, die Partien, die Bäume und die Tafeln.
Wahrhaftig man sollte die Poesie verehren, auch bis ins Streben
danach. Freilich wird nur die höchste, die griechische, gleich
den Schachten der Erdkugel immer wärmer, je tiefer man
dringt, ob sie gleich auf der Fläche kalt erscheint; indes andere
Gedichte nur oben wärmen.« – »Mein Mietsmann, Herr Notar

Harnisch« – sagte schnell der über dessen Nähe und Kecke verdrüßliche Neupeter, als der Graf ihn bedeutend ansah – »Der Lac da um Ermenonville herum – so lässet meine Frau den Teich nennen, weil sie sich auf Gärten versteht, da sie aus Leipzig ist – der Teich, sag' ich, ist bloß um die Insel herumgeführt, die ich um meinen seligen Vater, einen Kaufmann wie wenige, aufschütten lassen. Die Statue drinnen, das ist er selber nun.« – Auf der Teich-Insel sah unter Trauer- und Pappel-Bäumen allein, gleichsam wie ein Robinson, der alte sel. Christhelf Neupeter in Stein gebracht herüber, übrigens in seinem Börsen-Habit ausgehauen, wiewohl die in Marmor übersetzte Beutelperücke und die petrifizierten Wickelstrümpfe und Rockschöße dem magern Manne nicht das leichte Ansehen gaben, das er nackt hätte haben können.

»Sagen Sie nur heraus, wie Ihnen der ganze Park und Quark vorkommt?« fragte Neupeter der Sohn. »Was bedeutet noch die hölzerne wunderbare Pyramide,« (fragte der die Insel und den See umkreisende Graf) »die mit der Basis halb über dem Wasser schwebt?« Dem Hofagenten gefiel die Frage; er versetzte schelmisch: »In die Pyramide kann man ordentlich hineingehen durch eine Türe.« – »Cestius' Pyramide?« sagte Walt halblaut. – Der Graf verstand den merkantilischen Schelm nicht. »Nun, es dient nun so«, erläuterte er weiter, froh über die Einkleidung jener Verkleidung, »bei der oder jener Gelegenheit – wenn mans eben braucht – ein Mensch trinkt mittags viel, besieht sich den Garten, und nun natürlich. . . .«

»God d-,« sagte der verständigte Graf im Feuer, »ich muß in die Pyramide« und gab, des Agenten satt, das Zeichen des Zurückbleibens. Ein Regenbogen – darein war die Holz-Brücke durch Farben verkleidet – führte an die Pyramide. Der unschuldige Notar dachte zu zart, um alles zu verstehen. Der stolze Kaufmann, der hier das Stehen-lassen äußerst unhöflich fand, murmelte halb für sich, halb für Walten: »Ein höflicher, eigner Herr!« Er blieb nun nicht so lange, daß der Notar, der ein Riesen-Kniestück vom Klothar anlegen wollte, solches hätte aufspannen können; sondern ließ wieder diesen stehen, mit dem Pinsel voll Flammen in der Hand.

Ein zarter Genius war es, der den einsamen Gottwalt vom Betreten des Regen- und Brücken-Bogens zurücklenkte durch die Eröffnung der – Wahrheit. Anderthalb Garten-Gänge prallte davor der Jüngling zurück, den schon der vornehme Tafel-Zynismus mit den nackt gezognen Zahnstochern geärgert; – ohne doch auf den Agenten zu zürnen, daß er auf die väterliche Pappel-Insel eine solche Spitzsäule pflanzen können; er hatte oft zu viel Liebe, um Geschmack zu haben, wie andere umgekehrt.

Als der Graf von Ermenonville zurückgekommen: schlug Walt mehrere schmale Radien-Gänge ein, um ihm zufällig aufzustoßen und so, verschmolzen mit ihm, zu gehen. Aber der Graf, der allein bleiben wollte, merkte das stete Nachstreichen und bog ihm verdrüßlich aus. Auch dem Notar selber wurde am Ende das freundschaftliche Ballet versalzen, weil der Markthelfer mit seinem Verwaschpinsel als Schrittzähler hinter ihm blieb und ihm jeden Schritt dadurch vorrechnete, daß er ihn ausstrich.

»Welch ein ganz anderes Glück wäre es,« träumt' er, »fiel' ich ins Lac-Wasser, und mein Jüngling schleppte mich heraus, und ich läg' ihm mit tropfenden Augen zu Füßen. Das denk' ich mir gar nicht – weil es zu groß wäre, das Glück –, wenn etwan gar er selber hineinstürzte und ich der Selige würde, der sein stolzes Leben rettete und ihn an der Brust ins Dasein trüge.«

Indes fand er jetzt etwas Besseres auf seinem Wege, einen verlornen Brief an Klothar. Indem er sich umsah, ihn zu übergeben, war der Graf unter die ins Haus gehende Gesellschaft zurückgetreten. Er lief nach. Jener war schon davon geritten auf ein Dorf. Es war ihm nicht sonderlich bitter, daß er durch den Brief ein Recht in die Hände bekam, den Grafen morgen auf seinem eignen Zimmer aufzusuchen.

Er erstieg eilig das seinige – nicht ohne Freude, daß er als der

einzige Gast im Hause verbleibe, indes alle andere daraus fort-
mußten –; und besah und las ruhig droben den schon erbroch-
nen Brief – außen. Denn innen ihn zu lesen, auch irgendeinen
andern fremden, lag außer seiner Macht. Sein Lehrer Schomaker – der, wie Vult sagte, für Schimmelwäldchen Waldordnun-
gen entwürfe – behauptete, nicht einmal gedruckte dürfe man
lesen, wenn sie wider des Verfassers Wunsch erschienen, da die
Leichtigkeit und die Teilhaber einer Sünde an dieser nichts
änderten. Eine Taube mit einem Ölzweig im Schnabel und in
den Füßen flog auf dem Siegel. Der Umschlag roch anmutig. Er
zog den Brief daraus hervor, faltete ihn auf von weitem und las
frei den Namen – *Wina* und legt' ihn eiligst weg ... »Ich will
ihm alle meine Aurikeln geben«, hatte sie einst in der tiefen
Kindheit gesagt, aus deren dunkeln überblühten Tempe unaufhörlich jene Töne wie bedeckte Nachtigallen heraufsangen.
Jetzt aber berührte die zitternde Saite – deren Klänge bisher
süß-drückend sein Herz umrungen hatten – seine Finger; er
hatte ordentlich die Vergangenheit, die Kindheit in der Hand –
Und heute trat vollends die Unsichtbare im Konzertsaale endlich aus der blinden Wolke –

Seine Bewegung bedarf keines Gemäldes, da jede auf jedem
erstarrt.

Er hielt sich jetzt den offnen Brief nahe unter die Augen,
obwohl *umgekehrt* – Das Papier war so blau-weiß-zart wie
eine feinste Haut voll Geäder – die umgestürzte Handschrift so
zierlich und gleich – Blumengewinde waren den vier Papier-
Rändern eingepresset – er besah jeden – und ging auf Aurikeln
aus – als er aber auf dem untern suchte, fuhr ihm die letzte Zeile
ins Auge, mit sieben letzten Worten. Da steckt' er das Blatt
erschrocken in die Hülle zurück.

Es lautete aber das Schreiben an Klothar so:

»Wozu meine längern Kämpfe, die vielleicht schon selber Sünden sind? Ich kann nun nach Ihrem gestrigen entscheidenden
Worte nicht die Ihrige werden; denn ich könnte Ihnen wohl so

leicht und so gern Glück und Leben und Ruhe opfern, aber meine Religion nicht. Ich schaudere vor dem Bilde eines erklärten Abfalls. Ihre religiöse Philosophie kann mich quälen, aber nicht ändern. Die Kirche ist meine Mutter; und nie können mich alle Beweise, daß es bessere Mütter gebe, von dem Busen der meinigen reißen. Wenn meine Religion, wie Sie sagen, nur aus Zeremonien besteht: so lassen Sie mir die wenigen, die meine mehr hat als Ihre. Denn am Ende ist doch alles, was nicht Gedanke ist, Zeremonie. Geb' ich *eine* auf, so weiß ich nicht, warum ich noch irgendeine bewahre. Halten Sie ja, wie ich, vor meinem Vater Ihre scharfe Foderung des Abfalls geheim, ich weiß, wie es ihn kränken müßte. – Ach lieber Jonathan, was könnt' ich noch sagen; jene Stille, die Sie oft rügen, ist nicht Laune noch Kälte, sondern die Trauer über meine Ungleichheit gegen Ihren großen Wert. O Freund, ist dieser Anfang unsers Bundes wohl der rechte? Mein Herz ist nur fest, aber wund.

Wina.«

Er beschloß im ersten Feuer, das Schreiben ihr selber im Konzerte zuzustellen. Jetzt übrigens, da er ein wenig seine heutige schwelgerische Lage überschlug – Diner mittags – Konzert abends – Sonntag den ganzen Tag –: so konnt' er sich weiter nicht bergen, wie sehr er sich, gleich einem Großen, schwindelnd auf dem Glücksrad umschwinge, oder eine wahre Nacht der Ergötzlichkeiten durchträume, in der ein Sternbild voll freudiger Strahlen aufgeht, wenn ein anderes niedergeht, indes arme Teufel nichts haben als einen blau-dunkeln Tag mit beigefügter Sonne.

So macht' er sich denn – Kopf und Brust voll flötender Vulte, heiliger Aurikelnbräute, feinster, ihnen zu übergebender Briefe – auf den Weg zum ersten Konzert in seinem Leben. Denn für die Leipziger Konzerte im Gewandhause hatt' er nie den dazu gehörigen Eintritts- und Torgroschen erschwingen können, bekanntlich 16 Groschen schwer Geld.

Musik der Musik

Die Einlaßkarte fest drückend, langte er in der langen Pro-
zession mit an, die seine Flügelmännin und Wegweiserin war.
Das Einrauschen des glänzenden Stroms, der hohe Saal, das
Stimmen der Instrumente, das Schicksal seines Bruders machten ihn zu einem Betrunkenen, der Herzklopfen hat. Dem
Lauf des goldführenden Stroms sah er mit Freude über die
Goldwäsche seines Bruders zu, er hätte die Wellen zählen
mögen. Vergeblich sah er nach ihm sich um. Auch Wina
sucht' er, aber wie sollt' er einen Juwel in einer Ebene voll
Tau-Glanz ausfinden? Nach seiner Schätzung und Vermes-
sung mochten unter den ihm zugekehrten Mädchen an 47
wahre Anadyomenen, Uranien, Cytheren und Charitinnen
sitzen in Pracht; unter den abgewandten Rücken konnten sie
sich noch höher belaufen.

Er legte sich die Frage vor: wenn diese ganze Kette von 47
Paradiesvögeln aufstiege und er sich einen darunter herab-
schießen sollte mit dem Amors-Pfeil, welchen er wohl
nähme? – – Er brachte keine andere Antwort aus sich heraus
als die: jede, die mir die Hand recht drückte und etwas bei der
Natur für mich empfände. Da nun unter diesem schönen
Hondekoeters[1] fliegenden Corps unzählige Raubvögel, Har-
pyen und dergleichen gewiß steckten: so ermesse doch aus
diesem Selbstgespräch ein ganz junger Mensch, der seine erste
Liebe zur ersten Ehe machen will, in was er rennen könne.

Eben stellte sich der Buchhändler Paßvogel grüßend neben
den Notar, als Haydn die Streitrosse seiner unbändigen Töne
losfahren ließ in die enharmonische Schlacht seiner Kräfte.
Ein Sturm wehte in den andern, dann fuhren warme nasse
Sonnenblicke dazwischen, dann schleppte er wieder hinter
sich einen schweren Wolken-Himmel nach und riß ihn plötz-

1 ein großer Vögelmaler.

lich hinweg wie einen Schleier, und ein einziger Ton weinte in einem Frühling, wie eine schöne Gestalt.

Walt – den schon ein elender Gesang der Kinderwärterinnen wiegte und der zwar wenige Kenntnisse und Augen, aber Kopf und Ohren und Herzohren für die Tonkunst hatte – wurde durch das ihm neue Wechselspiel von Fortissimo und Pianissimo, gleichsam wie von Menschenlust und -weh, von Gebeten und Flüchen in unserer Brust, in einen Strom gestürzt und davongezogen, gehoben, untergetaucht, überhüllt, übertäubt, umschlungen und doch – frei mit allen Gliedern. Als ein Epos strömte das Leben unten vor ihm hin, alle Inseln und Klippen und Abgründe desselben waren *eine* Fläche – es vergingen an den Tönen die Alter – das Wiegenlied und der Jubelhochzeit-Gesang klangen ineinander, *eine* Glocke läutete das Leben und das Sterben ein – er regte die Arme, nicht die Füße, zum Fliegen, nicht zum Tanzen – er vergoß Tränen, aber nur feurige, wie wenn er mächtige Taten hörte – und gegen seine Natur war er jetzt ganz wild. Ihn ärgerte, daß man Pst rief, wenn jemand kam, und daß viele Musiker, gleich ihrem Notenpapier, dick waren, und daß sie in Pausen Schnupftücher vorholten, und daß Paßvogel den Takt mit den Zähnen schlug, und daß dieser zu ihm sagte: »Ein wahrer ganzer Ohrenschmaus«; für ihn ein so widriges Bild wie im Fürstentum Krain der Name der Nachtigall: Schlauz.

»Und doch muß nun erst das Adagio und mein Bruder kommen« sagte sich Walt.

»Den einer dort herführt,« – sagte Paßvogel zu ihm – »das ist der blinde Flautotraversist, und der Führer ist unser blinder Hof-Pauker, der aber das Terrain besser kennt. Das Paar gruppiert sich indes ganz artig.« – Da der schwarzhaarige Vult jetzt langsam kam, das eine Auge unter einem schwarzen Band, mit dem andern starrblickend, den Kopf wie ein Blinder ein wenig hoch und die Flöte am Munde haltend – mehr um sein Lachen zu bedecken –; da er sich vom Pauker verbeugungs-recht stellen ließ – und da alle Schwätzereien stumm wurden und weich:

so konnte Walt sich der Tränen gar nicht mehr enthalten, sowohl wegen der vorhergehenden als schon über das bloße Gemälde eines blinden Bruders und über den Gedanken, das Verhängnis könne den Spaßtreiber beim Worte fassen; und zuletzt braucht' er wenig, um mit dem ganzen Saale zu glauben, Vult sei erblindet.

Dieser gab wie eine Monatsschrift stets das beste Stück zuerst und führte an, er gehe mit Einsicht von den allmählich steigenden Virtuosen ab, weil die Menschen einander nach der Erstgeburt, und nicht nach der Nachgeburt schätzten und den schlimmen, mithin auch den guten Erstlings-Eindruck festhielten – und weil man den Weibern, die von nichts so leicht taub würden als von langer Musik, das Beste geben müßte, wenn sie noch hörten.

Wie eine Luna ging das Adagio nach dem vorigen Titan auf – die Mondnacht der Flöte zeigte eine blasse schimmernde Welt, die begleitende Musik zog den Mondregenbogen darein. Walt ließ auf seinen Augen die Tropfen stehen, die ihm etwas von der Nacht des Blinden mitteilten. Er hörte das Tönen – dieses ewige Sterben – gar nicht mehr aus der Nähe, sondern aus der Ferne kommen, und der herrnhutische Gottesacker mit seinen Abend-Klängen lag vor ihm in ferner Abendröte. Als er das Auge trocken und hell machte: fiel es auf die glühenden Streifen, welche die sinkende Sonne in die Bogen der Saalfenster zog; – und es war ihm, als seh' er die Sonne auf fernen Gebürgen stehen – und das alte Heimweh in der Menschenbrust vernahm von vaterländischen Alpen ein altes Tönen und Rufen, und weinend flog der Mensch durch heiteres Blau den duftenden Gebürgen zu und flog immer und erreichte die Gebürge nie – – O ihr unbefleckten Töne, wie so heilig ist euere Freude und euer Schmerz! Denn ihr frohlockt und wehklagt nicht über irgendeine Begebenheit, sondern über das Leben und Sein, und eurer Tränen ist nur die Ewigkeit würdig, deren Tantalus der Mensch ist. Wie könntet ihr denn, ihr Reinen, im Menschenbusen, den so lange die erdige Welt besetzte, euch eine heilige

Stätte bereiten, oder sie reinigen vom irdischen Leben, wäret ihr nicht früher in uns als der treulose Schall des Lebens und würde uns euer Himmel nicht angeboren vor der Erde!

Wie ein geistiges Blendwerk verschwand jetzt das Adagio, das rohe Klatschen wurde der Leitton zum Presto. Aber für den Notar wurde dieses nur zu einer wildern Fortsetzung des Adagios, das sich selber löset, nicht zu einer englischen Farce hinter dem englischen Trauerspiel. Noch sah er Wina nicht; sie konnte es vielleicht im langen himmelblauen Kleide sein, das neben dem ihm zugewandten Rücken saß, der, nach den Kopffedern und nach der nahen Stimme zu schließen – die in einem fort, unter der Musik, die Musik laut pries –, Raphaelen zukam; aber wer wußt' es? Gottwalt sah bei solcher Mehrheit schöner Welten unter dem Prestissimo an dem weiblichen Sternenkegel hinauf und hinab und drückte mit seinen Augen die meisten ans Herz, vorzüglich die schwarzen Habite, dann die weißen, dann die sonstigen. Unglaublich steigerte die Musik seine Zuneigung zu Unverheirateten, er hörte die Huldigungsmünzen klingen, die er unter die Lieben warf. »Könnt' ich doch dich, gute Blasse,« – dacht' er ohne Scheu – »mit Freudentränen und Himmel schmücken – Mit dir aber, du Rosenglut, möcht' ich tanzen nach diesem Presto – Und du, blaues Auge, solltest, wenn ich könnte, auf der Stelle vor Wonne überfließen, und du müßtest aus den *weißen Rosen* der Schwermut Honig schöpfen – Dich, Milde, möcht' ich vor den Hesperus stellen und vor den Mond, und dann wollt' ich dich rühren durch mich oder durch sonst wen – Und ihr kleinen helläugigen Spieldinger von 14, 15 Jahren, ein paar Tanzsäle voll Kleiderschränke möcht' ich euch schenken – O ihr sanften, sanften Mädchen, wär ich ein wenig das Geschick, wie wollt' ich euch lieben und laben! Und wie kann die grobe Zeit solche süße Wangen und Äuglein einst peinigen, naß und alt machen und halb auslöschen?« – –

Diesen Text legte Walt dem Prestissimo unter.

Da er schon seit Jahren herzlich gewünscht, in einem schö-

nen weiblichen Auge von Stand und Kleidung einer Träne ansichtig zu werden – – weil er sich ein schöneres *Wasser* in diesen
harten Demanten, einen goldnern Regen oder schönere *Ver-
größerungslinsen* des Herzens nie zu denken vermocht –: so sah
er nach diesen fallenden Licht- und Himmelskügelchen, diesen
Augen der Augen, unter den Mädchen-Bänken umher; er fand
aber – weil Mädchen schwer im Putze weinen – nichts als die
ausgehangenen *Weinzeichen*, die Tücher. Indes für den Notar
war ein Schnupftuch schon eine Zähre und er ganz zufrieden.

Endlich fingen die in allen Konzerten eingeführten Hör-
Ferien an, die Sprech-Minuten, in denen man erst weiß, daß
man in einem Konzert ist, weil man doch seinen Schritt tun und
sein Wort sagen und Herzen und Gefrornes auf der Zunge
schmelzen kann. »Wer Henker«, sagt Vult sehr gut in einem
Extrablatt seines Hoppelpoppels oder das Herz, überschrieben

Vox humana-Konzert

»Wer Henker wollte Ton- wie Dicht-Kunst lang' aushalten
ohne das Haltbare, das nachhält? Beider Schönheiten sind die
herrlichsten Blumen, aber doch auf einem Schinken, den man
anbeißen will. Kunst und Manna – sonst Speisen – sind jetzt
Abführungsmittel, wenn man sich durch Lust und Last verdorben. Ein Konzertsaal ist seiner Bestimmung nach ein Sprach-
zimmer; für den leisen Ton der Feindin und Freundin, nicht für
den lauten der Instrumente hat das Weib das Ohr; wie ähnlich-
erweise nicht für Wohlgeruch, sondern nur für Geruch feindli-
cher und bekannter Menschen nach Bechstein die Nase der
Hund hat. Bei Gott, man will doch etwas sagen im Saal, wenn
nicht etwas tanzen. (Denn in kleinen Städtchen ist ein Konzert
ein Ball, und keine Musik ohne Sphärentanz himmlischer Körper.) Dahero sollte das Pfeifen und Geigen mehr Nebensache
sein und wie das Klingeln der Mühle nur eintreten, wenn zwei
Steine oder Köpfe nichts mehr *klein zu machen* haben. Aber
gerade umgekehrt dehnen – muß ich klagen, so gern ich auch

allerdings einige Musik in jedem Konzerte verstatte, wie Glokken und Kirchenmusik vorher, eh Kanzeln bestiegen werden – sich die Spielzeiten weit über die Sprechzeiten hinaus, und mancher sitzt da und wird taub und darauf stumm, indes es doch durch nichts leichter wäre als durch Musizieren, Menschen, so wie Kanarienvögel, zum Sprechen zu reizen, wie sie daher nie länger und lauter reden als unter Tafelmusiken. – Nimmt man vollends die Sache auf der wichtigern Seite, wo es darauf ankommt, daß Menschen im Konzert etwas genießen, es sei Bier oder Tee oder Kuchen: so muß man, wenn man erfährt, daß das Musizieren länger dauert als das Trinken, gleichsam das Blasen zur Hoftafel länger als die Tafel selber, oder das Mühlen-Geklingel länger als das Zähne-Mahlen« – – – und so weiter; denn der Hoppelpoppel gehört in sein eignes Buch und nicht in dieses.

Jetzt, da sich die ganze neue Welt und Hemisphäre der Schönheiten vordrehte und aufstellte, mußte Wina zu finden sein. Raphaela stand schon herwärts gekehrt, aber die himmelblaue Nachbarin saß noch vor ihr. Der Notar erkundigte sich zuletzt geradezu bei Paßvogeln nach ihr. »Die«, versetzte der Hofbuchhändler, »neben der Demoiselle Neupeter – in Himmelblau mit Silber – mit den Perlenschnüren im Haar – sie war bei Hof – Jetzt steht sie auf – sie wendet sich wahrlich um. – Aber gibts denn schwärzere Augen und ein ovaleres Gesicht – ob ich gleich sehr wohl weiß, daß sie nicht regelmäßig schön ist, z.B. scharfe Nase und die ausgeschweifte Schlangenlinie des entschiedenen Mundes, aber sonst, Himmel!« –

Als Walt die Jungfrau erblickte, sagte die Gewalt über der Erde: »sie sei seine erste und seine letzte Liebe, leid' er, wie er will.« Der Arme fühlte den Stich der fliegenden Schlange, des Amors, und schauerte, brannte, zitterte, und das vergiftete Herz schwoll. Es fiel ihm nicht ein, daß sie schön sei, oder von Stand, oder die Aurikeln-Braut der Kindheit, oder die des Grafen; es war ihm nur, als sei die geliebte ewige Göttin, die sich bisher fest in sein Herz zu ihm eingeschlossen und die seinem Geiste Seligkeit und Heiligkeit und Schönheit gegeben, als sei diese jetzt aus seiner Brust durch Wunden herausgetreten und stehe jetzt, wie der Himmel außer ihm, weit von ihm (o! alles ist Ferne, jede Nähe) und blühe glänzend, überirdisch vor dem einsamen wunden Geiste, den sie verlassen hat, und der sie nicht entbehren kann.

Jetzt kam Wina an der angeklammerten Raphaela, die aus eitler Vertraulichkeit sich neben ihr unter die Menge drängen wollte, den Weg zu Walten daher. Als sie ganz dicht vor ihm vorbeiging und er das gesenkte schwarze Zauber-Auge nahe sah, das nur Jüdinnen so schön haben, aber nicht so still, ein sanft strömender Mond, kein zückender Stern, und worüber noch verschämte Liebe das Augenlid als eine Amors-Binde halb hereingezogen: so trat Walt unwillkürlich zurück, und ein körperlicher Schmerz drückte in seinem Herzen, als werd' es überfüllt.

Da auf der Erde alles so erbärmlich langsam geht, sie selber ausgenommen, und da sogar der Himmel seine Rheinfälle in hundert kleine Regenschauer zersetzt: so ist ein Mensch wie Walt ein Seliger, dem statt der von hundert Altären auffliegen-den Phönix-Asche der Liebe und Schönheit ganz plötzlich der ausgespannte goldne Vogel farbeglühend am Gesicht vorüber-streicht. Den Zeitungsschreiber, den plötzlich Bonaparte, den kritischen Magister, den plötzlich Kant anspräche, würde der Schlag des Glücks nicht stärker rühren.

Die Menge verhüllte Wina bald, so wie den Weg auf der fer-nen Seite, den sie an ihre alte Stelle zurückgenommen. Walt sah sie da wieder mit dem himmelblauen Kleide; und er schalt sich, daß er vom verschwundenen Gesicht nichts behalten als die Augen voll Traum und voll Güte. Aber beides allein war ihm ein geistiges All. Das männliche Geschlecht will den Stern der Liebe, gerade wie die Venus am Himmel, anfangs als träumeri-schen Hesperus oder Abendstern finden, der die Welt der Träume und Dämmerungen voll Blüten und Nachtigallen ansagt – später hingegen als den Morgenstern, der die Helle und Kraft des Tags verkündiget; und es ist zu vereinigen, da beide Sterne *einer* sind, nur durch die Zeit der Erscheinung verschieden.

Obgleich Walt andere Mädchen jetzt in sein Auge einlassen mußte, so warf er doch ein mildes auf sie; alle wurden Winas Schwestern oder Stiefschwestern, und diese untergegangene Sonne bekleidete jede Luna – jede Ceres – Pallas – Venus mit lieblichem Licht, desgleichen andere Menschen, nämlich die männlichen, den Mars, den Jupiter, den Merkur – und sehr den Saturn mit zwei Ringen, den Grafen.

Dieser war Walten plötzlich näher gezogen – als sei der Freundschafts-Bund schon mündlich beschworen –; aber Wina ihm ferner entrückt – als stehe die Braut zur Freundin zu hoch. Ihren Brief ihr zu übergeben, dazu waren ihm jetzt Kraft und Recht entgangen, weil er besser überdacht, daß eine bloße Unterschrift des weiblichen Taufnamens nicht berechtigte, eine Jungfrau für die Korrespondentin eines Jünglings durch Zurückgabe bestimmt zu erklären.

Die Musik fing wieder an. Wenn Töne schon ein ruhendes Herz erschüttern, wie weit mehr ein tief bewegtes! Als der volle Baum der Harmonie mit allen Zweigen über ihm rauschte: so stieg daraus ein neuer seltsamer Geist zu ihm herab, der weiter nichts zu ihm sagte als: weine! – Und er gehorchte, ohne zu wissen wem – es war, als wenn sein Himmel sich von einem drückenden Gewölke plötzlich abregnete, daß dann das Leben luftig-leicht, himmelblau und sonnenglänzend und heiß dastände wie ein Tag – die Töne bekamen Stimmen und Gesichte – diese Götterkinder mußten Wina die süßesten Namen geben – sie mußten die geschmückte Braut im Kriegsschiff des Lebens ans Ufer einer Schäferwelt führen und wehen – hier mußte sie ihr Geliebter, Walts Freund, empfangen unter fremden Hirtenliedern und ihr rund umher bis an den Horizont die griechischen Haine, die Sennenhütten, die Villen zeigen und die Steige dahin voll wacher und schlafender Blumen – Er nötigte jetzt Cherube von Tönen, die auf Flammen flogen, Morgenröte und Blütenstaub-Wolken zu bringen und damit Winas ersten Kuß dämmernd einzuschleiern und dann weit davon zu fliegen, um den stummen Himmel des ersten Kusses nur leise auszusprechen.

Auf einmal als unter diesen harmonischen Träumen der Bruder lang auf zwei hohen Tönen schwebte und zitterte, die den Seufzer suchen und saugen: so wünschte Gottwalt mitzitternd, am Traum des fremden Glücks zu sterben. Da empfing der Bruder ein mißtöniges rauhes Lob; aber Walten war bei seiner heftigen Bewegung die äußere gar nicht zuwider.

Es war alles vorbei. Er strebte – und nicht ohne Glück – am nächsten hinter Wina zu gehen; nicht um etwa ihr Gewand zu bestreifen, sondern um sich in gewisser Ferne von ihr zu halten, mithin jeden andern auch und so als eine nachrückende Mauer von ihr das Gedränge abzuwehren. Doch drückte er unter dem Nachgange sehr innig ihre Hand im – Brief an Klothar.

Zu Hause setzt' er im Feuer, das fortbrannte, diesen Streckvers auf:

Die Unwissende

Wie die Erde die weichen Blumen vor die Sonne trägt und ihre harten Wurzeln in ihre Brust verschließt – wie die Sonne den Mond bestrahlt, aber niemals seinen zarten Schein auf der Erde erblickt – wie die Sterne die Frühlingsnacht mit Tau begießen, aber früh hinunterziehen, eh' er morgensonnig entbrennt: so du, du Unwissende, so trägst und gibst du die Blumen und den Schimmer und den Tau, aber du siehst es nicht. Nur dich glaubst du zu erfreuen, wenn du die Welt erquickst. O fliege zu ihr, du Glücklichster, den sie liebt, und sag' es ihr, daß du der Glücklichste bist, aber nur durch sie; und glaubt sie nicht, so zeig' ihr andere Menschen, der Unwissenden.

*

Beim letzten Worte stürmte Vult ohne Binde ungewöhnlich lustig herein.

N<u>ro</u> 26: EIN FEINER PEKTUNKULUS UND TURBINITE

Das zertierende Konzert

»Ich sehe!« – rief der Flötenspieler mit einer Lustigkeit, worein sich Walt nicht schnell genug hinüberschaffen konnte. Er bat ihn, nur erst seine Augen-Kur anzuhören; und dann zu sprechen, wovon er wolle. Walt war es am meisten zufrieden. »Es wird dir nicht bekannt sein,« – fing Vult an – »daß heute des Kapellmeisters Wiegenfest war; ob dir gleich aus dem guten Spiel aller Konzertisten bekannt werden konnte, daß sie sich noch früher als den Zuhörer berauschet. Die Konzertisten sind von Hunden, die vom Herrn nur kleine Stücke, aber aus Furcht nie große annehmen, das Widerspiel. – Der Wein des Kapellmeisters war ihr Antihypochondriakus geworden, und sie hatten so viele Brunnenbelustigungen an diesem Wahrheitsbrunnen getrieben, daß der Violoncellist seine Baßgeige für einen Himmel ansah; und die andern umgekehrt. Nun glomm ein schwacher Funke zum nachherigen Kriegsfeuer schon unter dem Essen durch das einzige Wort an, daß ein Deutscher von einem deutschen großen Dreiklang sprach, worin Haydn, sagt' er, den Äschylus, Gluck den Sophokles, Mozart den Euripides vorstelle. Ein anderer sagte, von Gluck geb' ers zu, aber Mozart sei der Shakespeare. Jetzt mengten sich die Italier darein, zu Ehren des Kapellmeisters, und sagten, in Neapel geige man dem Mozart was. In der kurzen Zeit, wo ich mir die Kasse in die Hand legen lasse – 60 Taler hab' ich übrig, und hier hast du deine 10 –, brach der Krieg wider die Ungläubigen in völlige Flammen aus, und als ich hinsah, fochten beide Nationen schon auf Hieb und Stoß.

Der Baßgeiger, ein Welscher, mochte zuerst mit seinem Fidelbogen den Ellenbogen des Flötabec-Pfeifers im Feuer angestrichen, oder vielleicht auch auf solchen, wie auf eine Baß-Saite, pizzicato geschlagen haben – um wohl Harmonie der Meinungen vorzulocken –: kurz, als ichs sah, hatt' der Pfeifer den Bogen von ihm entlehnt und an ihm solchen – das eigne Instrument sollte ganz bleiben – bald wie einen Stechheber, bald wie eine Streichnadel versucht. Behend kehrte aber der Geiger den Baß um und rannte damit – er hielt ihn am Geigenhals – wie mit einem Mauerbock auf den Pfeifer los, wahrscheinlich um ihn umzurennen; der Flüte-a-beccist lag denn auch nieder, nahm sich aber auf dem Boden erst der Nation hitzig an und fuhr dem Feinde mit der Flûte à bec ins Gesicht und Maul, um ihn vielleicht so mit dem Schnabel der Flöte mehr an sich zu ziehen am eignen.

Der erste Violinist und der zweite fochten eine kurze Zeit mit Pariser Bogen, nahmen aber bald die Geigen bei den Wirbeln als Streitkolben, als Fäustel in die rechte Hand, um entweder Deutsch- oder Welschland hinaufzubringen; das Resonieren der Geigenbäuche sollte ein Räsonieren der Köpfe vorstellen, aber es war wohl mehr Wort- und Ton-Spiel.

Du weißt, Herr Hüsgen zu Frankfurt am Main hebt einen kostbaren Büschel Haare von Albrecht Dürer auf[1]; ein Amateur hielt ein Paar ähnliche herrliche Reliquien mit beiden Händen in die Höhe, in der einen die Perücke, die er einem Sänger ausgerauft, in der andern das natürliche Haar, was er darunter angetroffen.

Um den liegenden Schnabelpfeifer häufte sich das Hand-Gemenge dichter; der Violoncellist suchte den Baß von weitem tief in ihn zu drücken, näherte sich aber dadurch dem heftigen Flötabec, womit sich der Deutsche wie mit einem Kopulierreis, mit einer Fall- und Eselsbrücke an den Welschen anzuschließen strebte.

Den stehenden Sieger griff von hinten mit einem faulen

1 Meusels neue Miszell. art. Inhalts. 10. Stück.

Trommelbaß ein deutscher Zugtrompeter an – zur Schande der Deutschen –; den aber wieder ein welscher Bassetthornist von hinten angriff – zur Schande der Welschen –; worauf sich der Deutsche gegen den Welschen umkehrte, so daß nun beide in kurzem so glücklich waren, einander den Bruch, den sie sich sonst bliesen, jetzt – um einen Bruch der Nationen zu heilen – mit den Instrumenten zu stoßen, wenn ich recht sah.

Ein feiger Stadtpfeifer griff in die Tasche und zog Mittelstücke heraus, die er als Feldstücke von ferne auf die besten Köpfe warf, worauf ihm der Hofballetmeister mit dem Serpent, den er sonst bläset, zu Ohren kam.

O Zwillingsbruder! wie wünsch' ich sämtlichen Spitzbuben zu ihrem Mord- und Totschlag Glück! – Nur ein Virtuose, der den Gyges-Ring scheinbarer Blindheit anhat, kann sehen, wie ihn Orchester auslachen und auskeltern vom Kapelldiener an bis zum Kapellmeister, und wie sie, wenn er sie mühsam zum Spielen gewonnen und gepresset, wieder ihrerseits von ihm gewinnen und pressen. Meine einzige Angst unter dem Waffentanz war, man möge mein Lachen und Sehen sehen; ich kratzte mir daher in einem fort als Deckmantel das Kinn.

›Ich glaube wahrlich gar‹, fing der blinde Hofpauker neben mir an. ›Freilich, freilich, mein Pauker!‹ versetzt' ich. ›Und zwar sehr wird meines Wissens und Hörens zugeprügelt – es soll eine schöne dissertatiuncula pro loco zweier friedlichen guten Nationen vorstellen, wenn nicht eine Sonate à quarante mains – Aber Himmel, warum schenkte das Glück zu solchem reichen Ein- und Vielklang, zu solcher musikalischen Exekution und Stangenharmonie nicht noch mehr Gewehr – Stangenharmonikas – Posthörner – Schulterviolen – d'Amour-Violen – gerade Zinken – krumme Zinken – Flageolettes – Tubas – Zithern – Lauten – Orphikas von Rölling – Cölestinen vom Konrektor Zink – und Klavizylinder von Chladni – samt deren beigefügten gehörigen Spielern! – Wie könnten diese nicht damit sich schlagen und jeden! Wie könnte nicht gehämmert, gestaucht, gesägt, gepaukt werden, mein bester stiller Pauker!‹ –

Jetzt hatte die Prügel-Partie ihre Blüte erreicht. Mehrere Stadtmusikanten und der Bratschist faßten, weil sie friedlich dachten, Notenpulte an und hielten sie umgekehrt vor, um sich bloß zu decken, eh' sie damit rannten – ein Trompeter sprang mit dem Instrument auf eine Fensterbrüstung und stieß und blies außer sich darein und in die Kriegsflamme und schmetterte, herunterspringend, fort, als ein Kerl ihn an der Quaste niederzog – Paukenschlägel flogen auf Kopf- und andere Häute – ein Welscher band, weil der Bogen entzwei war, einem deutschen Spielmann die Roßhaare von hinten wie eine Vogelschneuß um den Kehlkopf – der Fagottist und der Hoboist hatten einander an den linken Händen, so daß sie tanzend in dieser bequemen, wie verabredeten Richtung jeder des andern Rückgrat und Mark darin vor sich sahen und sich gegenseitig, wie Lauten, mit ihren Instrumenten, wie mit Fächern, schlagen konnten, die sonst bliesen – In die härtesten Köpfe wurde mehr Feuer hineingeschlagen als heraus – Wer einen Kamm und einen Delta-Muskel besaß, ließ beide schwellen, ohne nähere Rücksicht auf Religion – Es kam eine beträchtliche Vereinigung des Organischen und Mechanischen zustande, Rückenwirbel und Geigenwirbel verknüpften sich, so Geigen- und sonstige Hälse, die Kunstwörter *Vor-* und *Nachschlag, Dreimal gestrichen, Hämmerwerk, Kalkant* bekamen lebendige organische Beziehung, die ohne dieses sonst als flaches Wortspiel gänzlich zu verwerfen wäre – jede Hand wollte der Geigen-Frosch sein, der fremde Haare zu Tönen anziehet und spannt – –

Ich wünschte nicht, daß du lachtest; denn ganz furiös fuhr der ernstere Kapellmeister aus Neapel umher und herum – rief santo Gennaro – schrie fragend, ob das sein Wiegenfest sei oder ordentliche Ordnung – bewaffnete sich, weil man ihm nichts darauf versetzte, obwohl jedem etwas, mit einer Armgeige links, mit einem Waldhorn rechts – setzte und stauchte das

Horn mit der weiten Öffnung siegenden Köpfen wie einen Stechhelm mit Feder-Bogen auf, doch so, daß er halb stieß – schlug aber fort mit der Armgeige nach Knie- und allen Scheiben, die er traf.

Das mußte zuletzt den Klavizembalisten, den Stadttertius, ein Männlein, das sich selber nicht einmal an die Knie geht, geschweige längern Personen, dermaßen außer Fassung setzen, Bruder, da der Mann auf Sitten drang, aber auf mildere, daß er halb des Teufels hinter seinem Flügel mit einem Streit- und Stimmhammer auf- und niederlief und jeden verfluchte und Welsch- und Deutschland abkanzelte ganz frei. ›Was, Ihr dummer Teufel, Ihr Dampfhans, Ihr Schwengelgalgen!‹ rief der Kapellmeister, ›habt Ihr Euch dazu besoffen bei mir?‹ und wollte dem Tertius das Waldhorn aufsetzen, weil er geringen Unterschied darin fand, ob er ihn damit anblies wie einen jagdgerechten Hirsch oder damit halb erstieß; aber mit Stimm- und Gesetzes-Hammer in den Händen behauptete der Tertius den rechten Flügel des Flügels, und der welsche Napler mußte diesen erobern als einen Brückenkopf. – –

›Was bedeutet denn auf einmal das Lachen im Saal?‹ sagte der Pauker zu mir. ›Herr,‹ versetzt' ich im Taumel, ›der Kapellmeister hat den kleinen Tertius unter dem Flügel beim Flügel erwischt und vorgezogen und hängt ihn jetzt, wie ein Paar Lederhosen, die ein Berliner trocknet, an den Beinen in die Luft.‹ –

›Was Donner, Herr,‹ sagte zu meinem Schrecken der Pauker, ›Sie sehen ja alles.‹ – ›Eben diesen Augenblick‹, versetzt' ich, räumte aber eiligst das Schlag- und Schlachtfeld, um nicht selber darauf angestellt zu werden. – – Und so hab' ich denn ganz unerwartet mein voriges Gesicht, obwohl noch ein äußerst kurzes, für Stadt und Land wieder erhalten durch galvanische Schläge von weitem.

Aber, mein Wältlein, eine so köstliche Nuntiaturstreitigkeit enharmonischer Konkordaten bedenk'! Ist es nicht, als habe einer meiner besten Genien uns die Schlägerei als eine fertige

Mauer mit Freskobildern für unsern Hoppelpoppel oder das Herz absichtlich so vor die Nase hingeschoben, daß wir unser romantisches Odeon nur darauf hinzumauern brauchen, bis sich die Mauer gerade da einfügt, wo es krumm läuft, Bruder?«

»Wenn alle Personalitäten dabei auszutilgen sind,« – versetzte Walt – »gut! Froher ists auch zu lesen als zu sehen. Gottlob, daß du nur siehst! – Ach, was haben wir heute nicht zu reden, was gewiß in keinen Roman gehört und kommt!«

»Nicht?« sagte Vult. »Darüber ließe sich noch reden, Walt.«

N⁰ 27: SPATHDRÜSE VON SCHNEEBERG

Gespräch

Walt kam am ersten aus dem Lachen zu sich und zur ernsten Frage, wie Vult vor der Stadt seine Augen-Rolle jetzt hausspiele. »Ich habe«, sagte Vult, »schon einigen Schimmer, dann bessert sichs zusehends, zuletzt komm' ich mit einer großen Kurzsichtigkeit davon.« Der Notar bezeugte, wie er sich auf eine leichtere Zukunft freue, worin sich das Leben wie eine bunte Blume weit auftun würde. Er übergoß den Virtuosen, in der Hoffnung, ihn zu überraschen, mit einem Frühlings-Regen von wohlriechenden Wassern des Lobs auf die Flöte. Allein fahrende Ton-Meister, die man stets laut beklatscht, und nur hinter ihrem Rücken auspfeift, sind fast noch eitler als Schauspieler, welche doch zuweilen eine gute Monatsschrift kneipt und ärgert. »Ich darf mich« – versetzte Vult – »wohl, ohne die Bescheidenheit zu verletzen, einiger Bescheidenheit rühmen. Aber wie hörtest du? Voraus und zurück, oder nur so vor dich hin? Das Volk hört wie das Vieh nur Gegenwart, nicht die beiden Polar-Zeiten, nur musikalische Sylben, keine Syntax. Ein guter Hörer des Worts prägt sich den Vordersatz eines musikalischen Perioden ein, um den Nachsatz schön zu fassen.«

Der Notar erklärte sich darüber ganz vergnügt; er teilte dem

Flautisten die gewaltige Verstärkung des Eindrucks mit, die er selber der Flöte durch die Szenen-Träume, durch die Mädchen und durch Wina zugeschickt, ohne zu erraten, daß Vultens ganzes Gesicht an diesem Lorbeer verzogen käue, weil er den Unmut seinem mangelhaften Streckvers zuschrieb, worin der Virtuose las. Dieser hatte das Gedicht in der Hoffnung aufgenommen, es lobe keine andern Schönheiten als musikalische.

»Es ist«, sagte der Notar stockend, »an die Braut des Grafen; ich bin auch nicht zufrieden mit manchem harten Fuß darin, ich meine den Ditrochäus ($\smile$$-$$\smile$$-$), den dritten Päon ($\smile$$\smile$$-$$\smile$) und den Jonikus mit dem langen Anfang ($-$$-$$\smile$$\smile$); aber im *Feuer* wird man leicht *hart*.«

»Wie Prügel z. B. und Eier«, sagte Vult. »Aber, o Gott, wie hören deine Menschen! Sollte man nicht lieber seine Flöte zum Blasrohr oder zur Kinder-Klystiersprütze ansetzen oder zu Hobelspänen für einen Sarg verschneiden, wenn man so die gräßliche Bespritzung des einzigen Himmlischen erfährt, das noch über die Lebens-Spießbürgerei oben vorüberfliegt? –

Ich ziele nicht auf dich, Notar; aber du bringst mich darauf. Denn wie besonders Musik entheiligt wird – obgleich jede Kunst überhaupt –, das höre! Tafelmusik lass' ich noch gelten, weil sie so schlecht ist wie Tafelpredigten, die man in Klöstern ins Käuen hinein hält; von verfluchten, verruchten Hofkonzerten, wo der heilige Ton wie ein Billardsack am Spieltische zum Spielen spielen und klingeln muß, red' ich gar nicht vor Grimm, da ein Ball in einem Bilderkabinet nicht toller wäre; aber das ist Jammer, daß ich in Konzertsälen, wo doch jeder bezahlt, mit solchem Rechte erwarte, er werde für sein Geld etwas empfinden wollen; allein ganz umsonst. Sondern damit das Klingen aufhöre ein paarmal und endlich ganz, – deswegen geht der Narr hinein. Hebt noch etwas den Spießbürger empor am Ohr, so ists zwei-, höchstens dreierlei: 1) wenn aus einem halbtoten Pianissimo plötzlich ein Fortissimo wie ein Rebhuhn aufknattert, 2) wenn einer, besonders mit dem Geigenbogen, auf dem höchsten Seile der höchsten Töne lange tanzt und rutscht und nun kopf-unter in die tiefsten herunterklatscht, 3) wenn gar beides vorfällt. In solchen Punkten ist der Bürger seiner nicht mehr mächtig, sondern schwitzt vor Lob.

Freilich bleiben Herzen übrig, Walt, die delikater fühlen und eigennütziger. Ich habe aber Stunden, wo ich aufbrausen kann gegen ein Paar verliebte Bälge, die, wenn sie etwas Hohes in der Poesie oder Musik oder Natur vorbekommen, sofort glauben, das sei ihnen so recht auf den Leib gemacht, an ihren flüchtigen Erbärmlichkeiten, die ihnen selber nach einem Jahr bei noch größerer als solche erscheinen, habe der Künstler sein Maß genommen und komme mit dem gestickten Krönungsmantel und Isisschleier auf dem Ärmel zurück, für die Kunden. Ein Associé von Neupeter sieht bei solcher Gelegenheit nachts gen Himmel an die Milchstraße und sagt zur Kauffrau: ›Edle, so empfange jenen Kreis als einen schlechten Ring von mir zum Zeichen und Braut-Gürtel unsers himmlischen Bunds.‹«

»Ei, Bruder,« sagte Walt, »du bist so hart: was kann denn ein Mensch für eine Empfindung oder gegen sie, es sei in der Kunst oder großen Natur? – Und wo wohnen denn beide, so groß sie auch sind, als nur in einzelnen Menschen? – Wohl mag er sie sich daher zueignen, als wären sie für ihn allein. Die Sonne geht vor Schlachtfeldern voll Helden – vor dem Garten der Brautleute – vor dem Bette eines Sterbenden zugleich auf, ja in derselben Minute vor andern unter; und doch darf jeder nach ihr sehen und sie an sich heranziehen, als beleuchte sie seine Bühne nur allein und stimme ein in sein Leid oder in seine Lust; und ich möchte sagen, gerade so wie man Gott so anruft als den seinigen, indes doch ein Weltall vor ihm betet. Ach sonst wär' es ja schlimm, wir sind ja alle einzelne.«

»Gut, so nehmt die Sonne hin,« sagte Vult, »aber nur der Paradiesesfluß der Kunst treib' eure Mühlen nicht. Darfst du Tränen und Stimmungen in die Musik einmengen: so ist sie nur die Dienerin derselben, nicht ihre Schöpferin. Eine elende Pfeiferei, die dich am Todestage eines geliebten Menschen aus den Angeln höbe, wäre dann eine gute. Und was wäre das für ein Kunst-Eindruck, der wie die Nesselsucht sogleich verschwindet, sobald man in die *kalte* Luft wieder kommt? Die Musik ist unter allen Künsten die rein-menschlichste, die allgemeinste.« – –

»Desto mehr Besonderes geht hinein«, versetzte Walt; »irgendeine Stimmung muß man doch mitbringen; warum nicht die günstigste, die weichste, da das Herz ja ihr wahrer Sangboden ist? – Aber deine Lehre will ich nicht vergessen, nämlich voraus- und zurückzuhören.«

»Wie gings dir sonst?« fragte Vult mürrisch. »Denn ich bleibe dabei, Wirklichkeit in die Kunst zu kneten zum Effekt, ist so eine Mischung wie an manchen Deckengemälden, in welche der Perspektive wegen noch wirkliche Gyps-Figuren geklebet sind. Erzähle!« Walt – der Vults Murrsinn bloß seiner unkünstlerischen Hörkunst zuschrieb und über welchen ohnehin die Liebe ihren Traghimmel hielt – erzählte sanft und gern, wie eifrig er bisher den Grafen gesucht, wie er ihm bei Neupeter, dessen Diner er beschrieb, gegenüber gesessen, mit ihm gesprochen und an ihm gefunden, daß er durch die stolze Gewandtheit seines Geistes und durch den philosophischen Schwung über enge Blicke und Winke dem Flötenspieler so ungemein ähnlich sei. »Du liebst Doubletten, doch wahrlich hier sind keine, Freund; aber nur weiter!« versetzte Vult, dem, wie Frauen, kein Lob der Ähnlichkeit gefiel.

Darauf zeigt' er Winas Brief-Umschlag her als Einlaßkarte in Klothars Zimmer und Ohr. »Ja, ja, ganz natürlich – überhaupt« (fing Vult an) – »aber nenne nur ins Henkers Namen nicht Spieß- und Pfahlbürgerinnen wie die Demoiselles Neupeter Damen; in großen Städten, an Höfen gibts Damen, aber in Haßlau nicht. Dein höllisches Preisen! Ich will gehangen sein, sprichst du mehreren Mamsellen auf der Welt den Verstand ab als fünfen, den fünf törichten im neuen Testamente. – Und was hältst du von der weiblichen Tugend dieser scharmanten Wesen, der fünf klugen, der Rosenmädchen, der Wickel-

und Freifrauen und der ersten Sängerinnen? Aber ich weiß es schon.«

»Nun, ich scheue mich nicht,« – versetzte der Notar – »wenigstens dir, meinem leiblichen Bruder, zu bekennen, daß ich bis diese Stunde keinen Begriff habe, daß ein vornehm gekleidetes schönes Frauenzimmer sich sündlich vergessen könne; etwas anders ist eine Bäuerin. Gott weiß, wie heilig und zart alle insgeheim sind; wer wills wissen? Aber mein Blut, das weiß ich, könnt' ich für jede hingeben.«

Da sprang der Flautist wie von Verwunderung besessen im Zimmer auf und nieder, schnappte mit beiden Händen wie mit Schnappweifen, nickte mit dem Kopfe und wiederholte: »Vornehm gekleidetes!« – Es wäre zu wünschen, daß die Leserinnen sein anstößiges Erstaunen, wenn nicht rechtfertigen, doch entschuldigen wollten mit den Verhältnissen, worein er auf seinen großen Reisen geraten mußte, da es, wie schon gemeldet worden, wenig größere Städte und höhere Stände gab, denen er nicht blies als anerkannter Flötenmeister. Das bessert seinen Handel um vieles.

Walt wurde von der mimischen Widerlegung sehr beleidigt: »Rede wenigstens!« sagt' er, »denn *dies* widerlegt mich nicht.« – Aber Vult versetzte mit dem gleichgültigsten Tone von der Welt: »De gustibus non und so weiter. Von etwas Schönerem! Äußertest du nicht vorhin etwas, als ob beide Demoiselles Neupeter sich in der Tat für häßlich ansähen, und zeigtest ein Mitleid?« – »Desto besser,« sagte Walt, »wenn sie sich schöner finden. Bei allen Mädchen entschuldige ich das, weil sie sich nur im Spiegel sehen, mithin, wie du aus der Katoptrik wohl weißt, gerade in einer noch einmal so großen Ferne als der Fremde sie; jede Ferne aber, auch die optische, macht schöner.«

»So scheints«, sagte Vult erstaunt. »Spaßeshalber will ich dir doch nur die drei Weiber, soweit ich sie im Klatschrosen-Tal kennen lernen, aufstellen. Die alte Engelberta – nein, das ist die Tochter – die Mutter also, mag noch hingehen; ihr Herz ist ein ausgesessener Großvaterstuhl, und übrigens hat sie von der Muschel-Auster nicht nur die Seele geerbt, sondern auch die Perlen. Freilich, wäre der Agent weniger bemittelt, so würde sie wohl, als Widerspiel der Österreicher Infanterie, die im Kriege aus den Zwilchkitteln Brotsäcke machen muß[1], seinen Brotsack zu einem bunten Kittel verschneiden. – – Engelberta, nun sie scherzt zuweilen – viele nennens Verleumden – wie Festungen bei schlimmem Wetter, so tut sie immer Ausfälle, wiewohl man sie nicht eben belagert – wehrt sich, wie ein Hamster gegen einen Mann zu Pferde, und ich könnte sie wie den Hamster am Stocke wegtragen, worein sie sich eingebissen. – Raphaela – sie empfinde, sagst du; aber doch nicht mehr als mein Fingernagel oder meine Ferse? frag' ich. Freilich will sie, ich bekenne es, an der Angelschnur ihres sentimentalischen Haar- und Liebesseiles und an der biegsamen Angelrute ihrer poetischen Blumenstengel sich einen hübschen Walfisch von Gewicht aus dem Meere heben, was andere einen Ehemann nennen. An ihrem Ufer, zu ihren Füßen schnalzt der kleine glatte Elsasser Flitte, der gern lebte und sich gern als ein Goldfischchen in einem Gehäuse auf einer Tafel stehen sähe, Semmelkrumen aus schönsten Händen fressend. Die andern – Aber was solls? An der ganzen Tafel dauert mich nichts als der südliche – Wein. Es ist Sünde, wenn ihn jemand anders trinkt als ein Kopf von Witz. Es ist Sünde gegen den heiligen Geist des Weins, wenn er Fracht-Mägen gemeiner Menschen durchziehen muß.«

»O Gott,« sagte Walt, »wie oft brauchst du nicht den Ausdruck gemeine Menschen, aber so erzürnt dabei, als habe sich das Gemeine freiwillig von einer Höhe herab begeben oder das Ungemeine zu einer hinauf, indes du doch milder von Tieren und Feuerländern sprichst!«

»Warum? – Mich erbittert die Zeit, das Leben, der Satan. Überhaupt – aber was hilfts? – Grüße den Grafen von mir herzlich morgen. Von den ehrlichen sieben Erben haben dir doch ein paar an nahe 32 Beete gestohlen, ganz gegen meine Meinung

1 Gesetzbuch für die kais. k. Armee. 1785. S. 248.

weniger als gegen deine. Inzwischen Addio!« sagte Vult, schied hastig, über den geringen Erfolg verdrüßlich, womit er mit seiner Welt und Kraft den unerfahrnen Meinungen des sanften Bruders gebot.

Walt sagte mit zärtlichster Stimme gute Nacht, aber ohne Umarmung, und er sah ihn nur mit Lieb' und Trauer an. Er warf sich vor, daß er durch seine Urteile den künstlerischen Bruder so wenig belohnet, und daß er diesem die – Beete verloren habe. »Wenigstens aber hab' ich ihm doch«, sagt' er, »die Tafelschmähungen gegen ihn[1] verschwiegen.« Er hielt es nur für erlaubt, ein Lob hinter dem Rücken, nicht einen Tadel hinter dem Rücken dem Gegenstande mitzuteilen.

N$\underline{^{ro}}$ 28: SEEHASE

Neue Verhältnisse

Am Morgen eilte der Notar mit Winas Brief zum Grafen, übergab aber nichts, weil vergoldete Wagen und Bediente an der Türe und deren Herren im Besuchszimmer standen; was hätte ich davon? fragt' er sich. »Ich komme wieder, wenn niemand darin ist«, sagt' er zum Bedienten, dem das wie eine Diebs-Erklärung klang.

Im Speisehause fand er auf dem Tischtuche das Wochenblatt und Klothars gedruckte Bitte darin, ein redlicher Finder soll' ihm seinen Brief wieder zustellen.

Am Tische hört' er, daß der General Zablocki seinen Koch ein Dienstjubiläum feiern lasse. Der Komödiant leitete die Feier aus dem Herzen des Generals, ein Offizier aus dessen Gaumen und Magen her; »der Jubelkoch«, fügt' er bei, »ist ihm so nahe wie eine Kompagnie oder sein Schwiegersohn«. Walt lief wieder in die Villa des Grafen hinaus – Dieser aß eben bei dem General.

1 An Neupeters Tische, wo er ihn kurz und stark verteidiget hatte.

Zu erklären ist allerdings einer der keckesten Gedanken – die je Walten Sporen und Flügel angesetzt –, welcher ihm unter Klothars Gartentüre anflog, sobald man erwägt, daß er das Sonntags-Konzert noch im Kopfe haben mußte und im Herzen ohnehin. Daher ist es wohl nur ein Nebenumstand dabei – aber er trug mit bei –, daß der General der halbe Besitzer von Elterlein war und Gottwalt ein Linker. Gleichwohl wollt' er anfangs sich erst mit seinem Bruder beraten, ob er angehe, der Gang; ließ es aber unterwegs, um ihn, hofft' er, abends mehr mit der Nachricht zu fassen und aufzurütteln, daß er ganz kühn beim polnischen General gewesen, um Winas Brief an dessen Schwiegersohn auszuliefern.

Sehr spät brach er dahin damit auf, um nicht ins Essen zu fallen. Auch sollte jeder Mensch gegen Abend – nämlich nie gegen Morgen, wo der Geist noch den Körper und das Gestern verdauet – mit Gesuchen und sich zu Großen kommen, welche er vielleicht alsdann halb betrunken und halb-menschlich, es sei vom Mittags-Essen oder Mittags-Trinken, zu finden hoffen darf. Auf dem Wege dahin wallete Gottwalts Herz wie ein angewehtes Blumenbeet bei dem Gedanken auf, daß er dem Hause zugehe, worin Wina so lange als Kind und Jungfrau gelebt. Auf der letzten Gasse mußt' er mit dem Plane der Übergabe ins Reine kommen. »Anders«, sagt er sich, »kanns doch nicht gehörig delikat ausfallen, als wenn ichs so mache, daß ich mich beim General – denn der Graf ist doch nur der Gast – ordentlich melden lasse, mich dann entschuldige und sage, daß ich dem Herrn Grafen etwas in einem Seiten-Zimmer zu übergeben habe, dieser und seine Braut mögen nun dabeistehen oder nicht; und dabei seh' ich doch auch einmal einen General, ja einen polnischen.« Sehr sucht' er sich unterwegs keine andere Freude vorzuhalten als die, einen General zu hören. Drei Viertel-Stunden hatt' er einmal in Leipzig am Hotel de Bavière gelauert, um einen Ambassadeur einsteigen zu sehen. Denselben Durst hatte sein Herz nach dem Anblick eines preußischen Ministers. Dieses Triumvirat war ihm der Dreizack der

Gewalt, der Feinheit und des Verstandes; feinere Tournüren, als die sind, womit dieser Staats-Trident guten Morgen, guten Abend und alles sagen werde (indes ohne Blumen), konnt' er nicht wohl für möglich halten, weil er glaubte, sie denen gleichsetzen zu können, womit Louis XIV und Versailles auf die Nachwelt kamen. Nur drei Personen, gleichsam Curiatier, stellt' er diesen drei Horatiern entgegen und sogar voraus – deren Gemahlinnen; oft ließ er besonders eine Ambassadrice durch seinen Kopf gehen, welche es war, eine russische, dänische, französische, englische etc. – »Bei Gott,« sagt' er, »sie ist ganz Göttin sowohl in Betreff der zartesten Ausbildung und Tugend als des feinsten Teints, Gesichts und Anzugs; – aber warum hab' ich armer Teufel noch keine Ambassadrice zu Gesicht bekommen?«

Endlich stand er vor dem Zablockischen Palast. – Die Auffahrt und das Ketten-Gehenke an Pfeilern waren neue Siebenmeilenstiefel für seine Phantasie; er freute sich auf die Nacht, wo er diese gespannte bange Stunde auf dem Kopfkissen frei und ruhig beschauen und behandeln werde. Er trat in den Palast, er sah rechts und links breite Treppen mit Eisengeländern – große Flügeltüren – sogar einen rennenden Mohr mit weißem Turban – geputzte Menschen gingen herab, heraus, hinein – Türen wurden oben auf- und zugemacht – Treppen berennt. Schwer wars für einen Notar, sich einen Menschen auf der Hausflur auszusuchen, dem die Bitte vorzutragen war, daß er zum General wolle.

Eine Viertelstunde stand er, hoffend, einer der Leute wende sich an ihn und frag' ihn und entwickle dann alles, – aber man lief vorüber. Zuletzt spazierte er frei in der Hausflur auf und nieder – einmal eine halbe Treppe hinan – hielt sich die größten Männer aus der Weltgeschichte vor, um einen lebendigen besser zu handhaben – und bracht' es endlich zu einer Frage nach dem General an ein Mädchen.

Sie wies ihn an den Portier. Der Himmel hat öfter eine Vorhölle als einen Vorhimmel – tröstet' er sich – vielleicht die ganze gelehrte Vorwelt hat schon auf ähnlichen Palast-Fluren geschwitzt. Eine Himmelstüre tat sich ihm auf; heraus trat ein ältlicher gepuderter verdrüßlicher Mann, der ein breites Gehänge über dem Leib und einen Stock mit einem schweren Silber-Giebel trug. Walt, ganz unvermögend, das lederne Bandelier für etwas anders zu halten als für ein Ordensband und den Portier-Stab für einen Kommando- und Generalstab und den Portier für den General, machte ohne viele Umstände einige Verbeugungen und näherte sich dem Türsteher höflich murmelnd.

»Das hilft alles nichts« – sagte der Portier – »gegenwärtig schlafen Exzellenz, man muß sich gedulden.« –

– Aber niemand braucht aus Walts Verwechslung viel zu machen, wenn man so viel von der Welt gesehen, daß – keine möglich ist, – sondern daß jeder vornehme Inhaber eines Türhüters selber wieder einer ist, nur an einer höhern Türe, entweder an einer kaiserlichen, königlichen, fürstlichen Gnadenoder an einer Falltüre, entweder als Klopfer, der das Hereinwollen, oder als Klingel, die das Hereinkommen ansagt, und jeder wie Janus als Schwellen-Gott ein anderes Gesicht gegen die Gasse kehrend, ein anderes gegen das Haus. – Sind manche gute Gemüter nur Portiers an blinden Toren: so stecken sie doch ihren Sperrgroschen von Proselyten des Tors so gut ein wie die schlimmsten, die wenigstens den Janustempel wie eine öffentliche Bibliothek gern öffnen.

Sehr rot trat der Notar in das lustige Domestikenzimmer, das Geiselgewölbe eines dürftigen Gelehrten. Bediente sind parasitische Menschen an Menschen, Dörfer, wo auf den Briefen die nächste Poststation angezeigt werden muß. Doch die Zablockischen waren gut gelaunt und schön-betrunken vom Küchen-Jubel; – Walt saß unbeunruhigt da. »Wo ist der Bonsoir, Freund?« fragte ein eintretender Lakai. Walt glaubte sich gemeint und den Abendgruß vermisset, nicht aber den Licht-Töter; er versetzte frisch: »Bon soir, mon cher!« In der Tat kam es endlich dahin, daß ein Bedienter vor ihm vorausging und er hinterdrein, durch Vorsäle voll langer Kniestücke – über glatte Zimmer weg – und endlich vor ein Kabinet, das der Bediente zwar auf-, aber erst zumachte, da er hinein war, bevor ers ihm auftat.

Der General, ein stattlicher, männlich-schöner, stark genährter, lächelnder Mann, fragt' ihn mit freundlicher Miene und Stimme, was Monsieur Harnisch wünsche. »Exzellenz, ich wünsche« – fing er an und hielt die Wiederholung des Zeitworts für Welt – »dem Herrn Grafen von Klothar einen verlornen Brief zu übergeben, da ich ihn hier zu finden hoffe.« – »Wen?« fragte Zablocki. »Den Herrn Grafen von Klothar«, versetzte Walt. »Wollen Sie mir den Brief vertrauen, so kann ich ihn sogleich übergeben«, sagte Zablocki. Der Notar hatte sich viel schönere Entwicklungen versprochen; jetzt lief alles fast auf nichts hinaus; dem Vater mußt' er den Brief der Tochter abstehen und lassen. Er tats, da der Umschlag entsiegelt war, mit den feinen Worten, »er bring' ihn so offen, als er ihn gefunden«. Er wollte damit vielerlei leise andeuten – seine eigene Rechtschaffenheit, ihn nicht gelesen zu haben, sein Erwarten der Nachahmung und noch allerhand Gefühle. Der General steckte ihn, nach einem leichten Entzifferungsblick auf die Überschrift, gleichgültig ein und sagte, er habe soviel Schönes über seine Flöte gehört, er wünsche sie selber einmal zu hören. – Große sind ebenso vergeßlich als neugierig; doch konnt' es Zablocki auch tun, um reden zu hören.

Walten wars angenehm, zu berichtigen: »Ich wünschte,« – sagt' er fein – »ich würde nicht verwechselt, oder vielmehr,« (fügt' er bei, da ihm das gerade einen zweiten, ganz entgegengesetzten Sinn geben wollte) »ich könnt' es werden.« – »Ich verstehe Sie nicht«, sagte der General. Walt entdeckte ihm kurz, er sei aus dessen elterleinischem Territorium gebürtig, und sein Vater sei der Schulz. Jetzt glaubte er an Zablocki den wahren menschenliebenden Menschen-Dulder ganz zu erkennen, als dieser sich des Schulzen, der so oft als ein Mauerbock sich an dessen Gerichtsstube die Hörner abgestoßen, vielmehr mit den freundlichsten Mienen und sogar der Van der Kabelschen Erbschaft entsann, ja teilnehmend eine genauere Geschichte derselben zu hören begehrte. *Die* lieferte Walt gern, nett und heiß; indes halb schwindelte er vor Freude, wenn er von der Höhe und Spitze in die Dörfer hinuntersah, auf der er neben einem Großen stand und ihn so lange anreden und sich gut ausdrükken durfte. Mit Freuden hätt' er für ein so menschenliebendes Herz, das er nie im Verband eines Ordensbandes gesucht hatte, einen Zacken oder Stein aus der polnischen Krone ausgebrochen, oder diese für den schönen Kopf zugeschmolzen, um durch ein Präsent damit erkenntlich zu sein. In etwas drückt' er seine Liebe – weil er nichts Näheres hatte, die Blicke ausgenommen – streichelnd auf dem Kopfe eines Wind-Hunds aus, der sich hochbeinig an seine Schenkel anpreßte.

»Haben Sie eine französische Hand?« fragte der General auf einmal und schob ihm ein Papier vor zu einem Probeschuß. Walt sagte: »er verstehe es leichter zu schreiben, in mehr als einem Sinn, als zu sprechen und verdank' es seinem Lehrer.« Allein, welchem Worte er unter so vielen Tausenden, die Gallien hat, das Schnupftuch zuwerfen sollte, das wußt' er schwer, da das Wort doch etwas vorstellen sollte. – »Was Sie wollen«, sagte endlich Zablocki. Er sann aber fort. »Das Vater Unser«, sagte jener. In der Geschwindigkeit konnt' ers unmöglich übersetzen.

»Vorzüglich«, fuhr der General fort, als jener noch nachdachte, »würd' ich auf rein französische Endbuchstaben sehen, dergleichen, wie Sie wissen, s, x, r, t, p sind.« Walt verstand die französische Benennung dieser Lettern nicht recht, aber sehr wohl das französische Camnephez[1]; Schomaker, der jahrelang keinen gallischen Dialog und Brief zu machen hatte – erstlich weil dazu stets eine zweite Person gehört, zweitens weil auch eine erste erforderlich ist, er aber gar nichts davon verstand –, dieser Kandidat hatte ächt-französische Handschrift und Aus-

1 Dieses Wort fasset die hebräischen Buchstaben in sich, die am Ende größer und anders geschrieben werden.

sprache vermittelst dergleichen Kaufmannsbriefe und Reisediener zu einer so außerordentlichen Höhe hinaufgetrieben wie
vielleicht, außer Hermes und einem zweiten Romancier, kein
Autor von Gewicht ohne Stand. Und Walt hatte beides bei ihm
erlernt.

»O vortrefflich!« – sagte der General, als endlich jener Winas
französische Adresse an Klothar probierend hinschrieb –
»Recht gut ja! – Nun hab' ich ein ziemliches Paquet französi-
scher Briefe über *einen* Gegenstand auf meinen Reisen ge-
sammlet – von verschiedenen alten und neuen Personen –, welche ich sehr gern in *ein* Buch abgeschrieben sähe, da sie sonst
leicht sich verspringen. Wenn Sie denn täglich an dem Buche –
mémoires érotiques mag es heißen – *eine* Stunde – hier in meinem Hause – schrieben. . . .«

»Exzellenz« – stotterte Walt mit blitzenden rednerischen
Augen – »wenn über den zärtesten Gegenstand kein Ja zart
genug sein kann« – – »Gehts nicht?« fragte der General. – »O
am besten«, versetzte jener, »und jede Minute.« – »Ich werde«,
sagte Zablocki, »die Briefe zusammensuchen und Ihnen die
Kopier-Stunde nächstens bestimmen lassen.« Darauf machte
Zablocki den vornehmen Entlassungs-Bückling, Walt macht'
ihn leicht zurück und harrte lange auf weitern Verfolg, bis er
endlich – da der General sich umstellte und durchs Fenster
guckte – den Abschied, dessen Schnelle er schwer mit dem warmen Gespräche paaren konnte, herausbrachte durch Überle-
gung. Jetzt mußt' er etwas suchen, was ebenso schwer zu finden war als vorhin der Eingang, nämlich der Ausgang am glatten Kabinet. Keiner wollte vorstechen. Leise überstrich er mit
den Händen die fugenlosen Wandtapeten, weil er sich schämte,
zu fragen, wie er hereingekommen. Über drei Wände glitt er
mit dem Bügel der Hand, bis er endlich in eine Ecke auf ein
goldenes Kreuz einer Türe griff. Er dreht' es mit Vergnügen
um, und es tat sich ein Wandschrank auf, worin Winas himmelblaues Konzert-Kleid lang und nahe niederhing. Staunend
guckte er hinein und wollte noch lange davor erstaunen, als sich

der General, der das Handstreicheln und Glätten vernommen, endlich umdrehte und ihn vor dem Schranke mit dem Schauen halten sah; »ich wollte hinaus«, sagt' er. »Das geht *hier*«, sagte Zablocki und öffnete eine Türe, wo das wirklich zu machen war.

Das Schicksal mag ihm absichtlich die kleine Schamröte auf seinen Sieges-Weg mitgegeben haben, um damit einigermaßen das Bewußtsein zu dämpfen, womit er, so mit Ehrenmedaillen und Bassas-Roßschweifen behangen, so mutig durch Zimmer und Haus marschierte, daß er sich auf der Straße mit einigen maß, die, wie er, zu Fuße kamen von Hof. Indes hatte er alle Welt lieb und verbarg sich am wenigsten, wie mancher dahingehe, der ohne Schuld solche Erhebungen nie erlebe. Daraus messe die Welt ab, wie vollends ein dürftiger Lieutenant, der Sonntags seine seidenen Beine unter der Hoftafel gehabt, um 4¼ Uhr, mit dem Kurial-Krätzer und der Champagner-Folie im Kopfe, nach Hause gehen mag, mit welchem Selbst-Bewußtsein, meint man; Julius Cäsar selber kann dem Ortshalter aufstoßen, und dieser wird bloß fragen: »Jul, aber woher kömmst denn du, wüste Fliege?«

Mit größter Sehnsucht, vor allen Dingen auf Vults Tisch einige schwache Zeichnungen der heutigen Krönungsstadt und Ehrenpforte zu legen, klopfte Walt an dessen Türe; sie war zu und mit Kreide stand daran: »Hodie non legitur.«

N.º 29: GROBSPEISIGER BLEIGLANZ

Schenkung

Nach einigen Tagen kam der Gärtner von Alcinous' Gärten – denn das war Walten Klothars Kutscher – und lud ihn in die Villa ein. Der Notar hatte kaum in größter Eile ein ganzes Philadelphia der Freundschaft auf einer Freundschaftsinsel gebauet und ein Sortiment Lorenzosdosen gedreht – weil er die

Einladung für einen Lohn der Brief-Gabe nahm –, als der Eden-Gärtner die Treppe wieder heraufkam und durch die Tür-Spalte nachholte: »er solle was zum Verpetschieren einstecken, es wären Notarius-Händel.«

Indes wars in jedem Falle etwas. Er traf als Notarius im reichen Landhaus Klothars zugleich mit dem Fiskal Knoll ein. Aber als er die vergoldeten Quartanten, die vergoldeten Wandleisten und das ganze Wohnzimmer des Luxus übersah: so rückte die eigne Wohnung den Grafen weiter von ihm weg als die fremden bisher. Klothar fuhr, ohne aus beiden Ankömmlingen viel zu machen, im Streite mit dem Kirchenrat Glanz und dessen flachen Tolerieren so fort: »Der Wille arbeitet den Meinungen mehr vor als die Meinungen dem Willen; man gebe mir eines Menschen Leben, so weiß ich sein System dazu. Glaubens-Duldung schlösse auch Handelns-Duldung in sich ein. Ganz tolerant ist daher niemand, Sie sind es z.B. nicht gegen Intoleranz.« Glanz gab Recht, bloß weil sein Ich beschrieben wurde. Aber der Notar stellte – weil er ohnehin müßig stehen mußte – den Einwand auf: »Ganz intolerant ist auch kein Mensch, kleine Irrtümer vergibt jeder, ohne es zu wissen. Aber freilich sieht der Eingeschränkte, gleichsam im Tal Wohnende nur *einen* Weg; wer auf dem Berge steht, sieht alle Wege.«

»Ins Zentrum gibts nur *einen* Weg, aus dem Zentrum unzählige«, sagte der Graf zu Glanz. »Wollen Sie indessen sich an meinen Sekretär setzen, Herr Notar, und den gewöhnlichen Eingang zu einem Schenkungs-Instrument für Fräulein Wina von Zablocki in meinem Namen machen? Ich heiße Graf Jonathan von Klothar.« Die Namen Jonathan und Wina zitterten dem Notar wie Apfelblüten auf die Brust herab. Er setzte sich und schrieb voll Lust: »Kund und zu wissen sei jedermann durch diesen offenen Brief, daß ich Graf Jonathan von Klothar heute den« –– Walt fragte den Juristen um den wie vielsten; »der 16.«, sagte dieser. Höflich nahm er keinen neuen Bogen, sondern schabte am Schreibfehler des alten lange. Unter dem

Schaben konnt' er auf des magern haarigen Knolls Vorlesung über Ehekontrakte hinhören, neben welchem der schöne Graf ihm wie der edle Hugo Blair in der Jugend, dessen Geist-erhebende Predigten seine Flügel und seine Himmel zugleich gewesen, vorkam. Ein Kontrakt zwischen Wina und Jonathan – ein eigensüchtiges do ut des – war ihm eine widrige widersprechende Idee, da man wohl mit dem Teufel einen Pakt macht, aber nicht mit Gott. Er benutzte das Wegschaben des Datums als eine freie Sekunde und sagte (ebenso keck, wenn ihm etwas Rechtes einfiel, als blöd' im andern Falle): »Ob ich gleich ein Jurist bin, Herr Fiskal, und ein Notar, so bedauer' ich bei jedem Ehe-Kontrakt, den ich machen muß, daß die Liebe, das Heiligste, Reinste, Uneigennützigste, einen groben juristischen eigennützigen Körper annehmen muß, um ins Leben zu wirken, wie der Sonnenstrahl, der feinste, beweglichste Stoff, mit der heftigsten Bewegung nichts regen kann ohne Vermischung mit dem irdischen Dunstkreis.«

Knoll hatte mit saurem Gesicht nur auf die Hälfte des Perioden gehört; der Graf aber mit einem gefälligen: »Ich lasse,« sagt' er, aber mit sanftester Stimme, »wie schon gesagt, keine Ehestiftung machen, sondern nur ein Schenkungs-Instrument.« Da trat ein Bedienter des Generals mit einem Briefe ein. Klothar schnitt ihn aus dem Siegel – ein zweiter, aber entsiegelter lag darin. Als er einige Zeilen im ersten gelesen, gab er dem Notar ein schwaches Zeichen einzuhalten. Den eingeschlossenen macht' er gar nicht auf; Walten kam er sehr wie der von ihm gefundne vor. Mit leichtem Kopfnicken verabschiedete Klothar den Boten; aber auch mit einer Bitte um Vergebung das Zeugenpaar und den Notarius: »er sei zweifelhaft,« sagt' er, »ob er jetzt fortfahren lasse; aber da ers sei, so lass' er lieber nicht.« – Einige Schatten von innern Wolken flogen über sein Gesicht. Walt sah zum erstenmale einen geliebten Menschen, noch dazu einen Mann, in verhehlter Bekümmernis – und die fremde besiegte wurd' in ihm eine siegende. Eigennützig wär' es jetzt, dacht' er, nur daran zu erinnern (wie er anfangs gewollt), daß er den Brief gefunden und gegeben; desgleichen wahrhaft grob, nur darnach zu fragen, ob der Schwiegervater solchen ausgehändigt. Beim Abschied wollte der Graf ihm etwas Härteres in die Hand drücken als seine eigne. »Nein, nein«, stotterte Walt. »Meine Verbindlichkeit«, sagte der Graf, »ist dieselbe, *Freund*.« – »Ich nehme nichts an als die Anrede!« sagte Walt, wurd' aber wegen seines Ideen-Sprungs wenig verstanden. Klothar drang verwundert und halb beleidigt in ihn. »Aber meinen Bogen nähm' ich gern«, sagte Walt, weil es ihm so wohlgetan, darauf zu schreiben: Ich Jonathan von Klothar. – »Hr. Graf«, sagte Knoll, »der Bogen gehört wohl uns sieben Erben, schon wegen der Rasur«; und wollt' ihn nehmen. »Sie sei ja eingestanden, o Gott!« sagte Walt erzürnt und behauptete den Bogen – ein zorniger Tropfe und Blick entbrannt' in seinen blauen Augen – diesen zu entschuldigen, drückt' er eilig Klothars Hand und floh davon, um sich zu trösten und andern zu vergeben.

»Ach«, dacht' er unterwegs, »wie weit ists von einem ähnlichen Herzen zum andern! Über welche Menschen, Kleider, Ordenssterne, Tage geht nicht der Weg! Jonathan! ich will dich lieben, ohne geliebt zu werden, wie ich deine Wina liebte; es ist mir vielleicht möglich; aber ich wünschte doch dein Porträt.«

N̠ͬᵒ 30: MISSPICKEL AUS SACHSEN

Gespräch über den Adel

Der Notar verlor jeden Tag seinen Bruder einmal, Er konnte dessen Verschwinden nicht fassen; die Sonnenfinsternis des Schmollgeistes war ihm eine unsichtbare. Bald hielt er ihn für ersoffen – bald für verreiset – bald für entlaufen – bald für beglückt durch ein seltenes Abenteuer. Er suchte den zweimal besiegelten Brief mit der Unsichtbarkeit zu kombinieren und rechnete einige Hoffnung heraus. Immer macht' er die Be-

trachtung, wie wenig auch die besten Gewinn- und Verlust-
Rechnungen von der Zukunft in der dunkeln Rechenkammer,
die uns verhangen ist, bestätigt werden! Welche freudige glänzende Bilder hatt' er sich nicht schon weit in seiner Zukunft
hineingestellt, welche Bilder davon, wie er mit seinem Bruder
in täglicher Auswechselung wachsender Empfindungen und
Ideen und Bekanntschaften leben und mit wenigen Freimäue-
rer-Zeichen der Verwandtschaft den Grafen in den feurigen
Bund hineinziehen werde, indes aus allen nichts wurde als die
gedachte Betrachtung! – Aber schon bei dem peloponnesischen
Kriegs – und überhaupt in der Geschichte der Völker sowohl
als seines Lebens – hatt' er zuerst bemerkt, daß in der
Geschichte – was sie einem alles motivierenden Dichter der
Einheit ordentlich zum Ekel macht – so unendlich wenig Syste-
matisches in Leid oder Freude vorfalle, und daß man eben
darum bei der falschen Voraussetzung einer trüben oder lichten
Konsequenz seine oder fremde Zukunft so schlecht errate;
denn überall werden im historischen Bildersaal der Welt aus
den größten Wolken kleine, aus den kleinsten große – um die
größten Sterne des Lebens ziehen sich dunkle Höfe – und nur
der verhüllte Gott kann aus dem Spiel des Lebens und der
Geschichte einen Ernst erschaffen.

Die Botenfrau aus Elterlein brachte Walten folgendes Briefchen vom Bruder:

»Morgen abends komm' ich, geh mir entgegen. Eben schneidet
Deine Mutter einer Bettlerin Brot vor; denn ich bin in Elterlein
im Wirtshaus.

Ich habe seitdem in einigen bedeutenden Marktflecken
geblasen für Geld; es wachsen freilich mehr Gräser als Blumen,
doch heben jene diese, ich rede von Menschen. Es wird Dir
anvertraut, daß ich vor meine Abreise aus Haßlau so verstimmt
war wie eine Wind-Harfe oder wie die Glocke einer Brocken-
kuh. Ich weiß nicht wovon; ich wollt' aber, ein bedeutender
Freund, oder gar Du hättest meine Saiten so durcheinander

geschraubt, kurz einer von Euch beiden hätte mich ein wenig beleidigt und meinen Schmollgeist zitiert. Ich würde mich – das hätte mich wieder ausgestimmt ohne Verlust von 32 Saiten oder Zähnen – mit ihm tüchtig überworfen haben; ich hätte häßlich gedonnert, gehagelt, gewettert; das macht, wie gesagt, gutes Blut.

Denn nichts ist schädlicher, Notarius, sowohl in Ehen als Freundschaften seiner Seelen, als ein langer unaufgelöseter Verhalt auf einem Mißton bei einem wechselseitigen fortwährenden Zusammenstimmen in allen zärtesten Pflichten, so daß die Narren sich abstoßen, ohne sonst zu verstoßen; da doch solche Seelen in jeder bedeutenden Spaltung auf nichts so eifrig denken sollten, als sie bis zum rechten Zanke zu treiben, worauf sich Versöhnen von selber einstellte. Der Braunstein liefert bei mäßiger Erhitzung Stickgas; aber zwing' ihn zum Glühen, so haucht er ja Lebensluft. Aus der Knallbüchse fliegt der Pfropf nicht anders heraus als durch einen zweiten.

Zum Glück können wir beide jeden Hader entraten, sogar den stärksten. Doch zurückzukommen – ich bekam bald Luft, sobald ich nur im Freien war und ritt und blies und schrieb. Erträgliche Sachen und Schwanzsterne setzt' ich für unsern Hoppelpoppel oder das Herz teils auf dem Sattel auf, teils sonst. Wahrlich ich wurde dir ganz gut; deswegen, glaub' ich, konnt' ichs ordentlich nicht lassen, sondern mußte nach Elterlein. Ich dachte: ›Dein Freund ist doch da so gewiß ans Licht gekommen, und seiner desgleichen‹, und was man so sagt, wenn man denkt.

Ein lang verschobenes Werk konnt' ich da verrichten. Da ich, wie ich dir öfters gesagt, dem entlaufenen jungen Harnisch Vult mit seiner Flöte mehrmals aufgestoßen: so konnt' ich dem alten Schulzen schöne Nachrichten und Briefe vom Wildfang geben. Ich ließ den Vater ins Wirthaus kommen. ›Der und der Edelmann sei ich‹, (sagt' ich dem staunenden Manne) ›und sein Sohn sei mein Intimer – er befinde sich wohl auf den Postwagen, wo man ihn außer den Konzertsälen zu suchen habe – es geh' ihm so gut wie mir selber – er würd' ihn nicht kennen, ständ' er vor ihm da, so schön verändert sei er, schon mit der volljährigen Stimme, deren Diskantschlüssel der Bart dadurch abgedreht worden, daß er selber einen Bart bekommen – und er lass' ihn grüßen.‹ – Er versetzte, es freue ihn über die Maßen, daß ein solcher braver Herr wie ich gut auf seinen Halunken von Sohn zu sprechen sei, und es widerfahre ihm und dem Flegel eine wahre Ehre. Ich warf noch einiges ein zur Entschuldigung des guten abwesenden Menschen und reicht' ihm zum Behalten den bewußten Brief desselben aus Baireuth an mich, worin er, einige musikalische Klagen über die dasigen Ohren ausgenommen, fast bloß von seiner geliebten Mutter spricht. ›Auch dessen Herrn Bruder, jetzigen Notar, kenn' ich sehr wohl‹, fügt' ich bei und schlug vor seiner Nase einen schwachen Riß von deinen Höhen und Tiefen auf: ›mehr nicht als 32 Beete hat der admirable Mann sich mit dem Stimm-Hammer *weg*- (nicht *zu*-) geschlagen, und die Stadt hält es bei so vielen Saiten, die er unter sich hatte, mehr für ein Wunder als für einen Bock‹, sagt' ich, um ihn für deine künftige Nachricht davon auszurüsten mit dem lindesten Herzen von der Welt. Es wollte ihm aber schwer ein, das Herz; und er schimpfte auf deinen Kopf. ›Er erlebe wenig Freude an seinen Söhnen,‹ – beschloß er – ›und der Teufel könne die Spitzbuben holen, wenn er wolle.‹ Ich schickte den Bauer ganz kurz und hochtönig fort, da er zu vergessen anfing, daß seine Zwillinge meine Achtung in einigem Grade besäßen.

Abends – als ich auf der schönsten Höhe des Zablockischen Gartens lag und für uns eine Satire über den Adel entwarf und dabei der untergehenden Sonne ins große Engels-Auge sah, die ein lumpiges Dörfchen ebensogut als ihren Hof von Welten anschauet, und als über mir auf den leichten roten Wölkchen manche Bilder des Lebens dahinschifften, da erklang plötzlich eine köstliche kunstgerechte Singstimme, die mich aus allen Satiren, Träumen, untergehenden Sonnen wegjagte ins Ohr hinein, in dessen Labyrinth, wie im ägyptischen, Götter begraben liegen. Die Generals-Tochter sang; sie hatte, wie vornehme Mädchen auf ihren Rittergütern pflegen, der Sonne und der Einsamkeit – denn horchende Bauern sind nur stille Blumen und Vögel in einem Hain – ein ganzes leidendes Herz mit Tönen auseinandergetan. Sie weinte sogar, aber sanft; und da sie sich allein glaubte, trocknete sie die Tropfen nicht ab. Sollte der edle Klothar, dacht' ich, seine Braut in dunkle Farben kleiden, weil sie eine taille fine geben? – Das schwerlich!

Endlich sah sie mich, aber ohne zu erschrecken, weil der blinde Konzertist, wofür sie mich noch halten mußte, ja ihr nasses Auge und Angesicht nicht kennen konnte. Sie, *die Unwissende*, sah sich nach meinem Führer um, indes sie leise ihr Busenlied ertönen ließ. Bekümmert um den hülflosen Blinden, ging sie langsam auf mich zu, begann ein fremdes frohes Lied, um sich mir unter Singen so zu nähern, daß ich nicht zusammenführe, wenn man mich plötzlich anredete. Ganz nahe an mir unter den heitersten Tönen floß ihr Auge heftig über aus Mitleid, und sie konnt' es nicht eilig genug lichten, weil sie mich anschauen wollte. Wahrlich ein gutes Geschöpf, und ich wollt', es wäre keine Braut oder eine Frau! – Wie ein Rosenbeet blühten, zumal vor der Abendsonne, alle ihre wohlwollenden Gefühle auf dem kindlichen Gesicht; und bedenk' ich die zarten schwarzen Bogen der schönsten schwarzen Augen, so hatt' ich Augenlust und Augenbraunenlust zugleich und genug. Aber wie kann ein Mann zu einer Schönheit sagen: heirate mich meines Orts! da ja durch die Ehe, wie durch Eva, das ganze Paradies mit allen vier Flüssen verloren geht, ausgenommen den Paradiesvogel daraus, der schlafend fliegt? Eine schöne Stimme aber zu ehelichen durch Ehepakten – das ist Vernunft; außerdem daß sie, wie die Singvögel, immer wieder zurückkehrt – das Gesicht aber nicht –, so hat sie den Vorzug vor diesem, daß sie nicht den ganzen Tag dasteht, sondern manchmal. – Kenn' ich denn nicht mehr als einen abgeschabten Ehemann – gelb geworden gerade dadurch, wodurch gelbes Elfenbein weiß wird, durch langes Tragen an warmer Brust –, der sogleich die Farben änderte, wenn die Frau sang, ich meine, wenn das welsche Lüftchen aus warmer alter Vergangenheit närrisch und tauend das Polar-Eis seiner Ehe anwehte? –

Fast als schäme sich Wina, neben einem Blinden allein zu sehen, gab sie wenig auf die Himmelfahrt der Sonne acht. Sie hörte auf zu singen, sagte ohne Umstände, wer vor mir stehe, und fragte, wer mich geführet habe. Ich konnte sie unmöglich mit dem Geständnis guter Augen beschämen, doch versetzt' ich, es habe sich um vieles gebessert, ich sähe die Sonne gut, und nur nachts steh' es mit dem Sehen schlecht. Um einen Handlanger meiner Augen zu erwarten, fing sie ein langes Lob meiner Flöte an, der man in größter Nähe, sagte sie, nicht den Atem anhöre, und erhob die Töne überhaupt als die zweiten Himmels-Sterne des Lebens. ›Wie hält aber das Gefühl die immerwährenden Rührungen der Flöte aus, da sie doch sehr der Harmonika gleicht?‹ fragte sie. Wer so gut sänge, sagte ich, als sie, würde am besten wissen, daß die Kunst sich vom persönlichen Anteil rein halten lerne. Soviel hätt' ich sagen sollen, nur nicht mehr; aber ich kann das nie: ›Ein Virtuose‹, fügt' ich bei, ›muß imstande sein, während er außen pfeift, innen Brezeln feil zu halten, ungleich den Brezel-Jungen, die beides von außen tun. Rührung kann wohl aus Bewegungen entstehen, aber nicht Kunst, wie bewegte Milch Butter gibt, aber nur stehende Käse.‹

Sie schwieg sehr betroffen, als wäre sie du – nahm einige Dornenreiser weg, die mich Dornenstrauch stechen konnten – und sie dauerte mich halb, zumal als ich sehr ihrem zu häufigen Augenlider-Nicken zusah, das ihr lieblich lässet, ohne daß ich recht weiß warum.

Sie sagte, sie gehe, um mir aus dem Schlosse einen Führer zu holen, und ging fort. Ich stand auf und sagte, es brauch' es nicht. Da sie mich forttappen sah, kehrte sie lieber um und befahl mir zu warten; sie wolle mir bis ins Wirtshaus vorausgehen und jeden Anstoß und Eckstein melden. Die Freundliche tats wahrhaftig und ging mit dem ewig nach mir umgebognen

Halse, bis sie einem jungen Lehnbauer hinter seinem Pfluge begegnete, dem sie ein Stück Geld und die Bitte gab, mit dem blinden Herrn vor das Wirtshaus zu fahren. Sie sagte liebreich gute Nacht, und die langhaarigen Augenlider nickten zu schnellenmalen über den großen Augen.

Der Satan hole – vergib aber, Notarius, den Fluch – den Grafen von Klothar, wenn er einer so gutmütigen Weiberseele nur die dünnste, leichteste Zähre aus den schönen bräutlichen Augen preßte, dem armen Kinde, das das einzige ist, dem ich noch die freie Reichs-Ritterschaft gegönnt. Denn mit wie viel Gall' und Grimm ich in jedes Adels-Dorf eintrete, worin – wenn bei den Römern ein ganzes Volk für das Geißeln *eines* Menschen votieren mußte – umgekehrt nur *ein* stimmender Mensch zum Prügeln eines Volks erfordert wird, das kennst du; aber in Winas Elterlein dacht' ich ganz sanft.

Wie überall, besonders im Brautstand gegen den Ehestand: so halten die Menschen, wie in der Musik, den *Vorschlag* länger und stärker als die Hauptnote; und Klothar konnte doch schon im Vorschlag fehlen? –

Einen schwachen Streckvers in deiner Manier fertigte ich im Wirtshaus auf *sie*:

Bist du Philomele?

Nein; denn du hast zwar ihre Stimme; aber du bist unvergleichlich schön!

So wirst du schon früher nachgeahmet als gedruckt. – Nachher, nach dem Speisen zog ich im Dorf herum. Ich dachte an einen dir bekannten ersten und zweiten Abend so sehr, daß mir vorkam – schreib' es auf Rechnung einer und der andern Liebe –, als sei manches von der Vergangenheit nachher vergangen. Eiligst, wenn du diesen Brief erhältst – was genau nachmittags gegen 3 Uhr sein muß, weil ichs bei der Botenfrau auf diese Weise und Stunde bestellt habe –, läufst du mir entgegen. – Bei

Gott, ich denke oft an vieles. – Und was ist denn das Leben als der ewige Ci-devant? – Werden denn nicht die reinsten Trommeten der Lust krumm gebogen und mit *Wasser* gefüllt durch bloßes Blasen? – Muß man denn nicht die längsten Himmelsleitern – die freilich kürzer sind als die Höllenleitern –, bloß damit sie stehen, unten auf Dreck aufsetzen, ob man sie gleich oben an Sternbilder und Polarsterne anlegt? Ganz verdrüßlich macht mich dergleichen, sonst nichts. Inzwischen seh' ich sehr auf Antwort, auf mündliche nämlich, womit du sogleich entgegengehst dem Wirtshaus zum Wirtshaus und dem dir sehr bekannten oder was Gott will.

Quoddeus etc.

N. S. Walt, wir könnten Brüder sein, ja Zwillinge! Schon der Stamm-Namen verkittet uns, aber noch weit mehr! –«

✳

Walt nahm Flügel, aber sein Herz war schwer oder voll. Alles, was je ein Ritter zu Pferde für leidende Weiber zu tun gelobte, war er zu Fuße zu leisten bereit für jede und dann für Wina noch unzähligemal so viel. Auf dem Wege nach dem Wirtshaus begegneten ihm Neupeters Töchter an Flittes Armen. »Vielleicht wissen Sie es,« – redete ihn Raphaela an und stimmte den Ton so schleunig um, daß man das Hinaufstimmen vernahm – »da Sie beim Generale schreiben und aus Elterlein her sind, was meine unglückliche Wina macht, ob die Teure noch dort ist?« – Vor Schrecken konnt' er kaum auf den Beinen, geschweige auf Vults schlaffem Lügen-Seile stehen: »Sie ist noch da,« sagt' er, »schreibt man mir eben. Ich schreibe noch nicht bei ihr. Ach, warum ist sie denn unglücklich?« – »Es ist jetzt bekannt, daß ihrem Vater, dem General, ein unschuldiger Brief von ihr in die Hände geriet, und daß darauf ihr Bund mit dem Grafen aufgehoben wurde, o die Gute!« versetzte Raphaela und weinte etwas auf der Landstraße. Aber ihre Schwester verdammte, verdrüßlich blickend, die Straßen-Ausstellung hoher Bekannt-schaften und Tränen; und der lustige Elsasser drohte ihr aus dem warmen Gewölke oben Regen und schwemmte sie damit davon.

Raphaela hatte Walts verliebte Blicke über der Tafel nicht übersehen mit ihren gerührten; zur Liebe gehören ohnehin wie zur Gärung – sie ist ja selber eine – zwei Bedingungen, *Wärme* und *Nässe*; und mit letzterer begann Raphaela gern. Es gibt weibliche Wesen – sie darf sich darunter rechnen –, die nichts so gern haben als Mitleiden mit fremden Leiden, besonders mit weiblichen. Sie wünschen sich ordentlich recht viel mitzulei-den und suchen Freundinnen gerade in der Not am liebsten, ja sie wecken durch Mitteilen fremde Seelen zu gleicher Teil-nahme und finden wahren Genuß in fremden Tränen – denn so viel vermag die Tugend durch Übung –, so wie etwa der Zaun-König nie lustiger springt und singt als vor Regenwetter. Men-delssohn, der das Mitleid unter die vermischten Empfindungen bringt, hält eben darum reine für weniger schmackhaft.

Nur den Notar traf die bittere Ausnahme, daß ihn das Dop-pel-Unglück des Paares glühend durchstach und durchgrub – ob ihn gleich ein guter Engel nicht auf den Argwohn fallen ließ, ob nicht sein an den Vater übergebener Brief das Scheidungsdekret geworden –; indes setzt' er sich mehr an Klothars als an Winas Stelle und stieg in die Brust des Jünglings hinein, um von dort aus recht um die blühende Braut zu trauern und in Klothars Namen an nichts zu denken als an das geliebte Mädchen.

Er kam traurig im Wirtshaus zum Wirtshaus an. Vult war noch nicht da. Die kurze Zeit hatte schon manches wieder mit ihrer Sichel abgemäht – erstlich vom blühenden herrnhutischen Gottesacker das Grummet – zweitens am Wirtshaus ein Ver-gißmeinnicht und Jelängerjelieber der Erinnerung, nämlich die ausgebrochene Abendwand, wovor er mit dem Bruder gegessen, war zugemauert. Vult kam. Mit Flamme und Rührung flo-gen beide einander zu. Walt bekannte, wie er geschmachtet nach Vulten, wie er die Geschichte der Abwesenheit verlange, und wie sehr er eines Bruders bedürfe, um das Herz voll vermengter Gefühle in das verwandte zu gießen. Der Flötenspieler wollte seine Geschichte zuletzt berichten, und begehrte die fremde zuerst. Walt tats, erzählte rückwärts, erstlich Raphaelens Erzählung – aber so wie er zweitens den Schenkungsakt des Grafen samt der durch den Brief der Tochter jetzt gut motivierten Unterbrechung, drittens die Glücksfälle bei dem General berichtete und endlich mit den zusammengefaßten Flammen seines Sehnens nach Klothar schloß: so änderte Vult das mitgebrachte Gesicht – brach noch vor dem Wirtshaus auf – schickte den leeren Gaul durch einen außerordentlichen Schlag in Stadt und Stall voraus – und bat Walten, mitzugehen und fortzufahren und nach keinem Regen zu fragen.

Er tats. Vult steckte seine Flöten-Ansätze aneinander und blies zuweilen einen lustigen Griff. Bald hielt er sein Gesicht dem warm tropfenden Abend-Himmel unter und wischte die Tropfen daraus, bald schlug er ein wenig mit der Flöte in die Luft.

»Jetzt weißt du alles, mein guter Mensch, urteile!« sagte endlich Walt. Vult versetzte: »Bester, poetischer Fleu- und Florist – Was soll ich urteilen? Verdammtes Regnen! – Der Himmel könnte auch trockner sein. Ich meine, was ist zu urteilen, wenn du mir über keinen Menschen beitrittst? Hinterher werd' ich dann ganz schamrot, daß ich als ein Mensch, der vielleicht kaum vor ein Paar Stadttore hinaus, und durch ein Paar Flügeltüren hineingekommen – denn ich saß stets –, gegen einen Welt- und Hofmann wie du recht behalten will, der, die Wahrheit zu sagen, überall gewesen, an allen Höfen – in allen Häfen – Glücks- und Unglückshäfen – in allen Kaffee- und Teehäusern Europens – in belle-vue, in laide-vue – in Monplaisir, in Ton-plaisir und Son-plaisir – und so etwas weiter herum; das war ich aber nicht, Walt!«

»Verspottest du ernsthaft meine arme Lage, Bruder?« fragte Walt. »Ernsthaft?« sagte Vult. »Nein, wahrlich mehr spaßhaft. Was den General anlangt, so sag' ich, daß, was du Menschenliebe an ihm nennst, nur Anekdotenliebe ist. Schon im *gelehrten* Deutschland gelten keine Wasser für *tiefe* als die flach *breiten*, vollends aber im geadelten; nur breite lange Geschichte wollte der General von dir aus Langweile, wenn er sie auch schon wußte. Freund, wir Bücher-Menschen – so täglich, so stündlich in Konversation mit den größten belebtesten Männern aus der gedruckten Vorwelt, und zwar wieder über die größten Weltbegebenheiten – wir stellen uns freilich den Hunds-Ennui der Großen nicht vor, die weiter nichts haben, als was sie hören und essen bei Tafel. Gott danken sie auf Knien, wenn sie irgendeine Anekdote erzählen hören, die sie schon erzählen hörten; – aber ich weiß nicht, was du dazu sagst?«

»Über Sachen«, versetzte Walt, »kann man leicht die fremde Meinung borgen und glauben, aber nicht über Personen. Wenn die ganze Welt gegen dich spräche: müßt' ich wohl eher ihr als mir glauben?«

»Natürlich«, sagte Vult. »Was Wina anlangt, so ists mir ganz lieb, daß sie ihre weichen Finger wieder aus den gräflichen Ringen gezogen. So weiß ich auch, daß zwischen dir und dem Grafen die Mißheirat eurer Seelen rückgängig wird.«

Darüber erschrak der Notar ordentlich. Er fragte ängstlich: warum? Vult blies einen Läufer. Er setzte dazu, daß er dem Jüngling seit dem Verluste einer solchen Jungfrau noch heftiger anhänge; und fragte wieder: »Warum, lieber Bruder?« – »Weil du«, versetzte dieser, »nichts bist, gar nichts als ein offener geschworner Notar, der Graf aber ein Graf; du würdest ihm auch nicht größer, wenn du dich nach alter Weise noch einen tabellio nenntest – einen protocollista – einen judex chartularius – scriniarius – exceptor.« – »Unmöglich«, versetzte Walt, »ist in unsern Tagen ein philosophischer Klothar adelstolz; ich hört' ihn selber die Gleichheit und die Revolution loben.«

»Wir Bürgerliche preisen sämtlich auch die Fall- und Wasenmeister sehr und ihren sittlichen Wert, erlesen aber doch keinen zum Schwiegervater und führen keine maîtresse des hautes œuvres et des basses œuvres zum Tanze. – Gott, wenn soll einmal mein Jammer enden, daß ich immer von abgelegtem Adelstolze schwatzen höre? Sei so höflich, Walt, mir einige Grobheiten gegen dich zu erlauben. Bei Gott, was verstehst denn du von der Sache, vom Adel? oder die Schreiber darüber?

Ich wollte, du bliebest ein wenig stehen oder kröchest in jenen Schäferkarren und horchtest mir daraus zu; ich zöge aus der Satire, die ich bei Sonnenuntergang im Zablockischen Garten gemacht, das aus, was herpasset.

Den adeligen Stolz in einen auf Ahnen oder gar in deren Verdienste zu setzen, ist ganz kindisch und dumm. Denn wer hätte denn keine Ahnen? Nur unser Herrgott, der sonach der größte Bürgerliche wäre; ein neuer Edelmann hat wenigstens bürgerliche, es müßt' ihm denn der Kaiser vier adelige rückwärts datierend mit geschenkt haben, wovon wieder der erste geschenkte Ahn seine neuen vier geschenkten bedürfte und so fort. Aber ein Edelmann denkt so wenig an fremde Verdienste, daß er sich lieber von 16 adeligen Räubern, Ehebrechern und Saufausen als ihr Enkel an einen Hof oder in ein Stift oder auf einen Landtag geleiten lässet, als von einem Schock und Vortrab ehrlicher Bürgerlichen davon hinwegführen. Worauf stolziert denn der Edelmann? Zum Henker, auf *Gaben*; wie du und ich als Genies, wie der Millionär durch Erbschaft, wie die geborne Venus, wie der geborne Herkules. Auf *Rechte* ist niemand stolz, sondern auf *Vorrechte*. Letztere, sollt' ich hoffen, hat der Adel. Solang' er ausschließend an jedem Hofe aufwarten, tanzen, der Fürstin den Arm und die Suppe geben darf, und die Karte nehmen; – solange die deutsche Reichs-Geschichte von Häberlin noch nie ein Paar bürgerliche *Weibs*-Füße am Sonntag unter einer Hof-Tafel angetroffen und vorgezogen (der Reichs-Anzeiger rede, wenn er kann); – solange Armeen und Stifte und Staaten ihre höchsten reichsten Frucht-Zweige nie von gemeinen harten *Händen* pflücken lassen, die bloß auf die Wurzeln Erde schaffen und von den Wurzeln leben müssen: so lange wäre der Adel toll, wenn er nicht stolz wäre, auf solche Vorrechte, mein' ich.

Bürgerliche werden, wie die Gewächse im alten System von Tournefort, nach *Blumen* und *Früchten* klassifiziert; Adelige aber viel einfacher, wie von Linné, nach dem *Geschlechts-*(Sexual-) System; und es gibt dabei keine Irrtümer. Den Adelstand ferner verknüpft die Gleichheit der Vorrechte durch ganz Europa. Er besteht aus einer schönen Familie von Familien; wie Juden, Katholiken, Freimäurer und Professionisten halten sie zusammen; die Wurzeln ihrer Stammbäume verfilzen sich durcheinander, und das Geflechte läuft bald hier unter dem Feudal-Acker fort, bald dort heraus am Thron hinan. Wir bürgerlichen Spitzbuben hingegen wollen einander nie kennen; der Bürgerstand ist ungefähr so ein Stand wie Deutschland ein Land, nämlich in lauter feindselige Unterabteilungen zersprengt. Kein Harnisch in Wien fragt nach Harnischen aus Elterlein, kein Legationsrat in Koburg nach einem in Haßlau oder Weimar.

Darum fährt der Adel in ein Fahrzeug mit Segeln eingeschifft, der Bürger in eines mit Rudern. Jener ersteigt die höchsten Posten, so wie das Faultier nur die Gipfel sucht. – Aber was haben wir Teufel? Besitzen wir unbeschreibliche Verdienste: so können diese nicht adeln, sondern sie müssen geadelt werden; und dann sind wir zu brauchen, sowohl zu einem Ministers- als sonstigen Posten.

Doch der Adel erkennt auch selber seine Kostbarkeit und unsere Notwendigkeit gern an; denn er schenkt selber deswegen – wie etwan die Holländer einen Teil Gewürz verbrennen oder die Engelländer nur siebenjährig ihre Wasserblei-Gruben auftun, damit der Preis nicht falle – in seiner Jugend der Welt fast nur Bürgerliche, und sparsam erst später in der Ehe eines und das andere Edelkind; er macht lieber zehn Arbeiter als eine Arbeit, weil er den Staat liebt und sich.

O schweige noch! freilich war dies nur Ausschweifung in der Ausschweifung. – Abnahme des Adelstolzes wollen neuerer Zeit viele noch daraus sehr vermuten, daß ein und der andere Fürst mit einer Bürgers-Tochter tanzte, wie ich trotz meines gelehrten Standes mit einer Bauerstochter, oder daß ein Fürst zuweilen einen Gelehrten oder Künstler zu sich kommen ließ, wie den Klavier- und den Schneidermeister auch, nicht in seinen Zirkel, sondern zum Privatgespräch. »Meine Leute, mes gens« sagen sie von den Bedienten, um sie von uns andern Leuten zu unterscheiden.

Warum reitest und kletterst du aber so eifrig an einem der höchsten Stammbäume hinan? – Daß ich meines Orts droben sitze, als Herr van der Harnisch, hat seinen Grund: ich fenstere auf dem Gipfel meinen Zirkel aus und erhebe, was drunten ist, euch Bürger-Pack; kein Mensch kann sich rühmen, den Adel noch so geärgert zu haben als ich; nur in Städten, wo ich nicht von Geburt war, mußt' ich mich von ihm ärgern lassen, wenn er unter dem Vorwand, meine Person zu schätzen, mich zur Tafel bat, um meine Flöte zu kosten; dann blies ich aber nichts, sondern ich dachte: ich pfeif' euch etwas. Dem weich' ich jetzt ganz aus.«

Walt versetzte: »Ich will deinem halben Ernste ganz offen antworten. Ein Dichter, für den es eigentlich gar keine gesperrten Stände gibt, und welchem sich alle öffnen sollten, darf wohl, denk' ich, die Höhen suchen, wiewohl nicht, um da zu nisten, sondern den Bienen gleich, welche ebensowohl auf die höchsten Blüten fliegen als auf die niedrigsten Blumen. Die höhern Stände, welche nahe um das sonnige Zenit des Staates leuchten, als hohe Sternbilder, sind selber schon für die Poesie durch eine Poesie aus der schweren tiefen Wirklichkeit entrückt. Welch eine schöne freie Stellung des Lebens! Wär' es auch nur Einbildung, daß sie sich für erhoben hielten, und das zwar geistig – denn jeder Mensch, der Reiche, der Glückliche ruht nicht eher, als bis er aus seinem Glück sich ein geistiges Verdienst gemacht –: so würde dieser Wahn Wahrheit werden; wer sich achtet, den muß man achten. Welch eine hohe Stellung, alle mit einerlei Freiheit, alles zu werden – alle im Triumphwagen derselben Ehre, die sie beschützen müssen« – –

»Es ist pechfinster,« sagte Vult, »aber ich bin wahrlich ernst-haft.«

»– die einzeln Namen verewigt und in Wappen-Werken wie Sterne gezählt und fortglänzend, indes im Volke die Namen wie Tautropfen ungeordnet verlöschen – in der heiligen Nähe des Fürsten, der sie zart behandelt im Wechsel seiner Repräsen-tation, es sei als Gesandte oder Generale oder Kanzler – näher dem Staate verwandt, dessen große Segel sie aufziehen, wenn das Volk nur rudert – wie auf einer Alpe nur von hohen Gegen-ständen umrungen – hinter sich die glänzende königliche Linie der alten Ritter, deren hohe Taten ihnen als Fahnen vorwehen, und in deren heilige Schlösser sie als ihre Kinder einziehen« – –

»Glaube mir auf mein Wort,« sagte Vult, »ich lache nicht« –

»– vor sich den Glanz des Reichtums, der Güter, der Höfe und einer blühenden Zukunft – Und nun vollends die schöne freie Bildung, nicht zu einem abgehauenen eckigen Staats-Gliede, sondern zu einem ganzen geformten Menschen, wel-che ihnen Reisen, Höfe, gesellige Freuden unter Gemälden, unter Tönen und am meisten ihre noch mehr gebildeten, schö-nen Frauen, deren Reize kein Gewicht der Not und Arbeit erdrückte, leicht und froh zuspielen, so daß im Staate der Adel die italienische Schule ausmacht, und das arme Volk die nieder-ländische« – –

Der Flötenspieler hatte bisher öfters, wiewohl mit verdächti-ger Stimme, geschworen, er ziehe nicht eine Miene zum Lachen – beteuert, er wolle nicht Vult heißen, wenn er die Fin-sternis benutze und darin still lächle – wiederholt, er sei kein solcher Mann, der lache, sondern so ernst wie ein Totenvogel. Jetzt aber lachte er hell und sagte indes so viel: »Walt, um wie-der einmal auf deinen Grafen zu kommen – schere dich nichts um mein dummes Gelächter über etwas anders, ich bin doch ernsthaft –, den du sonach in Bildungs-Bezug für einen Raffael hältst und dich für einen Teniers, wie wollet ihr zwei Figuren euch denn auf *einer* Leinwand paaren?« –

Walt schwieg verwundet, weil er sich gar nicht für einen

Teniers, sondern eher für einen Petrarca ansah. Aber Vult drang heftig auf das Bindemittel, das der Bruder sich zutraue.

»Ich glaubte, dadurch,« sagt' er leise demütig, »wenn ich ihn recht liebte.« Vult wurde etwas bewegt, blieb aber unerbittlich und sagte: »Um dir aber zuzutrauen, daß du deine Liebe einem solchen Herrn zeigen könntest, mußt du dich, so bescheiden du auch tust, innerlich für einen zweiten *Carpser* halten, ganz gewiß?«

»Wer war dieser?« fragte Walt.

»Balbieramtsmeister in Hamburg, wovon noch die Carpser-straße in der Stadt da ist, weil er darin wohnte; ein Mann, darf ich dir sagen, von so feinen Sitten, so voll belebter Reden, so zauberisch, daß Fürsten und Grafen, die nach Hamburg kamen, ihr erstes und größtes Vergnügen nicht im Pestilenz-haus oder auf dem Dreckwall oder im Scheelengang und in den Alster-Alleen suchten und fanden, sondern lediglich darin, daß unser Balbier zu Hause war und sie vorlassen wollte.«

Der Notar, sich für einen versteckten Petrarca haltend, ver-mochte gar nicht, den Balbier-Amtsmeister so hoch über sich zu sehen; er sagte aber, erweicht durch einen ganzen Nachmit-tag, nichts als die Worte: »Wie glücklich ist ein Edelmann! Er kann doch lieben, wen er will. Und wär' ich einer, und ein redlicher gemeiner Notar gäbe mir nur einige warme Zeichen seiner Liebe und Treue: wahrlich ich würde sie bald verstehen und ihn dann nicht eine Minute lang quälen, ja ich glaube, eher gegen meinesgleichen könnt' ich stolzer sein.«

»Himmel, weißt du was« – fing plötzlich Vult mit anderer Stimme an – »ich habe ein sehr treffliches Projekt – in der Tat für diesen Fall das beste – denn es löset alles auf und bindet dich und den Grafen (falls er deinem Bilde entspricht) schön auf ewig.«

Walt zeigte ihm seine Entzückung darüber ganz und die Neugier, womit er es zu hören kaum erwarten könne. Aber Vult versetzte: »Ich glaube, morgen oder übermorgen lass' ich mich mehr heraus.« – Walt flehte um das Projekt, sie waren nahe am Stadttore und Abschied. Vult antwortete: »So viel kann ich sagen, daß ich nie *Proschekt* sage, sondern entweder französisch projet oder lateinisch projectum.« – Walt fragte, ob er denn nicht seine Freude über den bloßen Vorschlag merke, und ob er nicht denke, daß sie noch stärker steige durch Eröffnung. »Gewiß!« (sagte Vult) »Allein das projet gehört ja in eine ganz andere Nummer, sag' ich dir, denn die heutige ist aus und gute Nacht!« –

N^{ro} 31: PILLENSTEIN

Das Projekt

»Purzel tuts«, fuhr heftig Vult in die Stube des Notars, der freudig versetzte: »Das gebe Gott, und was denn?« – »Ich erkläre alles, und Purzel ist der Theaterschneider, mein Hausherr« – erwiderte Vult mit den Blitzen der Laune im Auge, weil er eben die Digression über den Adel für den Doppel-Roman zu Papier gebracht. – »So viel gibst du zu, daß du einige Heft- oder Demantnadeln zur Bundes-Naht mit Klothar – was eben mein Projekt sein will – vonnöten hast. Handlungen freilich galten von jeher für die besten Fähren zum Herzen, für die rechten Kernschüsse zur Brust, da Worte nur Bogenschüsse sind, oder was man will. Einem einen Uhrschlüssel abkaufen, oder sonst ein Kauf, das sperret mehr am bedeckten Gehäuse eines Menschen auf als dreißig dejeûners in einem Monat von 31 Tagen. Wolltest du also dem Grafen z. B. nur einen Stein ins Fenster werfen oder an das Schulterblatt: so kämest du sogleich mit ihm in Handlung und darauf leicht in nähere Verbindung; oder ebenso auch, wenn du im Finstern auf ihn losfahren, ihn bei den Rockklappen packen und nicht loslassen wolltest, weil du ihn für deinen Bruder gehalten hättest, den du so unbeschreiblich liebtest, gäbest du vor. Da aber das nicht geht, so höre: mein Hausherr Purzel hat jetzt viele turnier- und tafelfähige Kleider in Arbeit, die er für das Theater kehrt und wendet; ich staffiere dich mit einem vollständigen aus – habe vorher dem Grafen, da ich ihn kenne, in einem Billet geschrieben, ich wünschte sehr, eines Abends vor ihm zu blasen – bringe dich dann mit (sprich noch nicht) und lasse dich von ihm ohne besonderes artikuliertes Lügen für einen Edelmann ansehen, bloß weil du (das macht man ihm weis) mein Freund bist und wir miteinander umgehen. Dann kann sich das Adels-Pergament unmöglich mehr als Scheide- und Brand-Mauer und Ofenschirm zwischen eure Flammen ziehen; und falls der Graf wirklich nicht, wie ein Eisstück, ebensoviel Eis unter dem Wasser verbirgt, als er daraus vorhebt: so seh' ich euch, weil du unter und hinter der Flöte ihm alles sagen und zeigen kannst, vielleicht am Altar der Freundschaft verbunden stehen, und ich bin freudig das Kopuliermesser[1]. – – Jetzt sprich!«

»Göttlich, göttlich!« rief Walt und umhalsete Vulten. »Ich stehe dann auf dem Wagenstern der Liebe und rolle durch Himmel. Aber wenn ich ihn habe, den Lieben, ja dann muß ich durchaus – noch denselben Abend – meinen dürftigen Namen sagen; nicht nur ein heißes Herz, auch ein offnes muß ich ihm bringen; es tut dann nichts mehr.« –

Allein der bunte Zauberrauch verzog und senkte sich bald, womit seinen romantischen Geist anfangs das Wagstück berauschte. Das Gewissen stellte sich kalt mit der Waage hin und wog nach Skrupeln. Er konnt' es nicht recht finden, die Freundschaft mit einem Blendwerk anzufangen, wenn er dieses auch nachher vertilge. Der Bruder versicherte darauf, er woll' ihn bloß für seinen Verwandten desselben Namens ausgeben, was ja wahr sei, ferner das *von* im Feuer der Rede vergessen. »Aber wenn ich nun zuletzt sage, ich bin dein Zwillingsbruder, was sagst denn du?« sagte Walt. – »Herr Graf, sag' ich,« – versetzte Vult – »er ist allerdings der Bruder, ja Zwillingsbruder meines Herzens, und geistige oder kanonische Verwandtschaft, dächt' ich, gälte wohl hienieden, da ja unser Herrgott

1 Womit man bekanntlich Zweige pfropft.

selber eine dergleichen mit uns Bestien im allgemeinen verstattet und sich unsern Vater nennen läßt. – Ist diese Verwandtschaft nicht wahr?«

Walt schüttelte. »Was,« fuhr der Flötenspieler fort, »es wäre nicht so, nämlich daß wir uns geistig verbrüderten? O Zwilling, wer ist verwandter? bedenke! Wenn Körper Seelen rmünden und Herzen gatten, so dächt' ich, ein Paar Zwillinge – um neun Monate früher einander verschwistert als alle andere Kinder – in ihrer zweischläferigen Bettstelle des ersten Schlafes ohne Traum – teilend alle und die frühesten und wichtigsten Schicksale ihres Lebens – unter *einem* Herzen schlagend mit zweien – in einer Gemeinschaft, die vielleicht nie im Leben mehr vorkommt – gleiche Nahrung, gleiche Nöten, gleiche Freuden, gleiches Wachsen und Welken – beim Teufel, wenn ein solcher Fall, wo im eigentlichsten Sinn zwei Leiber *eine* Seele ausmachen, wie ja der alte und erste Aristoteliker, nämlich Aristoteles selber, begehrt zur Freundschaft, zum Sakerment, wenn von solchen Personen nicht der eine Zwilling sagen dürfte, er sei mit dem andern geistig genug verwandt, Walt, wo wäre denn noch Verwandtschaft zu haben auf Erden? Kann es denn, du ordentlicher Bruder-Mörder, frühere, nähere, ältere, peinlichere Freundschaften geben als bei solchen Zwillingen? O Gott, du lachst ja über Gerührte!« schloß er wild und fuhr heftig mit der ganzen breiten Hand über die Augenknochen.

»Da wär' ich ja der Hölle wert«, rief Walt und fing dessen Hand, um sie auf sein nasses Auge zu decken – »O Bruder, Bruder, weißt du es denn nie, wie ich dich fasse und deinen weichen Geist im stärksten Scherz? Ach, wie ist dein Inneres so schön und mild, und warum weiß es denn nicht die ganze Welt? – Darum aber, was wär' ich, wenn ich es litte, was du bei Klothar wagen wolltest für mich? Nein, fremde Opfer mag man wohl annehmen, um von Martern loszukommen, aber nie, um mit ihnen Freuden einzukaufen. Die Sache geht nicht, guter Vult!«

Aber hier war dieser schon die Treppe hinab. Indes, je mehr der Notar nachsann, desto unbilliger fand ers, auf Vultens

Kosten den Himmel der Freundschaft zu erstehen. Zuletzt schrieb er ihm bestimmt, sein Gewissen leid' es unmöglich.

Wenige Stunden darauf antwortete Vult folgendes:

p. p.

Fraterkul! Eben erhalt' ich des Grafen Jawort mit deinem Neinwort; du mußt also mit, oder meine Ehre leidet gewaltig. Fleuch und flieh' in einer guten Stunde zu mir. Dein Umkleid oder Masken-Charakter liegt schon auf dem Stuhl. Der Friseur ist bestellt mit Vorsteck-Locken. Sporen und die Steifstiefel darzu stehen auch fertig. Glaube mir aber auf Ehre, daß ein Bühnen-Habit für dich ausgelesen ist, der nicht simuliert, sondern nur dissimuliert. Ein anders – als was ich tue und miete – wäre, wenn ich dich in einen Berghabit oder in eine Mönchskutte oder in einen Waffenmantel oder in ein Bischofs-Pallium oder in englische Kapitäns-Uniform oder in den Satan und seine Großmutter steckte; so hingegen fällest du proper aus und unkenntlich, und dabei doch sittlich und wahr. Versuch' ihn nur bei mir an, deinen polnischen Rock und Mantel der Liebe für Klothar. Purzel denkt gut, ja wohlfeil. – Ich schmachte freudig nach dem Spaß. Der Abend macht dich noch unkenntlicher, des Puders gar nicht zu gedenken, den du weglassen mußt. Dir zu schreiben vergess' ich ganz, daß ich nämlich – als ich den guten Grafen anfangs ins Rosental eingeladen zu einem matten Souper, natürlich ohne *deiner* Erwähnung – von ihm umgekehrt in seinen Garten invitieret worden. Komme bestimmt, ich brenne. Denn dieser Abend fället Definitiv-Sentenzen und Mandate ohne Klauseln über 40 bis 50 tausend Abende nachher. Gegenwärtiges schreib' ich fast gerührt; – Garrick wußte das bloße Alphabet so herzusagen, daß die Leute dazu tränten; aber woraus besteht denn alles, was angreift, als aus Alphabeten? – Herzen gleichen Gänse-Eiern: die, so in lauem Wasser nicht sich bewegen, sind faule und tote – Gott, ich werde heute so blasen, so trillern! Ich freue mich freilich zu sehr.

P.S. Ich muß dir doch berichten – anfangs wollt' ich nicht –, daß dein künftiger Freund Klothar morgen früh um 3 Uhr auf und davon reiset, wie er sagt, nach Dresden – eigentlich aber wohl, wie ich sage, nach Leipzig, um durch die protestantische Mutter die katholische Braut sich anzuöhren. Bist du nicht der vollständige Schomaker II.: so kommst du heute und schlägst als Bürger mit dem Edelmann den Pedal-Triller der verwobenen Freundschaft. Denn wo wäre Lüge, sobald *ich* nicht sage – und du ohnedies nicht –, daß du ein Edelmann bist, sondern ich nur anfangs, daß du mein Freund – und du zuletzt, daß du ein Notarius bist – wo, frag' ich?

*

»Ach, ich komme freilich!« schrieb Gottwalt zurück.

N<u>o</u> 32: HELLER IM STRAUSSENMAGEN

Menschenhaß und Reue

Personen, die Vults alten, noch versiegelten Brief an Walt gedruckt gelesen, durchschauen am ersten alle geheime Zwecke bei seiner Einkleidung des reinen Notars und finden deren nicht weniger als zwei. Der *erste* geheime Zweck Vults ist wahrscheinlich der, sich mehr zu ärgern als bisher und dadurch – indem er der brüderlichen Freundschaft gegen den Grafen zusieht oder gar der Erwiderung derselben – sich zu jenem zornigen Ausbruch aufzutreiben, ohne welchen, seiner bekannten Meinung nach, an Versöhnungen gar nicht zu denken ist, außer an schlechte. Freundschaftliche Eifersucht ist viel stärker als liebende, schon weil sie nicht, wie diese, ihren Gegenstand zu verachten vermag. – Die *zweite* Absicht Vults bei dem Verkleiden kann sich nur auf den Wechsel- oder Hornschluß gründen, daß der Graf den Notar – wenn dieser den adeligen Pfauenschwanz fallen lassen – als nackte Notariats-Krähe entweder wild aus Herz und Garten jagt (dann gewänne eben Vult), oder ihm, wie eine Krähe der andern, nichts aushackt (dann könnte Vult sehr zanken und sich spät versöhnen); – und einen dritten Fall gibt es eben nicht.

Der Notar kam ziemlich beklommen bei dem Bruder an. »Hier«, sagte Vult, »liegt der menschenhassende Meinau aus Kotzebues Menschenhaß und Reue auf dem Stuhl« und zeigte auf den feinsten Überrock, den Purzel für edle Bühnen-Charaktere gekehrt hatte, ferner einen langhaarigen Rundhut, gespornte Steifstiefel, drei Ellen lange Halsbinden für den Hals, um die Farben im Gesicht zu unterbinden, und seidene Unterkleider. Aber was vorher leicht durch den Äther der Einbildung flog, steckte jetzt fest vor Walt in der unbehülflichen Gegenwart, und die Sünde zerfiel in Sünden.

»Beim Henker,« sagte Vult und streifte dem Notarius das Zöpflein herunter, »skrupelst du doch, als könnt’ es nicht ebensogut eine An- als Verkleidung vorstellen. Besteht denn ein Edelmann in einem Paar Stiefeln und Sporen? Versäuere mir nichts!« –

Ein Friseur erschien. Das ganze Haar mußte in unzählige Locken zurückrollen. Darauf wurd’ er hermetisch mit Seide und Tuch versiegelt; und sein Kern wuchs ganz in die Kotzebuische Schote hinein.

Unterwegs schwur ihm Vult, er sei – schon wegen der Dämmerung – unkenntlich genug; und ein Großer sehe und behalte kein Bürgergesicht. Am Ende wurd’ ihm selber der Notar, der blühend, liebe-zitternd neben ihm ging, ordentlich zum menschenfeindlichen Meinau. »Es fehlt nicht viel,« sagt’ er, »so fall’ ich dich an, weil ich denke, ich habe Meinau vor mir, der sich einige Akte lang schmeichelte und angewöhnte, die Menschen zu hassen aus Mädchen-Liebe, wie etwan Hasen durch Schlagen dahin zu bringen sind, daß sie trommeln wie Krieger. Weichen Schlamm und Sumpf soll der Kollegienrat K. abmalen, aber nicht Dieterichs-Felsen. Mit seinen *Patent-Herzen*, wie Pott mit Patent-Füßen zum Knien, steh’ er feil, sogar mit verächtlichen, aber nur nicht mit verachtenden! Da sei der Teufel so sanft wie ein Exjesuit, wenn man überall *vor* und *auf* der Bühne Jünglingen begegnet, die Fait von Menschen-Verachtung machen, weil ein Mädchen sie ein wenig verachtet hatte – Tröpfe, bei denen der misanthropische Tollwurm nur, wie bei Hunden, im *Zungenbande* besteht und denen er, wie Kindern der Wurm, abginge, wenn man sie *stärkte* – Walt, unterstehst du dich auch und hassest die Menschen?« – »Nicht *einen,* auch nicht einen unglücklichen Menschenfeind,« (sagt' er unendlich sanft) »aber du fragst doch sehr hart.« – »Vergib,« versetzte Vult, »ich fahr' schon seit zehn Jahren auf und los, wenn ich nur etwas vom Theater rieche, und wär's nur ein Souffleur, oder der Souffleur des Souffleurs, der Poet, ja ein bloßer Hofrat – da doch die meisten Theater-Helden, wie in Dorpat die Professoren, Hofrats-Rang haben –; denn, das Schauspielervolk ausgenommen, zeigt nichts eine so ekle Gemeinheit als das Bühnenschreibervolk; Spieler und Schreiber verkörpern und beseelen sich wechselseitig; und bekielen sich mit Lanierschwänzen« – »Lanierschweife?« fragte Walt.

»Sind der Schwanz,« versetzte Vult, »den ein Falkenier einem abkräftigen Falken in die offnen *Kiele* des ausgefallenen künstlich einklebt mit ein wenig Hausenblasenleim. Die armen Schauspieler (transzendente Statisten) sind die Statuen, welche[1] jeden Abend eine Seele von ihren Bildhauern oder Dichtern fodern, um davon zu leben.«

Sie kamen im Park an, wo ihnen der Graf mit seiner einfachen, ernsten, vornehmen Haltung entgegenging. »Es ist mein Freund und Verwandter gleiches Namens«, stellte Vult den gekehrten Meinau dem Grafen vor, – »seine Liebe zur Flöte treibt ihn mir nach.« Walt machte statt vieler Entschuldigungen – die ihm der Bruder abgeraten – ganz keck nur einen Bückling, weil der Graf, hatte Vult gesagt, wenig Welt besäße, wenn

---

[1] Die Perser glauben, daß die Statuen am Jüngsten Tage Seelen von den Bildhauern begehren werden.

er ihn in seinem Garten ausfragen wollte wie ein Katechet unter dem Tore.

Walt dachte gleichfalls zu redlich, um vor dem Grafen etwas anders, nur den schwächsten Gedanken, zu verkleiden als seinen Leib. Vult hatte recht gehabt, daß Große, die auf Reisen und an Höfen an zwanzig Heere von Menschen gesehen, nicht leicht den Nachtrab aus einem Notarius sonderlich im Kopfe behalten und aufheben. Klothar sah ihn ein wenig sinnend an, kannte aber den viellockigen, zopflosen, dickbindigen Kavalier in der Dämmerung nicht.

Letzterem wurd' es etwas eng in seiner Meinaus-Haut. Die Verkleidungen in Romanen bilden die in der Wirklichkeit den Menschen zu lustig vor. Wie im Zimmer das Wetter, so ist im Freien die schöne Natur der Notpfennig und Hecktaler des Gesprächs – Walt hatte dem Grafen kein Hehl, daß diese Stelle (wo er einmal abends dem Musizieren zugehöret hatte), mit der Katarakte hinter dem Rücken, der Vestalin-Statue dabei, den fernen Höhen, ihre wahren Reize habe. Klothar aber wollte wenig daraus machen, sondern versicherte, jeder Park gefalle nur einmal.

Der Flötenspieler war so wortkarg und höflich gegen den Grafen als dieser selber und sparte Laune und Zunge nur der Flöte auf. Die Gebrüder Harnisch wurden mit einem mehr aus Blättern als aus Beeren gequetschten Wein bewirtet. Der Graf trank keinen; Walt aber einigen, um wie ein Schmidt Verstärkungs-Wasser ins Feuer zu sprengen. Vult, über den Krätzer und alles aufgebracht, ging schnell mit der Flöte auf und ab, ohne zu blasen.

Klothar überließ ihn seiner Laune. Endlich fing er (lustwandelnd dabei) sein Flötenkonzert ein wenig an und blies aus Künstler-Kälte gegen jenen nur obenhin – zerstückte Phantasier-Galloppaden – musikalische Halbfarben zu Halbschatten – starke Eingriffe in die Flöten-Saiten, wie sie die Faust eines Sturmwinds auf die Äolsharfe tut.

Beiden Kavalieren wurde durch dieses melodramatische

Absetzen das Gespräch angenehm durchschossen, in welches sie miteinander geraten durften unter solcher Musik. Der englische Park wurde ein Postschiff, worauf beide nach England übersetzten, um es einmütig zu besehen und zu erheben. Klothar lobte die britische Ungeselligkeit: »Zu gewissen Fehlern gehören Vorzüge«, sagte er. »Nur Blumen schlafen, nicht Gras«, sagte Walt, der durch Poesie und Übersicht leicht die fremde Meinung in seine übersetzte und umgekehrt. Wer immer nur die Morgen- und Sonnenseite sucht, findet leicht überall Wärme und Licht. Klothar behauptete, daß die Freundschaft keinen Stand kenne, wie die Seele kein Geschlecht. Walt tournierte seine Antwort dergestalt, daß sie so klang: »Auch im Bestreben, die Ungleichheit zu vergessen, müssen beide Freunde gleich sein«; aber seine Aussprache war ein wenig bäuerisch, und sein Auge blickte nicht fein, sondern es strömte klar über von Liebesfeuer. Der Graf stand ruhig auf und sagte, er entferne sich nur einen Augenblick, um die Abreise eine halbe Stunde später anzuordnen, und er gestehe, er sei selten so leicht verstanden worden als diesen Abend.

Mit unsäglicher Entzückung sagte Walt leise zu Vult: »Habe Dank, habe Dank, mein Vult! – O so sollte man doch nie das Benehmen eines Menschen gegen uns, und wär' es noch so frostig, zum Maße seines Wertes machen! Wie viel reiche Seelen gehen uns durch Stolz verloren! – Ich sag' *ihm* nachher alles, Vult.« – – »Der Krätzer aber« – versetzte Vult – »könnte etwas besser sein. – Das tu'! – Ich halt' *ihn* selber für keinen selbstsüchtigen Eisvogel und Frost-Zuleiter weiter. – Er wußte zwar von deinem Gesichte und von der schnellen Kur meiner stadtkündigen Erblindung nichts mehr; es mag aber mehr in seiner Memorie liegen und ohnehin darin, daß ein fremder Mensch ihm weniger sein muß als sein eigner.« Und hier ergoß er sich, ohne Antwort abzuwarten, in seine Flöte, seine zweite Luftröhre, sein Feuerrohr, und blies schon trefflich, als der Graf kam.

Dieser hörte das Spiel aus und sagte nichts. Walt konnte

nichts sagen; er hatte den Mond, den Grafen, den Wein, die Flöte und sich selber im Kopfe. Der Mond hatte die mit Windmühlen besetzten Höhen erstiegen und glänzte vom Himmel herunter in die weite Ebene und den Fluß voll Licht. Der Notar sah auf dem Gesicht des Jünglings ein ernstes, tiefes und schmachtendes Leben wehmütig im Mondschein blühen. Die Töne wurden ihm ein Tönen, die Flöte setzt' er schon als ein Posthorn auf den Bock, das ihm den neuen Freund und die süßeste Zukunft davonblase in weite Fernen hinein; »und wo kann der Gute wiederfinden,« dachte Walt, »was er verlassen und beweinen muß, eine Geliebte wie Wina?« – Länger konnt' er sich nicht halten, er mußte die zarte Hand des Grafen haben.

Da er unbeschreiblich delikat sein wollte, und zwar in einem Grade, der, hofft' er, über die ältesten französischen Romane der französischen Weiber hinauslief: so erlaubt' er sich nicht von weitem zu bemerken, daß die Achse an Klothars Braut-Wagen zerbrochen sei. »Wir hätten uns früher«, sagte der Graf und drückte die Hand, »sehen sollen, eh' die Sphinx, wie ein sehr wackerer Dichter die Liebe beschreibt, mir die Tatzen zeigte.« – Walt war der wackere Dichter selber gewesen. Mit diesem silbernen Leitton wurd' er ordentlich von dem zur Saite gespannten Liebesseil, das ihn gab und worauf er tanzte, aufgeschnellt, er konnte die Himmel nicht zählen (der Flug war zu schnell), wodurch er fuhr. Er drückte mit seiner zweiten Hand seine erste recht an die fremde ergriffene und sagte – nichts von seiner dichterischen Vaterschaft, sondern –: »Edler Graf, glauben Sie mir, ich kannte Sie schon früher, ich suchte und sah Sie lange – – Blase, Guter« – wandt' er sich plötzlich zu Vult, der zwischen Himmel und Hölle auf- und niederfuhr mit jener männlichen Lustigkeit, die dem weiblichen hysterischen Lachen gleicht –, »milder, blase Hirtenlieder, Lautenzüge, Gottesfrieden.«

Vult spielte noch fünf oder sechs Kehraus und Valetstürme und hörte gar auf, weil er sich zu gut dünkte und es zu lächerlich fand, den Abfall von seinem Herzen, den Text abtrünniger

Empfindungen in Musik zu setzen. »Auch ich entsinne mich Ihrer Erscheinung, aber dunkel, doch wünsch' ich Ihr Inkognito nicht zu brechen«, versetzte der Graf. »Nein, es werde gebrochen« (rief der Notar) »ich bin der Notarius Harnisch aus Elterlein, derselbe, der den Brief des Fräuleins Wina im Park fand und übergab.«

»Was?« sagte der Graf gedehnt und stand als König auf; er besann sich aber wieder und sagte ruhig: »Ich bitte Sie sehr ernsthaft um Ihren Namen und besonders um die Eröffnung, inwiefern Sie in die Brief-Sache verwickelt waren.« Walt sah sich nach dem Flötenisten um; aber dieser war nach seinen Sturm-Stößen in die Flöte seitwärts in einen Gang getreten, um zwei Herzens-Ergießungen aus dem Weg zu gehen, wobei nach seiner Überzeugung nichts Geringeres als er selber ersoff.

Walt erschrak über des Grafen Erschrecken und sagte: er wünsche herzlich, nichts Unangenehmes gesagt zu haben. »Gott, was ist mit meinem Bruder?« rief er; eine Schlägerei und Vults Stimme lärmten im Gebüsch. »Im Park ist keine Gefahr« – sagte der Graf – »nur weiter, weiter!« – Walt erzählte schnell das Finden des offnen Briefes im Park. »Was, Monsieur?« rief jener laut neben dem lauten Wasserfall. »Er kann sich unterstehen, meine Briefe, die Er in *meinem* Parke aufgelesen, dem Generale zu übergeben, um sich bei ihm einzuschmeicheln, weil dieser der Rittergutsherr von Elterlein ist, Herr?«

Walt wurde wie von zwei Blitzen getroffen, gelähmt und gereizt; mit sterbender milder Stimme sagt' er: »Ach Himmel! das ist aber zu ungerecht – Unglück über Unglück – ich bin wohl unschuldig – Nein, nein, nur nicht so entsetzlich ungerecht sei man – Und es war in Neupeters Park.« –

Vult hörte Klothars Stimme und lief aus der Mooshütte her, worin er aus Verdruß seine alte Kunst, mit seinem Ich eine prügelnde Stube vorzustellen, getrieben hatte. Walt stand an der Statue der Vestalin, die den Kopf senkte, als wär' er ihr

Ehemann. Der Flötenist, auf eine noch geistigere Schlägerei treffend, als seine gewesen, sah aus allem, daß Walt seine adelige Hülse und Raupen-Haut abgesprengt habe und als feste unbewegliche Puppe da hänge. Er bat sich sogleich vom Grafen einige Erklärung des Unwillens aus.

»Sie liegt in der Sache« – versetzte, ohne ihn anzusehen, dieser – »nur begreif' ich nicht, wie man keck genug dieselbe Person aufsuchen kann, deren Briefe man lieset, man usurpiert und man in falsche Hände spielt, die ausdrücklich darin verbeten wurden.« – »O ich habe nichts gelesen« – sagte Walt – »ich habe nichts getan; aber ich erdulde gern das härteste Wort, da ich ein solches Unglück über Sie gebracht«, sagte Walt und zog im Krampf der Hand einen kurzen Theaterdolch aus dem menschenfeindlichen Überrock und schwang ihn unbewußt. Der Graf bog sich ein wenig zurück vor dem Sack-Stilett: »Was soll das?« sagt' er zornig. – »Herr Graf,« fing Vult sehr stark an, »auf mein Ehrenwort, er hat nichts gelesen, sag' ich, ob ich gleich nicht weiß, von was die Rede ist. – Gottwalt, besieh', was du in der Hand hast!« Glühend stieß dieser die Waffe in die Scheide der Tasche.

»Herr van der Harnisch,« wandte Klothar sich zum Flötenspieler, »von Ihnen hab' ich mir eine besondere Erklärung auszubitten, inwiefern Sie mir diesen Notar unter fremdem Namen präsentieren konnten.« – »Ich stehe zu jeder da« – versetzte Vult – »als meinen Freund und Verwandten gab ich ihn – das bleibt er – ich konnt' ihn auch als mutmaßlichen Gesamt-Erben der van der Kabelschen Erbschaft präsentieren. Ist sonst noch eine Erklärung nötig?« – »Ich würde sie fordern,« versetzte der Graf, »wenn ich nicht eben in den Reise-Wagen stiege.« – »Ich bin erbötig, nachzusteigen und darin auseinanderzusetzen oder überall«, sagte Vult und ging dem Grafen beleidigt nach, der auf seinen Wagen mit stolzer Kälte zuschritt. »O hör' auf mich, schone mich,« bat Walt, »du weißt nicht, was ich ihm genommen.« –

»Der Narr soll nicht hitzig reden, und du bist auch einer«,

fuhr er den Notarius an. »Herr Graf, Sie sind mir noch Antwort schuldig«, sagte Vult. »Gar keine; aber ich frage: sind Sie beide Brüder?« sagte Klothar.

»Vater und Mutter müssen Sie fragen, nicht mich«, sagte Vult. Der unglückliche Notar konnte matt den Sargdeckel nicht aufstoßen, zu welchem hinunter er die polternden Zurüstungen zu einem Duelle über seinem Kopfe hörte. »Wenn Sie niemand unter falschem Titel präsentiert haben als sich selber, so brauch' ich keine Erklärung; von Bürgerlichen forder' ich keine«, sagte der Graf und saß im Wagen. Vult ließ die Türe nicht schließen und rief noch hinein: »Können denn nicht die zwei Narren von Adel sein – oder gar drei?« Aber der Wagen rollte fort, und er blieb mit vergeblicher Tapferkeit zurück.

Walt konnte erdrückt dem Menschen kein Glück nachwünschen, dem er das größte genommen; nicht einmal im Herzen wagt' er es, Wünsche auszudenken. Ohne Worte schlich er mit dem stillen Bruder aus dem verlornen Eden-Garten. Vult sah den Bruder unter der innern tiefhängenden Wetterwolke gebogen gehen; aber er sprach kein Wort zum Trost. Walt nahm dessen Hand, um sich an ein Herz anzuhalten, und fragte: »Wer kann mich noch lieben?« Vult schwieg und hielt seine Hand nur schlaff. Walt entzog sie; das steife scharfe Schweigen hielt er für eine Strafpredigt gegen seine Versündigung. Er ging weinend durch die lustigen Abend-Gassen, neben einem Bruder, um dessen eifersüchtige Brust die Tränen wie versteinernde Wasser nur Stein-Rinden ansetzten.

»Warum hast du mich beschützen wollen?« sagte Walt. »Ich war ja nicht unschuldig. Weißt du alles mit dem Briefe?« Vult schüttelte kalt den Kopf; denn Walts frühere Erzählungen davon waren, wie alle seine von sich, aus blöder Demut zu karg und unbestimmt gewesen, als daß Vult sein altes, von der Welt gewecktes historisches Talent, jede Begebenheit rück- und vorwärts zu konstruieren und zu der kleinsten eine lange Vergangenheit und Zukunft zu erfinden, sehr dabei hätte zeigen können. Walt hatte von diesem Hoftalent nichts an sich; er sah und

strich in einem fort ein Faktum malend an; und weiter bracht'
ers nie.

Walt erzählt' ihm nun das unglückliche Übergeben von
Winas Brief an ihren Vater. »Ei Teufel!« – rief Vult verändert,
denn er erriet nun alles und erschrak über die Verwicklung, in
welche er den Bruder gezogen – »Schuppe dich droben bei mir
ab.« – »Ja,« – sagte Walt – »und ob ich gleich kein Unglück
wollte, so hätt' ich doch die Absicht nicht haben sollen, den
Vater und die Braut zu sehen. Ach, wer kann denn sagen im
vielfach verworrenen Leben: ich bin rein. Das Schicksal hält
uns« (fuhr er auf der Treppe fort) »im Zufalle den Vergrößerungsspiegel unserer kleinsten Verzerrung vor – Ach, über dem
leisen leeren Wort, über sanften Klängen steht eine stille bedeckte Höhe, aus der sie einen ungeheuern Jammer auf das
Leben herunter ziehen.«[1]

»Schäle dich nur zuvörderst aus dem Hunds-Meinau heraus«, sagte Vult sanfter, als sie ins stille, von Mondlicht gefüllte
Zimmer traten. Schweigend hob der Notar den Kotzebuischen
Zuckerguß, wie ein Strom sein Eis, tat sanft den Überrock und
Koadjutor-Hut ab und strich die Locken wieder aus. Als Vult
im Mondlicht dem betrübten Schelm das dünne Nankingröck-
chen wie einen Gehenkten am Aufhäng-Bändchen hinlangt'
und er es überhaupt überlegte, wie lächerlich der Bruder mit
dem Korkwams der Verkleidung auf dem Trocknen sitzen
geblieben: so dauerte ihn der getäuschte stille Mensch in seinen
weiten Steifstiefeln unsäglich, und ihm brach mitten im
Lächeln das Herz in zwei Stücke von – Tränen entzwei. »Ich
will dir« – sagt' er, sich hinter ihn wie hinter ein Schießpferd
stellend – »das Zöpflein machen. – Nimm aber das Zopfband
zwischen die Zähne; das eine Ende.«

Er tats fast verschämt. Als Vult gar das weiche Kräuselhaar
unter die Finger bekam und den brüderlichen Rücken vor sich
hatte – der sehr leicht den Menschen auf einmal tot, fern und
abwesend darstellt und durch diese Linienperspektive des Her-

[1] Ein Wort, ein Glockenton reißet oft die Lauwine ins Fallen.

zens das fremde mitleidig bewegt –: so hielt er dem Kopfe den Zügel des Haares ganz kurz am Genick, damit Gottwalt sich nicht umkehren könnte, weil er ihm mit fast schwerer Stimme (weinen konnt' er in solcher Stellung frei und lustig, wie er wollte) die Frage tat: »Gottwalt, liebst du einen gewissen Quoddeus Vult noch?«

In der Stimme lag etwas Gerührtes. Walt wollte sich eiligst herumwerfen, aber er wurde an den Haaren gehalten. »O Vult, liebst du mich denn noch?« rief er weinend und ließ das Zopfband fahren.

»Mehr als jeden und alle Spitzbuben hienieden,« – versetzte Vult und konnte schwer reden – »und darum krächz' ich wie ein Hund und wie ein Weib. Beiße wieder aufs Zopfband!« – Aber der Notar fuhr schnell herum und wurde schneeweiß, als er Tränen über das Wellen schlagende Gesicht des Bruders rinnen sah: »O Gott! was fehlt dir?« rief er. – »Vielleicht nichts oder so etwas,« sagte Vult, »oder gar Liebe. So fahr's nur heraus, das verfluchte Wort, ich war eifersüchtig auf den Grafen. Es ist nicht sauber vom Bruder, sagt' ich mir, daß er so reviert und jagt, da man ihm mehr zugetan ist als allen Menschen, die der Satan sämtlich hole, und von welchen ich in der Tat so schlimm denke als irgendein Kirchen-Vater, ein griechischer oder römischer. Er muß nur nicht denken, mich mit lumpiger Geschwister-Liebe abzufinden. Mein junges Leben steht schon sehr trocken da, die Freihäfen der Liebe hat ihr Meer verlassen – und keine Katze kann hinein und ankern – Bruder, ich hatte oft einige Tage voll Ohrenbrausen, Nächte voll Herzgespann – Der Donner, ich weinte einmal abends gegen halb 12 Uhr« – –

Er mußte aber innen halten, die Unterlippe des bestürzten Notars zog ein heißer schwerer Liebesschmerz tief herunter. »Was betrübt dich so?« fragte Vult. Walt schüttelte – schritt weit auf und ab – nahm bald ein Glas, bald ein Buch in die Hand – sah nichts an – schauete in den hellen Mond und weinte heißer. »So sei es gut!« sagte Vult; »wir wollen die alten sein«, und umarmte ihn, aber Walt riß sich bald los. Endlich faßt' er sich und sagte schmerzlich: »Muß ich denn alles unglücklich machen? Du bist heute der *dritte* Mensch. Die drei Wachskinder in meinem Traum.«

Vult fragte, um ihn von den Schmerzen abzuführen, dringend nach dem Traum. Ungern, eilig erzählte Walt: »Verhüllte Gestalten gingen vor mir vorbei und fragten mich, warum ich nicht jammerte und nicht blaß würde. Eine nach der andern kam und fragte. Ich zitterte vor einer ungeheuern Entschleierung. Da flogen drei bildschöne Kinder aus Wachs vom Himmel, sie blickten freundlich, grüßten mich. Gebt mir die weißen Händlein und zieht mich hinauf, sagt' ich. Sie taten es, aber ich riß ihnen die Arme mit der Brust aus, und sie fielen tot herunter. Und schon als ich erwachte, sah ich noch einen fernen dunklen Leichenzug, der auf den Knien weiterzog. Der Traum ist eingetroffen.«

Vult, dem der zornige Schmerz wie weggezaubert war, machte jetzt alle Anstalten zur Kur des fremden; er stellte ihm alles auf der leichtern Seite vor, klagte den giftigen Schmollwinkel in seiner linken Herzenskammer an, in welchem ein Schmoll-Kobold und Werwolf hause und feurig blicke, zog das Silber von den Giftpillen ab, die er bisher in seine Billette eingewickelt hatte, und machte sein Naturell bekannt, das ohne tüchtigen Zank nicht traktabel werde, wie die Haubenlerche allezeit singe, wenn sie keife, und schwur, Walt sei nicht der erste, dem er mit diesem Seelen-Pips beschwerlich falle, sondern der letzte; denn dessen grenzenlose Leutseligkeit stelle ihn gewiß davon her.

Aber Walt wollte wenig Vernunft annehmen, hielt alles für opfernde Zartheit und warf ein, daß ihn Vult ja eben gegen den Grafen so feurig beschirmt und bisher zu diesem sogar den Weg gebahnet habe. »Aus Gift, Schatz,« sagte Vult, »und einigem Stolz dazu, nur darum. Hier,« – fuhr er fort und holte den mit zwei Siegeln verschlossenen Brief hervor – »lies den Beweis, ich habe dich voraus gerechtfertigt, und mich besonders.«

Der Notarius machte aber das Blatt nicht auf, er sagte, er glaubte aufs Wort und verstehe ihn endlich, und jetzt sei ihm wieder um vieles besser. Vult ließ es dabei und drückte sich dem Bruder mit der lang verschobenen heißen Umarmung an das Herz, die seinen wilden Geist erklärte.

Und der Bruder wurde glücklich und sagte: »Wir bleiben Brüder.«

»Nur *einen* Freund kann der Mensch haben, sagt Montaigne«, sagte Vult.

»O! nur *einen*«, sagte Walt – »und nur *einen* Vater und nur *eine* Mutter, *eine* Geliebte – und nur *einen, einen* Zwillings-Bruder!«

Vult versetzte ganz ernsthaft: »Jawohl, nur *einen*! Und in jedem Herzen bleibe nur die Liebe und das Recht.«

»Spaße wieder wie sonst, ich lache gewiß, so gut ich kann« – sagte Walt – »zum Beweise deiner Versöhnung; dein Ernst durchschneidet sehr das Herz.«

»Wenn du willst, so kann wohl gescherzt werden« – sagt' er – »Und nein! Bei Gott nein! – Wenn die Kamtschadalen glauben – nach Steller –, von zwei Zwillingen habe jederzeit der eine einen Wolf zum Vater: so bin ich wahrlich dieser Wolfs-Bastard-Mestize-Mondkalb, du schwerlich. Jetzt, da wir alle klar über die Verwicklung sprechen können, darf ich dir sagen, daß du durchaus rein und recht gegen den Grafen gehandelt; nur daß du zu wenig Egoismus hast, um irgendeinen zu erraten. Klothar hat fast großen – wahrlich, ich greife heute niemand an, sondern schlage dir nach – Aber die Philosophen, junge gar, wie er, sind doch bei Gott den Augenblick egoistisch. Menschenliebende Maximen und Moralien sind, weißt du, nur Scherwenzel; ein Licht ist kein Feuer, ein Leuchter kein Ofen; dennoch meint sämtliches philosophisches Pack das Deutschland hinauf und hinab, sobald es nur sein Talglicht in das Herz trage und auf den Tisch setze, so heize das Licht beide Kammern zulänglich.«

»Lieber Vult« – sagte Walt mit der allerzärtlichsten Stimme –

»erlasse mir die Antwort; ich darf heute am wenigsten über den unglücklichen Klothar aburteilen, dem ich das Schönste genommen, und der nun einsam in der Nacht hinreiset mit nächtlichem Herzen in nächtliche Zukunft. Du bist rein, nicht ich; du kannst sprechen.«

»So sprech' ich,« sagt' er, »der Philosoph hat sich diesen Abend gehäutet; und das bedeutet, wenns Spinnen tun, klares Wetter. Apropos! häute dich, aber besser und physisch!« – Das tat Walt; jener hielt ihn, als er sich zum Entkleiden auf den Stiefelknecht stellte. »Wie lächelt der Mond«, sagte Vult, »im Zimmer herum! « – Darauf setzte er hinzu: »Stelle dich in den süßen Schein und nimm wieder das Band-Ende zwischen die Zähne; jetzt flecht' ich dir dein Zöpflein mit ganz andern Empfindungen und Fingern als vorhin, pompöser Krauskopf!« – Darauf schieden sie ruhig und liebreich.

Ende des zweiten Bändchens

DRITTES BÄNDCHEN

N⁽ᵗᵒ⁾ 33: STRAHLGLIMMER

Die Brüder – Wina

Selige, heilige Tage, welche auf die Versöhnungsstunde der Menschen folgen! Die Liebe ist wieder blöde und jungfräulich, der Geliebte neu und verklärt, das Herz feiert seinen Mai, und die Auferstandenen vom Schlachtfelde begreifen den vorigen vergessenen Krieg nicht.

Schlachten heitern den bezognen Himmel auf; beide Brüder standen nach der ihrigen im hellsten Wetter da und sahen sich und alles schön beleuchtet. Walt, der nichts war als Lieben und Geben, wußte jetzt gar nicht, wie er beides noch zärter, noch wärmer gegen seinen Bruder sein könnte; denn er trachtete nach dem höchsten Grade; die Narben der kleinen Gewissens-bisse brannten ihn noch ein wenig, und die Tränen des sonst dürren Vults hatt' er in seiner Seele aufgehoben. Vult stand sel-ber als ein Mensch mit neuen Melodien aus dem Kanon der Liebe da. Ob er diese gleich mehr durch Taten als durch Zei-chen wirken ließ, so war sie doch zu sehen; sein häufiges Kom-men, sein Nachgeben, seine Milde, seine Helfbegierde und bei dem Abschiede – wenn er eben schnell genug die Treppe und Unsichtbarkeit erwischen konnte – oft sein Bruder-Kuß verrie-ten sein Inneres. »Niemand«, sagte einst Walt zu ihm, »kann rührender aussehen als du, wenn du eben die Milde in deine Feueraugen bringst; so kamen mir immer die Sparter vor, wenn sie mit ihren Flöten auf das Schlachtfeld zogen.« – »Es muß mir freilich lassen,« sagte er, »als wenn ein Seehund Mama sagt;[1] ja ich möchte es fast einen leisen pianen Sturmwind nennen. Aber ernsthaft zu sprechen, ich bin jetzt noch bei Konzert-Geld und deswegen ein gutes frohes Lamm; mein Leben ist ein Buch voll

---

1 Nach Bechstein lernt er Worte, Papa etc., murmeln.

geschlagnen Golds, die Blätter sind so weich und so beweglich, freilich Gold-Blättchen auch, mein Kind!«

Walt nahm solche Reden gar nicht übel. Soweit indes auch Vult das Leben trieb – da er sich für den nächsten und lachenden Thron-Erben des abgegangenen Freund-Grafens ansehen konnte –, so merkte er doch, daß er darin seinen Bruder nur bezahle, nicht beschenke und daß dieser ihm stets um einen warmen Tag voraus war.

Einst hörte Vult von seinem Klingeldraht – er hieß eine ganze Mädchen-Pension so – die ganze heftige Schutzrede wieder, womit der sanfte Walt gerade in der Liebes-Pause für ihn gegen seine Antipathetiker an Neupeters Tafel aufgetreten war. Walt hatte ihm nicht ein Wort davon gesagt – wiewohl aus Liebe nicht bloß gegen den Bruder, sondern auch gegen alle Welt, so wie er aus doppelter Liebe das Kabelsche Testament, das den Bruder ein wenig beleidigen konnte, zu zeigen verweigerte. Vult drückte ihm beim Eintritt im Feuer der Liebe beide Achseln und machte solchem dadurch Luft, daß er die Neupeterschen scherzend handhabe. Aber er traf die falsche Zeit, wo Walt am Hoppelpoppel schrieb und den Schreib-Arm allen fünf Weltteilen liebend, führend bot und wo er so sehr an den verlornen Klothar dachte, weil er eben im Buch Freudenfeste findender und gefundner Seelen beging. Mit eigner wehmütiger Freude schrieb er jetzt daran unter dem Betrauern des abgestorbenen Freundes, so wie sonst mit Schmerzen unter dem Nachjagen nach ihm; und wunderte sich über den Unterschied.

Der schöne Begeisterungs-Mittag bei Neupeter, auf welchen ihn Vult durch seinen Dank zurückführte, stellte ihm den Grafen zu nahe wieder an die Brust; er bekannte es dem Bruder ganz offen, wie ihm der Ferne mit seinem ausgeleerten Dasein und mit der verlornen Wina immer in dem Kopfe liege und so schwer auf der Brust – wie er ihn einsam in dem zugesperrten Wagen sitzen und zurückdenken sehe – wie ihn ein solcher aus seinem Himmel in einen Käfig getriebene Adler erbarme und wie darum keine Marter bitterer auf der Erde gefunden werde als das Bewußtsein, einem edlen Geist irgendeine zugeführt zu haben. »O Vult, tröste mich nur recht, wenn du kannst« – sagt' er bei dem heftigsten Ausbruch – »Mein unschuldiger Wille tröstet mich wenig. Wenn du zufälligst, ohne böse Absicht, ja in der besten vielmehr, durch einen der Hölle entflognen Funken ein Krankenhaus oder ein unschuldiges Schweizerdorf oder ein Haus voll Gefangner angezündet hättest, und du sähest die Flammen und darauf die Gerippe: ach Gott, wer hälfe dir?«

»Mir die kalte Vernunft und dir ich« (sagt' er, aber ohne Groll). »Denn ich werde mich bei der Mädchenpension hart neben mir an nach den nähern Umständen erkundigen. Als ich noch im Erblinden stand, saß ich jeden Abend drüben; es ist die schnelleste Wiener Klapperpost, die mir noch vorgekommen, da sie manche Sachen schon liefert, indem sie noch geschehen. – Der Graf wird nicht wie du durch Zufälle entschuldigt für seine niedrigen Voraussetzungen über das Lesen und Übergeben des Briefs; er macht' es ganz nach Art der Großen und der gallischen Tragiker, die, um etwas zu erklären, lieber die größte Sünde als eine kleine annehmen, lieber eine Blutschande als Unkeuschheit.« Der Notar gestand, Klothars Versündigung erleichtere die Last der seinigen; blieb aber bei seinem Gefühl. In der Gesellschaft kann man einen Menschen leichter herabsetzen als hinauf; bei Walt umgekehrt. Vult ging und versprach, bald wiederzukommen.

Eines Nachmittags hüpfte Flitte, dessen Tanzsaal die ganze Stadt war, in Walts Stübchen. Er war gewohnt, an jedem Orte so viele und gute alte Bekannte zu zählen, als Einwohner darin waren; daher schlug er den zur Volksmenge gehörigen Notar ohne Umstände zur Freundes-Menge. Dieser glaubte gern, er komme seinetwegen, und wurde durch die Freude und die Angst, einen solchen Weltmann zu beherbergen, etwas außer sich gebracht. Sein Ich fuhr ängstlich oben in allen vier Gehirnkammern und darauf unten in den beiden Herzkammern wie eine Maus umher, um darin ein schmackhaftes Ideen-Körnchen aufzutreiben, das er dem Elsasser zutragen und vorlegen könnte zum Imbiß. Er fand wenig, was diesem schmeckte, aber der Elsasser hatte auch keinen Hunger und keine Zähne. Gelehrte Studierstuben-Sassen, welche die ganze Woche, Tag aus Tag ein, im Banquet und Pickenick der feinsten, reizendsten Ideen und Gerichte aus allen Weltaltern und Weltteilen schwelgen, bilden sich gar zu leicht ein, daß der Welt- und Geschäftsmann verdrüßlich und trocken bei ihnen werde, wenn sie ihn nicht immer heiß und fett mit Ideen übergießen am Bratenwender des Gesprächs, indes der Geschäftsmann schon zufrieden gestellt wäre, wenn er säße, und der Weltmann, wenn er am Fenster stände, oder vernähme, daß die Markgräfin gestern bei Tafel unmäßig genieset und daß der Baron von Kleinschwager, dessen Namen er gar nie gehört, diesen Morgen bloß durchpassiert ohne anzuhalten. Gelehrten kann das schwerlich zu oft vorgestellt werden; sie ziehen sonst immer einen Proviant-Wagen für die Gesellschaft mit mehreren oder wenigern Gedanken nach oder gar mit Witz. Rechte gewöhnliche und doch befriedigende Unterhaltung ist allgemein unter den Menschen die, daß einer das sagt, was der andere schon weiß, worauf dieser aber etwas versetzt, was jener auch weiß, so daß jeder sich zweimal hört, gleichsam ein geistiger Doppeltgänger.

Mit Flitten, der so leer an Realien war als Gottwalt an Personalien, konnte dieser wenig anfangen. Indes sprach, sang und tanzte der Elsasser, so gut es ging, trat oft ans Fenster und oft ans Bücherbrett und suchte darüber etwas zu sagen, weil er gern vor jedem mit dem prahlte, was jeder eben war. Einige Menschen sind Klaviere, die nur einsam zu spielen sind, manche sind Flügel, die in ein Konzert gehören; Flitte konnte nur vor vielen reden; und blieb im Duett fast zu dumm.

Als endlich der gute Notar *an* der Langweile, die er zu machen glaubte, selber eine fand – denn im Gespräch, wie im Pharao, ist erwiesen der Gewinn (des Vergnügens wie des Geldes) nie größer als der Einsatz von beiden –: so studierte er am

Elsasser heimlich den Franzosen (denn Elsaß, sagt' er, ist doch französisch genug) und goß ihn im Vorbeigehen ab für den Abgußsaal seines Romans und hob ihn auf.

Unter dem Gießen macht' er plötzlich das Fenster zu und eine Verbeugung in den Garten durchs Glas hinaus, weil ihn Raphaela, welche drunten neben Wina der Vespersonne entgegenging, mit zurückgewandtem Kopfe leicht gegrüßet hatte. – Da flog Flitte herbei, Raphaela drehte sich, blickte schnell noch einmal um und erkannte nun diesen. Wina ging langsam und wie schwere Schmerzen tragend darneben, den Kopf nach der Abendsonne gehoben und das Schnupftuch mehrmals in die Augen drückend. Raphaela schien heftig zu sprechen und einzudringen und ordentlich an jeder nebligen Lebens-Stelle verborgnen tiefen Tränen-Quellen nachzugraben.

Walt vergaß sich so, daß er laut seufzete. »Ich glaube nur,« setzt' er gemäßigter hinzu, »daß die gute Generals-Tochter weint.« – »Drunten?« fragte Flitte kalt. »So ists in Verzweiflung über den eingebüßten Grafen; denn sie kann seinen Verlust nicht überleben. Ein andermal! – à revoir, ami!« So flog er in den Garten hinab.

Walt setzte sich nieder, stützte den Kopf auf die Hand, die seine Augen zudeckte, und hatte einen langen reinen Schmerz. Er war nicht imstand, das liebliche Angesicht des schönen Mädchens oder dessen Leiden zu behorchen mit Blicken, wenn sie den Garten herwärts kam. Er erschrak vor der ersten Stunde, wo er bei ihrem Vater kopieren und ihr aufstoßen könnte. Die untergehende Sonne wärmte ihn endlich mütterlich aus dem Winterschlafe der bösen Stunde auf. Der Garten war leer; er ging hinunter. Er wußte nicht, was er drunten wollte. Im Gebüsch flatterte ein halb zerrissenes feines Brief-Papierblatt. Er nahm es, es war von weiblicher Hand und enthielt eine aus einem fremden Briefe kopierte Stelle, wie er aus den sogenannten Gänsefüßen ersah. Ein halbes Blatt, ein entzweigeschlitztes, eine Kopie eines zweiten Briefes – einen ersten hätt' er nie gelesen – konnt' er wohl ansehen und lesen:

»»– Blumen entzwei. Glaub' es mir. O wie leicht und froh verschmerzt man eignen Schmerz! Wie so schwer den fremden, den man, wiewohl schuldlos und gezwungen, hergeführt! Wie kann ein Wesen, das doch auch ein schlagendes Herz hat, ganze Völker weinen lassen, wenn schon der erste Unglückliche, den man machen müssen, so wehe tut? Verbirg und verschweige aber meine Klage gewissenhaft, damit sie nicht meinen Vater quäle, der so leicht alles erfährt! Doch du tust es ohnehin. Indessen steht mein Entschluß so fest als je; nur will ich ihn bezahlen durch Schmerzen. Ich kann jetzt nichts tun als leiden und besser werden, ich gehe häufiger in die Kirche, ich schreibe öfter an meine Mutter, ich bin gefälliger gegen meinen Vater, gegen jede Menschen-Seele. Denn es gehört sich, daß ich, da mir die Kirche befiehlt, Freuden zu nehmen, es anderswo einbringe, wo sie es erlaubt, einige zu vermehren. Meine haben längst aufgehört und früher, als ich Ihn verloren. – O sei du glücklich, meine liebe Raphaela!‹ – Daraus kannst du sehen, Schönste, wie diese Wunde meiner W. mein zu weiches Herz zerdrücken muß. Leb' wohl! Das goldne Herz, wenn du es nicht schon beim Schmidt bestellet hast, muß durchaus drei Lot wiegen. Den Hasenbrecher und das Armband hat meine Mutter bekommen.

Deine Raphaela.«

*

Walt wurde unter dem Lesen aus seinem Fenster namentlich gerufen von Vult mit den freudigsten Mienen; er las es unterwegs gar aus. »Du kennst«, fing jener lustig an, »meine eustachische Famas-Trompete? – Nämlich meine kumäische Sibylle der Vergangenheit? Das heißet meine Mietfackel? – Himmel, verstehest du mich noch nicht? Ich meine meine historische Oktapla und acht partes orationis (denn so viele Mädchen sinds)? Zum Henker, die Schnappweife? Die *Pension* nämlich! Von dieser nun erfahr' ich eben folgendes aus reinster Quelle, weil der General, der sie zuweilen besucht, ihr, wie alle Neugierige, ebensoviel vorerzählt als abhorcht.

Genau genommen ists die Dogaressa und Direktrice der Mädchen, die dem General für ein paar Neuigkeiten und Höflichkeiten gerade soviel Töchterseelen opfert, als mir referieren, acht. Es war vorgestern, daß der General sein Wiegenfest beging und nach seiner Sitte das heilige Abendmahl vor seinem Mittagsmahl nahm und darauf der Seelen-Arznei viel nachtrank. Die Tochter muß allemal mit beichten. Ich weiß nicht, ob du viel mit ausschweifenden Großen umgegangen, zu welchen Mönche am leichtesten sagen wie zu Hunden: faites la belle, für welche der Ohrenbeicht-Stuhl das Absonderungsgefäß ihres geistigen Übertrunks und Überfraßes ist, und welche, wie der Norden, ihre Bekehrung den Weibern verdanken, willst du anders Ludwigs XIV. letzten Stunden glauben. Kurz, der General mag so etwas sein. An seinem Geburts- und Beicht-Tage liebt' er von jeher seine Tochter ganz besonders, weil er eine Art Taufwasser – um zwei entlegne Sakramente durch Flüssigkeiten zu vereinen – den ganzen Tag unter der Gehirnschale dem Kopfe aufgießet. Er hat überhaupt das Gute, daß er aufrichtig gut gegen sie ist; er sieht ihr sogar nach, daß sie der ihm verhaßten protestantischen Mutter in Leipzig anhängt. Da er nun so den ganzen Tag mit seiner Beicht- und Vater-Tochter beisammen bleibt: so trinkt und weint er sehr. Er foderte jetzt Rechenschaft von ihr, warum sie noch so trauerte, daß sie fast den Grafen mehr zu lieben schiene als ihren Gott und die heilige Kirche und ihren Vater. Sie antwortete heftig: das sei es am wenigsten; sogar dem Kirchenrate Glanz, der öfters mit ihr über den heiligen Glauben gesprochen, habe sie nur höflich zugehört; den Grafen aber nicht mehr geliebt als jeden guten Menschen! Zablocki fragte erstaunt, warum sie ihn, bei ihrer Freiheit der Wahl, doch heiraten wollen. ›Ich dachte,‹ sagte sie, ›ich könnt' ihn vielleicht zu unserer Religion durch rechtes Aufopfern bringen.‹ Walt! einen Philosophen bekehren! Tauft und tonsuriert lieber eine Perücke! –

Der General lächelte und weinte zugleich vor Lust, lief aber immer mehr auf das weiche zarte Wesen Sturm, stieg ins offne Herz und holte sich das zweite Geheimnis. Sie hoffte nämlich, ihrer abgeschiedenen protestantischen Mutter (und wohl dem verschuldeten Vater) zu Zeiten ein Kopfkissen aus dem reichen Ehebette zuzuwerfen; gestand es aber ohne Metaphern. Da konnte sich der trunkene Vater nicht enthalten, zu schwören, ihm solle lieber ein Traubenschuß in den Magen fahren, oder sein Warschauer Prozeß verloren gehen, woll' er je einem solchen seelentreuen Kinde etwas abschlagen oder aufdringen. Und so weiter! Bist du getröstet?« –

Walt schwieg; Vult bat ihn um das zerrissene Blatt in seiner Hand. Er las es froh und fand darin seinen Bericht besiegelt und machte seinen Spaß über Raphaelens weibliche Weise, Herz und Wäsche, Größtes und Kleinstes ineinander zu stekken. Aber Walt sagte, eben das, so wie ihr Erzählen, beweise, daß die Weiber mehr episch seien, die Männer hingegen lyrisch.

Ein Läufer Zablockis kam hinein und meldete, er solle morgen um 4 Uhr erscheinen zum bewußten Kopieren. Er verbarg mühsam den ganzen Abend die Stärke seiner Bewegungen.

Nᵗᵒ 34: INKRUSTIERTE KLETTEN

Kopierstunde

Um 4 Uhr erschien Walt vor dem General, der wie gewöhnlich lächelnd den Blauäugigen aufnahm. Vergeblich hatte er vor einer Erinnerung an den Brief oder einer Erscheinung der Verfasserin gezagt. Zablocki gab ihm die namenlosen oder nur taufnamigen Briefe auf dem schön geäderten Sekretär samt Schreibbefehlen und ging davon. Mit so sehr ausgesuchten End-Lettern oder Final-Schweifen, als nur je aus Paris versandt werden nebst viel schlimmern Polaritäten, z. B. Robespierrischen Schweifen, Culs de Paris, kopierte der Notar und sah sich spät um.

Das schöne Kabinet war von den Tapeten zu einer Blumenlaube gemalt, aber voll Blumendüfte, die aus einer wahren kamen, und voll grüner Dämmerung. Die Jalousie-Gitter waren vorgezogen, für ihn ein grüner Schleier eines blendenden Tags: sogar im Winter grünte ihn dieses Blätter-Skelett der vertrockneten bunten Zeit wie ein Zauber an. »In dem nahen Wandschrank hängt« – sagt' er zu sich – »Winas himmelblaues Kleid, denk' ich.« Wie auf einer sanftwallenden Wolke saß er und schrieb oft eine briefliche Wendung ab, die sich für seine Lage sehr gut schickte. Es wiegt' ihn auf und nieder, daß er sich doch mit *ihr*, mit derjenigen in *einer* Zimmer-Ebene, unter einem Dache befand, mit welcher er das Trauerband derselben Schmerzen trug und die ihm nach dem Untergang der Freundschaftssonne als stiller Liebes-Hesperus fortschimmerte.

Er kopierte mit gespitzten Ohren, weil er (nicht ohne alle Hoffnung) in der Furcht dasaß, daß Wina gar ins Kabinet und an einen oder den andern Sekretär fliege, den hölzernen oder den lebendigen. Indes kam nichts. Er überlegte sehr, ob er nicht in den Wandschrank einbrechen und das himmelblaue Kleid als den blauen Äther der fernen Sonne leicht anrühren sollte mit Hand oder mit Mund – als der General eintrat, ihn erschreckte und das Kopieren pries und schloß.

So glücklich ging die Schreibstunde und die Gefahr, Wina zu sehen, vorüber, und er wankte heim mit einem Kopfe, der sich ein wenig im Herzen vollgetrunken hatte.

Auf den Turmknöpfen und Park-Gipfeln lag noch süßes rotes Sonnenlicht und weckte zugleich das Sehnen und Hoffen der Menschen in und außer Haßlau.

Er kopierte den zweiten Tag, stets mit derselben Angst, daß Wina die Türe aufmache. Der dritte aber – wo wieder nichts kam – machte ihn, wie jeden Krieger die Zeit, so mutig und so zum Mann am vierten, daß er in der Tat sich sehnte nach

Gefahr. Ganze Nächte mußte jetzt das fromme Mädchen vor seiner Seele stehen – er hatte dabei seinen ewigen Frühling –, bloß weil er einen Plan nach dem andern entwarf und verwarf, wie er noch jetzt, um die Folgen des offnen Briefs zu vergüten, etwan durch die Sanfte für den Grafen wirken könnte. Es wollte ihm aber nie etwas Bedeutendes einfallen.

Am vierten Tage hört' er, unter dem Abschreiben einer schönen erotischen Gestikulation im Briefe, eine weibliche Singstimme, die, obwohl aus dem dritten Zimmer, doch ebensogut aus dem dritten Himmel kommen konnte. Er kopierte feurig weiter; aber eine Sonnenstadt nach der andern erbaueten in ihm diese Orpheus-Töne, und die Felsen des Lebens tanzten nach ihnen. Er erinnerte sich noch recht gut, was ihm Vult über Winas Singen geschrieben. Als er darauf unter dem Heimgehen dieselbe Stimme fortsingend vor sich mit einer Schachtel unter dem Arm auf der Treppe sah und auf jeder Staffel erstaunte und nachdachte: so macht' es ihm das schlechteste Vergnügen von der Welt, diese Stimme auf der Gasse zu einer andern sagen zu hören, ihre Fräulein – denn es war die Putzjungfer – komme erst nächsten Freitag aus Elterlein zurück – – er spürte ordentliches Sehnen, einmal in seinem Geburtsörtlein zu sein und aus der so heißen Stadt herauszukommen.

Himmel, schloß er indes, wenn schon diese Putzjungfer-Karyatide der fernen Göttin so singt, wie muß erst diese glänzen, sowohl im Gesang als sonst! Er wurde unendlich begierig, einem Widerscheine der heiligen Nachbarschaft Winas ins Gesicht zu sehen, überhaupt einer Person, deren göttlichen Geist der Töne er, hinter ihr gehend, anbetete, kurz der Soubrette. Denn er glaubte längst, eine erste Sängerin sei gewiß nicht die letzte Monatsheilige oder eine Sirene; und eine babylonische Hetäre behalte keine Stimme, gesetzt sie hätte eine besessen; eine Meinung, die gutmütige Weltleute mehr seiner Unbekanntschaft mit Bühne und Welt zuschreiben sollten als seiner Dummheit.

Er mochte kaum drei schnellere Schritte getan haben, um ihr

vorzukommen: als er drei Flüche und ein Kotwort vernahm. Er drehte sich heftig um, mit der glänzenden Ordenskette in Händen, die er der anscheinenden Ordensschwester der Sklavinnen der Tugend vom Sing-Halse gerissen; und in einer dunkeln Allee der Stadt ließ er Tränen fallen, darüber, daß eine solche rauhe Seele eine Singstimme besitze, und daß sie der heiligen so nahe wohne. Hoch aber zog Winas Gestalt in ihrem glänzenden Wolkenhimmel weiter; und ihm war, als könne nur ein Tod ihn, wie zu Gott, so zur Göttin bringen.

Nᵒ 35: CHRYSOPRAS

Träumen – Singen – Beten –
Träumen

Am Freitage darauf, wo Wina wiederkommen sollte, sprang er, ohne an sie zu denken, so innig-vergnügt aus dem Bette in den Tag, als wär's ein Brauttag. Er wußte keinen Grund, als daß er die ganze Nacht einen immer zurückflatternden Traum gesehen, wovon er kein Bild und Wort und nichts behalten als einige anonyme Seligkeit. Wie Himmelsblumen werden oft Träume durch die Menschennacht getragen, und am Tageslicht bezeichnet nur ein fremder Frühlingsduft die Spuren der verschwundenen.

Die Sonne blitzte ihm reiner und näher, die Menschen sah er wie durch einen Traum der Trunkenheit schöner und werter gehen, und die Quellen der Nacht hatten seine Brust mit so viel Liebe vollgegossen, daß er nicht wußte, wohin er sie leiten sollte.

Zu Papier sucht' er sie anfangs zu bringen, aber kein Streckvers und kein Kapitel gelang. Er hatte einen Tag wie nach einer vertanzten Nacht: man will nichts machen als höchstens Träume, und auch nichts anderes haben – alles soll sanft sein, sogar die Freude – sie soll nicht mit Windstößen an den Flügeln reißen, still sollen die ausgestreckten Schwingen das dünne Blau durchschneiden und durchsinken – nur Abendlieder will der Mensch sogar am Morgen, aber kein einziges Kriegslied, und ein Flor, aber ein hellgefärbter, bezieht und dämpft die Trommel des Erden-Tobens.

Walt konnte nichts anders machen – »nur heute kein Instrument, das gebe Gott!« wünschte er – als einen Spaziergang in das Van der Kabelsche Hölzchen, das er einst erben kann, und wo er den entfremdeten Grafen zum erstenmale auf der Erde gesehen. Um ihn flogen, gingen, standen Träume aus tiefen Jahrhunderten – aus Blüten- und Blumenländern – aus Knabenzeiten – ja, ein Träumchen saß und sang im spannenlangen grünen Weihnachts-Gärtchen der Kindheit, das sich der kleine Mensch auf vier Rädern am Faden nachzieht. Siehe, da bewegte vom Himmel sich ein Zauberstab über die ganze Landschaft voll Schlösser, Landhäuser und Wäldchen und verwandelte sie in eine blütendicke Provence aus dem Mittelalter. In der Ferne sah er mehrere Provenzalen aus Olivenwäldern kommen – sie sangen heitere Lieder in heiterer Luft – die leichten Jünglinge zogen voll Freude und voll Liebe mit Saitenspielen in die Täler vor hohe goldbedeckte Burgen auf fernen Bergspitzen – aus den engen Fenstern sahen ritterliche Jungfrauen herunter – sie wurden herabgelockt und ließen in den Auen Zelte aufspannen, um mit den Provenzalen ein Wort zu reden (wie in jenen Zeiten und Ländern, wo die Erde noch ein leichtes Lustlager der Dichtkunst war und der Troubadour, ja der Conteur sich in Damen höchsten Standes verlieben durfte) – und ein ewiger Frühling sang auf der Erde und im Himmel, das Leben war ein weicher Tanz in Blumen.

»Süße Freudentäler hinter den Bergen,« sang Walt, »ich möchte auch hinüberziehen in das morgenrote Leben, wo die Liebe nichts verlangt als eine Jungfrau und einen Dichter – ich möchte drüben in wehender Frühlingsluft mit einer Laute zwischen Zelten mitgehen und die stille Liebe singen und schnell aufhören, wenn Wina vorbeiginge.«

Darauf kehrte Walt in sein Kämmerchen zurück, fand aber, mit seiner geographischen und historischen Provence in der Brust, so wenig Platz darin, daß er mit einiger Kühnheit – denn die Poesie hatt' ihn sehr *gleich* und *frei* gemacht – in Neupeters Park hinabspazierte, wo er Floren, mit Früchten wie eine Pomona beschwert, in den Wurf kam und die Hand gab. Dem Dichter glänzet die ganze Welt, doch aber eine herzogliche, königliche Krone matter als ein schöner weiblicher Kopf unter Krone und Herzogshut, oder als ein anderer, der nichts aufhat als den Himmel über sich; er ist bescheiden, wenn er einer Fürstin, und aufgerichtet, wenn er einer Hirtin die Hand gibt: nur zu den Vätern beider lässet er sich oft gar nicht herab.

In einer Laube fand er ein Strumpfband. Ein italischer Vers – denn Raphaela verstand welsch, obwohl er nicht – und ihr Name war darauf gestickt. Da er an diesem geistigen Morgen merkte, daß er einen provenzalischen Ritter und Poeten zugleich in sich verbinde: so faßt' er den freien Entschluß, das Strumpfband – denn er hielts für ein Armband – selber Raphaelen, die er brieflesend schleichen sah, mit einigen bedeutenden Worten zu überreichen. Er legte das Band weich vorn auf die flache Hand wie auf einen Präsentierteller und trug es ihr zart mit der Wendung entgegen – die er aus vielen andern über weltlichen Arm und Arm aus den Wolken ausgelesen –: »er sei so glücklich gewesen, ein schönes Band der Liebe zu finden, eine Sehne an Amors Bogen, gleichsam den größern Ring an schöner Hand, und er wisse nicht, wer glücklicher sei, der, so ihn abzöge, oder der ihn anlegte.« Raphaela errötete beschämend-verschämt, nahm das Band, steckt' es schnell ein und ging stumm fort; Walt dachte: fast ein gar zu zartes Gemüt!

Er brachte noch viel von seiner Morgenfreude an die Wirtstafel: als er zu seinem Erstaunen da erfuhr – was er schon längst gewußt –, daß an der Juden-Vigilie, am Freitag, die Katholiken fasteten. Er legte Messer und Gabel neben den Teller hin. Keinen Bissen – und wär' er aus dem Reichs-Ochsen in Frankfurt bei der Kaiserkrönung ausgeschnitten gewesen – hätt' er noch an die Zunge heben können. »Ich will nicht köstlich schwelgen«, dachte er – betagtes Vaccinefleisch war aufgesetzt –, »in der Stunde, wo eine so wohlwollende Seele wie Wina darben muß.« – Wie eine Ehefrau hatte er bei der Gleichgültigkeit gegen eigene Eß-Entbehrungen ein weinendes Erbarmen über fremde. Er dachte nach und fand es immer härter, daß die Kirche auch Nonnen fasten ließe, nicht die Mönche allein; da es vielleicht schon genug wäre, wenn nur Spitzbuben, Spieler, Mörder nichts Rechts zu essen hätten.

Er ging in die Kopierstube zum General, nicht nur mit dem völligen Wunsche, das Mädchen zu sehen, das heute – an seinem romantischen Tage – eine Märtyrin gewesen, sondern auch mit der Gewißheit, sie sei von Elterlein zurück und erscheine. Während er mit unsäglichem Vergnügen einen äußerst frechen Brief einer gewissen Libette, wie er nur aus der moralischen Lutetia[1] voll Epikurs-Ställe kommen kann, ins Reine schrieb – denn er schmeckte in diesen Freudenkelchen nur den Abendmahlswein der geistigen Liebe und keinen geschwefelten –, so drang aus den halboffnen Zimmern kein Laut in sein Kabinet, den er nicht zu einer Ankündigung einer Erscheinung zitternd machte. Wie in weiten dichten Waldungen ferne lange Töne hier und dort romantisch durchklingen: so kamen ihm einzelne Akkorde auf dem Fortepiano – Rufe des Generals – Antworten an Wina vor – Endlich hört' er wirklich Wina selber im nächsten Zimmer mit ihrem Vater vom Singen sprechen. Er glühte bis zur Stirn hinauf und bückte den unruhigen Kopf fast bis an die Feder nieder. Sie hatte jenen innigsten, herzlichsten, mehr aus der Brust als Kehle heraufgeholten Sprachton, den Weiber und Schweizer viel häufiger angeben als andre Leute.

Indem der General eintrat und Walt flammend fortkopieren wollte: hatt' er das Unglück, daß das Mädchen Singnoten aus dem Kabinette fliegend wegholte, ohne daß er vor lauter Zartheit etwas gesehen hatte, wenn man nicht die weiße Schleppe

1 Diesen Namen Kotstadt trug sonst Paris in unbildlicher Beziehung.

zu hoch anschlagen will. Bald darauf fing im zweiten Zimmer ihre Singstimme an – »O nein doch,« rief der General durch die offnen Türen, »den letzten Wunsch von *Reichard* meint' ich.«[1]

Sie brach ab und fing den begehrten Wunsch an. »Singe«, unterbrach er sie wieder, »nur die *erste* und *letzte* Strophe ohne die ennuyanten.« Sie hielt innen, mit Fingern über den Tasten schwebend, und antwortete: »Gut, Vater!«

Die Verse heißen:

> Wann, o Schicksal, wann wird endlich
> Mir mein letzter Wunsch gewährt:
> Nur ein Hüttchen, klein und ländlich;
> Nur ein kleiner eigner Herd;
> Und ein Freund, bewährt und weise,
> Freiheit, Heiterkeit und Ruh'!
> Ach und Sie, das seufz' ich leise,
> Zur Gefährtin Sie dazu.
>
> Vieles wünsch' ich sonst vergebens;
> Jetzo nur zum letztenmal
> Für den Abend meines Lebens
> Irgendwo ein Friedens-Tal;
> Edle Muß' in eigner Wohnung
> Und ein Weib voll Zärtlichkeit,
> Das, der Treue zur Belohnung,
> Auf mein Grab ein Veilchen streut.

Wina begann, ihre süße Sprache zerschmolz in den noch süßern Gesang, aus Nachtigallen und Echos gemacht – sie wollte ihr liebewarmes Herz in jeden Ton drängen und gießen, gleichsam in einen tönenden Seufzer; – den Notar umfing der lang geträumte Seelenklang mit der Herrlichkeit der Gegen-

---

1 S. 10 in Reichards Lieder-Sammlung, worin manche das zehntemal besser klingen als das erstemal, und Dichter und Komponist meistens ihr gegenseitiges Echo sind.

wart so, daß ihn das heranrollende Meer, das er von fernen rollen und wallen sah, nun mit hohen Fluten nahm und deckte. Der General sah unter dem Singen der Kopie des frechen letzten Briefes mit einiger witziger Heiterkeit auf dem Gesichte durch und fragte lächelnd: »Wie gefällt Ihnen die wilde Libette?« – »Wie der jetzige Gesang, so wahr, so innig und so tief gefühlt«, versetzte Gottwalt. – »Das glaub' ich auch«, sagte Zablocki mit einem ironischen Mienen-Glanz, den Walt für Hör-Verklärung nahm.

»Was sind so Ihre vorzüglichsten Notariats-Instrumente bisher gewesen?« fragte der General. Walt gab viele kurz und schleunig an, sehr verdrüßlich, daß er sein Ohr – wie sein Leben – zwischen *Gesang* und *Prosa* teilen sollte. Ob er gleich sich so weniger Seelenkräfte und Worte dabei bediente, als er nur konnte: so war für Zablocki doch kein Mensch – weder aus Wetzlar noch Regensburg oder aus irgendeinem schriftstellerischen bureau des longitudes et des longueurs – zu lang, zu weitschweifig, sondern bloß zu abrupt. »Ich glaube,« fuhr Zablocki fort, »Sie machten auch einige Sachen für den Grafen von Klothar?«

»Keine Zeile«, versetzte Walt zu eilfertig; er war völlig von den schönen Tönen weggespült und begriffs nicht, daß der General, der selber diese schönen Laute vorgeschrieben, sie über platte verhören wollte. »O Gott, wie kann ein Mensch nicht im harmonischen Strome untersinken, sondern daraus noch etwas vorstecken, besonders die Zunge? Ist das möglich, zumal wenn es einen so nahe angeht wie hier den verwaisten General?« – Walt glaubte nämlich, der General, der von der Frau und auch von der Jugend geschieden war, habe solche und ähnliche Zeilen wie

> Jetzo nur zum letztenmal
> Für den Abend meines Lebens – –
> Und ein Weib voll Zärtlichkeit – –

bloß als Nachtigallen-Darstellungen eigener Seelen-Klagen singen lassen. Es konnte ihn weit mehr rühren – zumal da es auch viel reiner war –, wenn er Ton-Sprüche auf fremde Leiden und Wünsche, als wenn er sie auf eigne bezog; und darum war ihm der vergebliche Anteil an Zablocki so unlieb.

Vult aber, dem er alles vortrug, sprach später den Weltmann mit diesen Worten frei: »Er ist an Hof-Konzerte gewöhnt, mithin an Taub-Bleiben – Wie Cremen ist das Weltleben gleich kalt und süß; – indes hat der Weltmann oft viel Ohr bei wenig Herz (wie andere umgekehrt) und behorcht wenigstens die Form der Tonkunst ganz gut.«

»Keine Zeile«, hatte Walt eilfertig gesagt. – »Wieso?« versetzte Zablocki. »Mein Gerichtshalter sagte mir gerade das Gegenteil.« Hier entfuhren Walten die Tränen; – er konnte nicht anders, die letzten Sang-Zeilen hatten ihn mit- und weggenommen; die Scham über die unwillkürliche Unrichtigkeit trug weniger bei: »Wahrhaftig« – versetzt' er – »das meint' ich eben; denn die Schenkungs-Akte wurde unterbrochen – die ersten Zeilen schrieb ich natürlich.« Der General schrieb die Verwirrung des gerührtesten Gesichts nicht der schönern Stimme zu, sondern seiner eignen – brach gutmütig mit den Abschiedsworten ab, daß er auf einige Wochen das Kopieren einstelle, weil er morgen mit seiner Tochter nach Leipzig auf die Messe reise. Hier hörte das Singen auf und Walts kurzes Entzücken.

N̄ᵒ 36: KOMPASSMUSCHEL

Träume aus Träumen

Auf der hellen Gasse war dem aus dem Zablockischen Hause wankenden Notar, als sei ihm etwas aus den Händen gezogen, etwa ein ganzer brennender Christbaum oder eine Himmelsleiter, die er an die Sonne anlegen wollen. Plötzlich sah er – ohne zu fassen wie – die böse After-Sängerin oder Putzjungfer des Generals und vor ihr Wina gehen, in die katholische Kirche. Letztere macht' er ohne Umstände zur Simultankirche und trat der zarten Nonne nach, um von ihr die Zeile: »Wann, o Schicksal, wann wird endlich« fortsingen zu hören; denn sein inneres Ohr hörte sie noch ganz deutlich auf der Gasse.

Im Tempel fand er sie kniend und gebogen auf den Stufen des Hochaltars, ihr schmuckloser Kopf senkte sich zum Gebet, ihr weißes Kleid floß die Stufen herab. – Der Meßpriester in wunderlicher Kleidung und Bedienung machte geheimnisvolle Bewegungen – die Altarlichter loderten wie Opferfeuer – ein Weihrauchwölkchen hing am hohen Fensterbogen – und die untergehende Sonne blickte noch glühend durch die obersten bunten Scheiben hindurch und erleuchtete das Wölkchen – unten im weiten Tempel war es Nacht. Walt, der Lutheraner, dem ein betendes Mädchen am Altare eine neue himmlische Erscheinung war, zerfloß fast hinter ihrem Rücken in Licht und Feuer, in Andacht und Liebe. Als wäre die heilige Jungfrau aus dem beflammten Altarblatte, worauf sie gen Himmel stieg, herabgezogen auf die Stufen, um noch einmal auf der Erde zu beten, so heilig-schön sah er das Mädchen liegen. Er hielt es für Sünde, fünf Schritte weiter vorzutreten und der Beterin gerade ins fromme Angesicht zu sehen, obgleich diese fünf Schritte ihn fünf goldne Sprossen auf der Himmelsleiter höher gebracht hätten. Zuletzt zwang ihn sein Gewissen, gar selber – wiewohl er protestantisch dachte – hinter den stillen Gebeten einige eigne leichte zu verrichten; die Hände waren schon längst gehörig gefaltet gewesen, eh' er nur darauf gedacht, etwas dazu zu beten.

Es ist aber zu glauben, daß in der Welt hinter den Sternen, die gewiß ihre eignen, ganz sonderbaren Begriffe von Andacht hat, schon das unwillkürliche Händefalten selber für ein gutes Gebet gegolten, wie denn mancher hiesige Handdruck und Lippendruck, ja mancher Fluch droben für ein Stoß- und Schußgebet kursieren mag; indes zu gleicher Zeit den größten

Kirchenlichtern hienieden die Gebete, die sie für den Druck und Verlag ohne alle Selbst-Rücksichten bloß für fremde Bedürfnisse mit beständiger Hinsicht auf wahre männliche Kanzelberedsamkeit im Manuskripte ausarbeiten, droben als bare Flüche angeschrieben werden.

Wenn nun solche Lichter dort von einem und dem andern Engel des Lichts ausgeschneuzet werden, wenn solche Konsistorialvögel, zu völligen Galgenvögeln gerupft, im Himmel fliegen: so dürfen verkannte Galgenvögel dieser Art in ihren theologischen Journalen, falls sie droben welche schreiben, mit Recht darauf aufmerksam machen, daß die zweite Welt *wunderliche Heiligen* habe und noch manche Aufklärung brauche, bis sie so weit vorrücke, daß sie Gebete auf dem Theater und Gebete auf dem Schreibepult, nach *einem* liturgischen Stilistikum, so zu sagen, abgeflucht, gleich gut aufnehme.

Walt blieb, bis Wina aufstand und vorüberging, um sie anzusehen. Er konnt' es aber nachher gar nicht begreifen, daß er, als sie in der größten Nähe war, unwillkürlich wie krampfhaft die Augen zugedrückt; »und was halfs mir viel,« sagt' er, »daß ich ihr durch drei Gassen hinter ihr nachguckte?«

Er schweifte aus der Stadt hinaus. Es war ihm, als wenn zwei einander entgegenwehende Stürme eine Rose mitten im Himmel schwebend erhielten. Draußen stand ein langes bergiges Abendrot wie ein Nordschein am Himmel und machte Licht. Er suchte jetzt seine alte Sitte hervor, große Erregungen – z. B. wenn er irgendeinen Virtuosen gesehen, und wär's auf dem Tanzseile gewesen – dadurch zu nähren und zu stillen, daß er sich frei einen Superlativ des Falls austräumte, wo er die Sache noch millionenmal weiter trieb. Er wagte dreist den herrlichsten Traum über Wina und sich. »Wina ist eine Pfarrerstochter aus Elterlein« – fing er an – »zufällig reis' ich durch mit Suite; ich bin etwa ein Markgraf oder Großherzog, nämlich der Erbprinz davon – noch jung (doch ich bins jetzt auch), so bildschön, sehr lang, mit so himmlischen Augen, ich bin vielleicht der schönste Jüngling in meinem Lande, ganz ähnlich dem

Grafen – Sie sah mich vor dem Pfarrhause vorbeisprengen auf meinem Araber; da wirft ein Gott aus dem Himmel den unauslöschlichen Brand der Liebe in ihre arme zarte Brust, als er das Zeichen, einen Erbprinzen auf einem Araber, erblickt. Ich sah sie aber nicht im Galopp.

Ich halte mich indes im schlechten Wirtshaus nicht lange auf, sondern besteige ohne Suite den nahen Himmelsberg, wovon man mich versicherte, daß er die schönsten Aussichten des Dörfchens um sich sammle. Und ich fand es auch wahr. Ich komme vor die hinabsteigende Sonne, auf goldnen Bergen der Erde stehen goldne Berge der Wolken; o nur die glückliche Sonne darf hinter die seligen Gebürge gehen, welche das alte, ewig verlangte rosenrote Liebestal des Herzens umschließen – Und ich sehne mich bitter hinüber, weil ich noch nicht lieben durfte als Prinz, und träume mir Szenen. Da schlägt eine Nachtigall hinter mir so heiß, als zöge sie ihren Ton gewaltsam aus meiner Brust; sie sitzt auf der linken Schulter der Pfarrtochter, die, ohne von mir zu wissen und mich zu sehen, herauf vor die Abendsonne gegangen war. Und ihre beiden Augen weinen, und sie weiß nicht warum, denn sie schreibts den Tönen ihrer zahm gemachten Philomele zu. Ein Wesen seh' ich da, wie ich noch nie gesehen, ausgenommen im Konzert – doch es ist eben Wina – eine Menschen-Blume seh' ich, die ohne Bewußtsein prangt und deren Blätter nichts öffnet und schließet als der Himmel. Abendröte und Sonne möchten ordentlich gern näher zu ihr, das Purpurwölkchen wünschte herunter, weil sie die Liebe selber ist und wieder die Liebe selber sucht, sie zieht alles Leben an sich heran. Eine Turteltaube läuft um ihre Füße und girrt mit zitternden Flügeln. Die andern Nachtigallen flattern fast alle aus ihren Büschen und singen um die singende herum.

Hier wendet sich ihr Blau-Auge von der Sonne und fällt aufgeschlagen auf mich; aber sie zittert. Auch ich zittere, aber vor Freude, und auch ihrentwegen. Ich gehe zu ihr durch die schlagenden Nachtigallen hin; wir sind uns in nichts gleich als in der Schönheit, denn meine Liebe ist noch heißer als ihre. Sie bückt ihr Haupt und weint und bebt, und ich glaube nicht, daß allein mein hoher Stand sie so erschüttert.

Was gehen mich gefürstete Hüte und Stühle mehr an? Ich schenke alles dem Gott der Liebe hin; ›wenn du mich auch kennst, Jungfrau,‹ sag' ich, ›so liebe mich doch.‹ Sie redet nicht, aber ihre Nachtigall fliegt auf meine Schultern und singt. ›Sieh!‹ sag' ich ehrerbietig und mehr nicht; und nehme ihre rechte Hand und drücke sie mit beiden Händen fest an mein Herz. Sie will sie aber mit der linken holen und losmachen; aber ich fasse und drücke nun auch die linke. So bleiben wir, ich seh' sie unaufhörlich an, und sie blickt zuweilen auf, ob ichs noch tue. ›Jungfrau, wie ist dein Name?‹ sag' ich spät. So leise, daß ichs kaum vernehme, sagt sie: ›Wina.‹ Mich durchzittert der Laut wie eine ferne alte Bruder-Stimme.

›Wina bedeutet Siegerin‹, antwort' ich. Sie drückt, glaub' ich, schwach meine Hand; die Liebe hat sie erhoben, über Pfarrers- und über Prinzenstand. So blick' ich sie unaufhörlich an, und sie mich zuweilen – die rufenden Nachtigallen schließen uns ein – die blühenden Abendwolken gehen unter – der lächelnde Abendstern geht unter – der Sternenhimmel zieht sein Silber-Netz um uns – wir haben die Sterne in der Hand und in der Brust und schweigen und lieben. Da fängt eine ferne Flöte hinter dem Himmelsberge an und sagt alles laut, was uns schmerzt und freuet: ›Es ist mein guter Bruder,‹ sag' ich, ›und im Dorfe wohnen meine lieben Eltern.‹« – Hier kam Walt zu sich; er sah umher, im Flusse (er stand vor einem) sank sein Fürstenstuhl ein, und ein Wind blies ihm die leichte Krone ab. »Es wär' auch zuviel für einen Menschentraum, *sie* gar zu küssen«, sagt' er und ging nach Hause. Unterwegs prüft' er die Rechtmäßigkeit des Traums und hielt ihn so Stück für Stück an den moralischen Probierstein, daß er ihn auf die beste Weise zum zweitenmale hatte. So hält sich die fromme Seele, welche bange schwimmt, gern an jedem Zweige fest, der auch schwimmt. So ist die erste Liebe, wiewohl die unverständigste, doch die heiligste; ihre Binde ist zwar dicker und breiter – denn sie geht über Augen, Ohren und Mund zugleich –, aber ihre Schwungfedern sind länger und weißer als irgendeiner andern Liebe.

Vor Neupeters Hause unten sah er lang zu seinem Fenster auf, seine Zelle kam ihm ordentlich fremd vor und er sich, und es war ihm, als müsse der Notar jede Minute oben herausgukken auf ihn herunter. Plötzlich fing am Fenster eine Flöte an; er fuhr sehr kurz zusammen, da sein lieber Bruder ihn droben erwartete. Er brachte ihm das Feuer zu, in welches Wina ihr mildes Öl gegossen. Vult war ganz liebreich und freundlich; denn er hatte unterdessen im Doppel-Roman das neue Stück Gartenland besehen und umschritten, das Walt bisher daran fertig gemacht und gemauert – und hatte da gefunden, daß die grünen Hängbrücken, die vom Herkules-Tempel der *Freundschaft* wegführten, sehr schön gut gebogen und angestrichen, die Moos- und Rinden-Einsiedelei der ersten *Liebe* aber, die sich selber noch für einsam und einherzig hält, vortrefflich, nämlich still und dunkel und romantisch angelegt worden, so daß nun nichts weiter mehr fehlte als die Vogelhäuser, Klingel-Häuschen, Satyrs und andere Garten-Götter, die Vult seines Orts und Amts von der Brücke an ausschweifend zu postieren hatte.

Er pries gewaltig, wiewohl heute das Lob den Notar weniger entzückte als erweichte. »Brüderlein,« sagt' er, »kennt' ich dich und die Macht der Kunst nicht so gut, so schwür' ich, du wärest schon auf dem elektrischen Isolier-Schemel der ersten Liebe gestanden und hättest geblitzt; so wahr und hübsch steht jeder Funke da.« Denn Vult hatte bisher, ungeachtet oder vielmehr wegen aller Offenherzigkeit des Bruders, das Vergißmeinnicht der Liebe nicht in ihm bemerkt, weil alles in ihm voll Liebes-Blumen stand, und weil Vult selber jetzt nicht viel aus den Weibern machte. Sein Schmollgeist, sagt' er oft, meide den weiblichen; man müsse aus einem lackierten *Stäbchen*, das nur für die weiblichen Blumen in der Erde steht, eine römische *Säule* werden, deren Kapitell jene Blumen bloß bekränzen.

Sehr erstaunte Walt – der im Doppelroman nur der Dichter, nämlich das stille Meer gewesen, das alle Bewegungen, der See-gefechte und des Himmels, abspiegelt, ohne selber in einer zu sein –, als Vult aus dem Buche von weitem schließen wollte, er liebe vielleicht. Er glaubte dem gereiseten Flötenisten aufs Wort; sagte aber selber keines davon und war heimlich ganz vergnügt, daß ers jetzt gerade so habe, wie ers hinschreibe. Stundenlang frappierte ihn eine neue Rolle, worin er etwas zu spielen hatte, was schon millionenmal auf allen Planeten ge-spielet worden.

Als nun die Brüder nach ihrer Gewohnheit ihre gegenseiti-gen Tagesgeschichten gegeneinander austauschen wollten: so ging dem Notar die seinige sehr schwer und klebend von der Zunge; – er hielt sich mehr an den General und an dessen mémoires érotiques, um seine eignen zu decken.

Er lobte die geistige reine Blüte in jenen; Vult lächelte dar-über und sagte: »Du bist eine verdammte gute Seele!« Die Liebe, welche das ganze Herz öffnet, so wie verschenkt, ver-schließet und behält doch den Winkel, wo sie selber nistet; und diktiert dem besten Jüngling die erste Lüge, wie der besten Jungfrau die längste.

Walt begleitete – bei seinen innern Bewegungen, deren Blut-kügelchen wie höhere Kugeln einen freien Himmel zum Bewe-gen brauchten – den Bruder nach Hause. Dieser begleitete erfreut wieder jenen; Walt wieder diesen, um vor Winas Fen-stern auf dem Heimwege vorbeizukommen. So trieben sie es oft, bis der Notarius siegte.

Einsam unter dem breiten Sternenhimmel konnt' er die glü-hende Seele recht ausdehnen und abkühlen. »Sollt' ich denn den romantischen, so oft gedichteten Fall jetzt wirklich in der Wirklichkeit erleben, daß ich liebte?« sagte er. »Nun so will ich« – setzt' er dazu, und der bisher winterlich eingepuppte, gefrorne Schmetterling sprengte die Puppen-Hülse weit ab und fuhr auf und wiegte feuchte Schwingen – »lieben wie niemand und bis zum Tod und Schmerz – denn ich kanns ja gut, da *sie* mich nicht kennt und nicht liebt und ich *ihr* nichts schade und *sie* sehr von Stand ist und jetzt vollends auf 1 Monat verreiset. Ja, es sei *ihr* ganz und voll hingereicht, das unbekannte Herz, und wie unterirdischen Göttern will ich *ihr* schweigend opfern. O ich könnte diese Sterne für *sie* pflücken zum blitzenden Juwelen-Strauß und weiche Lilien aus dem Monde darein binden und es in *ihrem* Schlafe neben *ihr* Kissen legen; wüßt' es auch kein Wesen, wer es getan, ich wäre zufrieden.«

Er ging die Gasse herab, an Zablockis Haus. Alle Lichter waren ausgelöscht. Eine kernschwarze Wolke hing sich über das Dach, er hätte sie gern herabgerissen. Alles war so still, daß er die Wanduhren gehen hörte. Der Mond schüttete seinen fremden Tag in die Fenster des dritten Stockwerks. »O wär' ich ein Stern,« – so sang es in ihm, und er hörte nur zu – »ich wollte *ihr* leuchten; – wär ich eine Rose, ich wollte *ihr* blühen; – wär' ich ein Ton, ich dräng' in *ihr* Herz; – wär' ich die Liebe, die glücklichste, ich bliebe darin; – ja wär' ich nur der Traum, ich wollt' in *ihren* Schlummer ziehen und der Stern und die Rose und die Liebe und alles sein und gern verschwinden, wenn *sie* erwachte.«

Er ging nach Hause zum ernsten Schlaf und hoffte, daß ihm vielleicht träume, er sei der Traum.

N͟o͟ 37: EINE AUSERLESENE KABINETSDRÜSE

Neues Testament

D er September war so schön, der die schönste Rose, Wina, versetzt hatte, daß dem Notar Rock, Stube und Stadt zu enge wurde; er wollte ein wenig in die weite Welt hinaus. Er reisete unsäglich gern, besonders in unbekannte Gegenden, weil er unterwegs glaubte, es sei möglich, daß ihm eines der romantischsten lieblichsten Abenteuer zuflattere, von dem er noch je gelesen. Daher war das erste, was er in einer neuen Stadt machte, kleine Stundenreisen um sie herum. Hatt' er aber lange da gewohnt, so lief er zu Zeiten in eine neue Gasse ein und machte sich mit besonderem Vergnügen glaublich, er sei eben auf Reisen in einer ganz fremden Stadt, aus der er noch dazu die Freude hatte, in seiner anzulangen, sobald er nur um die Ecke umbog. Ja, sah er nicht träumend dem Laufe der Chausseen nach, die wie Flüsse die Landschaft schmücken, weil sie, wie diese, ohne *wohin* und *woher* unendlich ziehen und das Leben spiegeln? – Und dacht' er jetzt nicht: auf einer davon geht das stille Mädchen dahin und sieht den blauen Himmel und den Vater an und denkt an vieles? –

Nur war er lange in Zweifel und Skrupel, obs nicht Sünde sei, das wenige von den Eltern und Instrumenten gewonnene Geld bloß vergnügt zu verreisen, zumal da der Bruder Vult nach seiner Gewohnheit wieder anfing, nicht viel zu haben. Er las alle moralischen Regeln des reinen Satzes genau durch, um zu erfahren, ob er diese süßtönende Ausweichung oder diese Quinten-Fortschreitung von Last zu Lust in sein Kirchenstück aufnehmen dürfe; und noch war er unentschieden, als Flitte alles dadurch entschied, daß er den Stadttürmer, bei welchem er wohnte, zu ihm schickte und sagen ließ, er liege auf dem Sterbebette und wünsche noch diesen Abend sein Testament durch einen Notar zu machen.

Wenn die Welt hinter dem Notar den Turm besteigen soll, wo der Elsasser sich tödlich gebettet, so müssen ihr vorher, ohne lange darüber zu reden, die notwendigsten Treppen hingestellt werden, die zu seinem Lager bringen; alles war so:

Das Glück ist ein so schlechter Freund als dessen Günstlinge – die Natur gibt den Weisen auf die Lebensreise zu wenig Diätengelder mit – Flitte war ein solcher Weiser, und wiewohl er längst die Regel kannte, daß das Ende des Geldes wie das eines Parks geschickt verborgen werden müsse; so fehlt' ihm doch der allgemeine nervus rerum gerendarum zu dieser List.

In Städten, wo Flitte nur durchflog, vermocht' er leichter etwas, und wär' es auch nur dadurch gewesen, daß er sich als seinen eigenen reichen Bedienten ankleidete und sich selber anmeldete als seinen Herrn und zum zweitenmal ohne den Kerl wiederkam. In Haßlau tat es ihm einen Monat lang gute Dienste, daß er auf seine Kosten einen Teich abziehen und darin nach einem kostbaren Tafelsteine stochern und wühlen ließ, den er wollte hinein verloren haben. Aber der Hunger, der ebensowohl als Philipp II., zumal unter des letztern Regierung, der *Mittagsteufel* heißen sollte, und noch mehr der Kleiderteufel und jeder Tag hatten ihm allmählich ein anständiges Gefolge von *Lehnlakaien* oder valets de fantaisie, das immer hinter ihm ging unter dem bekannten Namen *Gläubiger*, in die Dienste geführet und zugewälzt. Oft schickten diese wahren *Kammer-Mohren* ihre eignen Laden- und andere Diener als Mephistophelesse, die, ohne zitiert zu sein, ihn selber zitierten.

Deswegen zog er auf den Glockenturm – seinen Schuldturm –, um durch die unzähligen Treppen manche Besuche zu verleiden, oder aus dem Glockenstuhle vorauszusehen. Unten in der Stadt schwur er stets, er hab' es getan, um eine schöne *freie* Aussicht zu genießen, so sehr er auch die Beschwerden sich vorher habe denken können.

Unter seinen Gläubigern war nun ein junger Arzt, namens *Hut*, der sich sehr aufblies und der wenige Patienten hatte, weil er ihnen das Sterbliche auszog und sie verklärte. Dieser Hut hatte den vier großen Brownischen Kartenköniginnen seine vier ganzen Gehirnkammern eingeräumt – der Sthenie die erste vorn heraus – der Hypersthenie die zweite – der Asthenie die dritte – der Hyperasthenie die vierte als wichtigste –, so daß die vier großen Ideen ganz bequem allein ohne irgendeine andere darin hausen konnten. Gleichwohl macht' er mit der heiligen Tetraktys von vier medizinischen syllogistischen Figuren selber noch keine sonderliche; der alte Spaß über den Doktorhut des Doktor Huts wurde stets erneuert.

Der galante Flitte tat nun seinem Gläubiger folgenden Antrag: »die Stadt stecke voll Vorurteile – er selber in leichten Schulden – gesetzt aber, er stelle sich ein wenig tödlich krank und mache sein Testament: so heile erstlich durch einen Betrug sich die Stadt von ihrem Selbstbetrug, wenn Herr Doktor Hut ihn öffentlich wieder herstelle, und er selber zweitens, wenn er sein Vermögen dem Hofagent Neupeter vermache, gewinne diesen nach der schon längst gewonnenen Tochter und könne sie heiraten und Herrn Hut leichter bezahlen.« Der Doktor ging weigernd den Antrag ein.

Nach wenigen Tagen erkrankte der Elsasser sehr tödlich – erbrach sich – aß und trank nichts mehr (ausgenommen in seltenen einsamen Augenblicken) – nahm das Abendmahl, das er und andere, wie er dachte, ja auch in gesunden Tagen nähmen. Endlich mußte zum Notar in der Nacht geschickt werden, damit er den letzten Willen aufsetzte.

Walt erschrak; Flittens tanzende blühende Jugend hatt' er geliebt, und ihn dauerte ihre Niederlage. Schwer, schwül, bewölkt legt' er den langen hohen Treppen-Gang zurück. Die dicke Glocke schlug 11 Uhr, und ihm klangs, als bewegte der Todesengel den Leichen-Klöppel darin. Matt und leise und geschminkt (aber weiß) lag der Elsasser da, unter sieben Testier-Zeugen, wovon der Frühprediger Flachs auch einer war, der es mit seinem blassen langen Gesicht zu keinem Vesperprediger bringen konnte.

Walt nahm stumm voll Mitleids des Patienten Hand mit der Rechten und zog mit der Linken sein Petschaft und Papier aus der Tasche; und überzählte mit den Augen kurz die Zeugen. Er foderte drei Lichter, weil sie das promptuarium juris von ihm foderte zu Nachttestamenten; war aber mit *einem* elenden zufrieden, weil auf dem ganzen Leucht-Turm kein zweites zu haben stand, desgleichen kein drittes, und er viel zu mitleidig und zu eilig war, jemand in die Nacht und den Turm herabzuschicken nach Licht.

Der Kranke fing an, das erste Vermächtnis zu diktieren, nach welchem dem Kaufmann Neupeter Flittens ganze Dividende am längst erwarteten westindischen Schiffe zustarb, desgleichen ein versiegeltes, mit OUF bezeichnetes Juwelenkästchen, das von den Gebrüdern Heiligenbeil in Bremen abzufodern war. – Es war sichtbar, daß Flitte, obwohl halb tot, doch überall auf diktierte, gut stilisierte Schreibart ausging. – Aber Walt mußte einhalten und einen Löffel Wasser fordern, um einige Dinte aus dem Dintenpulver zu machen, in das er eintunkte. Als die Dinte fertig war, fand er wieder sehr ungern, daß die neue ganz anders aussehe als die alte, und daß er so das Instrument – geradezu entgegen allen Notariats-Ordnungen – mit doppelter Dinte hinschreibe. Gleichwohl bracht' ers nicht über sein höfliches Herz, alles zu zerreißen und von neuem anzuheben.

Darauf testierte der Kranke dem dürftigen Flachs seine silbernen Sporen und seinen mit Seehund bezognen leeren Koffer und die Reitpeitsche. Dem Doktor Hut vermacht' er alles, was er an Aktiv-Schulden in der Stadt zu fodern hatte.

Er mußte innen halten, um einige Kräfte zu schöpfen. »Auch vermach' ich dem Herrn Notar Harnisch«, hob er mit schwacher Stimme wieder an, »für das Vergnügen, ihn zu kennen, alles, was sich teils an Barschaft, teils an Wechseln nach meinem Tode bei mir vorfinden mag, und was sich gegenwärtig nicht über 20 Friedrichsd'or belaufen wird, daher ich ihn bitte, vorlieb zu nehmen, und meinen goldnen Fingerring noch beifüge.«

Walt konnte kaum die Feder führen; und wollt' es auch nicht mehr; denn er errötete, vor so vielen Zeugen und von einem sterbenden Menschen, dem er nichts vergelten konnte, so ansehnlich beschenkt zu werden; er stand auf, drückte stumm vor Mitleiden und Liebe die gebende Hand und sagte Nein und bat ihn, doch einen Arzt zu wählen.

»Dem Herrn Stadttürmer Heering« – wollte Flitte fortfahren, sank aber, geschwächt durch Sprechen, aufs Kissen zurück. Heering sprang herbei, lockerte die Kissen besser auf und setzte den Patienten ein wenig in die Höhe. Es schlug 12 Uhr; und Heering sollte nachschlagen; aber er wollte in einen solchen Aktus nicht hämmern auf der Glocke, sondern erhielt

Stille, damit man den Testierer forthöre: »Ihn also bedenk' ich mit meinem feinen weißen Zeuge, desgleichen mit allen meinen Kleidern – nur die Reitstiefel gehören der Magd – und allem, was noch von einer reichbesetzten Tabatiere in meinem Koffer übrig bleibt, wenn man davon Leichen- und andere Kosten bestritten hat.«

Bald nach einigen Legaten und nach den Formalitäten, die den letzten Willen eines Menschen noch mehr erschweren als den schlimmsten vorher, war alles abgetan. Noch drang der sichtbar mehr ermattende Elsasser darauf, daß der Notar jetzt alle seine Effekten mit dem Notariatssiegel zupetschiere. Er tats, da ihm alle Promptuarien, sowohl von Hommel als Müller, dafür bürgten, daß ers könne.

Es war ihm bitter, von dem armen lustigen Vogel – der ihm Federn und goldne Eier zurückließ – zu scheiden und ihn schon in den Krallen der rupfenden Todes-Eule um sich schlagen zu sehen. Heering leuchtete ihm und sämtlichen Zeugen herab. »Mir wills schwanen,« sagte der Türmer, »daß er die Nacht nicht übersteht; ich habe meine kuriosen Zeichen. Ich hänge aber morgen früh mein Schnupftuch aus dem Turme, wenn er wirklich abgefahren ist.« Schauerlich trat man die langen Treppenleitern durch die leeren dumpfen Turm-Geklüfte, worin nichts war als eine Treppe, herunter. Der langsame eiserne Perpendikelschlag, gleichsam das Hin- und Hermähen der an die Uhr gehangenen Eisen-Sense der Zeit – das äußere Windstoßen an den Turm – das einsame Gepolter der neun lebendigen Menschen – die seltsamen Beleuchtungen, die die getragene Laterne durch die oberste Empor hinunter in die Stuhlreihen flattern ließ, in deren jeder ein gelber Toter andächtig sitzen konnte, so wie auf der Kanzel einer stehen – und die Erwartung, daß bei jedem Tritte Flitte verscheiden, und als bleicher Schein durch die Kirche fliegen könne, –– das alles jagte wie ein banger Traum den Notar im düstern Lande der Schatten und Schrecken umher, daß er ordentlich von Toten auferstand, als er aus dem schmalen Turme unter den offnen Sternenhimmel hinaustrat, wo droben Auge an Auge, Leben an Leben funkelte und die Welt weiter machte. –

Flachs, als Geistlicher von den vier letzten Dingen mehr lebend als ergriffen, sagte zu Walt: »Sie haben Glück bei Testamenten.« Aber dieser bezog es auf seinen Stil und Stand, er dachte an nichts als an das närrische hüpfende Lebens-Karnaval, wo der zu ernsthafte Tod am Schlusse den Tänzern nicht nur die Larven abzieht, auch die Gesichter. Im Bette betete er herzlich für den jetzt kämpfenden Jüngling um einige Abendröte oder Frühlingsstrahlen in der wolkigen Stunde, welche auf jeden Menschen wie ein unendlicher Wolkenhimmel plötzlich oben herunterfällt und ihn zugehüllt auflöset. Er drückte dabei fest die Augen zu, um über nichts Zufälliges etwan zusammenzuschaudern.

Nᵗᵒ 38: MARIENGLAS

Raphaela

Als Gottwalt erwachte, hatt' er anfangs alles vergessen, und die Abendberge vor seinem Bettfenster standen so rot im Morgenschein, daß sein Wunsch der Reise wiederkam – darauf der Einwurf der Armut – endlich der Gedanke, daß er aber ja über 20 Louisd'or gebiete. Da sah er nach dem Stadtturm, worauf als einem castrum doloris nun der verstorbne Flitte liegen konnte, und wollte traurig aufblicken.

Aber sein Gesicht blieb aufgeheitert, so mitleidig er auch die Augen aufzog; die romantische Reise in solchen blauen Tagen – in solchen Verhältnissen – so plötzlich geschenkt – das war ihm ein Durchgang durch die hellste Glückssonne, wo es Licht stäubt und man sich ganz mit Flimmern überlegt.

Ganz verdrüßlich zuletzt darüber, daß er nicht traurig werden wollte, fuhr er ohne Gebet aus den Federn und hörte sein Herz ab. Er mochte aber fragen und zanken, solang' er wollte, und dem Herzen den blassen jungen Leichnam auf dem Turme hinhalten und dessen zugedrückte Augen, die mit keiner Morgensonne mehr aufgingen: es half gar nichts, die Reise und mithin die Reisegelder behielten ihren Goldglanz, und das Herz sah sehr gern hinein. Endlich fragt' er aufgebracht, ob es denn, wie er sehe, des Teufels lebendig sei, und ob es, wenn es könnte, etwa den armen Testator nicht sogleich und mit Freuden rettete und aufbrächte. Man besänftigte ihn ein wenig durch die Antwort: mit Freuden und auf der Stelle. Hier fiel ihm das Versprechen des Türmers ein, ein weißes Schnupftuch als Trauerflagge am Turme auszustecken, wenn der junge Mensch verschieden wäre. Da er aber droben keines fand und doch darüber einige Freude verspürte: so entließ er das arme verhörte Herz und war ordentlich auf sich ärgerlich, ohne Not dem ehrlichen guten Schelm so zugesetzt zu haben.

Er hätt' aber nur diesen Schelm fragen sollen, wie ihn bei zehnmal größerer Erbschaft z. B. der Tod des Bruders gestimmt haben würde: so würd' er, wenn er gefunden hätte, daß dann die Last viel zu schwer, der Kopf zu gebeugt gewesen wäre, um nur etwas anderes zu sehen als das Grab und den Verlust, leicht den Schluß gezogen haben, daß nur die Liebe den Schmerz erschaffe, und daß er vergeblich einen zu großen bei einer zu kleinen für den Elsasser von sich gefordert.

Jetzt sah er ein weißes Schnupftuch, aber nicht am Turm, sondern an Raphaelen, die im Parke traurig lustwandelte, und welcher die modische Taschenlosigkeit das Glück gewährte, diesen Schminklappen des Gefühls, diese Flughaut der Phantasie in der Hand zu haben. Sie sah oft nach dem Turme, einigemal an sein Fenster, grüßt' ihn mitten im Schmerz; ja, als wenn sie ihm winke, hinunterzukommen, kam es ihm vor, aber nicht glaublich genug, weil er aus englischen Romanen wußte, wie weit weibliche Zartheit gehe. Indes kam Flora und bat ihn wirklich hinab.

Er ging zur Bewegten als ein Bewegter. »Ich denke mir leicht,« dacht' er sich auf der Treppe, »wie ihr ist, wenn sie an den Stadtturm sieht und droben den einzigen Menschen bald aufgebahret glauben muß, der nur durch eine herzlichste Liebe, wie eine mütterliche gegen ein mißgeschaffnes Kind, den Eindruck ihrer Widrigkeit schön überwand.« – »Verzeihen Sie meinen Schritt,« – fing sie stockend an und nahm das Schnupftuch, diese Schürze eines trocknen Herzens, von den feuchten Augen weg – »wenn er Ihnen mit der Delikatesse, die mein Geschlecht gegen Ihres behaupten muß, sollte zu streiten scheinen.«

Schade oder ein Glück wars, daß sie gerade diese Phrasis nicht dem hastigen Quoddeus Vult sagte; denn da es schwerlich in Europa oder in Paris oder Berlin einen Mann gab, der es in *dem* Grade so verfluchte – und erriet – als er, wenn eine Frau bestimmt auf ihr Geschlecht und auf das fremde und auf die nötigen Zartheiten zwischen beiden hinwies und es häufig anmerkte, wie da mancher Handkuß sie eine unreine Seele erraten lasse, dort mancher wilde Blick, und wie das zärtere Geschlecht sich gar nicht genug decken könne: so würde der Flötenspieler ohne Umstände geäußert haben: »eine freimütige H– sei eine kecke Heilige gegen solche Abgründe feiger und eitler Sinnlichkeit zugleich – er kenne dergleichen Herzen, welche das Schlimme argwohnen, um nur es ungestraft zu denken, die es wörtlich bekriegen, um es länger festzuhalten – ja, manche sehen sich wohl gar in der Arzneikunde ein wenig um, damit sie im Namen der Wissenschaft (diese habe kein Geschlecht) ein unschuldiges Wort reden können – und lagern sich vor dem Altar und überall wie Friedrich II. so schlachtfertig, en ordre de bataille, wie auf dem Sopha.« – »Wahrlich,« setzt' er dazu, »sie gehen ins leibliche oder ins geistige Zergliederungshaus, um die Leichen zu – sehen. Unschuld, nur wenn du dich nicht kennst, wie die kindliche, dann bist du eine; aber dein Bewußtsein ist dein Tod.«

So scheint, gleichnisweise, *zermalmtes* Glas ganz *weiß*, aber *ganzes* ist beinahe gar *unsichtbar*.

So dachte aber nicht Walt: sondern als Raphaela an ihn die

obige Anrede gehalten, gab er die aufrichtige Antwort, daß er nicht einmal bei seinem eignen Geschlechte, geschweige bei dem heiligsten, das er kenne, irgendeinen Schritt anders auslege, als das fremde Herz begehre.

Indes hatte sie ihn weiter nichts zu fragen als: wie der Sterbende – dem sie als einem Freunde ihres Vaters wohl gewollt, wie allen Menschen, und den sie sehr bedauert – sich in der Nacht bei seinem letzten Willen (wovon durch die sieben Zeugen als durch sieben Tore ebensoviele Brote hinlänglicher Nachrichten der Stadt herausgereicht waren) sich benommen habe, was sie gern zu wissen wünsche, da ein Sterbender ein höheres Wort sei als ein Lebender.

Der Notar antwortete gewissenhaft, das heißet als ein Notar und sagte, er hoffe, nach dem Schnupftuch zu schließen, er sei noch lebendig. Sie berichtete, daß der Doktor Hut, der gerufen worden ihn zwar angenommen, aber als einen verlornen Menschen, und sie wünschte dem Doktor, mit ihrem weichen Leumund, keine unglückliche Kur.

»Das ist doch schon was, und die überlebte Nacht dazu«, versetzte Walt ganz wohlgemut. Aber sie versicherte, sie tröste sich leider nicht so leicht, und sie sei überhaupt so unglücklich, daß das fremde Leiden, auch das kleinste ihrer Verwandten, sie heftig angreife und sie Tränen koste. Sie brach in einige aus; sie wurde von sich so leicht als von andern schwer gerührt. Auch ist das Sprechen von Weinen bei Weibern ein Mittel zum Weinen. Der Notar war seelenvergnügt über alle die Rührungen, die er teils sah, teils teilte. Liebes Frauen-Weinen war ihm eine so seltene Kost als langer grüner Ungar, Nieuwensteiner Hammelhoden, Wormser liebe Frauen-Milch oder andere Weine, die bei Herrn Kaufmann Corthum in Zerbst zu haben sind. Er blickte ihr mit allen Zeichen des teilnehmenden Herzens in ihre Augen voll Wasser-Feuer und hätte wohl gewünscht, die Delikatesse englischer Romane verstattete ihm, ihre zarte weiße Hand in etwas zu fassen, welche vor ihm stark im besonnten Grüne gaukelte und in den Tau der Gebüsche fuhr und darauf ins Haar, um es damit nach der Vorschrift eines Engländers wie andere Gewächse zu stärken.

Beide stellten sich jetzt – der Pyramide und dem steinernen Großvater auf der Insel gegenüber – an eine Urne aus Baumrinde. Raphaela hatte eine Lesetafel mit der Inschrift: »Bis *daher* dauere die Freundschaft« darangemacht. Sie schlang den Arm aufwärts um die Urne, so daß er immer schneeweißer wurde durch Bluts-Verhalt, und versicherte, *hier* denke sie oft an ihre ferne Wina von Zablocki, die ihr leider jährlich zweimal, durch die Michaelis- und die Ostermesse, nach Leipzig vom Generale entführet werde, seinem Vertrage mit der Mutter zufolge. Ohne ihr Wissen war ihr Ton durch langes Beschreiben der Schmerzen ganz munter geworden. Walt lobte sehr ihre Freundschaft und ihre – Freundin. Sie erhob die Freundin noch gewaltiger als er. Da konnt' er nicht länger mit dem anschwellenden Herzen bleiben. Mit Zurückberufung des alten Klagetons und einem Trauerblick gegen den Turm schied sie von dem Jüngling.

In diesem aber wurde ein Flug von Dämmerungsvögeln – um seine Ideen so zu nennen – wach und flog ihm 36 Stunden lange dermaßen um seinen Kopf, daß er ihnen nicht anders zu entkommen wußte als – zu Fuß, durch eine Reise. Winas lebendigeres Bild – die September-Sonne, die aus blauem Äther brannte – mögliches Reisegeld – und ein ganzes wünschendes Herz, das alles auf der einen Seite – und auf der andern und schlimmen Doktor Huts lautes Bedauern und Rezeptieren – Flittes laute Agonien – Heerings peinliches Schnupf- oder Bahrtuch, das jede Minute flattern konnte – Walts versäumte poetische Sing-Stunden (denn was war in solcher Krisis zu dichten?) – viele gesperrte Träume – und endlich 36 innere Fecht-Stunden dazu –– so viel und nicht weniger mußte sich ineinanderhaken, damit Walt, weils nicht mehr auszuhalten war, keine weitere Umstände machte, sondern zwei nötige Gänge, den ersten zu den Testaments-Vollstreckern, um den dritten langen anzusagen als Notariats-Pause; und darauf den zweiten zum Flötenspieler, um ihm hundert Anlässe zur Reise und die Reise zu melden.

Beide Brüder freuten sich wochenlang auf alles, was jeder nun dem andern Geschichtliches werde zu erzählen haben, wenn er wochenlang weggewesen; jetzt war Walt der Geber. Vult hatte sich über viel zu wundern. Sehr schwer fiel es ihm, die juristische Regel, daß Worte eines Sterbenden Eiden gleich gelten wie die eines Quäkers, auf den prahlenden Flitte anzuwenden; indes blieb ihm die Angel verdeckt, um welche sich die ganze Täuschung drehte. »Mir ist,« sagt' er, »als hätten die Narren dich zum – Weisen; ich weiß aber nicht wo. Um Gottes Willen, junger Mensch, sei eine Kutsche (folge einem ältern) und habe hinten dein rundes Fensterchen, damit kein Dieb dir Geld abschneidet oder Ehre.«

»Ich habe leider nichts zu erzählen«, sagte Vult.

Aber der Notar konnte zum Glück noch viel mitteilen. Er erzählte chronologisch – denn Vult gebots, weil jener sonst alles ausließ – und mit höchster Behutsamkeit – denn Walt kannte dessen unmetrische Härten gegen Weiber – Raphaelens Gespräch. Allein es half wenig; er haßte alles Neupetersche und besonders das weibliche. »Raphaela«, sagt' er, »ist lauter Lug und Trug.« – »Und einer so armen Häßlichen«, versetzte Walt, »könnt' ich einen vergeben, obgleich weder mir noch einer noch einem Geliebten.« – »Sie will nur, das mein' ich,« – fuhr Vult fort – »sich auf ihre innere Brust brüsten, und während *ein* Liebhaber auslöscht, einen Sukzessor im trüben Tränenwasser erfischen. Ein Weib ist ein *weiblicher* Reim, der sich auf *zwei* Laute reimt; ein männlicher auf *einen*. Es ist nicht viel besser, Alter, als wenn sie als Falkenier zu dir Falken sagte und sich als Taube dir vorwürfe: rupf' an, Männchen!«

»Die *Möglichkeit* solcher Täuschungen« – sagte Walt – »seh' ich wohl auch voraus, und dein Argwohn ist mir oft nichts Neues, aber über die *Wirklichkeit* in jedem Falle, darüber ist der Skrupel. Und Liebe kann ja ebensowohl stimmen als Haß verstimmen. Ist Raphaelens Freude über mein Lob auf ihre

Freundin kein schönes Zeichen?« – »Nein«, sagte Vult. »Nur eine Schönheit ist an ausschließende Grade des Lobes und Feuers verwöhnt und hasset jede Unvollständigkeit und Teilung der fremden Empfindung; aber eine untergeordnete Gestalt ist genötigt zur Zufriedenheit mit mittlern Stufen und vergibt manches, ausgenommen manches.«

Walt hatte nichts weiter zu berichten als seinen Plan, den reinen Himmel zu atmen auf einigen Tagreisen, wo er auf nichts ausgehe als auf den Weg. Vult genehmigte ihn stark. Jener wollte sehr scheiden; aber der Flötenspieler, durch Reisen der Abschieds-Abende gewohnt, machte nicht viel Wesen, sondern sagte lustig: »Fahre dahin, fahre daher, gute Nacht, glückliche Reise.«

Die schönsten Reise-Winke standen am Himmel. Glänzendscharf durchschnitt die Mond-Sichel der Abendblumen das Blau; frische Morgenluft strich schon über dunkelroten Wolken-Beeten am Himmel; und ein Stern nach dem andern verhieß einen reinen Tag.

N⁰ 39: PAPIERNAUTILUS

Antritt der Reise

Am Morgen sah er auf der Schwelle reisefertig noch einmal seine dunkle westliche Stube an, darauf sogar in die Kammer hinein und flog mit zwei liebreichen Blicken, die einen Abschied bedeuten sollten, und mit einem an den Turm, dem der Tod noch kein Schnupftuch zugeworfen, freudig auf einen leeren Platz am Tore hinaus, wo er sich überall umsehen und unter den vier Holz-Armen eines Wegzeigers bei sich festsetzen konnte, wohin er gegenwärtig gedenke, ob nach Westen, Norden, Nordosten oder Osten; aus Süden, dem Stadttor, kam er aber her.

Seine Hauptabsicht war, den Namen der Stadt gar nicht zu

wissen, der er etwa unterwegs aufstieß, desgleichen der Dörfer. Durch eine solche Unwissenheit hofft' er ohne alles Ziel unter den geschlängelten Blumenbeeten der Reise umherzuschweifen und nichts zu begehren so wie zu besehen, als was er eben habe – in einem fort bei jedem Tritte anzukommen – sich in jedes goldgrüne Lust-Wäldchen zu betten, und ständ' es hinter ihm – in jeder Ortschaft selber den Namen der Ortschaft zu erfragen und darüber sich ganz heimlich zu ergötzen – und dabei, bei solchen Maßregeln in einem solchen Strich Landes, der vielleicht mit Landhäusern, Irrgärten, Tharanden, plauischen Gründen vorher, Bergschlössern voll heruntersehender Fräuleins-Augen, Kapellen voll aufgehobner Beter-Augen und überhaupt mit Pilgern, Zufällen und Mädchen ordentlich übersäet sein konnte, in romantische Abenteuer von solcher Zahl und Güte hineinzugeraten, als er freilich nie erwarten wollen.

»Mein guter Unendlicher in deinem blauen Morgenhimmel,« betete er in seiner durchdringenden Entzückung, »lasse doch die Freude dasmal nichts vorbedeuten.«

Er hatte sich in acht genommen, an den Wegweiser hinaufzusehen, der wie ein Affe vier Arme hatte, um nicht etwa an den abgewaschenen Armröhren einer Stelle ansichtig zu werden, von welcher die Zeit, besonders die Regenzeit, den Namen der Post-Stadt noch nicht rein weggerieben hatte. Am welt- und geistlichen Arm-Paar wär' er diese Gefahr nicht gelaufen, sondern dieses zeiget allgemeiner ins Blaue.

In Norden lag Elterlein; in Osten standen die Pestitzer oder Lindenstädter Gebürge, über welche die Straße nach Leipzig – auch eine Lindenstadt – weglief; zwischen beiden nun nahm der Notar den Weg, um die Höhen, hinter welchen die holdselige Wina jetzt rollte oder ruhte, niemals aus den Augen zu verlieren, welche bald aus Blumenkelchen, bald aus Wolken auf Gebürgen trinken wollten. – Ein Glück ists für den gegenwärtigen Beschreiber der Reise und des Reisenden, daß *Walt* selber für sein und des Flötenisten Vergnügen ein so umständliches Tage- oder Sekunden-Buch seiner Reise gleichsam als ein

Opfer- und Sublimier-Gefäß des Lebens vollgefüllt, daß ein anderer weiter nichts zu tun braucht, als den Deckel diesem Zucker- und Mutterfasse auszuschlagen und alles in sein Dintenfaß einzulassen für jeden, der trinken will. Der leidende Mensch hat einen erfreueten nötig – der erfreuete in der Wirklichkeit einen in der Poesie – und dieser, wie Walt, verdoppelt sich wieder, wenn er sich beschreibt.

»Fast wollt' ich hoffen,« so fängt Walt das Sekunden- und Terzienbuch an Vult an, »daß mein liebes Brüderlein mich nicht auslachen werde, wenn ich meine unbedeutende Reise nicht sowohl in deutsche Meilen als russische Werste abteile, welche als bloße Viertelstunden freilich sehr kurz sind, aber doch nicht zu kurz, ich meine für einen Menschen auf der Erde. So wie es nicht auszukommen wäre mit dem flüchtigen Leben, wenn man es, statt an Minuten- und Stunden-Uhren, lieber an Achttage- oder gar Säkular-Uhren abmäße, gleichsam einen kurzen Faden an ungeheuern Welt-Rädern: so möchte man, zumal wenn ein Reich es tut, dem es am wenigsten an Raum fehlt, das russische, dieselbe Entschuldigung haben, wenn man, da der kleine *Fuß* und der *Schuh* des Menschen sowohl sein eignes Maß als das seiner Wege ist, für bloße Fußreisen die Werste zum Wegmesser erwählt. Die Ewigkeit ist ganz so groß als die Unermeßlichkeit; wir Flüchtlinge in beiden haben daher für beide nur *ein* kleines Wort, Bruder: *Zeit-Raum*.«

Als er seine erste Werste nordöstlich antrat, Winas Gebürge und die Früh-Sonne zur Rechten und mitlaufende Regenbogen in den betaueten Wiesen zur Linken: so schlug er die Hände als Schellen einer morgenländischen Musik gegeneinander vor Lust und wurde so leicht und behend von sich selber dahingetragen, daß er kaum aufzutreten brauchte! Läuferschuhe und Hosensäcke der Ohnehosen geben dem Menschen, wenn er sonst lange Stiefel und kurze Hosen trug, fast Flügel. Sein Gesicht war voll Morgenluft, und ein Orient der Phantasie war in seinen Blicken gemalt. Sein sämtliches Münzkabinet oder Studentengut hatt' er eingesteckt, als Surplus- und Operationskasse, um an dieser Geld-Katze einen Schwimm-Gürtel für alle Höllen- und Paradieses-Flüsse zugleich zu haben. Er bewegte sich durch das widerstrebende Leben so frei wie der Schmetterling über ihm, der nichts braucht als eine Blume und einen zweiten Schmetterling. Der Kunststraße, woran er einen ganzen Klumpen Reformatoren und Weg-Frotteurs stampfen und klopfen sah, ging er aus dem Wege, weil er sich nicht damit plagen wollte, entweder *einen* Morgengruß lang durch sie hinzuziehen, oder den nämlichen lächerlich immer von neuem zu sagen und doch wohl falsch abzusetzen. Hügelauf, Talein lief er in nassen Gras-Blüten und verlor und erhielt abwechselnd die Stadt, von welcher er indes wünschte, daß er sie endlich einbüßte, weil ihm sonst immer nicht recht war, als sei er fort.

Er mußte noch zwei starke Werste zurücklegen, ehe sie hinter den Obsthügeln unterging. Noch war ihm nichts Besonders unterwegs begegnet als der Weg selber, als er seinen Gruß einem Menschen, dessen Gesicht ein Schnupftuch zuband, im Fluge zuwerfen konnte. Er ging so lange fort, bis er glauben durfte, der Mann habe sich umgesehen, und er könn' es auch, ohne zusammenzustoßen. Aber eben sah jener her. Er ging wieder weiter und blickte um – der Bandagist seinerseits auch. Als ers zum drittenmal tat, merkte er, daß der Mann trotzig stehen bleibe, und daß ihn die Rücksicht gar verdrüße. Da ließ ihn Walt laufen und stehen.

Er stieß bald – so wuchsen die Abenteuer – auf drei alte Frauen und eine blutjunge, welche mit hochaufgetürmten Körben voll Leseholz aus einem Wäldchen kamen. Auf einmal standen sie alle in gerader Linie zugleich hintereinander still, die schweren Körbe auf den schief-untergestellten Stecken auflehnend, die sie vorher als Badinen getragen. Sein Herz machte viel daraus, daß sie, wie Protestanten und Katholiken in Wetzlar, ihre Ferien und Feiertage des Gehens gemeinschaftlich abtaten, um beisammen zu bleiben und fort zu reden. Nie entwischte seinem Auge die kleinste Handvoll Federn oder Heu, womit sich der Arme die harte Pritsche in der Wachtstube sei-

nes Lebens etwas weicher bettet und sich die Marterbank aus-
polstert. Ein liebender Geist spüret gern die Freuden der
Armen aus, um darüber eine zu haben; ein hassender aber lieber die Plagen, seltener um sie zu heben, als um über die Reichen zu bellen, die er vielleicht selber vermehrt.

Herzlich gern wollt' er den Fracht- und Kreuzträgerinnen
einige Groschen Trage-Lohn auszahlen; er schämte sich aber
vor so vielen Zeugen einer warmen Tat. Darauf schob ein Mann
einen Karren voll hoher klappernder Blechwaren daher; sein
Töchterchen war als Vorspann vorgelegt; beide keuchten stark.
Es zwang ihn, sich mit dem Karrenschieber zusammenzuhalten und sich auf die eine Waagschale zu stellen, den Kärrner auf
die andere. Da er nun sogleich bemerkte, wie sehr er mit seinen
Glückslosen und Zuckerhüten den Kärrner überwiege – der
alten Holzweiber nicht einmal zu gedenken –; da er finden
mußte, daß sein freies fliegendes Fortkommen, gegen das träge
Karren- und Stunden-Rad des Mannes gemessen, mehr der
freudigen leichten Weise beikomme, wie die Großen reisen: so
wurd' er rot über seinen Reichtum und Stand – er sah die Weiber noch halten und lehnen – er lief zurück mit vier Gaben und
eilig davon.

»Bei Gott,« schreibt er in sein Tagebuch, um sich ganz zu
rechtfertigen, – »der armselige flüchtige Sinnen-Kitzel einer
bessern Nahrung, welchen etwan ein paar geschenkte Groschen bereiten können, und überhaupt der *Genuß*, der kann
nie der Anlaß werden, daß man die Groschen so freudig hin-
reicht; aber die *Freude*, die man dadurch auf einen ganzen Tag
lang in ein ausgehungertes Herz und in seine welken, kalten,
engen Adern auswärmend hineingießet, dieser schönste Himmel anderer Menschen ist doch wohl wohlfeil genug damit
erkauft, daß man selber einen dabei hat.« Hier kramt er weitläuftig seinen alten Traum von dem Glücke eines reisenden
Mylords aus, auf einmal durch eine offne volle Hand ein ganzes
Dorf unter Brei und Fleischbrühe zu setzen und in ein Elysium
langer Erinnerung.

Mit drei Himmeln im unschuldigen Gesicht – noch einen mehr hatt' er auf den Gesichtern hinter sich gelassen – glitt er leicht von Tautropfen zu Tautropfen. – Das Herz wird wie ein Luftschiff durch den Auswurf des schwersten Ballastes, des Geldes, so leicht, so schnell, so hoch. Indes traf er ziemlich spät in dem nur vier kleine Werste entlegenen *Härmlesberg* ein. Denn überall saß und schrieb, oder stand und sah er oder las alles – jede Inschrift einer Steinbank – und wollte keine Kleinigkeit übergehen, sie müßte denn Bevölkerung, Stallfütterung, Wiesenwuchs, Lehmboden und dergleichen betroffen haben.

»Drinnen will ich,« sagt' er zu sich, »da ich doch einem großen Herren ähnlich scheinen soll, mein déjeûner dinatoire einnehmen« und trat in den Krug.

Nᵒ 40: CEDO NULLI

Wirtshäuser – Reisebelustigungen

Der Notarius, der unter die Menschen gehörte, welche wohl jahrelang daheim sparen können, aber nicht unterwegs – hingegen andere kehren es gerade um –, foderte keck sein Nößel Landwein. Dabei aß und saß er und beobachtete vergnügt die Wirtsstube, den Tisch, die Bänke und die Leute. Als einige Handwerkspursche ihren Kaffee bezahlten: bemerkte er sehr wahr, daß die Milchtöpfchen in Franken ihren Gießschnabel dem Henkel gegenüber haben, in Sachsen aber links oder gar keinen. Mit gedachten Purschen ging seine Seele heimlich auf Reisen. Gibt es etwas Schöneres als solche Wanderjahre in der schönsten Jahrszeit und in der schönsten Lebenszeit, bei solchen Diätengeldern, die man unterwegs bei jedem Meister erhebt, und bei solcher Leichtigkeit, in die größten Städte Deutschlands ohne alle Reisekosten zu gehen, und sobald kaltes nasses Wetter einbricht, sogar auf einem Arbeitsstuhl häuslich zu nisten und zu brüten wie der Kreuzschnabel im Winter?

– »Warum« (schreibt sein Tagebuch Vulten) »müssen die armen Gelehrten nicht wandern, denen das Reisen und das Geld dazu gewiß ebensonötig und dienlich wäre als allen Gesellen?« –

»Draußen im Reich«, sagte stets Walts Vater, wenn er bei Schneegestöber von seinen Wanderjahren erzählte; und daher lag dem Sohne das Reich in so romantischem Morgentau blitzend hin als irgendeine Quadratmeile von Morgenland; in allen Wandergesellen verjüngte sich ihm die väterliche Vergangenheit.

Jetzt fuhr ein Salzkärrner mit *einem* Pferde vor, trat ein, wusch sich in einer ganz fremden Stube öffentlich und trocknete sich mit dem an einem Hirschgeweih hängenden Handtuch ab, ohne noch für einen Kreuzer verzehrt oder begehrt zu haben. Walt bewunderte den kräftigen Weltmann, ob er gleich nicht fähig gewesen wäre, sich nur unter vier Augen die seinigen zu waschen. Dennoch exerzierte er – da er in etwas getrunken – einige Wirtshaus-Freiheiten und ging in der Stube wohlgemut umher, ja auf und ab.

Ob er gleich nicht imstande war, unter einer fremden Stubendecke den Hut aufzubehalten – sogar unter seiner sah er ungern bedeckt aus dem Fenster aus Artigkeit –: so hatt' er doch seine Freude daran, daß andere Gäste ihren aufhatten und sonst überall von den herrlichen akademischen Freiheiten und Independenzakten der Wirtsstuben den besten Gebrauch machten, es sei, daß sie lagen, oder schwiegen, oder sich kratzten. Ihm schienen die Wirtsstuben ordentlich als hübsche geräumliche, aus abgebrochenen eingeäscherten Reichsstädten unversehrt herausgehobene reichsunmittelbare Diogenes-Fässer vorzukommen, als hübsche aus Marathons-Ebenen ausgestochne Grünplätze, vom Keller grünend gewässert.

Es wurde schon erwähnt, daß er auf- und abging; aber er ging weiter und – denn das Wirtshausschild setzt' er als Achilles-Schild vor, den Weinbecher als Minervens-Helm auf – schrieb unter aller Augen ein und das andere Texteswort in seine Schreibtafel, um, wenn er allein wäre abends im Quartier, darüber zu predigen. Auch trug er ein, daß auf dem Schilde des Wirtshäuschens ein Schilderhäuschen stand.

Der Mut der Menschen wächset leicht, ist er nur herausgekeimt; – Kommende grüßten leise, Gehende laut; der Notarius dankte beiden lauter. Er war so freudig bei einem Freudenbecher, den nicht einmal sächsischer Landwein hätte wässern können. Er liebte jeden Hund, und wünschte von jedem Hund geliebt zu sein. Er knüpfte deswegen mit dem Wirtsspitze – um nur etwas für das Herz zu haben – ein so enges Band von Bade-Bekanntschaft und Freundschaft an, als ein Stückchen Wursthaut bei solchen Wesen sein kann. Für warmherzige Neulinge sind wohl stets die Hunde die Hundssterne, durch deren Leitung sie zur Wärme der Menschen zu gelangen suchen, sie sind, so zu sagen, die Saufinder und Trüffelhunde tief versteckter Herzen. »Spitz, gib die Pfote«, rief der Wirt in Härmlesberg. Spitz, oder der Spitz – denn der Gattungsname ist, was bei dem Menschen selten, in Deutschland und in Haßlau zugleich der persönliche, ausgenommen in Thüringen, wo die Spitze Fixe heißen – Spitz drückte dem Notar die Hand, soweit er wußte.

»Gebt dem Herrn auch eine Patschhand, Bestien«, rief der Wirt, als drei kleine, armlange, geputzte Mädchen von einerlei Statur und Physiognomie an der Hand einer jungen schönen, aber schneeblassen Mutter hereintraten aus der Schlafkammer. »Es sind Drillinge und sollen zu ihrer Frau Patin«, sagte der Wirt. Gottwalt schwört im Tagebuch, daß etwas »Allerliebsteres, Herzinniglicheres« es gar nicht gebe, als drei so liebe hübsche, niedliche Mädchen von einerlei Höhe mit ihren Schürzchen und Häubchen und runden Gesichterchen sind, wobei nur zu bedauern sei, daß es Drillinge gewesen, und nicht Fünflinge, Sechslinge, Hundertlinge. Er küßte sie alle vor der ganzen Wirtsstube kurz und wurde rot; – es war halb, als hab' er die zarte bleiche Mutter mit der Lippe angerührt; auch sind ja die guten Kinder die schönste Wesen- und Jakobsleiter zur Mutter. Dabei sind solche winzige Mädchen für Notarien, welche ohne Mut und ohne Elektrisier- und Sprachmaschine für erwachsene Mädchen dazustehen fürchten, ordentlich die schönen Ableiter und Zuleiter, geschenkte Rechenknechte für den Augenblick; – man wundert sich fröhlich und heimlich, daß man ein Ding wie ein Mädchen so dreist umhalset. Walt wurde der Kleinen später satt als sie seiner. Er war ja dem Drilling – als eigner Zwilling – viel verwandter als alle Gäste in der Stube. Er beschenkte sie geldlich zur höchsten Freude der Mutter. Dafür bekam er drei Küsse, die er lange zurücklieferte, nur bei sich betrübt, daß ein Tauschhandel solcher Artikel selber so früh dem Tausche der Zeit heimfalle. »Ei, Herr guter Harnisch!« sagte der Wirt. Walt wunderte sich über die Kenntnis seines Namens, aber nicht ohne Vergnügen, ja mit einiger Hoffnung, daß es, nach einem solchen Anfange zu urteilen, wohl noch seltsamere Avantüren zu erleben gebe. Er wollte daher lieber nicht fragen, wie und wo und wann, aus Furcht, um seine Hoffnung zu kommen.

Mit Wollust sah er zu, wie der Vater sich von den Kindern Äpfel abkaufen ließ, um Walts Geld von ihnen zu haben – und wie die Mutter dem ersten Drilling Brot zulangte, damit er wieder davon furchtsam eine Ziege unter dem Fenster abknuppern ließe – und wie der zweite herzhaft in einen Apfel einbiß, ihn dem dritten zum Beißen hinhielt, und wie beide ihn wechselnd anbissen und reichten und jedesmal lächelten. »O wär' ich nur ein wenig allmächtig und unendlich,« – dachte Walt – »ich wollte mir ein besonderes Weltkügelchen schaffen und es unter die mildeste Sonne hängen, ein Weltchen, worauf ich nichts setzte als lauter dergleichen liebe Kinderlein; und die niedlichen Dinger ließ' ich gar nicht wachsen, sondern ewig spielen. Ganz gewiß, wenn ein Seraph himmelssatt wäre oder sonst die goldnen Flügel hängen ließe, könnt' ich ihn dadurch herstellen, daß ich ihn einen Monat lang auf meine springende jubelnde Kinderwelt herabschickte, und kein Engel könnt', so lange er ihre Unschuld sähe, seine eigene verlieren.«

Endlich rückten die Kinder, einander an den Händen zu führen befehligt, mit der Mutter aus, zur Frau Patin. Ein langer Tyroler mit grünem Hut, von welchem bunte Bänder flatterten, trat singend hinein. – Walt trank und brach auf. Schön war draußen die Welt, sogar noch in Härmlesberg. Im Dorfe wurde Zimmerholz mit lauten Schlägen zugehauen und, mit der roten Meßschnur angeschnellet, in gerade Formen abgeteilt; – alle Kinderszenen unter dem Bauholz seines Vaters kamen mit dem Rosenhonig der Erinnerung aus den Kindheitsrosen beladen zurück. Bleicherinnen mit großen Hüten begossen, leicht gebückt, die weißen Beete aus Flachs-Lilien. Aus dem Hut, den ein Mädchen an langen Bändern an der Hand herunterhängen ließ, floh er zu den blauen, gelben Glaskugeln eines Gartens auf und wiegte sich überall.

Jetzt kam er in die lange Gasse des aus Bergen wie aus Palästen zusammengereiheten Rosana-Tals hinein – Edens Gartenschlüssel wurden ihm vorn überreicht, und er sperrte es auf. »Der völlige Frühling ist da, der Orpheus der Natur, sagt' ich,« (schreibt er) »denn die Wiesen blühen ja – die Dotterblumen stehen so dicht – den Heu-Bergen ziehen kleine Kinder mit großen Rechen kleine Hügel zu – oben aus den Wäldern der Berge ruft die Waldlerche und die Drosseln herrlich herunter – schöne Frühlingswinde ziehen durch das lange Tal – die Schmetterlinge und die Mücken halten ihren Kinderball, und der Rosennachtfalter oder das Goldvögelchen sitzt still auf der Erde – die Blätter der Kirschbäume glühen rot, wie ihre Früchte, nach, und statt blasser Blüten fallen schön bemalte Blätter – und im Frühling wie im Herbste zieht die Sonne am Spinnrade der Erde fliegendes Gewebe aus – – wahrhaftig es ist ein Frühling, wie ich noch selten einen gesehen.«

Im hohen Äther waren zarte Streifen Silberblumen gewebt, und Meilen-tief darunter zog langsam ein Wolken-Gebürge nach dem andern hin; – zwischen diese aufgebaute Kluft im Blau flog Walt und wandelte auf dem Himmelswege aus Duft leicht dahin und sah oben noch höher auf. Doch sah er auch herab ins heimliche Tal – sah den stillen glatten Fluß darin gleiten – Wälder bogen sich liebend von einem Bergrücken hinein, am andern glänzten Trauben und Weinbergshäuschen und reife Beete. – Er fuhr wieder hernieder in sein langes Tal, wie auf einen Eltern-Schoß.

»Wie geht es sich so schön in den Säulenhallen der Natur, auf dem Grün und zwischen dem Grün, in ewiger Begleitung des unendlichen Lebens!« sang er, ohne besondere Metrik, laut hin und sah sich um, damit niemand seine Singstimme belausche. – »Wallet nur hin, ihr hübschen Schmetterlinge, und genießet die Honigwoche des kleinen Seins – ohne Hunger, ohne Durst[1] – ein schönes Sonnenleben – ein Liebessein – und die einzige Kammer des Herzens ist nur eine ewige Brautkammer der Liebe – beugt die Blumen – lasset euch wehen – spielt im Glanz und entzittert nur linde wie Blüten dem Leben.«

Er sah eine Herde stummer Nachtigallen, die sich zum nächtlichen Abzug rüsteten. »Wo fliegt ihr hin, ihr süßen Frühlings-Klänge? Sucht ihr die *Myrte* zur Liebe, sucht ihr den *Lorbeer* zum Sange? Begehrt ihr ewige Blüten und goldne Sterne? So fliegt nur ohne Stürme unter unsern Wolken fort und besingt die schönsten Länder, aber fliegt dann liebesbrünstig in unsern Frühling zurück und singt dem Herzen in schmachtenden Tönen das Heimweh nach göttlichen Ländern vor.«

»Ihr Bäume und ihr Blumen, ihr neigt euch hin und her und möchtet noch lebendiger werden und reden und fliegen, ich liebe euch, als wär' ich eine Blume und hätte Zweige; einstens werdet ihr höher leben.« Und da bog er einen tief ans Wasser sich neigenden Zweig gar ein wenig in die Wellen hinein.

Plötzlich hört' er in tiefer Ferne hinter sich eine Flöte durch das Tal gleichsam auf dem Strom herunterkommen, dem Wehen entgegen. Die Ferne ist die Folie der Flöte; und ihm, der mehr ihren Ton als ihren Gang verstand, war keine nahe gute nur halb so lieb. Die Töne schienen nachzukommen, doch schwächer. Am Wege stand eine Steinbank, die ihn in dieser

---

1 Schmetterlinge haben nur eine Herzkammer und die meisten keinen Magen.

Einsamkeit schön an die Menschensorge für andere Menschen erinnerte. Er setzte sich ein wenig darauf, um gleichsam zu danken. Aber er legte sich bald ins hohe Ufer-Gras, um der guten Erde, die zugleich der Stuhl, der Tisch und das Bette der Menschen ist, näher zu sein, und regte sich wenig, um die im warmen stillen Uferwinkel spielenden Eintags-Fischchen nicht wegzuschrecken. Er liebte nicht einen und den andern Lebendigen, sondern das Leben, nicht einmal die Aussichten, sondern alles, die Wolke und den Gras-Wald der goldnen Würmchen, und er bog ihn auseinander, um ihren Aufenthalt zu sehen und ihre Brotbäumchen und ihre Lustgärtchen. Er hielt lieber mit Schreiben und Dichten auf seiner Schreibtafel innen, wenn ein buntes weiches Wesen über die glatte Fläche sich wegarbeitete, als daß er es weggeschnellet oder gar erdrückt hätte. »Gott, wie könnte man ein Leben töten, das man recht angesehen, z. B. nur eine halbe Minute lang«, fragt' er.

Er hörte die Flöte, die gleichsam aus dem Herzen der stummen Nachtigallen sprach. Heiße Freudentropfen sog das dunkle Getön aus seinem von tausend Reizen überfüllten Auge. Jetzt schlugen ein paar große helle Tropfen aus einer warmen Flug-Wolke über ihm auf seine flache Hand herab – er sah sie lange an, wie er es sonst als Kind bei Regentropfen gemacht, weil sie vom hohen fernen heiligen Himmel gekommen. Die Sonne stach auf die weiße Haut und wollte sie wegküssen – er küßte sie auf und sah mit unaussprechlicher Liebe nach dem warmen Himmel auf, wie ein Kind an die Mutter.

Er sang nicht mehr, seitdem er hörte und weinte. Endlich stand er auf und setzte seinen Himmelsweg fort, als er einige Schritte in der Nähe einen aus der Hutschnur eines Fuhrmanns entfallenen Zollzettel auf dem Wege gewahr wurde. In der Hoffnung, daß er dem Mann vielleicht nachkomme und ihn finde, hob er das Blättchen auf; weil ihm nichts Fremdes klein, wie nichts Eignes wichtig vorkam; und weil sein poetischer Sturm leichter einen Gipfel bog als eine Blume. Wenn die Leidenschaft glut-verworren auffliegt wie ein brennendes Schiff:

so fliegt die zarte Dichtkunst des Herzens nur auf wie eine goldne Abendrot-Taube, oder wie ein Christus, der gen Himmel geht, weil er eben die Erde nicht vergisset.

Die Flöte floß ihm immer durch das Bette des Tales nach, ohne doch weder näher zu kommen, wenn er stand, oder zurückzubleiben, wenn er lief.

Jetzt schwang sich die Landstraße plötzlich aus dem Tale den Berg hinauf. – Die Flöte drunten wurde still, da sich oben die Weltfläche weit und breit vor ihm auftat und sich mit zahllosen Dörfern und weißen Schlössern anfüllte und mit wasserziehenden Bergen und mit gebognen Wäldern umgürtete. Er ging auf dem Bergrücken wie auf einer langen Bogen-Brücke über die unten grünende Meeresfläche zu beiden Seiten hin.

Er war ganz allein und vor Ohren sicher, er pfiff frei daher figurierte Chorale, Phantasien und zuletzt alte Volksmelodien und hörte nicht einmal auf, wenn er einatmete. Gegen die Natur aller andern Blasinstrumente bleibt diese Mundharmonika, wie die andere, romantisch und süß in großer Nähe – keinen halben Fuß vom Ohre – und wie bei der Musik im Traum ist hier der Mensch zugleich Instrumentenmacher, Komponist und Spieler, ohne im geringsten einen andern Lehrmeister dazu gehabt zu haben als wieder sich, den Schüler selber.

Immer betrunkner und glücklicher wurde Walt, als er auf dieser ersten Schäferpfeife, auf diesem ersten Alphorn fortblies, dem Morgenwinde entgegen, der die Töne in die Brust zurückwehte; und zuletzt wurd' ihm, als komme das verwehte Getön aus weiter Ferne her. Da er lange so ging und träumte – da er von dem Bergrücken bald links in die Hirtenstücken der Wiesen hinuntersah und zu den Kirchtürmen von Altengrün – von Joditz – von Thalhausen – von Wilhelmslust – von Kirchenfelda – und die Jagd- und Lustschlösser erblickte, deren beide Namen allein, wie romantische Zauberworte, alte Gegenden und Paradiese der Kinderseele erscheinen ließen – da er bald wieder rechts hinunterschauete auf die zweite Ebene, worin sich der gerade Fluß seines Tales, die Rosana, frei geworden, auf einem blumigen Tanzplatz schlängelte und das Silber-Schild der Sonne trug und immer zeigte – und da er das Auge auf die Lindenstädter Gebürge warf, wo unter den hohen hellen Laubholzwäldern die dunklen Tannen-Waldungen gleichsam nur als breite Schlagschatten zu stehen schienen – und da er in den Himmel sah, worin still und leicht die Wolke und die Taube flog – und da in den Wäldern des Tals die Herbstvögel schrien und in den Steinbrüchen einzelne Schüsse lang forthalleten: so schwieg er wie aus Andacht vor Gott und dachte dem, was er singen wollte, nach, als ob der Unendliche nicht auch das Denken höre; bis er mit leiser Stimme den Streckvers sang und wiederholte, den er schon längst gemacht:

»O wie ist der Himmel, wie die Erde so voll freudiger Stimmen! Viel schöner als dort, wo einstens der Chorus laut jammerte und nur Niobe schwieg und unter dem Schleier stand mit dem unendlichen Weh, jauchzen die Chöre im Himmel und auf Erden, und nur der Allselige ist still, und der Äther verschleiert hin.«

Darauf sah er gen Himmel, nannte Gott zweimal du und schwieg lange; und hielt es für erlaubt, sogleich an Wina zu denken. Plötzlich kam ein altes vertrautes, aber wunderbares Mittagsgeläute aus den Fernen herüber, ein altes Tönen wie aus dem gestirnten Morgen dunkler Kindheit; siehe, Meilen-tief in Westen sah er Elterlein hinter unzähligen Dörfern liegen und glaubte die alte Dorf-Glocke zu erkennen und Winas weißes Bergschloß, ja sogar das elterliche Haus. Er dachte voll Sehnen an seine fernen Eltern – an das Stilleben der Kindheit – und an die sanfte Wina, die ihm, auch im Stilleben ihrer Kindheit, einst die Aurikeln in die Hand gelegt – sein Auge hing an den östlichen Gebürgen im stillen Blau, hinter welche er wie hinter Klostermauern Wina als sanfte Nonne in Blumen ihres Kloster-Gartens sinnend gehen ließ. Glocken aus mehreren Dörfern tönten zusammen – der Morgenwind rauschte stärker – der Himmel wurde blauer und reiner – der bunte leichte Teppich des Erdenlebens breitete sich über die Gegend aus und flatterte an den Enden, und Walt wohnte, wie ein Traum, nur in der Vergangenheit.

Er sang voll Seligkeit und nannte *ihren* Namen nicht: »Es zieht in schöner Nacht der Sternenhimmel, es zieht das Frühlings-Rot[1], es schlägt die Nachtigall – und der Mensch schläft und merkt es nicht; – endlich geht sein Auge auf, und die Sonne sieht ihn an. O Lina, Lina, du gingst auch vorüber mit deinen Blumen mit den süßen Tönen – und mit Liebe – aber mein Auge war blind; nun ist es aufgetan, allein die Blumen sind verwelkt, die Worte sind vergangen, und du glänzest hoch als Sonne.« –

Hier kehrte er um vor dem lauten Wehen; er fand die Welt sonderbar still um sich; nur das Geläute klang allein und leise, wie Schalmeien der Kindheit, und er wurde sehr bewegt. Er lief wieder und sang immer heißer: »Nasses Auge, armes Herz, siehst du nicht den Himmel und den Lenz und das schöne Leben? Warum weinest du? Hast du was verloren, ist dir wer gestorben? Ach ich habe nichts verloren, mir ist nichts gestorben; denn ich habe noch nicht je geliebt, o lass' mich weiter weinen!«

Zuletzt sang er nur einzelne Füße noch, ohne besondern Zusammenhang – er kam eiliger durch Beete – durch grüne Täler – über klare Bäche – durch mittagsstille Dörfer – vor ruhendem Arbeitszeug vorbei – auf dem Zauberkreis der Höhen stand Zauberrauch – der Sturmwind war entflohen, und am klaren Himmel blieb das große unendliche Blaue zurück – Vergangenheit und Zukunft brannten hell und nahe, entzündet von der Gegenwart – der Blumenkelch des Lebens umschloß ihn buntdämmernd und wiegte ihn leise – und Pans Stunde ging an – –

»Jetzt ergriff mich« – schreibt er in seinem Tagebuche – »Pans Stunde, wie allemal auf meinen Reisen. Ich möchte wohl wissen, woher sie diese Gewalt bekommt. Nach meiner Meinung dauert sie von 11 und 12 bis 1 Uhr; daher glauben die

1 Die Abendröte in Norden.

Griechen an die Pans-, das Volk an die Tags-Geisterstunde, auch die Russen.[1] Die Vögel schweigen um diese Zeit. Die Menschen schlafen neben ihrem Arbeitszeug. In der ganzen Natur ist etwas Heimliches, ja Unheimliches, als wenn die Träume der Mittagsschläfer umherschlichen. In der Nähe ist es leise, in der Ferne an den Himmels-Grenzen schweifet Getön. Man erinnert sich nicht sowohl der Vergangenheit, sondern sie erinnert sich an uns und durchzieht uns mit nagender Sehnsucht; der Strahl des Lebens bricht in seltsam scharfe Farben. – Allmählich gegen die Vesper wird das Leben wieder frischer und kräftiger.« –

N⁰ 41: TRÖDELSCHNECKE

Der Bettel-Stab

In *Grünbrunn* kehrt' er ein. Im Wirtshaus hielt er seine Wachsflügel ans Küchenfeuer und schmolz sie ein wenig. In der Tat braucht der Mensch bei den besten Flügeln für den Äther doch auch ein Paar Stiefel für das Pflaster. Da der Speisesaal schon voll Hunde und Herren war: so setzt' er sich lieber unter eine Vorhalle oder Vordachung zu Tisch, die so breit war als der Tisch. Es war ihm, als sei er ein Patriarch, da er in einem offnen freien luftigen Halb-Haus am Hause sitzen und die ganze sich aufblätternde Welt umherhaben konnte. Er sah hinaus in die ihm fremden Gegenden und Felder, und er fühlte sich einem leichten Troubadour alter Zeiten gleich, nachdem er zusammengerechnet hatte, daß er jetzt schon in einer Ferne von neunzehn Wersten von seiner Heimat lebe. Er trug in sein Reisebuch die ökonomische Gewohnheit ein, die er vor sich sah, die Wiesen mit einem Kohl- oder anderen Fruchtbeete zu umrändern, anstatt daß man sonst umgewandt Beet-Felder in Wie-

1 Wenden und Russen nehmen eine Glieder raubende Mittags-Teufelin an. Lausitz. Monatsschrift 1797. 12. Stück.

sen-Raine einschließet; und bemerkte gegen einen neben ihm essenden Bauersmann, das sehe sehr niedlich aus.

Man ließ ihn lange in seinem Nachklange des melodischen Vormittags, in jener epischen Stimmung sitzen, worin er das Kommen und Verschwinden der Sterblichen im Wirtshause ansah, und warten, bevor man ihm sein Tisch-Tuch und seinen Teller Essen auftrug. Es ist vielleicht der Mühe wert, zu bemerken, daß er nicht aufaß, teils aus Freundlichkeit gegen den Wirt, um ihn nicht um die Nachlese zu bringen, teils weil der Mensch, gleich seinen Unter-Königen, dem Adler und dem Löwen, eine besondere Neigung hat, nie rein aufzuspeisen, wie man an Kindern am ersten wahrnimmt. Der Notar begriff gar nicht, wie der Bauersmann und andere Gäste imstande sein konnten, den Teller ordentlich zu scheuern und zu trocknen und jeden abgeglätteten Knochen noch zu trepanieren und, wie Kanonen und Perlen, zu durchbohren.

Nach dem Essen stellte er sich vor die offne Saaltüre der Tafelstube, um mit dem im Zaubertal gefundenen Zollzettel in der Hand und mit dessen Übergabe zu warten, bis die speisenden Fuhrleute, die er in corpore anzureden und zu befragen scheuete, einzeln herauskämen. Da stand ein junges schnippisches dreizehnjähriges Fuhrmännlein in blauem Hemde und dicker weißer Schlafmütze auf, drehte ganz heimlich des Wirts Sand-Uhr um und wollte dem Mann im eigentlichen Sinne (denn es war erst ein Drittel Stunden-Sand verlaufen) die Zeit vertreiben.

Aber der Notar fuhr erboset hinzu und kehrte die Umkehrung um, viel zu unvermögend, ein hämisches Unrecht, das er gegen sich erdulden konnte, gegen einen andern zu ertragen.

Diese Hitze setzt' ihn instand, den Zettel vor der ganzen table d'hôte emporzuheben und auszurufen, ob ihn jemand verloren. »Ich, Herr«, sagte ein langer herübergestreckter Arm und ergriff ihn und nickte *einmal* kurz mit dem Kopfe statt der warmen Danksagung, auf die Walt aufgesehen.

Auf dem Fenster sah er neben der Uhr das Schreibbuch des

Wirts-Kindes liegen, dem zu drei Zeilen die drei Worte Gott – Walt – Harnisch vorgezeichnet waren. Er war sehr darüber erstaunt und fragte den Wirt, ob er etwan Harnisch heiße. »Karner ist mein Name«, sagte dieser. Walt zeigte ihm das Buch und sagte, er selber heiße, wie da stehe. Der Wirt fragte grob, ob er denn auch wie die vorige Seite heiße: Hammel – Knorren – Schwanz – etc.

Jetzt wollte der Notar wieder Flügel anstatt der Pferde nehmen und fort, und vorher bezahlen, als ihn ein Bettelmann dadurch aufhielt und erfreuete, daß er sein Almosen in Naturalien eintreiben wollte und um ein Glas Bier bettelte, wahrscheinlich ein stiller Anhänger des physiokratischen Systems. Da der Mann unter dem Einkassieren der kleinen Naturalbesoldung seinen Bettelstab in eine Ecke stellte: so gab das dem Notar Gelegenheit, diesen dornigen, schweren Stab in die Hand zu nehmen. Walt hob und schwang ihn mit dem besondern Gefühl, daß er nun den Bettelstab, wovon er so oft gehört und gelesen, wirklich in Händen halte.

Zuletzt – da er sich es immer wärmer auseinandersetzte, wie das der letzte und dünnste Mast eines entmasteten Lebens, ein so dürrer Zweig aus keinem goldnen Christbaum, sondern aus der Klag-Eiche sei, eine Speiche aus Ixions Rad – wurd' er erfasset, er handelte dem Bettelmann, der vom Ernst nicht anders zu überzeugen war als durch Geld, den Stab ab, die einzige Nippe, die der Mann hatte. »Dieser Stab« – sagte Walt zu sich – »soll mich wie ein Zauberstab verwandeln und besser als eine Lorenzo-Dose barmherzig machen, wenn ich je vor dem großen Jammer meiner Mitbrüder einst wollte mit kaltem oder zerstreuetem Herzen vorübergehn; er wird mich erinnern, wie braun und welk und müde die Hand war, die ihn tragen mußte.«

So sagt' er strafend zu sich; und der weichherzige Mensch warf sich, ungleich den hartherzigen, vor, er sei nicht weichherzig genug, indes jene sich das Gegenteil schuld geben. Er brauchte dieses Stängeln seiner fruchtbringenden Blumen nicht; aber da, wo diese Wetterstange selber wächset, auf den Schlachtfeldern und um die Lustschlösser vierzehnter Ludwige herum, die schon gleich mit *Zähnen* auf der Welt ankommen[1], an Orten, wo die geheimen Treppen und Throngerüste aus solchem Marter-Holz gezimmert werden, in Ländern, wo der Bettelstab der allgemeine oder *General-Stab* ist, vielleicht durch den militärischen selber, da würd' es ein erwünschtes Legat sein, wenn jeder Bettler seinen Stab in ein eignes Staats-Hölzer-Kabinet vermachte; – wenigstens ist zu glauben, wenn neben jedem Kommando-Stab und Zepter ein solcher läge, er diente als Balancierstange und schlüge vielleicht wie ein Moses-Stecken aus manchen harten Thron-Felsen weiches Wasser.

Der Notar verließ sein Quartier mit dem Exulantenstab so froh, als es zu erwarten war, da er den Verkäufer desselben in Erstaunen und Freudentränen gesetzt; und besonders da er über die goldne Ernte von Abenteuern hinsah, die er bloß in einem halben Tage eingeerntet. »Wahrlich, es ist stark,« sagt' er, »in Härmlesberg weiß man meinen Namen schon mündlich – in Grünbrunn gar schriftlich – eine wunderbare Flöte geht und steht mit mir – einen fremden Wander-Stab hab' ich desfalls – Gott, was kann mir nach solchen Zeichen nicht in einem ganzen langen Nachmittag passieren? Hundert Wunder! Denn es schlägt erst halb 2 Uhr.« So schloß er und sah mit frohlockenden Augen in den blau-ausgewölbten Himmel hinein.

---

1 Louis XIV. wurde gezähnt geboren.

Das Leben

Im nächsten Flusse wusch er den Bettelstab und die Hände ab, in welche er ihn vor dem Verkäufer aus Schonung frei genommen. Der erste Akt der Wohltätigkeit, den er nach dem Kaufe des Stabes verrichtete, war einer mit dem Holze selber an Flöß-Holz. Er konnt' es nicht ertragen, daß, während mitten im Strome viele Flöß-Scheite lustig und tanzend hinunterschwammen, eine Menge anderer, die nicht unbedeutender waren, sich in Ufer-Winkeln stießen, drängten und elend einkerkerten; eine solche Zurücksetzung auf die Expektantenbank verdienten die Flöß-Scheite nicht; er nahm daher seinen Bettelstock und half so vielen hintangesetzten Scheiten durch Schieben wieder in den Zug der Wogen hinein, als neben ihm litten; denn alle Scheite – so wie alle Menschen – zu befördern, steht außer dem Vermögen eines Sterblichen.

Er holte darauf einen kleinen zerlumpten Jungen ein, der barfuß in einem Paar roten Plüschhosen voll unzähliger Glatzen ging, das, von einem Manne abgelegt, eine Pump- und Strumpfhose zugleich an ihm geworden war. Der Knabe hatte nichts bei sich als ein Gläschen, mit dessen Salbe er sich unaufhörlich die rotkranken Augen bestrich. Walt fragte ihm sanft seine Leidensgeschichte ab. Sie bestand nur darin, daß er von seiner Stiefmutter weggelaufen, weil sein Vater, ein Militär, von dieser weggelaufen, und daß er sich zu den Franzosen zu betteln hoffe. »Kannst du hessische Groschen brauchen?« fragte Walt, der zu seinem Schrecken zu großes Geld bei sich fand. Der Knabe sah ihn dumm an, lächelte dann, wie über einen Spaß, und sagte nichts. Walt wies ihm einen. »O,« sagt' er, »das kenn' er wohl, sein Vater hab' ihn oft wechseln lassen.« Der Notar erfuhr endlich, der Knabe sei ein Hesse – und gab ihm alle vaterländische Groschen.

Allmählich äußerte jetzt der Bettelstab seine feindselige

Kraft, eine Wetterstange zu sein, welche Gewitter zieht. Walt konnte den Frühling des Vormittags durchaus nicht wieder zurückbringen, sondern mußte den Herbst vor sich stehen sehen, der gerade so episch macht als der Lenz lyrisch und romantisch. Er durft' es dem Stock sehr aufbürden, daß er nach den Leipziger Bergen sah und doch ganz vergeblich hinter ihnen auf der andern Seite in die Leipziger Ebenen herabzufahren suchte bis vor Winas Gartentüre, weil der Stock sich gleichsam unter den Berg-Schlitten stemmte und stülpte.

Er sah nur das Fliehen und Fliegen des Lebens, die Eile auf der Erde, die Flucht des Wolkenschattens, indes am Himmel die Wolke selber nur langsam zieht, und die Sonne gar wie ein Gott steht und blickt. Ach, in jedem Herbst fallen auch dem Menschen Blätter ab, nur nicht alle.

Er sah eine abgefressene Wiese, aber violett von ausgeschlossenen giftigen Herbstblumen. Auf ihr lärmten Zugvögel, die miteinander den Plan zu ihrer Nachtreise zu bereden schienen. Auf der Landstraße fuhr ein rasselnder Wagen hin, unter den Hinterrädern boll ein Hund. Am fernen Berg-Abhange schritt eine weibliche weiße Gestalt kaum merkbar hinter ihrem dunkelbraunen Manne, um in irgendeinem unbekannten Dörfchen ein Glas und eine Tasse zu genießen und dazu vor- und nachher so viel von schöner Natur, als unterwegs gewöhnlich vorkommt. In der Nähe trippelten zwei weißgeputzte Mädchen von Stande, mit Blumen und Schnupftüchern in den Händen, durch die grünen Saaten-Furchen, und die gelben Schawls flatterten zurück.

Er ging vor einem bis an die Himmelswagen hinauf getürmten sogenannten Brautwagen vorbei, worauf alle die Wachsflügel, Flügeldecken, Glasfedern und der Federstaub einerseits, und die Steiß- und Schwanzflossen, die Brust- und Rückenflossen, die Danaidengefäße, Wasserstücke, Wasserwagen, Regenmesser und Trockenseile andererseits unter dem Namen Hausgeräte aufgeladen waren, welche der Mensch durchaus hienieden haben muß, um nur einigermaßen halb durch das

Leben zu *schwimmen*, halb darüber zu *fliegen*. Der Eigentümer aber schritt voll Empfehlungen der größten Vorsichtsregeln für seine aufgepackten Flügel und Flossen neben dem Wagen her und versprach sich und andern Schritt vor Schritt ganz andere, blauere Tage in der Zukunft, als er in seinem vorigen unbekannten Neste gehabt.

Darauf kam Walt auf ein Filial-Dörfchen von fünf oder sechs waschenden, fegenden Häusern und rauchenden Backöfen. Die Jünglinge hoben mit Stangen und halber Lebensgefahr einen Maienbaum mit roten Bänder-Fahnen in die Höhe, der für ein Dorf wohl nicht weniger ist, als was eine Vogelstange für eine Mittelstadt. Die Mädchen, welche die Bänder hinauf geschenkt, sahen hochrot dem Aufbäumen zu und hatten nichts im seligen Kopf und Herzen als den morgendlichen Kirmes-Tanz um den Baum mit den allerbedeutendsten Purschen des Orts.

Darauf begegnete der Notar einem schwer ausgeschmückten eilfjährigen Mädchen mit einer Krücke – was ihn unsäglich erbarmte –, und die Frau Patin lief aus dem Örtchen ihrem Kirmesgast schon entgegen.

Darauf kam ein an sich selber angeketteter Malefikant zwischen seinen Kerker-Führern; alle priesen, soweit sie mit Worten noch vermochten, das Bier des vorigen Dorfs; auch der Malefikant.

Er kam durch das ansehnlichere Dorf, worin das Filial nur eingepfarrt war. Da die Mutterkirchen-Türe gerade offenstand – aus dem kurzen dicken Turme wurde etwas geblasen, worein wieder der Viehhirt blies –, so ging er ein wenig hinein; denn unter allen öffentlichen Gebäuden besucht' er Kirchen am liebsten, als Eispaläste, an deren leere Wände das Altarlicht seiner frommen Phantasie sich mit Glanz und irrenden Farben am schönsten brach und umhergoß. Es wurde drinnen getauft. Der Täufer und der Täufling schrien sehr vor dem Taufengel. Vier oder fünf Menschen waren nach ihrer Art sonntäglich blasoniert, graviert, mit getriebner Arbeit vom Schneider bedeckt; nur aus den vornehmsten Kirchen-Logen, den adeligen, schaueten Mägde, die Arme in blaue Schürzen wie in Unter-Schauls gewickelt, im demi-négligé des Wochentags heraus. Wirtschafts-Kleidung in heiliger Stätte war ihm harter Mißton. Der Pate des getauften Urenkels war der Ur-Großvater desselben, der das Schrei-Hälschen kaum halten konnte vor Jahren, und dessen abgepflückte winterliche nackte Gestalt Walten besonders dadurch ins Herz drang, daß der alte Mann fünf oder sechs schneeweiße Haare – mehr nicht – zu einem grauen Zöpflein zusammen gesammelt und gedreht hatte, um sich zu zeigen.

Daß der alte Mensch dem jungen so nahe war, das Kind des Grabes dem Kinde der Wiege, die gelben Stoppeln dem heitern Maien-Blümchen, das rührte den Notar noch eine Stunde über das Dorf hinaus. »Spielet doch Kindtaufens«, sagt' er zu einigen Kindern, die ein Kreuz trugen und Begrabens spielen wollten. Gerade aus dem Herzen flog ihm in den Kopf der Streckvers:

»Spielet jauchzend, bunte Kinder! Wenn ihr einst wieder Kinder werdet, bückt ihr euch lahm und grau; unter dem weinerlichen Spiele bricht der Spielplatz ein und überdeckt euch. Wohl auch abends blüht in Osten und Westen eine Aurora, aber das Gewölke verfinstert sich, und keine Sonne kommt. O hüpfet lustig, ihr Kinder, im Morgenrot, das euch mit Blüten bemalt, und flattert eurer Sonne entgegen.«

Die Zauberlaterne des Lebens warf jetzt ordentlich spielend bunte laufende Gestalten auf seinen Weg; und die Abendsonne war das Licht hinter den Gläsern. Sie wurden gezogen, und es mußte vor ihm vorüberlaufen unten im Strom ein Meßschiff – ein niedriger Dorfkirchhof an der Straße, über dessen Rasenmauer ein fetter Schoßhund springen konnte – eine Extrapost mit vier Pferden und vier Bedienten vornen – der Schatte einer Wolke – nach ihr ins Licht der Schatte eines Rabenzugs – zerrissene hohe graue Raubschlösser – ganz neue – eine polternde Mühle – ein zu Pferde sprengender Geburts-Helfer – der dürre

Dorfbalbier mit Schersack ihm nachschießend – ein dicker überröckiger Landprediger mit einer geschriebenen Erntepredigt, um für die allgemeine Ernte Gott und für seine den Zuhörern zu danken – ein Schiebkarren voll Waren und ein Stab Bettler, beide um die Kirmessen zu beziehen – ein Vor-Dörfchen von drei Häusern mit einem Menschen auf der Leiter, um Häuser und Gassen rot zu nummerieren – ein Kerl auf seinem Kopfe einen weißen Kopf von Gyps tragend, der entweder einen alten Kaiser oder Weltweisen vorstellen sollte oder sonst einen Kopf – ein Gymnasiast spitz auf einem Grenzstein seßhaft, mit einem Leih-Roman vor den Augen, um sich die Welt und Jugend poetisch ausmalen zu lassen – und endlich oben auf ferner Höhe und doch noch zwischen grünen Bergen ein vorschimmerndes Städtchen, worin Gottwalt übernachten konnte, und die helle Abendsonne zog alle Spitzen und Giebel sehr durch Gold ins Blau empor.

»Wir sind laufende Strichregen und bald herunter«, sagt' er, als er auf einem Hügel bald rück-, bald vorwärts sah, um die Kette der auseinandereilenden Gestalten zu knüpfen. Da stieg ihm ein Bilder-Händler mit seiner auf eine Walze gefädelten flatternden Bilder-Bibel und Bilder-Galerie auf dem Nabel nach und fragte, ob er nichts kaufe. »Ich weiß gewiß, daß ich nichts kaufe,« – sagte Walt und gab ihm zwölf Kreuzer – »aber lassen Sie mich ein wenig *dafür* darin herumblättern.«

»Wer lieber als ich«, sagte der Mann und bog seinen Thorax zurück und sein Bilderbuch ihm entgegen. Hier fand der Notar wieder die stehenden Bilder der laufenden Bilder, das Leben fuhr mit Farben auf dem Papiere durcheinander, die halbe Welt- und Regenten-Geschichte, Potentaten und herkulanische Topf-Bilder und Hanswürste und Blumen und Militär-Uniformen, und alles überlud den Magen des Mannes. »Wie heißet das Städtlein droben?« sagte Walt. »*Altfladungen*, mein lieber Herr, und die Berge dort sind eine prächtige Wetterscheide, sonst hätte uns vorgestern das liebe Gewitter alles angezündet« (versetzte der Bildermann) – »indes hab' ich noch schöne aparte Stücke zum Ansehen« und blätterte das bunte Häng-Werk mit beiden Händen auf. Walts Auge fiel auf eine Quodlibetzeichnung, auf welcher mit Reißblei fast alle seine heutigen Weg-Objekte, wie es schien, wild hingeworfen waren. Von jeher hielt er ein sogenanntes Quodlibet für ein Anagramm und Epigramm des Lebens und sah es mehr trübe als heiter an – jetzt aber vollends; denn es stand ein Januskopf darauf, der wenig von seinem und Vults Gesichte verschieden war. Ein Engel flog über das Ganze. Unten stand deutsch: »Was Gott will, ist wohl getan«; dann lateinisch: »Quod Deus vult, est bene *factus*.« Er kaufte für seinen Bruder das tolle Blatt.

Der Bildermann verließ den Hügel mit Dank. Walt heftete das von dem Vorüberzuge unseres malenden und gemalten Lebens gerührte Seelen-Auge auf den wetterscheidenden Berg, der ganz unter den Rosen der Sonne mit einzelnen Felsen-Schneiden und mit Schafen glühte, und er dachte:

»So fest steht er nun ewig da – früh, als noch keine Menschen hier waren, schnitt er auch die schweren Wetterwolken entzwei und zerbrach ihre Donnerkeile und machte es hell und schön im Tale ohne Augen – Und wie tausendmal mag das Abendrot im Frühlingsglanz herrlich ihn vergoldet haben, da noch kein Leben unten stand, das in die Herrlichkeit mit Träumen versank. –– Bist du denn nicht, du große Natur, gar zu unendlich und zu groß für die armen Kleinen hier unten, die nicht Jahre lang, geschweige Jahrtausende glänzen können, ohn' es zu zeigen? – Und dich, o Gott, hat noch kein Gott gesehen. Wir sind ganz gewiß klein.«

Je mehr es Abend wurde, desto mehr ging das epische Gefühl in das süße romantische über, und hinter den Rosen-Bergen wandelte wieder Wina in Gärten. Denn der Abend färbet zugleich die optischen und geistigen Schatten bunter an. Er sehnte sich nach einem fremden Menschenworte; zuletzt drängt' er sich an einen Mann, der einen Schiebekarren voll Wolle ungemein langsam schob und immer stand und nach der Sonne sah.

»Er sei«, sagte dieser sehr bald aufgeregt, »sonst nur ein Hutmann gewesen und habe auf einem gläsernen Horn sein Vieh so in der Stadt zusammengeblasen, daß mancher Hutmann etwas daran gewendet hätte, wenn ers Blasen halb so hätte lernen können. Nicht ein jedweder sei es kapabel. Und er wünschte zu wissen, ob andern Hirten ihr Vieh so nachgegangen, wenn sie durch die Elbe vorausgewatet; ihm sei es wie Soldaten nachgezogen; und Gott behüt' ihn, daß er sich dessen rühmte, aber wahr sei's.«

Der Notar hatte über nichts so viel Freude, als wenn arme Teufel, die niemand lobte, sich selber lobten. »Ich schiebe noch ganzer fünf Stunden durch« – sagte der Mann, den der Anteil ins Reden setzte – »die frische Nacht hab' ich dazu sehr gern.« – »Das kann ich mir leicht denken, mein Alter« (sagte Walt, der den unvergeßlichen dichterischen Mann von Tockenburg vor sich glaubte) – »im zweiräderigen Schäferhäuschen, wo er doch meist im Frühling schläft; hatt' er ja den ganzen Sternenhimmel vor sich, wenn er aufwachte. Ihm ist die Nacht gewiß besonders lieb?«

»Ganz natürlich, denk' ich«, versetzte der Schäfer; »denn sobalds frisch wird und es tapfer tauet, so zieht die Wolle die Nässe etwas an sich und schlägt mehr ins Gewicht, das muß ein rechtschaffener Schäfer wissen, Herr. Denn zum Zentner wills doch immer etwas sagen, wenns auch nicht viel ist.«

Da ließ ihn Walt mit einer zornigen guten Nacht stehen und eilte dem rauchenden Bergstädtchen zu, wo er, nach den heutigen Dörfern zu schließen, im Nachtquartier unter solche Abenteuer zu geraten verhoffte, die vielleicht ein anderer mit Wurzeln und Blüten geradezu ausheben und in einen Roman verpflanzen könnte.

Schauspieler – der Maskenherr – der Eiertanz –
die Einkäuferin

Er kehrte im Ludwig XVIII. ein, weil der Gasthof vor dem
Tore lag, vor dessen Fragmaschinen er nie gern vorbeiging,
nämlich stillstand. Das erste Abenteuer war sogleich, daß ihm
der Wirt ein Zimmerchen abschlug; es sei alles von *Fränzels*
Truppe besetzt, sagte der Ludwigs-Wirt, der höhere Posten
und Stockwerke nur solchen, die auf den höhern des Wagens
und der Pferde kamen, aufschloß, hingegen den Fußboden
Fußboten anwies. Walt sah sich gezwungen, den lauten Markt
der Gaststube mit der Aussicht zu bewohnen, daß wenigstens
sein Schlafkämmerlein einsam sei.

Er setzte sich in den halbrunden Ausschnitt eines Wandti-
sches hinein und zog einen Hausknecht, da er nahe genug vor-
überkam, gelegentlich an sich und trug ihm höflich seine Bitte
um Trinken vor, die er mit drei guten Gründen unterstützte.
Ohne Gründe hätt' ers sechs Minuten früher bekommen. Am
Klapptischchen tat er nichts, als in einem fort die Schauspieler
und -spielerinnen im allgemeinen hochachten, die aus- und ein-
gingen, dann noch besonders an ihnen hundert einzelne Sachen
– unter andern den mit dem Glättzahn aufgestrichenen Manns-
Habit – die entgegengesetzten Schwimmkleider der Weiber –
die allgemeine hohe Selbstschätzung, wodurch jeder Akteur
leicht der Münzmeister seiner Preismedaillen und sein eigner
Chevalier d'honneur war, und jede Aktrice leicht ihre Dekora-
tionsmalerin – den Bühnen-Mut in der Wirtsstube – das
Gefühl, daß der Sokkus oder der Kothurn ihre Achilles-Fersen
beschütze – die bunte Naht ihrer Diktion, die aus so vielen
Stücken so gut zugeschnitten war als die Uniformen, welche
sich die Frankreicher aus Bettdecken, Vorhängen und allem,
was sie erplünderten, machten – und den reinern Dialekt, den
er so sehr beneidete. »Darunter ist wohl keine einzige Person,«

dacht' er, »die nicht längst und oft auf der Bühne eine recht-
schaffene, oder bescheidene, oder gelehrte, oder unschuldige,
oder gekrönte gespielt«, und er impfte, wie Jünglinge pflegen,
dem Holze der Bühne, wie des Katheders und der Kanzel, den
Menschen ein, der darauf nur steht, nicht wächset.

Was ihn betrübte, war, daß alle Gesichter, sogar die jüngsten, die Alten-Rollen spielten, indes auf der Bühne, wie auf
dem Olymp, ewige Jugend war, wenns der Zettel begehrte.

Im Abenddunkel fiel ihm ein Mensch auf, der keine Miene
rückte, mit allen sprach, aber hohl, oft, wenn ihn einer fragte,
statt der Antwort dicht an den Frager trat, mit dem schwarzen
Blicke einmal wetterleuchtete und darauf sich umwandte, ohne
ein Wort zu sagen. Er schien zu Fränzels Frucht-essender Gesellschaft zu gehören; dennoch schien diese wieder sehr auf ihn
zu merken. Der Mann ließ sich jetzt eine Melone bringen und
eine Düte Spaniol, zerlegte sie, bestreuete sie damit und aß die
Tabaks-Schnitte und bot sie an. Eben kamen Lichter herein, als
er den Teller dem staunenden Notar vorhielt, der vollends sah,
daß der Mensch eine Maske, doch keine unförmliche, vorhatte
und der bekannten eisernen glich, die so alte Schauder in seine
Phantasie geworfen. Walt bog und schüttelte sich; es war ihm
aber einiges lieb, und er trank.

Darauf stieg die Maske – auch diese Phrasis, wenn *ein* Wort
eine ist, war ihm ein schwarz-bedeckter Wagen, der Tote und
Tiger führen konnte – auf einen Fensterstock, machte das
Oberfenster auf und fragte einige Akteurs, ob sie ein Ei durch
das Fenster zu werfen sich getraueten. »Warum?« sagte der
eine, »warum nicht?« der andere. Die Maske machte aber mit
etwas Verstecktem in der Hand einige Linien in die Luft und
versetzte kalt: »Jetzt vielleicht keiner mehr!« Er wolle alle Eier
zweifach bezahlen, sobald einer nur eines durchwerfe, sagt' er.
Ein Akteur nach dem andern schleuderte – alle Eier fuhren
schief – die Maske verdoppelte den Preis der Aufgabe – es war
unmöglich – Walt, der sonst auf dem Lande so oft in die Schleu-
dertasche gegriffen, tat die Geldtasche auf und bombardierte

gleichfalls mit einem Groschen Eier – ebensogut hätt' er eine Bombe geworfen ohne Mörser – Eine ganze Bruttafel und Poularderie von Dottern floß von den Fenstern hernieder.

»Es ist gut«, sagte die Maske; »aber noch bis morgen Abend um diese Zeit bleibt die Eier-feindliche Kraft im Fenster; dann kann jeder durchwerfen« – und so ging er hinaus. Der Wirt lächelte, ohne sonderlich zu bewundern, gleichsam als schien' er mehr zu berechnen, daß er morgen auf seiner Rechentafel aus diesen Eiern die beste Falkonerie von Raubvögeln ausbrüten könnte, die ihm je in Fängen einen Fang zugetragen.

Da die Maske nicht sogleich wiederkam, so ging der Notar mit dem Gedanken: »Himmel, was erlebt nicht ein Reisender in Zeit von 12 Stunden!« auch hinaus – als sei er nach neuen Wundern hungrig –, nach seiner Weise die Vorstadt im Zwielicht zu durchschweifen. Eine Vorstadt zog er der Stadt vor, weil jene diese erst verspricht, weil sie halb auf dem Lande an den Feldern und Bäumen liegt, und weil sie überall so frei und offen ist.

Er ging nicht lange, so traf er unter den hundert Augen, in die er schon geblickt, auf ein Paar blaue, welche tief in seine sahen, und die einem so schönen und so gut gekleideten Mädchen angehörten, daß er den Hut abzog, als sie vorbei war. Sie ging in ein offenes Kaufgewölbe. – Da unter den festen Plätzen ein Kaufladen das ist, was unter den beweglichen ein Postwagen, nämlich ein freier, wo der Romanschreiber die unähnlichsten Personen zusammenbringen kann: so behandelte er sich als sein Selbst-Romanschreiber und schaffte sich unter die Schnittwaren hinein, aus welchen er nichts kaufte als ein Zopfband, um doch einigermaßen ein Band zwischen sich und dem Blau-Auge anzuknüpfen.

Das schöne Mädchen stand im Handel über ein Paar gemslederne Mannshandschuh, stieg im Bieten an einer Kreuzerleiter hinauf und hielt auf jeder Sprosse eine lange Schmährede gegen die gemslederne Handschuhe. Der bestürzte Notar blieb mit dem Zopfband zwischen den Fingern so lange vor dem Ladentisch, bis alle Reden geendigt, die Leiter erstiegen und die Handschuhe Kaufs-unlustig dem Kaufmann zurückgeworfen waren. Walt, der sich sogar scheute, sehr und bedeutend in einen Laden zu blicken, bloß um keine vergeblichen Hoffnungen eines großen Absatzes im Vorbeigehen in der feilstehenden Brust auszusäen, schritt erbittert über die Härte der Sanftäugigen aus dem Gewölbe heraus und ließ ihre Reize, wie sie die Handschuhe, stehen. Schönheit und Eigennutz oder Geiz waren ihm entgegengesetzte Pole. Im Einkaufe – nicht im Verkaufe – sind die Weiber weniger großmütig und viel kleinlicher als die Männer, weil sie argwöhnischer, besonnener und furchtsamer sind und mehr an kleine Ausgaben gewöhnt als an große. Das Blau-Auge ging vor ihm her und sah sich nach ihm um; aber er sah sich nach der Brief-Post um, deren Horn und Pferd ihm nachlärmte. Am Posthorne wollte seiner Phantasie etwas nicht gefallen, ohne daß er sichs recht zu sagen wußte, bis er endlich herausfühlte, daß ihn das Horn – sonst das Füllhorn und Fühlhorn seiner Zukunft – jetzt ohne alle Sehnsucht – ausgenommen die nach einer – dastehen lasse und anblase, weil der Klang nichts male und verspreche, als was er eben habe, fremdes Land. Auch mag das oft den Menschen kalt gegen Briefpostreiter unterwegs machen, daß er weiß, sie haben nichts an ihn.

Im Ludwig XVIII. fand er die Briefpost abgesattelt. Diese fragte ihn, da er sie sehr ansah, wie er heiße. Er fragte warum. Sie versetzte, falls er heiße, wie er hieß, so habe sie einen Brief an seinen Namen. Er war von Vults Hand. Auf der Adresse stand noch: »Man bittet ein löbliches Postamt, den Brief, falls Herr H. nicht in Altfladungen sich befinden sollte, wieder retour gehen zu lassen, an Herrn van der Harnisch beim Theaterschneider Purzel.«

Abenteuer

Der Brief von Vult war dieser:

»Ich komme erst jetzt aus den Federn – indes deine dich wohl schon Wersten-weit getragen, oder du sie – und schreibe eilig ohne Strümpfe, damit dich mein Geschriebenes nur heute noch erreitet. Es ist 10 Uhr, um 10½ Uhr muß der Traum auf die Post.

Ich habe nämlich einen so seltsamen und prophetischen gehabt, daß ich dir ihn nachschicke, gesetzt auch, du lachst mich einen Monat lang aus. Deine ganze heutige und morgende Reiseroute hab' ich klar geträumet. Belügt mich der Quintenmacher von Traum und trifft er dich in Altfladungen nicht an – worauf ich schwören wollte –: so läuft er retour an mich, und es ist die Frage, ob ich ihn einem Spott- und Spaßvogel wie du dann je vorzeige.

Ich sah im Traum, auf der Landzunge einer Wolke sitzend, die ganze nordöstliche Landschaft mit ihren Blüten-Wiesen und Miststätten; dazwischen hin eine rennende, schmale, gelbrökkige, jubelnde Figur, die den Kopf bald vor sich, bald gen Himmel, bald auf den Boden warf – und natürlich warest du es. – Die Figur stand einmal und zog ihr Beutelchen, dann fuhr sie in *Härmlesberg* in den Krug. Darauf sah ich sie oben auf meiner Wolkenzinne durch das Rosana-Tal ziehen, den Bergrücken hinauf, vor Dörfern vorbei. – In *Grünbrunn* verschwand sie wieder im Krug. Wahrhaftig dichterisch wars vom Traumgott gedacht, daß er mich allzeit 6 Minuten vorher, eh' du in einen Krug eintratest, ein dir ganz ähnliches Wesen vorher hineinschlüpfen sehen ließ, nur aber glänzender, viel schöner, mit Flügelchen, wovon bald ein dunkelblauer, bald ein hellroter Strahl, so wie es sie bewegte, meinen Wolken-Sitz ganz durchfärbte; ich vermute also, daß der Traum damit nicht dich – denn den langhosigen Gelbrock zeigt' er mir zu deutlich –, sondern deinen Genius andeuten wollte.«

– Vor Bewegung konnte Walt kaum weiter lesen; denn jetzt fand er das Rätsel fast aufgelöst – wenn nicht verdoppelt durch ein größeres –, warum nämlich der Härmlesberger Wirt seinen Namen kannte, warum bei dem Grünbrunner derselbe dem Kinde im Schreibbuche vorgezeichnet war, und warum er bei dem Bildermann das seltsame Quodlibet gefunden. Ordentlich aus Scheu, nun weiter und tiefer in die aufgedeckte Geisterwelt des Briefs hineinzusehen, erhob er in sich einige Zweifel über die Wahrhaftigkeit desselben und fragte den trinkenden Postreiter, wann und von wem er den Brief bekommen. »Das weiß ich nicht, Herr,« sagt' er spöttisch; »was mir mein Postmeister gibt, das reit' ich auf die Station, und damit Gott befohlen.« – »Allerdings«, sagte Walt und las begierig weiter:

»Darauf sah ich dich wieder ziehen, durch viele Örter, endlich in eine Kirche gehen. Der Genius schlüpfte wieder voraus hinein. Abends standest du auf einem Hügel und nahmest im Städtchen *Altfladungen* Nachtquartier. Hier sah ich vor der Wirtshaustüre deine verherrlichte Gestalt, nämlich deinen Genius, mit einem dunklen behangnen Wesen kämpfen, dessen Kopf gar kein Gesicht hatte, sondern überall Haare.« – –

»Gott!« rief Walt, »das wäre ja der Masken-Mensch!«

»Das Wesen ohne Gesicht behauptete die Türe, aber der Genius fuhr als eine Fledermaus in die Dämmerung zu mir hinauf, sprengte dicht an meiner Wolken-Spitze seine Flügel wie Krebsscheren ab und hinab und fiel als Maus oder Maulwurf in die Erde (etwa eine Meile von Altfladungen) und schien fortzuwühlen (denn ich sah es am Wellenbeete) bis wieder zu dir und warf unweit einer Kegelbahn einen Hügel auf. Es schlug acht Uhr in den Wolken um mich herum; da kam das Ungesicht zum Hügel und steckte etwas wie eine Maulwurfsfalle hinein. – Du aber warst hinterher, zogst sie heraus und fandest, indem du damit bloß den Erd-Gipfel wegstreichest, einige hundert – – – jährige Friedrichsd'or, die der Genius, Gott weiß aus welcher Tiefe und Breite, vielleicht aus Berlin, gerade an die Stelle für dich hergewühlt« ...

Jetzt kam wirklich die Maske wieder. Walt sah sie schauernd an, hinter der Larve steckt gewiß nur ein Hinterkopf, dacht' er. Es schlug drei Viertel auf acht Uhr. Der Mann ging unruhig auf und ab, hatte ein rundes schwarzes Papier, das, wie er einem Akteur sagte, an Herzens Statt auf dem Herzen eines arkebusierten Soldaten zum Zielen gehangen, und schnitt ein Gesicht hinein, wovon Walt im Tagebuch schreibt: »Es sah entweder mir oder meinem Genius gleich. Die unabsehliche Winternacht der Geister, wo die Sphinxe und Masken liegen und gehen und nicht einmal sich selber erblicken, schien mit der Larve herausgetreten zu sein ins Sommerlicht des Lebens.«

Da es acht Uhr schlug, ging die Larve hinaus – Walt ging zitternd kühn ihr nach – im Garten des Wirtshauses war ein Kegelschub, und der Notar sah (wobei er mäßig zu erstarren anfing) wirklich die Larve einen Stab in einen Maulwurfshügel stecken. Kaum war sie zurück und weg, so nahm er den Stab als ein Streichholz und rahmte so zu sagen den Hügel wie Milch ab – – Die Sahne einiger verrosteten Friedrichsd'or konnt' er wirklich einschöpfen mit dem Löffel.

Die wenigen haltbaren Gründe, warum der Notar nicht auf die Stelle fiel und in Ohnmacht, bringt er selber bei im Tagebuch, wo man sie weitläuftiger nachlesen kann; obgleich zwei schon viel erklären; – nämlich der, daß er ein Strom war, der gegen die stärkste Gegenwart heftig anschlug, indes ihn bloß der auflösende Lust-Himmel der Zukunft dünn und verfliegend in die Höhe zog, wie er nur wollte. Jetzt aber nach dieser Menschwerdung des Geisterwesens stand Walt neben seinesgleichen. Der zweite Grund, warum er stehen blieb, war, weil er im Briefe weiterlesen und sehen wollte, was er morgen erfahren, und welchen Weg er nehmen werde. »Er war wahrhaftig das erstemal in meinem Leben,« schreibt er, »daß ich mich der seltsamen Empfindung nahte, ordentlich so hell wie über eine

Gegenwart hinweg in eine Zukunft hineinzusehen und künftige Stunden zweimal zu haben, jetzt und einst.«

In der Gaststube war die Maske nicht mehr. Er las herzklopfend die Marsch- und Lebensroute des Morgens:

»Darauf wurde der Traum wieder etwas menschlicher. Ich sah, wie am Morgen darauf dein Genius und das Un-Gesicht dir auf zwei verschiedenen Wegen vorflogen, um dich zu locken; du folgtest aber dem Genius und gingest statt nach St. Lüne lieber nach Rosenhof. Darüber fiel das Un-Gesicht in Stücken herab, einen Totenkopf und einige Knochen sah ich deutlich von der Wolke. Der Genius wurde in der Ferne eine helle Wolke; ich glaub' aber mehr, daß er sie nur um sich geschlagen. Du trabtest singend aus deinem Mittagsquartier, namens *Joditz*, durch eine Landschaft voll Lustschlösser bis an die Rosana, die dich so lange aufhielt, bis dich die Fähr-Anstalt hinübergefahren hatte in die passable Stadt *Rosenhof*. Mir kams vor, soweit ich die tief in den Horizont hinunter liegende Stadt erkennen konnte, als habe sich über ihr der Genius in ein großes blendendes Gewölke auseinander gezogen und dich und die Stadt zuletzt darin aufgefasset, bis die Wolkenstrecke unter immer stärkerem Leuchten und Auswerfen von Sternen und Rosen und Gras zugleich mit meinem Traume auseinanderging.

Und damit wollt' er, denk' ich, nur bedeuten, daß du dich im Städtlein recht divertieren und darauf auf den Heimweg machen würdest.

Wie eine solche Träumerei in meinen Kopf gekommen, lässet sich nur dadurch begreiflich machen, daß ich seit gestern immer deinen eignen mit seiner Romantik darin gehabt.

Ich wollte, dein Name wäre so berühmt, daß der Brief dich fände, wenn bloß darauf stünde: an Herrn H., auf der Erde; wie man z. B. an den Mann *im Monde* recht gut so adressieren kann. Die schönste Adresse hat jener allein, an den man bloß die Aufschrift zu machen braucht: an Den im Universum.

Reise klug wie eine Schlange, Bruder. Habe viel Weltkenntnis und glaube nicht – wie du dir einmal merken lassen –, es sei tunlich, daß sich auf der Briefpost blinde Passagiere aufsetzen könnten oder auch sehende, und lass' ähnliche Fehlschlüsse. Sei verdammt selig und lebe von den alten Friedrichsd'oren, die der Maulwurf ausgeworfen, in einigem Saus und Braus. Erkies', o Freund, nur kein Trauerpferd zu einem Steckenpferd; da ohnehin jedes Kreuz, vom Ordenskreuze an bis zum Eselskreuz herab, entweder genug trägt oder genug drückt. Meide die große Welt möglichst; ihre Hopstänze sind aus F moll gesetzt. Das Schicksal nimmt oft das dicke Süßholz, an welchem die Leute käuen, als einen guten Prügel vor und prügelt sie sehr. – Ich wünschte doch nicht, daß du gerade auf der ersten Stufe des Throns gleich neben dem Fürstenstuhlbein ständest, wenn ihn der neue Regent zur Krönung besteigt, und daß er dich dann zu etwas erhöbe; in den Adelstand, zu einem Kammer- oder Jagdjunker oder so; – wie ein solcher Regent wohl pflegt, weil er in seiner neuen Regierung gerade nichts früher macht als das Edelste, nämlich Menschen, d.h. Kammer-Herrn, Edelleute usw., und erst später den Staat und dessen Glück, so wie die alten Theologen[1] behaupten, daß Gott die Engel vor der Erde und zwar darum erschaffen, damit sie ihn nachher bei deren Schöpfung lobten –

Ich wünscht' es nicht, sag' ich, daß du dem jungen neugebacknen und neubackenden Fürsten die gedachte Ehre antätest und eine annähmest – wahrlich ein Thron wird, wie der Vesuv, gerade höher durch Auswerfen von Höhen und Hohen um ihn her –; und mein Grund ist dieser: weil du, gesetzt, dir würde irgendeine bedeutende männliche oder weibliche Hof-, ja Regierungs-Charge zuteil, doch nicht eher ein ruhiges Leben und eine starke Pension bekämest als nach einem tapfern, verflucht großen Fehltritt oder bei gänzlicher Untauglichkeit zu irgend etwas, worauf der Hof-Mensch Abschied und Pension begehrt und nimmt, gleich dem verurteilten Sokrates, der sich eine ähnliche Strafe vor Gericht diktierte, nämlich lebenslängli-

1 Bibliotheque universelle T. IX. p. 83.

chen Freitisch als Prytan; wie untüchtig aber du zu rechter Untüchtigkeit bist, das weißt du am besten. – Kannst du wählen auf deiner Spannen-Reise, so besuche lieber den größten europäischen Hof als die kleinsten deutschen, welche jenen in nichts übertreffen (in den Vorzügen am wenigsten) als in den Nachteilen, wie man denn wahrgenommen, daß auch die See-krankheit (was sie gibt und nimmt, kennst du) viel ärger würgt auf Seen als auf Meeren – Suche dein Heil an Höfen mehr in groben Taten als in groben Worten; diese werden schwerer ver-ziehen – Ein Hofmann vergibt zwar leicht, aber mit Gift – Auf diesen schlüpfrigen Abhängen des Throns betrage dich über-haupt ganz trefflich und bedenke, daß man da, wie die Grie-chen zu Homers[1] Zeiten, die Verwünschungen nur *leise* zu tun habe, weil die *lauten* auf den Urheber zurückspringen – Sage Fürsten, Markgrafen, Erzherzogen, Königen zwar die Wahr-heit, aber nicht gröber als jedem ihrer Bedienten, um dich von republikanischen Autoren zu unterscheiden, die sich lieber vor Verlegern als vor Potentaten bücken – Gegen Malteser-Damen, Konsulesse, Hof- und andere Damen vom höchsten Rang sei kein Pariser Bisam-Schwein, d.h. keine parfümierte Bestie, kein verbindlicher Grobian, der auf die manierlichste Weise von der Welt des Teufels gegen sie ist – Sei der schönste, langgewachsenste, schlankeste Mann von 30 Jahren, der mir noch vorgekommen – Kurz, bleibe ein wahres Musterbild, bitt' ich dich als Bruder! Überhaupt, sei passabel!

Ich schließe den längsten ernsthaften Brief, den ich seit zehn Jahren geschrieben; denn es schlägt 10½ Uhr, und er soll durchaus noch fort. Himmel aber! wo magst du jetzt sein? Vielleicht schon mehr als Wersten-weit von unserm Haßlau, und erfährest nun an dir selber, wie leicht es großen Reisen wird, den Menschen auszubälgen und umzustülpen wie einen Polypen, und was es auf sich habe, wenn Häfen und Märkte und Völker vor uns vorübergehen, oder wir, was dasselbe ist, vor ihnen – und wie es einem ziemlich schwer ankommt, nicht

1 Hermanns Mytholog. I.

zu verächtlich auf Stubenhocker herabzusehen, die vielleicht noch nie über 10 Meilen weit von ihrem Sparofen weggekrochen und für welche ein Urteil über ein Paar Reisende wie wir eine Unmöglichkeit ist. Solche Menschen sollten, Freund, nur einmal an ihrer eignen Haut erfahren, wie schwer das britische Gesetz, daß Leute, die *aus* der Stadt kommen, denen ausweichen sollen, die *in* selbige reisen[1], manchem Weltmann moralisch zu halten falle: sie sähen uns beide anders an. – Fahre wohl! Folge mir, noli nolle!

v. d. H.

Postscr. Hebe diesen Brief, im Falle du ihn bekommst – sonst nicht –, auf, es sind Gedanken darin für unsern Hoppelpoppel.«

N⁰ 45: KATZENAUGE

Eß- und Trink-Wette – das Mädchen

Es mag nun hinter dem Traum ein Geist oder ein Mensch stecken, dachte Walt, eines der größten Abenteuer bleibt er immer. Das schwang ihn über die ganze Stube voll Gäste weg; er fuhr auf dem romantischen Schwanzstern über die Erden hinaus, die wir kennen. Die Friedrichsd'ore, von denen er viel vertun wollte, waren die goldnen Flügeldecken seiner Flügel, und er konnte ohne Eingriffe in den väterlichen Beutel sich ein Nößel Wein ausbitten, gesetzt auch, der Elsasser Testator komme wieder auf.

So froh gestimmt und leicht gemacht, bahnte er sich durch das theatralische Gewimmel der Stube seinen beständigen Hin- und Herweg, wie durch ein Kornfeld, streifte oft an Chemisen vorbei, stand vor manchen Gruppen still und lächelte kühn genug in fremdes Gespräch hinein. Jetzt trat die Blauäugige,

---

1 Humes vermischte Schriften, 3. Bd.

welche keine Mannshandschuhe gekauft, ins Zimmer. Der Direkteur der Truppe schnaubte öffentlich Winen (so verkürzt' er Jako-bine) hart an, weil sie ihm zu teure Handschuhe mitgebracht. Mit Vergnügen entschuldigte Walt innerlich ihren Handelsgeist mit der alten Theater-Einrichtung solcher Truppen, daß sie nichts übrig haben, und daß aller Goldstaub nur Geigenharzpulver ist, das man in ihr Feuer wirft. Das Mädchen heftete, während der rohe Direkteur um sie donnerte, die heitersten Blicke auf den Notarius und sagte endlich, der Herr da möge doch den Ausspruch tun und zeugen. Er tats und zeugte stark.

Aber der Donnerer wurde wenig erschüttert. Da trat die Maske wieder ein. Walt scheuete seinen bösen Genius. Sie schien ihn wenig zu bemerken, aber desto mehr den geizigen Prinzipal. Endlich brachte sie es durch leises Disputieren dahin, daß zu einer Wette der Regisseur 10 Taler in Silber auf den Tisch legte und jene ebensoviel in Gold.

Eine Flasche Wein wurde gebracht, eine Schüssel, ein Löffel und eine neugebackne Zweipfenning-Semmel. Es wurde nun vor dem ganzen Stuben-Publikum die Wette publiziert, daß der Masken-Herr in kürzerer Zeit eine Flasche Wein mit dem Löffel aufzuessen verspreche, als der Direkteur seine Semmel hinunterbringe; und daß dieser, wie gewöhnlich bei Wetten, gerade auf das Umgekehrte wette. Da die Wette gar zu ungleich schien: so beneideten die meisten Hintersassen des Theater-Lehnsherrn ihrem Vorgesetzten das ungeheure Glück, so leicht – bloß durch ein Semmel-Essen – zwei preußische Goldstücke, die nicht einmal aus dem Lande ausgeführt werden dürfen, in seines einzuführen.

Alles hob an, der Larvenherr hielt die Weinschüssel waagrecht am Kinn und fing das schnellste Schöpfen an.

Der Groß- und Brotherr der Truppe tat einen der unerhörtesten Bisse in die Semmel, so daß er wohl die Halb- oder Drittels-Kugel sich ausschnitt. Jetzt aß er unbeschreiblich – er hatte eine halbe Weltkugel auf dem Zungenbein zu bewegen, zu zerstücken, zu mazerieren, also auf trocknem und nassem Weg zugleich zu scheiden – was er von Dienst-Muskeln in der Wett-Höhle besaß, mußte aufstehen und sich regen, er spannte und schirrte den Beiß- und den Schläfe-Muskel an, die bekanntlich immer zusammen ziehen – ferner den innern Flügelmuskel, den äußern und den zweibäuchigen – die Muskeln drückten nebenher die nötigsten Speicheldrüsen, um Menstrua und Alkaheste zu erpressen, der zweibäuchige die Kieferdrüse, der Beißmuskel die Ohrdrüse, und so jeder jede. Aber wie in einem Ballhause wurde der Magenball im Munde hin- und herge-schlagen; die Kugel, womit er alle zehn Taler wie Kegel in den Magen schieben wollte, wollte durchaus die Schlundbahn nicht ganz passieren, sondern halb und in kleinen Divisionen, wie ein Armee-Kern. Auf diese Weise indessen verlor der theatra-lische Kommandeur, der den Larvenherrn unaufhörlich und ungehindert schöpfen sehen mußte, eine unschätzbare Zeit, und indem er den Teufels-Abbiß mühsam, Cahiers-weise oder in Rationen ablieferte und schluckte, hatte der Wett-Herr schon zwei Drittel mit dem Löffel leicht aufgetrunken.

Außer sich wirkte Fränzel in alle seine Muskeln hinein – mit den Ceratoglossis und den Genioglossis plattiert' er die Zunge, mit den Styloglossis exkaviert' er sie – darauf hob er Zungen-bein und den Kehlkopf empor und stieß die Unglücks-Kugel wie mit Ladstöcken hinab. An anatomischen Schling-Regeln fehlt' es ihm gar nicht.

Noch lag eine ganze Drittels-Semmel vor ihm, und der Lar-venherr inkorporierte schon zusehends das vierte Viertel, sein Arm schien ein Pumpenstiefel oder sein Löffel.

Der Unglückliche schnappte nach der zweiten Hemisphäre der Höllenkugel – in Betracht der Zeit hatt' er ein entsetzliches Divisionsexempel vor sich oder in sich, eine lange Analyse des Unendlichen – er schauete käuend die Zuschauer an, aber nur dumm und dachte sich nichts bei ihnen, sondern schwitzte und malmte verdrüßlich vor sich – die zwanzig Taler auf dem Tische sah er grimmig an und wechselnd den Löffel-Säufer – zu reden war keine Zeit, und das Publikum war ihm nichts – die elende Pechkugel vom Drachen konnt' er nicht einmal zu Brei zersetzen (es floß ihm nicht) – ans Schlucken durft' er gar nicht denken, indes er sah, wie der Maskenherr den Wein nur noch zusammenfischte – –

Das fühlt' er wohl, sein Heil und Heiland wäre man gewesen, hätte man ihn auf der Stelle in eine Schlange verkehrt, die alles ganz einschluckt, oder in einen Hamster, der in die Bakkentaschen versteckt, oder ihm den Thyreopalatinus ausgerissen, der die Eßwaren hindert, in die Nase zu steigen.

Endlich schüttete der Maskenherr die Schüssel in den Löffel aus – und Fränzel stieß und worfelte den Semmel-globe de compression noch hin und her, so nahe am erweiterten Schlundkopfe, aber ohne das geringste Vermögen, die Semmel durch das so offne Höllentor zu treiben, so gut er auch aus den anatomischen Hörsälen wußte, daß er in seinem Maule über eine Muskel-Hebekraft von 200 Pfund zu befehlen habe.

Der Larvenherr war fertig, zeigte endlich dem Publikum die leere Schüssel und die vollen Backen des Direkteurs und strich das Wettgeld mit der Rechten in die Linke, unter der Bitte, Herr Fränzel solle, wenn er etwas darwider und die Semmel schon hinunter habe, bloß das Maul aufmachen. Fränzel tats auch, aber bloß um den teuflischen Fangeball durch das größere Tor davonzuschaffen. Der Maskenherr schien froh zu sein und bot dieselbe Wette wieder aus, bei welcher er glänzende Erleichterungen vorschlug, z. B. statt einer Semmel bloß einen ganzen kleinen Kuh- oder Ziegenkäse, kaum Knie- oder Semmel-Scheiben groß, auf einmal in den Mund zu nehmen und hinabzuessen, während er trinke ut supra; aber man dachte sehr verdächtig von ihm, und niemand wagte.

Den Notar hätte der Direkteur zu sehr gedauert, wenn er vorhin die schöne Blondine sanfter angefahren hätte. Diese saß und nähte und hob, sooft sie mit der Nadel aufzog, die großen blauen Augen schalkhaft zu Walten auf, bis er sich neben sie setzte, scharf auf die Naht blickte und auf nichts dachte als auf eine schickliche Vorrede und Anfurt. Er konnte leicht einen Gesprächs-Faden lang und fein verspinnen, aber das erste Flöckchen an die Spindel legen konnt' er schwer. Während er neben ihr so vor seiner eignen Seele und Gehirnkammer antichambrierte, schnellte sie leicht die kleinen Schuhe von ihren Füßen ab und rief einen Herrn her, um sie an den Trockenofen zu lehnen. Mit Vergnügen wär' er selber aufgesprungen; aber er wurde zu rot; ein weiblicher Schuh (denn er gab fast dessen Fuß darum) war ihm so heilig, so niedlich, so bezeichnend wie der weibliche Hut, so wie es am Manne (sein Schuh ist nichts) nur der Überrock ist, und an den Kindern jedes Kleidungsstück.

»Ich dächte, Sie sagten endlich etwas«, sagte Jakobine zu Walten, an dem sie statt der Zunge den Rest mobil machte, indem sie ihr Knäul fallen ließ und es am Faden halten wollte. Er lief der Glückskugel nach, strickte und drehte sich aber in den Faden dermaßen ein, daß Jakobine aufstehen und diesen von seinem Beine wie von einer Spindel abweifen mußte. Da sie sich nun bückte, und er sich bückte, und ihre Postpapierhaut sich davon rot beschlug – denn ihr schlechter Gesundheitspaß wurde außer und auf der Bühne mit roter Dinte korrigiert –, und er die Röte mit Glut erwiderte; und da beide sich einander so nahe kamen und in den unordentlichsten Zwiespalt der Rede: so war durch diese tätige Gruppierung mehr abgetan und getan für Bekanntschaft, als wenn er drei Monate lang gesessen und auf ein Präludium und Antrittsprogramm gesonnen hätte. – Er war am Ariadnens-Faden des Knäuls durch das Labyrinth des Rede-Introitus schon durch, so daß er im Hellen fragen konnte: »Was sind Ihre Hauptrollen?« – »Ich spiele die unschuldigen und naiven sämtlich«, versetzte sie, und der Augenschein schien das Spielen zu bestätigen.

Um ihr rechte Freude zu machen, ging er, so tief er konnte, ins Rollen-Wesen ein und sprach der stummen Näherin feurig vor. »Sie reden ja so langweilig wie der Theaterdichter,« – sagte sie –, »oder Sie sind wohl einer? Dero werten Namen?« – Er sagte ihn. »Ich heiße Jakobine *Pamsen*; Herr Fränzel ist mein Stiefvater. Wo gedenken Sie denn eigentlich, Herr Harnisch?« Er versetzte: »Wahrscheinlich nach Rosenhof.« – »Hübsch«, sagte sie. »Da spielen wir morgen abends.« Nun malte sie die göttliche Gegend der Stadt und sagte: »Die Gegend ist ganz superb.« – »Nun?« fragte Walt und versprach sich eine kleine Muster- und Produkten-Karte der Landschaft, ein dünnes Blätterskelett dasigen Baumschlags und so weiter. »Aber – Was denn?« sagte die Pamsen, »die Gegend, sag' ich, ist die göttlichste, so man schauen kann. Schauen Sie selber nach. «

Da trat der Larvenherr unbefangen hin und sagte entscheidend »Bei Berchtolsgaden im Salzburgischen ist eine ähnliche, und in der Schweiz fand ich schönere. Aber künstliche Zahnstocher schnitzen die Berchtolsgadner« und zog einen aus der Weste, dessen Griff sauber zu einem Spitzhund ausgearbeitet war.

»Wer Lustreisen machen kann,« fuhr er fort, »mein Herr, findet seine Rechnung vielleicht besser im Badort St. Lüne, wo gegenwärtig drei Höfe versieren, der ganze flachsenfingische, dems gehört, darnach der Scheerauer und der Pestitzer und ein wahrer Zufluß von Kurgästen. Ich reise morgen selber dahin.«

Der Notar machte eine matte Verbeugung; denn das Geschick hatt' ihn auf diesen ganzen Abend verurteilt, zu erstaunen. »Allmächtiger Gott,« dacht' er bei sich, »ist denn das nicht wörtlich so wie in des Bruders Briefe?« Er stand auf – (Jakobine war aus Hasse gegen den um 10 fl. reichern Larvenherrn längst weggelaufen mit dem Nähzeug in den Händen) – und sah am Lichte diese Brief-Stelle nach: »Ich sah, wie am Morgen dein Genius und das Un-Gesicht dir auf zwei verschiedenen Wegen vorflogen, um dich zu locken; du folgtest aber dem Genius und gingest statt nach St. Lüne lieber nach Rosenhof« – Er sah nun zu gewiß, die Maske sei sein böser Genius, Jakobine Pamsen aber, nach manchem zu urteilen, sein bester, und er wünschte sehr, sie wäre nicht aus der Stube gegangen.

Hatt' er schon vorher den Entschluß gefasset, lieber dem

Briefe und Traume zu folgen nach Rosenhof, weil er aus Homer und Herodot und ganz Griechenland eine heilige Furcht gelernt, höhern Winken, dem Zeigefinger aus der Wolke mit frecher Willkür zu widerstehen und gegen ihn die Menschen-Hand aufzuheben: so wurde sein Entschluß des Gehorsams jetzt durch die Zudringlichkeit der Maske und die Einwirkung Jakobinens und durch das Netz neu verstärkt, worin Menschen und Vögel sich der Farbe wegen fangen, weil es mit der allgemeinen der Erde und Hoffnung angestrichen ist, nämlich der grünen.

Jakobinen sah er nicht mehr als bloß auf ihrer Türschwelle mit einem Lichte, da er über die seines Kämmerleins trat. Er überdacht' es darin lange, ob er nicht gegen die Menschheit durch Argwohn verstoße, wenn er den Nachtriegel vorschiebe. Aber die Maske fiel ihm ein, und er stieß ihn vor. Im Traume war es ihm, als werd' er leise bei dem Namen gerufen. »Wer da?« schrie er auf. Niemand sprach. Nur der hellste Mond lag auf dem Bett-Kissen. Seine Träume wurden verworren, und Jakobine setzt' ihn immer wieder in das rosenfarbne Meer ein, sooft ihn auch die Maske an einer Angel auf einen heißen Schwefel-Boden geschleudert.

N⍛ 46: EDLER GRANAT

Der frische Tag

Am frühen Morgen brach die Truppe, wie Truppen, die Zelte lärmend ab und aus dem Lager auf. Die Fuhrleute stäubten das Nachtstroh von sich. Die Rosse wieherten oder scharrten. Die Frische des Lebens und Morgens sprengte brennenden Morgentau über alle Felder der Zukunft, und man hielt es sehr der Mühe wert, solchen zuzureisen. Das Getöse und Streben belebte romantisch das Herz, und es war, als reite und fahre man gerade aus dem Prosa-Land ins Dichter-Land und komme noch an um 7 Uhr, wenn es die Sonne vergolde. Als vor Walten die über alles blasse Jakobine wie ein bleicher Geist einsaß, sah er in den Traum und Abend hinein, wo er diesen weißen Geist wiederfinden, auch über die Blässe fragen konnte; denn er erriet fast leichter Seelen-Schminke als Wangen-Schminke, diese rote Herbstfarbe fallender Blätter statt der Frühlingsröte jungfräulicher Blüte. Weiße Schminke erraten Gelehrte noch schwerer oder gar nicht, weil sie nicht absehen können, sagen sie, wo sie nur anfange.

Die Maske saß auf und sprengte seitab nach St. Lüne zu. Gottwalt wußte, daß, wenn er den Weg nach Joditz einschlüge, der weissagende Traum, daß er da mittags essen werde, schon halb in Erfüllung gehe; – er nahm also diesen Weg. Es sei, daß der zweite Reisetag an der Natur den blendenden Glanz abwischet, oder daß sein unruhiger Blick in das geweissagte Rosenhof und dessen Gaben das leise Grün der Natur, das wie ein Gemälde nur in ein stilles Auge kommt, verscheuchte: genug, statt des gestrigen beschaulichen Morgens hatt' er jetzt einen strebenden tätigen. Er saß selten nieder, er flog, er stand und ging als Befehlshaber an der Spitze seiner Tage. Wär' ihm Don Quixotes Rosinante auf einer Wiese grasend begegnet, er hätte sich frei auf die nackte geschwungen (er wäre sein eigner Sattel gewesen), um in die romantische Welt hineinzureiten bis vor die Haustüre einer Dulzinee von Toboso. Er sah vorübergehend in eine hackende Ölmühle und trat hinein; die Riesenmaschinen kamen ihm lebendig vor, die hauenden Rüssel, die unaufhaltbaren Stampf-Mächte und Klötze wurden von seltsamen Kräften und Geistern geregt und aufgehoben.

Durch den rein-blauen Himmel brausete ein unaufhörlicher Sturm – der seine eigne Windharfe war –; aber nichts weht weiter in Zauber- und Zukunfts-Länder als eine solche unsichtbare tönende Gewalt. Geister flogen im Sturm; die Wälder und Berge der Erde wurden von Überirdischen geschüttelt und gerückt; – die äußere Welt schien so beweglich zu werden, wie es die innere ist.

Überall lagen auf den Felsen Ritter-Schlösser – in den Gärten Lustschlösser – an den kleinen Reben-Bergen weiße Häuserchen – zuweilen da eine rotglänzende Ziegelhütte, dort das Schieferdach einer Korn- oder Papiermühle. – – Unter allen diesen Dächern konnten die seltensten Väter und Töchter und Begebenheiten wohnen und heraustreten und auf den Notar zugehen; er versah sich dessen ohne Furcht.

Als eine zweite Straße seine zu einem Kreuzwege, diesem Andreaskreuze der Zauberinnen, durchschnitt: so wehten ihn tiefe Sagen schauerlich aus der Kindheit an; im Brennpunkte der vier Welt-Ecken stand er, das fernste Treiben der Erde, das Durcheinanderlaufen des Lebens umspannt' er auf der wehenden Stelle. Da erblickt' er *Joditz*, wo er Vults Traume nach essen sollte. Es kam ihm aber vor, er hab' es schon längst gesehen, der Strom um das Dorf, der Bach durch dasselbe, der am Flusse steil auffahrende Wald-Berg, die Birken-Einfassung und alles war ihm eine Heimat alter Bilder. Vielleicht hatte einmal der Traumgott vor ihm ein ähnliches Dörfchen aus Luft auf den Schlaf hingebauet und es ihn durchschweben lassen.[1] Er dachte nicht daran, sondern an Abenteuer und an die Natur, die gern mit Ähnlichkeiten auf Steinen und in Wolken und mit *Zwillingen* spielet.

Im Joditzer Wirtshaus wurd' er wieder überrascht durch Mangel an allem Überraschenden. Nur die Wirtin war zu Hause und er der erste Gast. Erst später kam mehr Leben an, ein Böheimer mit vier Verkaufschweinchen und dem Hunde; aber da dieser sehr lamentierte, daß er lieber vier Herden treiben und absetzen wollte als allemal die letzten Äser, mit denen es nie ein Ende nehme, so ließ sich Walt seine Sonnenseite nicht länger zur Winterseite umdrehen, sondern zog mit einer Portativ-Mahlzeit davon.

Er gelangte in einen felsigen stillen Wald und glitt vom Weg

---

1 Es gibt zwar ein zweites Joditz mit gleicher Gegend – das Kindheitsdorf des gegenwärtigen Verfassers –, es liegt aber nicht in Haßlau, sondern in Vogtland, wohin gewiß nicht der Notar gekommen.

ab und lief so lange einer immer enger ablaufenden Schlucht nach, bis er an die sogenannte stille Stelle kam, die er im Tagebuche so beschreibt:

»Die Felsen drängen sich einander entgegen und wollen sich mit den Gipfeln berühren, und die Bäume darauf langen wirklich einander die Arme zu. Keine Farbe ist da als Grün und oben etwas Blau. Der Vogel singt und nistet und hüpft, nie gestört auf dem Boden, außer von mir. Kühle und Quellen wehen hier, kein Lüftchen kann herein. Ein ewiger dunkler Morgen ist da, jede Waldblume ist feucht, und der Morgentau lebt bis zum Abendtau. So heimlich eingebauet, so sicher eingefasset ist das grüne Stilleben hier und ohne Band mit der Schöpfung als durch einige Sonnenstrahlen, die mittags die stille Stelle an den allgewaltigen Himmel knüpfen. Sonderbar, daß gerade die Tiefe so einsam ist wie die Höhe. Auf dem Montblanc fand Saussüre nichts als einen Tag- und einen Nachtschmetterling, was mich sehr erfreuete. – Am Ende wurde ich selber so still als die Stelle und schlief ein. Ein Zaubertraum nach dem andern legte mir Flügel an, die bald wieder zu großen Blumenblättern wurden, auf denen ich lag und schwankte. Endlich war mir, als rufe mich eine Flöte beim Namen und mein Bruder stehe dicht an meinem Bette. Ich schlug die Augen auf, allein ich hörte fast gewiß noch eine Flöte. Ich wußt' aber durchaus nicht, wo ich war; ich sah die Baum-Gipfel mit Glut-Rot durchflossen; ich entsann mich endlich mühsam der Abreise aus Joditz und erschrak, daß ich eine ganze Nacht und den prophezeieten Abend in Rosenhof hier verschlafen hätte; denn ich hielt die Röte für Morgenröte. Ich drängte mich durch den tauenden Wald hindurch und auf meine Straße hinaus – ein prächtiges Morgen-Land faltete vor mir die glühenden Flügel auf und riß mein Herz in das allerheiterste Reich. Weite Fichtenwälder waren an den Spitzen gelbrot besäumt, freilich nur durch mordende Fichtenraupen. Die liebe Sonne stand so, daß es der Jahreszeit nach 5¼ Uhr am Morgen sein mochte, es war aber, die Wahrheit zu sagen, 6¼

335

Uhr abends. Indes sah ich die Lindenstädter Gebürge rot von der entgegenstehenden Sonne übergossen, die eigentlich der östlichen Lage nach über ihnen stehen mußte.

Ich blieb im Wirrwarr, obgleich die Sonne vielmehr fiel als stieg, bis ein junger hagerer Maler mit scharfen und schönen Gesichts-Knochen und langen Beinen und Schritten und einem der größten preußischen Hüte vor mir dahin vorüberwollte, mit einer Maler-Tasche in der Hand. ›Guten Morgen, Freund,‹ sagt' ich, ›ist das die Straße nach Rosenhof, und wie lange?‹ – ›Dort hinter den Hügeln liegts gleich, Sie können in einer Viertel-Stunde noch vor Sonnenuntergang ankommen, wenn die Fähre eben da ist.‹ Er entlief mit seinen gedachten Schritten, und ich sagte: ›Dank, gute Nacht.‹ Es war mir aber gewaltsam, als wenn sich die Welt rückwärts drehte, und als wenn ein großer Schatte über das Sonnen-Feuer des Lebens käme, da ich den Morgen zum Abend machen mußte.« So weit seine Worte.

Jetzt stand der Notar still, drehte sich um, eine lange Ebene hinter ihm schlossen unbekannte Berge zu; vor ihm standen sie, wie Sturmbalken der Gewitter, gehörnt und gespalten hinter den Hügeln gen Himmel, und die Berg-Riesen trugen die hohen Tannen nur spielend. Der fliegende Landschaftsmaler, sah er, setzte sich auf die Hügel und schien, nach seiner Richtung zu schließen, die verdeckte Stadt Rosenhof auf sein Zeichenpapier heraufzutragen. Gott, dachte Walt, nun begreif' ichs einigermaßen, wie die Stadt liegen mag, wie göttlich und himmlisch, wenn der Landschaftsmaler von Bedeutung sich davorsetzt und nur sie abreißet, indes er hinter seinem Rücken eine Landschaft weiß, die einen Fremdling, der jene nicht kennt, ordentlich mit Abend-Glanz und Ansicht überhäuft.

Als er oben vor die Aussicht kam, stand er neben dem Stand- und Sitzpunkte des Malers still und rief nach dem ersten Blick auf die Landschaft aus: »Ja, das ist des Malens wert.« – »Ich zeichne bloß«, sagte der gebückte Maler, ohne aufzublicken. Walt blieb stehen, und sein Auge schweifte von dem breiten Rosana-Strome zu seinen Füßen aufwärts zur Stadt am Ufer und Gebürg und stieg auf die waldigen zwei Felsen-Gipfel über der Stadt und fiel auf die Fähre, die, voll Menschen und Wagen zwischen Seilen, zu seinem Ufer voll neuer Passagiere herüberglitt, und sein Auge flog endlich den Strom hinab, der, lang von der Abendsonne beglänzt, sich durch fünf grüne helle Inseln brennend drängte.

Die Fähre war gelandet, neues Schiffsvolk und Fuhrwerk eingestiegen, sie wartete aber noch und, wie es ihm vorkam, auf ihn. Er lief hinab und sprang auf das Fahrzeug. Allein es wartete auf schwerere Befrachtung. Er schauete auf drei hier einlaufende Straßen hinauf. Endlich bemerkte er, daß im Abendglanze ein zierlicher Reisewagen mit vier Pferden, lange Staubwolken nachschleppend, daherrollte.

Darüber mußte der Notar frohlocken, weil schon ein Fuhrmanns-Karren mit Pferden auf der Fähre stand und der Reisewagen mit den seinigen sie noch viel gedrängter und bunter machte, als sie es schon durch den Kongreß von Bettlern, Boten, Spaziergängern, Hunden, Kindern, Wandergesellen und Grummet-Weibern war, wozu noch der Tyroler, der Geburtshelfer und der Bettelmann kam, die ihm unterwegs begegnet waren. Die Fähre war ihm ein zusammengepreßter Marktplatz, der schwamm, ein stolzes Linien-Schiff zwischen zwei Linien-Seilen, ein Bucentauro, aus welchem seine Seele zwei Vermählungsringe auswarf, einen in den Seestrom, einen in den glänzenden Abend-Himmel. Er wünschte halb und halb, die Überfahrt wollte sich durch einige Gefahr, die andern nichts schadete, noch trefflicher beleben.

Ein schöner stattlicher Mann stieg vorher aus dem angekommenen Wagen aus, eh' dieser auf das enge Fahrzeug getrieben und da gehörig eingeschichtet wurde; »er traue seinen Pferden nicht«, sagte der Herr. Walt fuhr ihm fast ohne ausgezeichnete Höflichkeit entgegen vor Jubel, denn er sah den General Zablocki vor sich. Dieser, durch Reisen häufiger an solche Erkennungen gewöhnt, bezeugte ein ruhiges Vergnügen, seinen erotischen Sekretär *hier* anzutreffen. Der lange Postzug stolperte endlich in die Fähre mit dem Wagen herein, und aufzitternd sah Walt, daß Zablockis schöne Tochter darin saß, die Augen auf die fünf Inseln heftend, welche der Sonnenglanz mit Rosenfeuer überschwemmte. Sein Herz brannte sanft in seinem Himmel, wie die Sonne in ihrem, und ging selig auf und selig unter. Schon der leere Bekannte wär' ihm auf unbekanntem Boden wie ein Bruder erschienen; aber nun die still geliebte Gestalt – sie gab ihm einen Seelen-Augenblick, den kein Traum der Phantasie weissagt.

Er stand an der Morgenseite des Kutschenschlags und durfte allda ohne Bedenken, da auf der Fähre alle Welt fest stehen muß, verharren und in einem fort hineinsehen (er hatte sich gegen den Wagen umgekehrt); er schlug aber die Augen oft nieder, aus Furcht, daß sie ihre herumwende und von seinen gestöret werde, ob er gleich wußte, daß sie, geblendet von der Sonne, anfangs so viel sähe als nichts. Er vergaß, daß sie ihn wahrscheinlich gar nie angesehen. Nach der herrlichen Pracht-Sonne und nach den fünf Rosen-Inseln sah er nicht hin, sondern genoß und erschöpfte sie ganz dadurch, daß er der stillen Jungfrau und dem stummen Abendtraume, womit sie auf den goldnen Inseln ruhte, mit tausend Wünschen zusah, es mög' ihr doch noch besser ergehen, und himmlisch, und darauf noch herrlicher.

Von weitem wars ihm, als wenn die Rosana flösse und die Fähre schiffte und die Wellen rauschten, und als wenn die waagrecht einströmende Abend-Sonne Hunde und Menschen mit Jugendfarben überzöge und jeden Bettler und Bettelstab vergoldete, desgleichen das Silber der Jahre und Haare. Aber er gab nicht besonders acht darauf. Denn die Sonne schmückte Wina mit betenden Entzückungen und die Rosen der Wangen mit den Rosen des Himmels; – und die Fähre war ihm ein auf Tönen sich wiegender Sangboden des Lebens, ein durch Abendlicht schiffendes Morgenland, ein Charons-Nachen, der das Elysium trug zum Tartarus des Ufers. Walt sah unkenntlich aus, fremd, überirdisch, denn Winas Verklärung warf den Widerschein auf ihn.

Ein Krüppel wollte ihm in der Nähe etwas von seiner Not

vorlegen, aber er faßte nicht, sondern hassete es, wenn ein Mensch an einem solchen Abend nicht selig war, wo sich die bisher betrübte Jungfrau erheiterte und sich die Sonne gleichsam wie eine liebe warme Schwester-Hand an das Herz drückte, das bisher oft in mancher kalten dunkeln Stunde schwer geschlagen.

»Hätt' er nur kein Ende, der Abend,« wünschte Walt, »und keine Breite die Rosana – oder man beschiffte wenigstens ihre Länge, fort und fort, bis man mit ihr ins Meer verschwämme und darin unterginge mit der Sonne.«

Eben war die Sonne über dem Strome untergegangen. Langsam wandte Wina das Auge ab und nach der Erde, es fiel zufällig auf den Notar. Er wollte einen Gruß voll Verehrungen spät in den Wagen werfen, aber die Fähre schoß heftig vom Ufer zurück und zerstieß das Wenige, was er zusammengebauet.

Der Wagen fuhr bedächtlich ans Land. Walt gab an 4 Groschen Fährgeld; »für wen noch?« fragten die Fährleute. »Für wer will«, versetzte Walt; darauf sprangen, ohne zu fragen und zu zahlen, mehr als zu viele ans Land. Der General wollte zu Fuß in die schöne Garten-Stadt, Walt blieb neben ihm. Jener fragte, ob ihm gestern keine Komödianten begegnet. Er berichtete, daß sie diesen Abend in Rosenhof spielten. »Gut!« sagte Zablocki – »so essen Sie abends bei mir im *Granatapfel* – Sie übernachten doch? – und morgens sieht man in Sozietät die ganze splendide Felsen-Gruppe, die Sie droben über der Stadt bemerken.«

Die Entzückung über diese Gabe des Geschicks spricht Walt in seinem Tagebuch kurz so aus: »Wie ich vor ihm darüber meine Freude aussprach, lieber Bruder, das kannst du dir vielleicht besser denken als ich jetzt.«

Kartause der Phantasie – Bonmots

Es gibt schwerlich etwas Erquicklicheres, als abends mit dem General Zablocki hinter dem Wagen seiner Tochter zwischen den Gärten voll Rosensträuche in die schöne Stadt Rosenhof einzugehen – ohne alle Sorge und voll Ausmalungen des Abendessens zu sein – und den schönen Eß-Rauch über der Stadt ordentlich für die Zauber-Wolke zu halten, womit der gute Genius in Vults Briefe sie überzogen – und von den wirtlichen reinen breiten Gassen und den leichten vergänglichen Spielen und Zwecken des Lebens immer gerade zu den draußen über der Vorstadt stehenden finstern Gebirgshäuptern aufzusehen, die so nahe aus ihrer kalten Höhe auf die Häuser und die Türme herunterschauen. Besonders nahm den Notar die grünende Gasse ein, wo der Granatapfel logierte: »Mir ist ordentlich,« sagte er begeistert und redselig zum General, »als ging' ich in Chalcis in Euböa[1] oder auch einer andern griechischen Stadt, wo so viele Bäume in den Gassen standen, daß man die Stadt kaum sah. Gibt es eine schönere Vermischung von Stadt und Land als hier, Exzellenz? – Und ist Ihnen nicht auch der Gedanke süß, daß hier zu einer gewissen Zeit, so wie in Montpellier, alles in Rosen und von Rosen lebt, wenn man auch gleich jetzt nichts davon sieht als die Dornen, Herr General?«

Dieser, der nicht darauf gehorcht hatte, rief seinem Kutscher einen derben Fluch zu, weil er mit seinem Wagen fast an dem *Fränzelschen* geentert hätte. Walt sagte, das seien die Akteurs; und forderte vom Wirt ein vortreffliches Zimmer, das man ihm leicht zugestand, weil man ihn für einen Sekretär Zablockis ansah, was noch dazu richtig war in Rücksicht der erotischen Memoiren. Da er darein geführet wurde, erstaunte er schon vorläufig über den Prunk des Prunkzimmers und wurde gerührt von seinem Glücksschwung, was zunahm, als er den

---

1 Pausan. in Att.

Bettelstab, dem er seinen Hut aufsetzte, an den Spiegeltisch stellte. Da er aber in höchster Bequemlichkeit und Seelen-Ruhe auf und ab ging, die Papiertapeten statt des ihm gewöhnlichern Tapetenpapiers – die drei Spiegel – die Kommode-Beschläge mit Messing-Masken – die Fenster-Rouleaux – und vollends die Bedientenklingel ausfand: so läutete er diese zum erstenmal in seinem Leben, um sogleich ein Herr zu sein und, wenn er eine Flasche Wein sich bringen lassen, nun die süßquellende Gegenwart gehend auszuschlürfen und überhaupt einen Abend zu erleben, wie irgendein Troubadour ihn genossen. »Troubadours«, sagt' er sich, indem er trank, »übernachteten oft in sehr vergoldeten Zimmern der Höfe – den Tag vorher vielleicht in einer Moos- und Strohhütte – wie Töne durchdrangen sie hohe und dicke Mauern – und dann pflegten sie sich darin noch die schönste Dame von Stand zu aufrichtiger Liebe auszulesen und, gleich Petrarca, solche in ewiger Dichtung und Treue gar nie selber zu begehren« – setzt' er dazu und sah an die Wand des – Generals.

Zablockis Zimmer war seinem durch eine zweimal verriegelte Wand- und Transito-Türe versperrt und verknüpft. Er konnte gehend – denn stehend zuzuhören, hielt er für Unrecht – auspacken und jedes heftige Wort des Vaters an Bediente und den süßen Ton, worein Wina sie, wie eine Äolsharfe den Sturmwind, auf der Stelle übersetzte, leicht vernehmen. Ob er gleich hoffte, unten in der breiten Gaststube Jakobinen wieder und viel bekannter anzutreffen: so hielt er es doch für seliger, neben der nahen Nonne Wina als Wandnachbar auf und ab zu spazieren und sie unaufhörlich sich vorzustellen, besonders das große beschattete Auge und die Freundlichkeit und Stimme und das Abendessen neben ihr.

Er hörte endlich, daß der General sagte, er gehe ins Schauspiel, und daß Wina bat, zurückbleiben zu dürfen, und daß sie darauf ihrer Kammerdienerin – der gottlosen Sängerin Luzie – die Erlaubnis gab, sich im Städtchen umzusehen. Alsdann wurde alles still. Er sah zum Fenster hinaus an ihres. Winas beide Fenster-Flügel (sie schlugen sich nach der Gasse auf) waren offen und ein Licht im Zimmer und am Wirtshausschild ein Schattenriß, der sich regte. Da er aber nichts weiter sah, so kehrte er wieder mit dem Kopf in seine Stube zurück, worin er – so gehend, trinkend, dichtend – ein aus Rosenzucker gebackenes Zuckerbrot, ja Zucker-Eiland nach dem andern aus dem Backofen auf der Schaufel behutsam herausholte: – »O ich bin so glücklich!« dacht' er und sah nach, ob man keine Armenbüchse an die Papiertapeten geschraubt, weil er in keinem Wirtshause vergaß, in diese Stimm-Ritze unbekannter Klagstimmen, soviel er konnte, zu legen; aber das Zimmer war zu nett zu Wohltaten.

Es wurde sehr dunkel. Der frühe Herbstmond stand schon als ein halbes Silber-Diadem auf einem Gebirgshaupt. Der Kellner kam mit Licht, Walt sagte: »Ich brauche keines, ich esse bei dem Herrn General.« Er wollte das Stuben-lange Mondlicht behalten. An der Fensterwand wurde ihm endlich dadurch eine und die andere Reise-Sentenz von frühern Passagieren erleuchtet. Er las die ganze Wand durch, nicht ohne Zufriedenheit mit den jugendlichen Sentenzen, welche sämtlich Liebe und Freundschaft und Erden-Verachtung mit der Bleifeder anpriesen. – »Ich weiß so gut als jemand,« – schreibt er im Tagebuch – »daß es fast lächerlich, wenn nicht gar unbillig ist, sich an fremde Zimmer-Wand anzuschreiben; dennoch ergötzet den Nachfahrer ein Vorgänger sehr dadurch, daß er auch dagewesen und die leichte Spur eines Unbekannten einem Unbekannten nachgelassen. Freilich schreiben einige nur den Namen und Jahrszahl an; aber einem wohlwollenden Menschen ist auch ein leerer Name lieb, ohne welchen eine entrückte verreisete Gestalt doch mehr ein Begriff bliebe als ein Begriffenes, weniger ein Mensch als eine luftige, auch wohl ätherische Menschheit. Und warum soll man denn einen leeren Gedanken lieber haben und vergeben als einen leeren Namen? – Ich nehm' es gar nicht übel, daß einer bloßhin anschrieb J. P. F. R. Wonsidel: Martii anno 1793 – oder ein anderer Vivat die A. etc., die B. etc., die C. etc., die J. etc. – oder das Französische, Griechische, Lateinische, auch Hebräische. – Und es stehen ja oft kostbare Sentenzen daran wie folgende: »Im physischen Himmel glauben wir stets in der *Mitte* zu sein; aber in Rücksicht des innerlichen glauben wir immer am Horizont zu stehen; im *östlichen*, wenn wir frohlocken, im *westlichen*, wenn wir jammern.« Er wagte zuletzt selber Winas und Walts Namen samt Datum ans Stammbuch so zu schreiben: W – W. Sept. 179–. Er schauete wieder auf die mondhelle Gasse hinaus nach Winen und erblickte drei herausgelegte Finger und ein wenig weiße Hutspitze; dabei und davon ließ sich leben und träumen. Er schwebte und spielte wie ein Sonnenstäubchen in den langen Mondstrahlen der Stube, er ergänzte sich das stille Mädchen aus den drei Fingern; er schöpfte aus der nie versiegenden Zukunft, die beim Abendessen als Gegenwart erschien. Freuden flogen ihm als purpurne Schmetterlinge nach, und die beleuchteten Stubenbretter wurden Beete von Papillonsblumen – – drei Viertelstunden lang wünscht' er herzlich, so einige Monate auf und nieder zu gehen, um sich Wina zu denken und das Essen.

Aber der Mensch dürstet am größten Freudenbecher nach einem größern und zuletzt nach Fässern; Walt fing an, auf den Gedanken zu kommen, er könne nach der väterlichen Einladung ohne Übelstand sich jetzt gar selber einstellen bei der einsamen Wina. Er erschrak genug – wurde scham- und freudenrot – ging leiser auf und ab – hörte jetzt Wina auch auf und nieder gehen – der Vorsatz trieb immer mehr Wurzeln und Blüten zugleich – nach einer Stunde Streit und Glut war das Wagstück seiner Erscheinung und alle zartesten Entschuldigungen derselben fest beschlossen und abgemacht: als er den General kommen und sich rufen hörte. Er riegelte, mit dem Hut-Stock in der Hand, seine Wandtüre auf; »Diese ist zu, Freund!« rief der General, und er ging, den Mißgriff nachfühlend, erst aus seiner durch die fremde ein.

Blühend von Träumen trat er ins helle Zimmer; halb geblendet sah er die weiße schlanke Wina mit dem leichten weißen Hute wie eine Blumengöttin neben dem schönen Bacchus stehen.

Der letztere hatte ein heiteres Feuer in jeder Miene. Die Tochter sah ihn unaufhörlich vor Freude über die seinige an. Bediente mußten ihm auf Flügeln das Essen bringen. Der Notar wog auf den seinigen, verschwebt in den Glanz dieses magischen Kabinets, nicht viel über das Gewicht von fünf Schmetterlingen, so leicht und ätherisch flatterte ihm Gegenwart und Leben vor.

Er setzte sich mit weit mehr Welt und Leichtigkeit an das Eß-Täfelchen, als er selber gedacht hatte. Der General, der ein unaufhörliches Sprechen und Unterhalten begehrte, sann Walten an, etwas zu erzählen, etwas Aufgewecktes. Mit etwas Rührendem wär' er leichter bei der Hand gewesen; so aber sagt' er: er wolle nachsinnen. Es fiel ihm nichts bei. Schwerer ist wohl nichts als das Improvisieren der Erinnerung. Viel leichter improvisiert der Scharf- und Tiefsinn, die Phantasie als die Erinnerung, zumal wenn auf allen Gehirn-Hügeln die freudigsten Feuer brennen. Dreitausend fatale Bonmots hatte der Notar allemal schon gelesen gehabt, sobald er sie von einem andern erzählen hörte; aber er selber kam nie zuerst darauf, und er schämte sich nachher vor dem Korreferenten. Sehr hätt' er das Schämen nicht nötig, da solche Referendarien des fremden Witzes und solche Postschiffe der Gesellschaft meist platte Gehirne tragen, auf deren Tenne nie die Blumen wachsen, die sie da aufspeichern und auftrocknen.

»Ich sinne noch nach«, versetzte Walt, geängstigt, einem Blicke Zablockis und flehte Gott um einigen Spaß an; denn noch sah er, daß er eigentlich nur über das Sinnen sinne und dessen Wichtigkeit. Die Tochter reichte dem Vater die Flasche, die nur er – seine Briefe aber sie – aufsiegelte. »Trinken Sie dies Gewächs für 48ger oder 83ger?« sagte der General, als man Walten das Glas bot. Er trank mit der Seele auf der Zunge und suchte forschend an die Decke zu blicken. »Er mag wohl«, versetzt' er, »um die Hälfte älter sein als mein voriger Wein, den ich eher für jungen 48ger halte; – ja,« (setzt' er fest darzu und blickte ins Glas) »er ist gewiß herrliche 83 Jahre alt.« Zablocki lächelte, weil er eine Anekdote, statt zu hören, erlebte, die er schön weitergeben konnte.

Der General wollt' ihn aus dem stillen innerlichen Schnappen nach Bonmots herausfragen durch die Rede: wie er nach Rosenhof komme? Walt wußte keine rechte ostensible Ursachen – wiewohl diese ihm gegenüber saß im weißen Hute – anzugeben, ausgenommen Natur und Reiselust. Da aber diese keine Geschäfte waren: so begriff ihn Zablocki nicht, sondern glaubte, er halte hinter irgendeinem Berge, und wollte durchaus hinter ihn kommen. Walt schüttelte von seinen poetischen Schwingen die köstlichen Berge und Täler und Bäume auf das Tischtuch, die er auf dem seligen Wege mehr aufgeladen als durchflogen hatte. Zablocki sagte nach Walts langer Ausspende von Bildern: »Beim Teufel! nimm, oder ich fress' nicht!« Wina – denn diese hatt' er in jenem Liebes-Zorn angeredet, den weniger die Väter gegen ihre Töchter als die Männer gegen ihre Weiber haben – nahm erschrocken ein großes Stück vom Schnepfen, dem Schoß-Kinde des väterlichen Gaumens, und reichte, höflicher als Zablocki, den Teller dem betretenen Notar hinüber, um ein paar hundert Verlegenheiten zu ersparen. Walt konnte auf keine Weise fassen, wie bei so mündlicher lebendiger Darstellung der lebendigen, beinahe mündlichen Natur, als seine war, ein Schnepfe mit allem seinem Album graecum noch einige Sensation zu machen imstande sei. Poetische Naturen wie Walt sind in Nordländern – denn ein Hof oder die große Welt ist der geborne Norden des Geistes, so wie der geborne Gleicher des Körpers – nichts weiter als Elefantenzähne in Sibirien, die unbegreiflich an einem Orte abgeworfen worden, wo der Elefant erfriert.

Mit einschmeichelnder Stimme fragt' ihn wieder Zablocki, ob ihm noch nichts eingefallen; und Wina sah ihn unter dem Abendrote des rottaftenen Hutfutters so lieblich Augen-nikkend und bittend an, daß er sehr gelitten hätte, wenn ihm nicht die drei Bonmots, auf die er sich gewöhnlich besann, endlich zugekommen wären, und daß er wieder nahe daran war, ein gelieferter Mann zu werden und alles zu vergessen, weil das kindlich bitthafte Auge zu viel Platz – nämlich allen – in feiner Phantasie, Memorie und Seele wegnahm.

»Ein harthöriger Minister« – fing er an – »hörte an einer fürstlichen Tafel« ... »Wie heißet er und wo?« fragte Zablocki. Das wußt' er nicht. Allein da der Notar den wenigen Historien, die ihm zufielen, keinen Boden, Geburtstag und Geburtsschein zuzuwenden wußte – vorfabeln wollt' er nie –: so braucht es Sozietäten nicht erst bewiesen zu werden, wie farbenlos er als Historienmaler auftrat, und wie sehr eigentlich als ein luftiger historischer Improvisatore. »Ein harthöriger Minister hörte an einer fürstlichen Tafel die Fürstin eine komische Anekdote erzählen und lachte darüber mit dem ganzen Zirkel unbeschreiblich mit, ob er gleich kein Wort davon vernommen. Jetzt versprach er, eine ebenso komische zu erzählen. Da trug er, zum allgemeinen Erstaunen, die eben erzählte wieder als eine neue vor.«

Der General glaubte, so schnapp' es nicht ab; da er aber hörte, es sei aus, so sagt' er spät: »Deliziös!«, lachte indes erst zwei Minuten später hell auf, weil er gerade so viele brauchte, um sich heimlich die Anekdote noch einmal, aber ausführlicher vorzutragen. Der Mensch will nicht, daß man ihm die spitze, blanke Pointe zu hitzig auf der Schwelle auf das Zwerchfell setze. Eine gemeine Anekdote ergreift ihn mit ihrem Ausgang froh, sobald er nur vorher durch viel Langeweile dahin getrieben wurde. Geschichten wollen Länge, Meinungen Kürze. Walt trieb die zweite anonyme Geschichte von einem Holländer auf und vor, welcher gern ein Landhaus, wegen der herrlichen Aussicht auf die See, besessen hätte, wie alle Welt um ihn, allein nicht das Geld dazu hatte. Der Mann aber liebte Aussichten dermaßen, daß er alle Schwierigkeiten dadurch zu besiegen suchte, daß er sich auf einem Hügel, den er gegen die See hatte, eine kurze Wandmauer und darein ein Fenster brechen ließ, in welches er sich nur zu legen brauchte, um die offne See zu genießen und vor sich zu haben, so gut als irgendein Nachbar in seinem Gartenhaus.

Sogar Wina lächelte glänzend unter dem roten Taft-Schatten hervor. Mit noch mehr Anmut als bisher teilte Walt die dritte Anekdote mit.

Ein Frühprediger, dessen Kehlkopf mehr zur Kanzel-Prosa als zur Altar-Poesie gestimmt war, rückte zu einer Stelle hinauf, die ihn zwang, vor dem Altare das »Gott in der Höhe sei Ehr'« zu singen. Er nahm viele Singstunden; endlich nach vierzehn Singtagen schmeichelte er sich, den Vers in der Gewalt und Kehle zu haben. Die halbe Stadt ging früher in die Kirche, um der Anstrengung zuzuhören. Ganz mutig trat er aus der Sakristei (denn er hatte sich darin vom Singmeister noch einmal leise überhören lassen) und stieg gefaßt auf den Altar. Alle Erzähler der Anekdote stimmen überein, daß er trefflich angehoben und sich anständig genug in den Choral hineingesungen hatte: als zu seinem Ruin ein blasender Postillion draußen vor der Kirche vorbeiritt und mit dem Posthorn ins Kirchenlied einfiel; – das Horn hob den Prediger aus dem alten Sing-Geleise in ein neues hinein, und er sah sich gezwungen, das ernste Lied mitten vor dem Altare nach dem vorbeireitenden Trompeterstückchen auf die lustigste Weise hinauszusingen.

Der General lobte sehr den Notar und ging heiter aus dem Zimmer; aber er kam nicht wieder.

N⁰ 48: STRAHLKIES

Die Rosenhöfer-Nacht

Weder Jakobine noch der General machten je ein Geheimnis daraus – nämlich aus ihrem wechselseitigen; – es kann also die Anverwandten von beiden auf keine Weise zu etwas Juristischem gegen den Verfasser der Flegeljahre berechtigen, wenn er im *Strahlkies* bloß kalt erzählet, daß Zablocki ein wenig in den nächsten Garten spazieren gegangen, und die Aktrice Jakobine zufällig nicht sowohl als in der guten Absicht, von ihrer Rolle der Johanna von Montfaucon im Freien zu verschnaufen. Noch viel weniger als schreibende Verfasser sind von hohen Anverwandten allgemeine Sätze anzugreifen, wie z. B. dieser: daß sehr leicht der weibliche theatralische *Lorbeer* sich rückwärts in eine *Daphne* verwandle – und der Satz, daß eine Schauspielerin nach einer schweren tragischen Tugend-Rolle am besten ihr eignes Theater aux Italiens und ihre eigne Parodie werde – am wenigsten dieser, daß das Militär, es sei auf Kriegs- oder Friedensfuß, den griechischen Möbeln gleiche, die meistens auf Satyrfüßen standen – und endlich der, daß wohl nichts einander mehr sucht und ähnlich findet (daher schon die Worte Kriegstheater und Theaterkrieg, Aktion und Staatsaktion, Truppen) als eben Theatertruppen die Kriegstruppen, und vice versa.

Ich fahre also, nachdem ich berichtet, daß beide spazieren gegangen, gleich ihnen ruhig und ungestört, hoff' ich, fort.

Walts Gesicht wurde eine Rose unter dem Ausbleiben des Vaters. Wina heftete die Augen, die sich wie süße Früchte unter das breite Laub der Augenlider versteckten, unter dem Hute auf ihr Strickzeug nieder, das einen langen Kinderhandschuh vollendete. Über den Notar kam nun wieder die Furcht, daß sie ihn als den Auslieferer ihres Briefes zu verabscheuen anfange. Er sah sie nicht oft an, aus Scheu vor dem zufälligen Augen-Aufschlag. Beide schwiegen. Weibliches Schweigen bedeutet – ohnehin als das gewöhnlichere – viel weniger als männliches. Die befeuernde Wirkung, welche der Wein hätte auf den Notar tun können, war durch seine Anstrengung, den feinsten Gesellschafter zu spielen, niedergehalten worden. Indes wär' ihm die Lage nicht unangenehm gewesen, wenn er nur nicht jede Minute hätte fürchten müssen, daß sie – vorbei sei.

Endlich sah er sehr scharf und lange auf den Strick-Handschuh und wurde so glücklich, sich einen Faden der Rede daraus zu ziehen; er schöpfte nämlich die Bemerkung aus dem Handschuh, daß er oft stundenlang das Stricken besehen, und doch nie begriffen.

»Es ist doch sehr leicht, Herr Harnisch«, versetzte Wina, nicht spöttisch, sondern unbefangen, ohne aufzublicken.

Die Anrede: »Herr Harnisch« jagte den Empfänger derselben wieder in die Denk- und Schweig-Kartause zurück. – »Wie kommts,« – sagt' er, spät heraustretend und den Strick-Faden wieder aufnehmend – »daß nichts so rührend ist als die Kleidungsstücke der lieben Kinder, z.B. dieses hier – so ihre Hütchen – Schühchen? – – Das heißet freilich am Ende: warum lieben wir sie selber so sehr?« –

»Es wird vielleicht auch darum sein,« – versetzte Wina und hob die ruhigen vollen Augen zum Notar empor, der vor ihr stand – »weil sie unschuldige Engel auf der Erde sind, und doch schon viele Schmerzen leiden.«

»Wahrhaftig, so ist es« – (beteuerte Walt, indem Wina wie eine schöne stille Flamme glänzend vor ihm aufstand, um ihr Mädchen herzuklingeln) – »Und wie dürfen Erwachsene klagen? – Ich will wahrlich das Sterben eines Kindes« (setzt' er hinzu und folgte ihr einige Schritte nach) »ertragen, aber nicht sein Jammern; denn in jenem ist etwas so heilig-schauerliches.« Wina kehrte sich um und nickte.

Luzie kam; Wina fragte, ob der General ihr nichts aufgetragen. Luzie wußte von nichts, als daß sie ihn in den nahen Garten hinein spazieren sehen. Rasch trat Wina ans mondhelle Fenster, atmete *einmal* recht seufzend ein und sagte schnell: »Den Schleier, Luzie! Und du weißt es gewiß, liebes Mädchen, und auch den Garten?« – Mit einer leisen Stimme, wie nur eine mährische Schwester anstimmen kann, versetzte Luzie: »Ja, Gnädigste!« Wina warf den Schleier über den Hut und redete, hinter diesem gewebten Nebel und fliegenden Sommer unbeschreiblich blühend und liebreizend, den Notarius mit sanftem

Stocken an: »Lieber Herr Notar – Sie lieben ja auch, wie ich hörte, die Natur – und mein guter Vater« – –

Er war schon nach dem Hut-Stock geflogen und stand bewaffnet und reisefertig da – und ging hinter beiden mit hinaus. Denn ein *fremdes* Zimmer zu verlassen, fühlt' er sich ganz berechtigt. Indes aber solches geschlossen wurde, kam er wieder voraus zu stehen, nahe an der Treppe; – und in ihm fing ein kurzes Treffen und Scharmützel an über die Frage, ob er mit entweder dürfe oder solle – oder weder eines noch das andere. Wina konnte ihn nicht zurückrufen – und so kam er, innen fechtend, auf die Treppe und trug das stille Handgemenge bis zur Haustüre hinaus.

Da ging er ohne weiteres mit und setzte den Hut von seinem Stock auf den Kopf; aber er zitterte, nicht sowohl vor Furcht oder vor Freude, sondern vor einer Erwartung, die beide vereinigt. O es ist eine lächerliche und reine Zeit im frühen Jünglingsalter, wo im Jüngling die alte französische Ritterschaft mit ihrer heiligen Scheu erneuert und wo der Kühnste gerade der Blödeste ist, weil er seine Jungfrau, für ihn eine von dem Himmel geflogne, eine nach dem Himmel fliegende Gestalt, so ehret wie einen großen Mann, dessen Nachbarschaft ihm der heilige Kreis einer höhern Welt ist, und dessen berührte Hand ihm eine Gabe wird. Unselig, schuldvoll ist der Jüngling, der niemals vor der Schönheit blöde war.

Die drei Menschen gingen durch eine waldige Gasse dem Garten zu. Der Mond zeichnete die wankende Gipfel-Kette auf den lichten Fußsteig hin, mit jedem zitternden Zweig. Luzie erzählte, wie schön der Garten und besonders eine ganz blaue Laube darin sei, aus lauter blauen Blumen gewebt. Blauer Enzian – blaue Sternblumen – blauer Ehrenpreis – blaue Waldreben vergitterten sich zu einem kleinen Himmel, worin gerade im Herbst keine Wolke, d. h. keine Knospe war, sondern offne Ätherkelche.

»Da die Blumen leben und schlafen,« sagte Walt bei diesem Anlaß, »so träumen sie gewiß auch, so gut wie Kinder und

Tiere. Alle Wesen müssen am Ende träumen.« – »Auch die Heiligen und die heiligen Engel?« fragte Wina. »Ich wollte wohl sagen Ja,« – sagte Walt – »insofern alle Wesen steigen und sich also etwas Höheres träumen können.« – »Ein Wesen ist aber auszunehmen«, sagte Wina. – »Gewiß! Gott träumet nicht. Aber wenn ich nun die Blumen wieder betrachte, so mag wohl in ihren zarten Hüllen der dunkle Traum von einem lichtern Traume blühen. Ihre duftende Seele ist nachts zugehüllt, nicht durch bloße Blätter, sondern wahrhaft organisch, wie denn unsere auch nicht durch bloße Augenlider zugeschlossen wird. Sobald nun einmal die farbigen Wesen am Tage Licht und Kraft verspüren: so können sie ja auch nachts einen träumerischen Widerschein des Tages genießen. Der Allsehende droben wird den Traum einer Rose und den Traum einer Lilie kennen und scheiden. Eine Rose könnte wohl von Bienen träumen, eine Lilie von Schmetterlingen – in dieser Minute kommt es mir ordentlich fast gewisser vor – das Vergißmeinnicht von einem Sonnenstrahl – die Tulpe von einer Biene – manche Blume von einem Zephyr – Denn wo könnte denn Gottes oder der Geister Reich aufhören? Für ihn mag wohl ein Blumenkelch auch ein Herz sein, und umgekehrt manches Herz ein Blumenkelch.« –

Jetzt traten sie in den Zauber-Garten ein, dessen weiße Gänge und finstere Blättergruppen einander wechselnd färbten. Die Berge waren, wie Nachtgötter, hoch aufgestanden und hoben ihr dunkles Erdenhaupt kühn unter die himmlischen Sterne hinein. Der Notar sah den bisher auseinanderliegenden *Farbentau* der Dichtung an Winas Hand sich als einen *Regenbogen* aufrichten und im Himmel stehen als der erste glänzende Halbzirkel des Lebens-Kreises.

Er wurde – so wie Wina immer einsylbiger – immer vielsylbiger und betrank sich im Taufwasser seiner Worte, das er über jeden Berg und Stern goß, der ihnen vorkam. Es gab wenige Schönheiten, die er nicht, wenn er vorbeiging, abschilderte. Es war ihm so wohl und so wohlig, als sei die ganze schimmernde Halbkugel um ihn nur unter seiner Hirnschale von einem

Traume aufgebauet und er könne alles rücken und rauben und die Sterne nehmen und wie weiße Blüten herunterschlagen auf Winas Hut und Hand. Je weniger sie ihm unterbrach und abkühlte: umso größer machte er seine Ideen und tat zuletzt die größte, jene ungeheure auf, worin die Welt zerschmilzt und blüht, so daß Luzie, die bisher weltliche Lieder murmelnd gesungen, damit aufhörte, aus Scheu vor Gottes Wort.

Eben wurde das Completorium geläutet, als Wina vor einer überlaubten kleinen Kapelle vorbeiging. Sie ging wie verlegen langsam, stand und sagte Luzien etwas ins Ohr. Walt war ihrer Seele zu nahe, um nicht in sie zu schauen; er ging schnell voraus, um sie beten zu lassen und sie heimlich nachzuahmen. Luzie hatte leise Winen gesagt, seitwärts oben die schwarze Laube sei die blaue. In dieser wollte er die Beterin erwarten. Als er näher trat, flog aus der Laube Jakobine lustig heraus und warf ihm scherzend einen Schawl über den Kopf und entführte ihn am Arme, um an seiner grünen Seite, sagte sie, die kostbare Nacht zu genießen.

Ob er gleich nicht von weitem ahnte, mit welcher frechen Parodie der Morpheus des Zufalls den Menschen oft mit seinem Geschicke paare und entzweie: so widerstand doch der Spaß und die Freiheit und der Kontrast dem ganzen Zuge seiner höhern Bewegungen. Er setzt' ihr eiligst auseinander, woher und womit er komme, und sah bedeutend nach der Kapelle, als werd' er von dort aus stark erwartet. Jakobine scherzte schmeichelnd über Walts Damen-Glück und verschloß ihm den Mund durch das Überfüllen seines Herzens. Indes er nun äußerlich scherzend focht – und innen es auf allen Seiten überschlug, wie er ohne wahre Grobheit Jakobinens Arm von seinem schütteln könne: – so sah er, wie vom Eingange des Gartens her, den General auf die Tochter loskommen, sehr freudig ihre Hand in seinen Arm einpacken und mit dem Engel der Sterne davon und nach Hause laufen.

»Ach wie schnell gehen die schönen Sterne des Menschen unter!« – dachte Walt und sah nach den Bergen, wo morgen ein paar Bilder davon wieder aufgehen konnten; und war nicht imstande, Jakobinen zu fragen, ob sie die Reize der schönen Nacht empfinde.

Diese flog kalt vor dem Notar ins Haus und verschwand auf der Treppe. Er brauchte diesen Abend nichts weiter als ein Kopfkissen für seine wachen Träume und ein Stück Mondschein im Bette. Aber in der Nachmitternacht – so lange träumt’ er – fuhr wieder auf der Gasse eine Nachtmusik auf, welche Zablockis Leute abbliesen. Nachdem Walt die Gasse wie ein Lorettohäuschen in die schönste welsche Stadt getragen und niedergesetzt – nachdem er die herrlichen Blitze des Klanges, die an den Saiten wie an Metalldraht herabfuhren, auf sich einschlagen lassen – und nachdem er die Sterne und den Mond nach der irdischen Sphärenmusik in Tanz gesetzt – und nachdem die Lust halb aus war: so flatterte Jakobine, deren Flüstern er vorher fast im Nebenzimmer zu hören geglaubt, zur Türe hinein und ans Fenster, vor brennender Ungeduld, die Töne zu hören, nicht aber den Notar.

Walt wußte nicht sogleich, wo er war oder bleiben sollte. Er schlich sich heimlich und leise aus den Kissen in die Kleider und hinter die Hörerin; wie angezündeter Flachs war er in höhere Regionen aufgeflogen, ohne einen Weg zu wissen. Nicht daß er von ihr oder von sich etwas besorgte; aber nur die Welt kannte er und ihre Parterres-Pfeifen gegen jedes kühne Mädchen, ein Unglück, wogegen er lieber sich von der zweiten Famas-Trompete jagdgerecht anblasen ließe, um nur das Weib zu retten; – – und er wußte kaum, ob er nicht aus der Stube so lange unvermerkt entflüchten sollte, bis die Aktrice in ihre heimgegangen.

Sie hörte drei Seufzer – fuhr um – er stand da – sie entschuldigte sich sehr (zu seiner Lust, da er gefürchtet, er habe sein eignes Dasein zu exkusieren), daß sie in ein *besetztes* Zimmer gekommen, das ihr, da es ohne Nachtriegel gewesen, frei geschienen. – Er schwur, niemand habe weniger dawider als er; – aber Jakobinens Reinheit glaubte sich damit noch nicht rein gewaschen, sie fuhr fort und stellt’ ihm unter dem musikalischen Getöse, so laut sie konnte, vor, wie sie denke, wie ihr Nachtmusik in Mark und Bein fahre, an Fast- und Freitägen ganz besonders, weil da vielleicht ihr Nervensystem viel rührbarer sei, und wie dergleichen sie nie unter dem Bette lasse, sondern wie sie die erste beste Wasch-Serviette (sie hatte eine um) über den Hals schlage, um nur ans Fenster zu kommen und zu hören.

Unter dieser Rede hatte eine fremde Flöte so närrisch mit feindlichen Tönen durch die Nachtmusik gegriffen und geschrien, daß diese es für angenehmer hielt, überhaupt aufzuhören. Jakobine sprach laut, ohn' es zu merken, weiter: »Man überkommt dann Gefühle, die niemand gibt, weder Freundin noch Freund.«

»Etwas leiser, Vortreffliche, ums Himmels willen leiser!« – sagte Walt, als sie den letzten Satz *nach* der Musik gesagt – »der General schläft gerade nebenan und wacht. Wohl, wohl ist meistens für ein weibliches Herz eine Freundin zu unmännlich und ein Freund zu unweiblich.« – Sie sprach so leise, als ers haben wollte, und faßte ihn an der Hand mit beiden Händen an, wodurch die dicke plumpe Serviette, die sie bisher mit den Fingern wie mit Nadeln zugehalten, auseinanderfiel. Er erfuhr, was Höllenangst ist; denn das leisere Sprechen und Beisammenstehen wußt' er, konnt' ihn ja jede Minute, wenn die Türe aufging, bei der Welt in den Ruf eines Libertins, eines frechen Mädchen-Wolfs setzen, der nicht einmal die Unschuld schonet, wofür er Jakobine hielt, weil sie sanfte blaue Augen hatte.

»Aber Sie wagen beim Himmel zu kühn!« sagt' er. »Schwerlich, sobald nur Sie nicht wagen«, versetzte sie. Er deutete, was sie von seinen Anfällen sagte, irrig auf seinen unbefleckten Ruf und wußte nicht, wie er ihr mit Zärte die Rücksicht auf seinen ohne Eigennutz – denn ihr Ruf war ja noch wichtiger – in der größten Eile und Kürze (wegen des Generals und der Türe) auseinandersetzen sollte. Und doch war er von so guten ehrlichen Eltern, von so unbescholtenem Wandel – und trug den Brautkranz jungfräulicher Sittsamkeit so lange vor dem Bruder und jedem mit Ehren – – er hatte den Henker davon, wenn der verfluchte Schein und Ruf hereingriff und ihm den gedachten Kranz vom Kopfe zog, gesetzt auch, es wuchs ihm nachher eine frische Martyrerkrone nach.

Ihm wurde ganz warm, das Gesicht rot, der Blick irre, der Anstand wild: »Gute Jakobine,« sagt' er bittend, »Sie erraten – es ist so spät und still – mich und meinen Wunsch gewiß.« –

»Nein,« sagte sie, »halten Sie mich für keine Eulalia, Herr v. Meinau. Schauen Sie lieber die reine keusche Luna an!« sagte sie und verdoppelte seinen Irrtum. – »Sie geht« – versetzte er und verdoppelte ihren – »in einem hohen Blau, das kein Erden-Wurf durchreicht. So will ich wenigstens meine Türe zuriegeln, damit wir sicher sind.«

»Nein, nein«, sagte sie leise, ließ ihn aber mit einem Hand-druck los, um ihre Serviette zurechte zu falten. Er kehrte sich jetzt um und wollte dem Nachtriegel zufliegen, als etwas auf den Boden hinflog – ein Menschen-Gesicht. Jakobine schrie auf und rannte davon. Er nahm das Gesicht, es war die Maske des Larvenherrn, den er für den bösen Genius gehalten.

Im Mondschein durchkreuzten sich seine Phantasien so sehr, daß es ihm am Ende vorkam, Jakobine habe selber die *Maske fallen* lassen und ihm und seinem armen Rufe nachge-stellt. Er litt viel; – es richtete ihn nicht auf, daß er sich der besten Behauptungen seines Bruders erinnerte, daß z. B. solche Befleckungen des Rufs heutzutage, gleich den Flecken von wohlriechenden Wassern, aus den Schnupftüchern und der weißen Wäsche von selber heraus gehen, ohne alle Prinzessen-Waschwasser und Fleckausmacher – es tröstete ihn nicht, daß Vult ihn einmal gefragt, ob denn die jetzigen Fürsten noch wie die alten gewisse moralische Devisen und Symbola hätten, der-gleichen gewesen »praesis ut prosis« und andere spielende, und daß der Flötenist selber geantwortet, dergleichen habe jetzt nicht einmal ein tiefer Stand, und es könne überhaupt, wenn schon in Tassos und Miltons christliche Heldengedichte die heidnische Götterlehre hab' eindringen dürfen, auch in unserem Christentum so viel Götterlehre (wenigstens in Betreff der schönsten Abgöttin) Platz greifen, als wir gerade bedürfen und begehren.

Darauf dachte Walt wieder an die Möglichkeit, daß irgend jemand das arme unschuldige Mädchen gesehen, und daß er ihren unbescholtnen Ruf anschmitze, der – schloß er – unbeschreiblich rein und fest sein mußte, da sie so viel gegen die Weiblichkeit sich herausnehmen durfte – Dann fiel ihm die 9te Testaments-Klausel »*Ritte der Teufel*« ein, die Ehebruch und ähnliche Sünden an ihm besonders bestraft – Dann der General mit seiner heiligen Briefsammlung von erotischen Platonikerinnen – Dann Wina und ihr Auge aus dem Himmel –– Der Notar bracht' eine der dümmsten und elendesten Nächte zu, die je ein Mensch durchgelegen, der unter dem Rückgrat keine Eiderdunen gehabt, welche freilich noch stärker einheizen.

Nᵒ 49: BLÄTTER-ERZ

Beschluß der Reise

Heiliger Morgen! Dein Tau heilet die Blumen und den Menschen! Dein Stern ist der Polstern unserer dahingetriebenen Phantasien, und seine kühlen Strahlen bringen und führen das verwirrte erhitzte Auge zurecht, das seinen eignen Funken nachsah und nachlief! –

Als noch viele Sterne in die Dämmerung schienen, rief der General den Notarius mit der frohesten Stimme aus dem Bette zur Berg-Partie; und dann nahm er ihn so liebreich auf – bis an die Stirnhaare lächelte er empor –, daß Walt sehr beruhigt war und beseligt; der General, dacht' er, würde ganz anders mit mir reden, wenn er etwas wüßte. Winas Angesicht blühte voll zarter Morgen-Rosen; im Paradies am Schöpfungs-Morgen blühten keine vollern.

Sie gingen zu Fuße dem zerspaltenen Gebürge zu. Die Stadt

war tief still, nur in den Gärten rüstete schon einer und der andere Beete und Rosenhecken für den Frühling zu, und die Rauchsäulen des Morgenbrots bogen sich über die Dächer. Draußen flatterte schon Leben auf, die Singdrossel wurde in den nahen Tannen wach, unten an der Fähre klang das Posthorn herüber, und aus dem Gebürge donnerte der ewige Wasserfall heraus. Die drei Menschen sprachen, wie man am Morgen pflegt, gleich der grauen Natur um sie her, nur einzelne Laute. Sie sahen gen Osten, woran das Gewölke zu einem roten Vorgebürge des Tages anfing aufzublühen, und es wehte schon leise, als atme der Morgen vor der Sonne her.

Wina ging an der einen Hand des Vaters, der in der andern einen sogenannten schwarzen Spiegel hatte, um daraus die Natur zum zweitenmale als ein Luftschloß, als einen Abgußsaal einzuschöpfen. Die Frühe – Winas Morgenkleidung – das Träumerische, das der Morgenstern auflösend im Herzen so unterhält, als stehe er am Abendhorizonte – und Walts Bewegungen von der Nacht her, so wie seine Hinsichten auf die nahe Scheide-Sekunde; das zusammen machte ihn sprachlos, leise, sinnend, bewegt, voll wunderbarer Liebe gegen das nähere Jungfrauenherz, welche so weich und vielknospig war, daß er sich auf Unterwegs freuete, um in der blühenden Seligkeit recht ruhig zu blättern.

Mit süßer Stimme aber tat an ihn Wina die Bitte um Verzeihung des gestrigen Auseinanderkommens. Da er die Bitte nicht zurückgeben konnte: so schwieg er. Darauf bat sie ihn, Raphaela zu grüßen und ihr als Ursache ihres brieflichen Schweigens den Umweg über Rosenhof nach Leipzig zu sagen. Der General, der so freimütig mit der Tochter vor dem Notarius sprach, als laufe dieser als ein tauber Schattenmann oder als ein stummer verschwiegner Affe mit, machte Winen geradezu Vorwürfe über ihre vielseitigen Sorgen und Schreibereien und über die ewigen Opfer ihres Ichs. Sie versetzte bloß: wollte Gott, sie verdiente den Tadel!

Als sie ins Gebürge traten, kroch die Nacht in die Schluchten zurück und unter die Tal-Nebel unter, und der Tag stand mit der Glanz-Stirn schon in den Höhen des Äthers. Plötzlich lenkte der General das Paar in eine Felsen-Spalte hinein, worin sie hoch oben das eine höchste Berghorn schon vom Morgen-Purpur umwickelt sahen, das andere tiefere vom Nachtschleier umwunden, zwischen beiden schimmerte der Morgenstern – die Jungfrau und der Jüngling riefen miteinander: »O Gott!«

»Nicht wahr?« sagte der General und sah den Himmel im schwarzen Spiegel nach – »das ist einmal für meine Schwärmerin?« – Langsam und ein wenig nickte sie mit dem Kopfe und mehrmals mit dem Augenlide, weil sie vom gestirnten Himmel nicht wegsehen wollte; führte aber die väterliche Hand an den betenden Mund, um ihm stiller zu danken. Darauf zankt' er ein wenig, daß sie so stark empfinde und die Gefühle so gern aufnehme, die er ihr zuleite.

Schnell führte er beide durch einen künstlichen Weg vor das stäubende Grab, worein sich der Wasserfall, wie ein Selbstmörder, stürzte, und woraus er als ein langer verklärter Strom auferstand und in die Länder griff. Der Strom stürzte – ohne daß man sehen konnte, aus welcher Höhe – weit über eine alte Ruinen-Mauer hinüber und hinab.

Zablocki sagte darauf schreiend, wenn beide nicht scheueten, sich auf Gefahr eines schwachen Dampf-Regens mit ihm hart an der Mauer hin und durch deren niedrige, von lauter grünen Zweigen zugewebte Pforte durch zu drängen: so könnten sie auch etwas von der ebenen Landschaft sehen.

Er ging voraus, mit langem Arme sich Winen nachziehend. Als sie durch das halb versunkne Tor durch waren, sahen sie in Westen eine Ebene voll Klöster und Dörfer mit einem dunkeln Strom in seinem Tal, und in Osten die Gebürge, die wieder auf Gebürgen wohnten und, wie die Cybele, mit roten Städten aus Eis, wie mit Goldkronen, im hohen Himmel standen. Die Menschen erwarteten das Durchbrennen der Sonne, welche den Schnee des Erden-Altars schon sanft mit ihren warmen Rosen füllte. Der Donner des Wassers zog noch allein durch den Morgenhimmel. – Jetzt blickte Gottwalt von Osten weg und in die Höhe, denn ein seltsamer Goldschein überflog das nasse Grün – da sah er über seinem Haupte den fest schwebenden Wasserfall vor der Morgensonne brennen als eine fliegende Flammenbrücke, über welche der Sonnenwagen mit seinen Rossen entzündend rollte. – Er warf sich auf die Knie und den Hut ab und die Hände empor, schauete auf und rief laut: »O die Herrlichkeit Gottes, Wina!«

Da erschien ein Augenblick – niemand wußte wie oder wenn – wo der Jüngling auf die Jungfrau blickte und sah, daß sie ihn wunderbar, neu und sehr bewegt anschaue. Seine Augen öffneten ihr sein ganzes Herz; Wina zitterte, er zitterte. Sie schauete auf zum Rosen- und Feuerregen, der die hohen grünen Tannen mit Goldfunken und Morgenrot bespritzte; und wie verklärt schien sie vom Boden aufzuschweben, und der rotbrennende Regenbogen leuchtete schön auf ihre Gestalt herunter. Dann sah sie ihn wieder an, schnell ging ihr Auge unter, und schnell auf, wie eine Sonne am Pol – das herzerhebende Donnern und das Wetterleuchten des Stroms umrauschte, überdeckte beide mit himmlischen goldnen Flügeln gegen die Welt – der Jüngling streckte die Arme nicht mehr nach dem Himmel allein aus, sondern nach dem Schönsten, was die Erde hat – –

Er vergaß beinahe alles und war nahe daran, in Gegenwart des Vaters die Hand des Wesens zu ergreifen, das über sein ganzes Leben diesen Sonnenblick der Zauberei geworfen. Wina drückte schnell die Hand über ihre beiden Augen, um sie zu verdecken. Der Vater hatte bisher den Wasserfall im schwarzen Spiegel beobachtet und sah nun auf.

Alles wurde geendigt. Sie kehrten zurück. Der General wünschte, daß man heftiger und deutlicher lobte. Das Paar konnt' es nicht. »Jetzt«, sagt' er, »nach solcher Freude sehnet man sich nach einem rechten Janitscharen-Marsch!« – Gottwalt erwiderte: »O wohl, nämlich nach solchen Stellen daraus, die *piano* und aus *Moll* zugleich gehen, wodurch vielleicht die Entzückung fürchterlich stark hereinspricht, wie aus einem

Geisterreich.« – »Es regnet heute noch,« versetzte Zablocki, »die Morgenröte zieht sich närrisch über den ganzen Horizont, so ganz besonders; aber der schöne Morgen war doch wenigstens des Sehens wert, Wina?«

Sie gab kein Ja. Schweigend kam man nach Rosenhof. Zablokkis Wagen, Pferde und Bedienten standen schon reisefertig da. Darauf flog alles auseinander und davon. Die Liebenden gaben sich kein Zeichen der vorigen Minute, und der Wagen rollte davon, wie eine Jugend und eine heilige Stunde.

Walt ging im Granatapfel noch einige nachblitzende Minuten in seiner Stube auf und ab, dann in die des Generals. In dieser fand er ein vergessenes beschriebnes Blatt von Wina, das er ungelesen, aber nicht ungeküsset einsteckte, samt einem Flakon. Borstwisch und Sprenggefäß, die Vorarbeiter neuer Gäste, trieben ihn in sein Zimmer zurück. Er steckte die sonderbare Maske zu sich. Darauf machte er – gleich unvermögend, länger zu bleiben und länger zu reisen – sich trunken auf den Weg nach Haßlau zurück. Er sehnte sich mit seinem Folioband voll Abenteuer unter dem Arm in die Stube Vults. Sein Herz hatte genug und brauchte keinen Himmel weiter als den blauen.

Jakobine warf ihm von der Treppe, die sie hinaufging, und er herunter, das Versprechen nach, im Winter in Haßlau zu spielen. – Draußen verwelkte der rosenrote Himmel immer grauer und bis zu Regenwolken. An der Fähre mußt' er lange warten. Es fing endlich an zu regnen. Aber da der Vorhang vor dem Singspiele der Liebe aufgegangen war: so wußt' er, mit Augen und Ohren unter ihren Gesängen und Lichtern wohnend, wenig oder nicht, ob es auf das Dach des Opernhauses regne oder schneie.

Da das Schicksal gern nach dem Feste der süßesten Brote dem Menschen verschimmeltes, wurmvolles aus dem Brotschrank vorschneidet: so ließ es den Notar hinter Joditz auf Irrwege – auf physische – laufen, was dem Verhängnis leicht wurde, da er ohnehin nichts Örtliches behielt, nicht den Riß eines Parks, in welchem er einen ganzen Sommer lang spazieren gegangen. Dann mußt' er die gebogne weiße Hutfeder, welche ohne Kopf von einem Kavalleristen aus einem Hohlweg vorstach, für die Schwanzfeder eines laufenden Hahns ansehen und nacher den Irrtum dem Militär gutmeinend entdecken, der ihn sehr anschnauzte. In einem Kirmesdorf wurd' ihm aus den Fenstern eines betrunknen Wirtshauses ein wenig nachgelacht. Das Rosanatal lief voll Wasser. In einem schönen Gartenhaus spielte der Regenwind auf der Windharfe einen mißtönigen Läufer und Kadenzen voll Schreitöne, da er vorüberlief.

Selig flog er seinen Weg – denn er hatte Flügel am Kopf, am Herzen, an den Füßen und saß als geflügelter Merkur noch auf dem Flügelpferd –, und ohne es kaum zu merken, kam er durch die vorigen Dörfer. Gleich dem Blitze lief sein Geist nur an den Vergoldungen des Welt-Gebäudes hin. Nur Wina und ihre Augen füllten sein Herz; an Zukunft, Folgen, Möglichkeiten dacht' er nicht; er dankte Gott, daß es noch einige Gegenwart auf der Erde gab.

Eine Freude kleinerer Art genoß er hinter Grünbrunn, wo ihm der böheimische Schweintreiber, dessen Klagen er in Joditz gehört, mit einem Pilger-Liede aufstieß und nichts von seinem Plagevieh mehr bei sich hatte als den Hund.

So trug ihn die rollende Erde ohne Erdstöße wiegend um die bedeckte Sonne. Gegen Abend sah er schon Haßlau, die Meilen waren ihm Wersten geworden. In Härmlesberg begegnete er noch einer alten Diebin, die man daraus bis an den Markstein mit dem Staupbesen gekehrt hatte.

Aus Haßlau kamen ihm Feuerspritzen entgegen, welche glücklich hatten löschen helfen. Als er im nassen knappen Badegewand mit fortleuchtenden Entzückungen durch das Haßlauer Tor getreten: sah er an den Kirchturm, wo Flitte und Heering wohnten; und nahm freudig wahr, daß der Testator Flitte, so hergestellt und gesund wie ein Fisch im Wasser, aus dem Schalloch guckte.

Ende des dritten Bändchens

J. P. F. Rs. Brief an den Haßlauer Stadtrat

P. P.

Hier übersend' ich den trefflichen Testaments-Exekutoren durch den Student und Dichter *Sehuster* die drei ersten Bände unserer Flegeljahre samt diesem Briefe, der eine Art Vor- und Nachrede vorstellen soll. Von dem geschickten Schön- und Geschwindschreiber *Halter*, bisherigen Infanteristen beim Regiment Kurprinz – der zum Glücke des elend geschriebenen Manuskripts gerade in diesem Monat aus Bregenz mit freundlichem Abschied und gesunder Schreib-Hand nach Hause an das Schreibpult kam, nachdem er über 4 Jahre sich auf mehreren Schlachtfeldern mit den Franzosen gemessen und geschlagen – von diesem sind, darf ich hoffen, sowohl die drei Bände als dieser Brief so gut geschrieben, daß sie sich lesen lassen; folglich setzen und rezensieren ohnehin.

Will ich mich über das Werk hier bis zu einem gewissen Grade äußern: so müssen einige allgemeine Sentenzen und Gnomen vorausgehen:

Nicht nur zu einer Perücke, auch zu einem Kopfe gehören mehrere Köpfe –

Ferner: Jedem muß seine Nase in seinen Augen viel größer und verklärter, ja durchsichtiger erscheinen als seinem Nebenmenschen, weil dieser sie mit andern Augen und aus einem viel fernern Standpunkte ansieht –

Weiter: die meisten jetzigen Biographen (worunter auch die Romanciers gehören) haben den Spinnen wohl das *Spinnen*, aber nicht das *Weben* abgesehen –

Ferner: die Verdauung spüren, heißet eben keine spüren, sondern vielmehr Unverdaulichkeiten –

Weiter: zur zweiten, bessern Welt, worauf alle Welt aus ist und aufsieht, gehöret auch der Höllenpfuhl samt Teufeln –

Ferner: der Schatte und die Nacht sehen weit mehr als

Gestalten und Wirklichkeit aus als das Tageslicht, das doch nur allein existieret und jene scheinen lässet –

Und zuletzt: man reiche dem Leser etwas in einer Nuß, so verlangt ers noch enger als Nuß-Öl; man breche für ihn aus der steinigen Schale eine köstliche Mandel, so will er um diese wieder eine Hülse von Zucker haben ––

Bloß diese wenigen schwachen Sätze wende ein verehrlicher Stadtrat auf das Buch und sich und den Leser an und frage sich: »Ist noch jetzt die Frage von diesen und jenem?«

Noch vier Punkte hab' ich außerdem zu berühren.

Der erste Punkt ist nicht der erfreulichste. Noch hab' ich nicht mehr als 50 Nummern vom Kabelschen Naturalienkabinet (denn dieser Brief ist für den halben Dachshund-Blasenstein) erschrieben; und fahre schon mit drei Bänden vor, die abzuladen sind; da nun das Kabinet 7203 Nummern in allem besitzt: so müssen endlich sämtliche Flegeljahre so stark ausfallen als die allgemeine deutsche Bibliothek, welche sich doch von ihnen im Gehalte so sehr unterscheidet. Ich sage letzteres nicht aus Bescheidenheit, sondern weil ichs selber fühle. Indes werd' ich nächstens in meinen *Vorlesungen über die Kunst, gehalten in der Leipziger Ostermesse 1804*[1] erweisen, erstlich *daß* (was man ja sieht) und zweitens *warum* der *Epiker* (in wessen Gebiet dieses Werk doch zu rubrizieren ist) unendlich lang werde und nur mit dem *langen* Hebels-Arme den Menschen bewege, anstatt daß der *Lyrikus* mit dem kurzen gewaltig arbeitet. Ein epischer Tag hat, wie der Reichstag, kaum einen Abend, geschweige einen Garaus; und wie lang Goethes Dorothea, die nur einen Tag einnimmt, ist, weiß jeder Deutsche; der Reichsanzeiger würde eine bloße prosaische Geschichte dieser poetischen Geschichte in den Flächenraum einer Buchhändler-Anzeige einzupressen vermögen.

Auch dürfte ein verehrlicher Magistrat noch bedenken, daß die Autoren gleich gespannten Saiten – welche oben und unten, Anfangs und Endes sehr hoch klingen, und nur in der Mitte

1 in der Michaelis-Messe 1804.

ordentlich – ebenso im Eingange und nachher im Ausgange eines Werkes die weitesten und höchsten Sprünge machen (die immer Platz einnehmen), um sich teils zu zeigen, teils zu empfehlen, in der Mitte aber kurz und gut zu Werke gehen. Sogar diesen Dreiband hab' ich mit Briefen an Testaments-Exekutoren begonnen und beschlossen, um nur zu schimmern. Ich hoffe von den mittlern Bänden der Flegeljahre das Beste, nämlich lyrische *Verkürzungen*, worin meines Wissens Michel Angelo ein wahrer Meister ist.

Der zweite Punkt ist noch verdrüßlicher, weil er die Rezensenten betrifft. Es wird ihnen allen, weiß ich, so schwer werden, sich alles feinen und groben, schon aus dem Titel Flegeljahre geschöpften und abgerahmten Spaßes gegen mich zu erwehren, als es mir wirklich selber, sogar in einem offiziellen Schreiben an verehrliche Exekutoren, sauer ankommt, solchen Personen mit keinen versteckten Retorsionen und Antizipationen des Titels entgegenzugehen. Doch das ließe vielleicht sich hören, wenigstens machen – und durch eine Grobheit wird leicht eine zweite fast zu einer Höflichkeit – Allein, verehrte Väter der Stadt, wie der Vorstädte, man packt Sie an, man fängt mit der Exekution bei den Exekutoren den Prozeß an. »Allgemein« – schreibt man mir sehr kürzlich aus Haßlau, Weimar, Jena, Berlin, Leipzig – »wundert und ärgert man sich hier, daß die ...... Exekutoren des Kabelschen Testaments gerade dir (Ihnen) die Biographie des Notarius, die nach der testatorischen Klausel ja ebensogut Richardson, Gellerten, Wielanden, Scarron, Hermesen, Marmonteln, Goethen, Lafontainen, Spießen, Voltairen, Klingern, Nikolain, Mds. Staël und Mereau, Schillern, Dyken, Tiecken, usw. aufgetragen werden konnte, eben dir (Ihnen) zugewandt und das herrliche Naturalien-Kabinet dazu, das viele schon besehen. Freunde und Feinde benannter Autoren wollen – dich (Sie) ohnehin – den Haßlauer Magistrat in Journalen verdammt heruntersetzen und heimschicken. Doch bitt' ich dich (Sie), mich nicht zu nennen. Ein künftiger Rezensent schwur hoch: er wolle nicht ehrlich sein, wenn er ehrlich bleibe bei so bewandten Umständen.«

Hiergegen lässet sich nie etwas machen, ausgenommen Antikritiken, die aber ins Unendliche gehen; denn ein Hund billt das Echo an; es tritt der alte Zyklus von Jücken und Kratzen, und von Kratzen und Jücken ein. Das sind aber böse Historien; und der Autor leidet dabei unsäglich; er hat immer einen Namen zu verlieren, und nur der Rezensent einen zu gewinnen; er lobt sich überhaupt das Lob und feiert so ungern nach seinem Namenstage noch einen Ekelnamens-Tag. Es ist ihm terribel und so unangenehm als irgend etwas, daß das deutsche Publikum von seinen Autoren, wie das englische von seinen Bären, wünscht, sie nicht nur *tanzen*, sondern auch *gehetzt* zu sehen. Ein jeder Autor hat doch – oder solls haben – so viel Stolz als irgendein Peha oder Tezet oder Iks oder ein anderer Kapital-Letter von Klopstock in dessen grammatikalischen Gesprächen, besonders da er ja der Chef dieser aufgeblasenen XXIIger Union oder dieser grande Bande des 24 Violons ou les vingt-quatre ist, die er in Glieder stellt auf dem Papier, wie er nur will.

Allerdings gäb' es ein gutes Mittel und Projekt dagegen, hochedler Stadtrat, wenn es angenommen würde. Hundertmal hab' ich gedacht: könnte nicht eine Kompagnie wackerer Autoren von einerlei Grundsätzen und Lorbeerkränzen zusammentreten und so viel aufbringen, daß sie sich ihren eignen Rezensenten hielten, ihn studieren ließen und salarierten, aber unter der Bedingung, daß der Kerl nur allein seine Brotherren öffentlich in den gangbaren Zeitungen streng, aber unparteiisch und nach den wenigen ästhetischen Grundsätzen beurteilte, die ein solcher Famulant und Valet de Fantaisie haben und behalten kann? – Wenn sich eine solche Ordonnanz, so zu sagen, in seiner Chefs-Manier einschlösse, nichts weiter triebe und wüßte: sollte sie sich nicht niedersetzen und hinschreiben können: »Da und da, so und so ist die Sache; und wers leugnet, ist so gewiß ein Vieh als ein Affe«?

– Einigermaßen, verehrlicher Stadtrat, hab' ich einen Anschlag; und er betrifft eben den jungen Mann, der Ihnen die Flegeljahre persönlich überbringt. Der Mensch heißet eigentlich *Schuster*, hat aber den dumpfen Namen durch *ein* Strichelchen mehr in den hellern *Sehuster* umgeprägt. Anfänglich stößet er vielleicht einen wohlweisen Rat etwas ab, durch sein Äußeres, durch den verworren-grimmigen Blick, Schweden- und Igelkopf, greulichen Backenbart und durch die Ähnlichkeiten, die er mit sogenannten Grobianen gemein hat. Heimlich aber ist er höflich, und er hat überhaupt seine Menschen, die er veneriert. Ich mochte diesen Sehuster etwan 14 Tage, nachdem er sein Gymnasium als ein scheuer stiller leiser Mensch verlassen, der eben keinen besondern Zyklopen und Enak versprach, 14 Tage darauf in Jena wiedergefunden haben – Himmel! wer stand vor mir? Ein Fürst, ein Gigant, ein Flegel, aber ein edler, ein Atlas, der den Himmel trug, den er schuf, setzend eine neue Welt, zersetzend die alte! Und doch hatt' er kaum zu hören angefangen und wußte eigentlich nichts Erhebliches; er war noch ein ausgestreckt-liegender Hahn, über dessen Kopf und Schnabel Schelling seine Gleicher-Linie mit Kreide gezogen, und der unverrückt, ja verrückt darauf hinstarrt und nicht auf kann; aber eben er war schon viel und mehr, das fühlt' er, als er verstand und schien. Dies beweiset beiläufig, daß es ebensogut im geistigen Reiche eine schnelle Methode, den innern Menschen in 14 Tagen zu einem großen Manne aufzufüttern, geben müsse, als es die ähnliche im körperlichen gibt, eine Gans, *schwebend* gehangen, die *Augen* verbunden, die *Ohren* verstopft, durch Nähren in nicht längerer Zeit so weit zu bringen und zu mästen, daß die Leber 4 Pfund wiegt.

In der Tat bestimmte mich dieses, da der gute Gigant nichts hat außer Kräfte, mit vier andern belletristischen herrlichen Verfassern – (ich werde ihnen nie die Schuhriemen auflösen, – gesetzt, sie verlangtens) – aus der Sache zu sprechen und sie zu fragen, ob wir uns nicht könnten zusammenschlagen und ihn auf den nötigsten Akademien für unser Geld absolvieren lassen: »Wir hobeln Sehustern«, sagt' ich, »ganz nach unsern Werken zu, oder vielmehr er hat seine deduzierenden Theorien nach dem Meister und andern Stücken seiner Kostherren einzurichten, um einstens imstande zu sein, als unser Fixstern-Trabant, Brautführer und Chevalier d'honneur unserer fünf Musen, kurz als unser Rezensier-Markeur in den verschiedenen Zeitungen, die die Welt jetzt mithält, zu beurteilen und zu schätzen.«

Das nahm man an. Und wir Fünfer hatten wahrhaftig keine Ursache, unsere Ausgaben zu bereuen, als wir später, im ersten Semester hörten, daß er die Polaritäten und die Indifferenz leiden könne, daß er ein transzendenter Äquilibrist sei und ein polarischer Eis-Bär, daß er die Menschen indifferenziere, sich aber potenziere, daß er zwar kein Dichter, kein Arzt und kein Philosoph sei, aber, was vielleicht mehr ist, alles dieses zusammen genommen. Und in der Tat nannt' er uns bald darauf in seinen Rezensionen die fünf Direktoren, ja die fünf Sinne der gelehrten Welt, ich soll darunter der Geschmack sein, le Goût, el Gusto[1], spricht aber doch verdammt frei von jedem andern. »Gesetzt, mein feuriger Sehuster,« wandt' ich einstens ein, als er hingeschrieben hatte, er sehe voraus, in 4 oder 5 Jahren sei Goethe so tief herunter als gegenwärtig Wieland – »O was?« versetzt' er, »ich stecke zuweilen einen Kometen-Kern ins blaue Äther-Feld und bekümmere mich nicht, ob er aufgeht und fliegt als Feuer-Blume. An der Himmels-Achse der Unendlichkeit sind die Pole zugleich Gleicher, alles ist eines, Herr Legaz.!«

Nun halten vier Treffer der Literatur (fünf würd' ich sagen, wär' ich nicht darunter) bei einem Hochedlen Rate um das *Maushackische* Legat, das eben für arme Studenten aufgeht, für den guten Ohnehosen an; denn letzteres ist er, wechselnd eigentlich und uneigentlich, gleichsam als differenziere und indifferenziere er auch hier und wähle Realismus und Idealis-

---

1 Für den Sprachforscher: ist le Goust von el Gusto das Anagramm, oder umgekehrt, und welche Sprache versetzte die andere?

mus beliebig als zwei Wechselstandpunkte aus einem dritten. Ich meine aber so: er hat nichts. Sein Marquisat de Quinet[1] wirft zu wenig ab – er braucht zu viele erregende Potenzen, wenn er selber eine sein soll, und Weinberge sind die Terrassentreppe zu seinem Musenberg – wir fünf Marquis verspüren das Ernähren eines sechsten auch stark: – Wiese man nun aber Sehustern das Maushackische Legat zu: so könnt' ers pro forma in Jena oder Bamberg verzehren; und dabei gemächlich beurteilen, einige bekränzen und ganz weg haben, Unzählige kaum von der Seite ansehen, die Gemeinheit herzlich verachten, viele Sachen deduzieren, wie z. B. den Roman, den Humor, die Poesie, aus vier oder fünf Termen und Schreibern, und völlig unter die sogenannten ganzen Leute gehören. Der selige Maushack selber – den ich zwar nicht kenne, der aber doch von der andern Welt muß endlich profitiert haben – würde droben, wenn er von diesen Früchten seines Nachlasses hörte, seelenvergnügt sagen: »Herzlich gönn' ich der wilden Fliege drunten das Legat, bloß weil sie um eine Welt früher als ich von dem Reflexions-Punkte weggeflogen.«

O Gott, Stadtrat! was wäre noch zu sagen, würd' es nicht gedruckt! Ein Autor gibt lauter Nüsse aufzubeißen, welche dem Gehirne gleichen, das nach Le Camus ihnen gleicht, und die also drei Häute haben; wer aber schälet sie ab? – Ein bekannter Autor ist allerdings bescheiden; das ist aber eben sein Unglück, daß niemand weiß, wie bescheiden man ist, da man von sich nicht sprechen und es sagen kann. Er könnte seinem Stiefelknecht hundert Livréefarben anstreichen, er könnte den Eisen-Fang seines Windofens zu seinem brennenden Namens-Zug verschweifen und ringeln lassen, aber niemand weiß es, daß ers nicht tut. Erwägt man vollends, wie viele Schlachten Bonaparte, sowohl in als außer Europa, ausstand und lieferte, bloß damit nur einmal sein Name richtig geschrieben würde, ohne das U, wofür er jetzt den Franzosen jenes X macht, jenes algebraische Zeichen der *unbekannten* Größe,

---

1 So nannte Scarron seinen Ehrensold vom Buchhändler Quinet.

erwägt man also, mit welcher Mühe ein Name gemacht, und mit wie leichter er wieder ausgewischt wird: so ists wahrlich ein matter Trost, daß es in Rücksicht des Verkennens auch andern größten Männern nicht besser ergangen, z. B. dem großen Gottsched, der selber sogar im Gellertischen Leipzig so manches erlitt, was man hier nicht wiederholen will.

Der vierte Punkt, wovon ich einem hochedlen Magistrate zu schreiben versprach, ist gerade ein närrischer, den der junge Sehuster am besten ausfechten würde, in öffentlichen Blättern. Ein hochedler Stadtmagistrat wünschte nämlich von weiten, daß das Werk etwas verweint und beweglich verfasset würde. Aber wie war das noch tunlich in unsern Tagen, Verehrteste, die ein wahrer einziger heller Tag sind, wo die Aufklärung als ein eingeklemmter angezündeter Strick fortglimmt, an welchem an öffentlichen Orten jedes Tabakskollegium seine Köpfe anzündet? – Wer öffentlich noch ein wenig empfinden darf – und der ist zu beneiden –, das sind entweder die Buchhändler in ihren Bücher-Geburts-Anzeigen, indem man alle etwanige Empfindsamkeit darin mit dem Eigennutz entschuldigen kann; oder es sinds die lachenden Erben in ihren Todes-Anzeigen, wo aus demselben Grunde der Korkzieher der Tränen darf eingeschraubt und angezogen werden. Sonst aber hat man gegen Weinen, besonders wahres, viel – die Tränenkrüge sind zerschlagen, die weinenden Marienbilder umgeworfen von zeitiger Titanomanie – die besten Wasserwerke sind noch früher angelegt als die Bergwerke, welche davon auszutrocknen sind – wie in Schmelz-Hütten ist in die Seelenschmelz-Hütten, in die Romane, einen Tropfen Wasser zu bringen streng verboten, weil ein Tropfe das Glut- und Fluß-Kupfer zertrümmernd auftreibt – der Mensch fängt überhaupt an, und zwar bei den Tränen (nach Hirschen und Krokodilen zu schließen), das Tierische abzulegen, und das Menschliche anzunehmen, wo man bei dem Lachen anfängt, so daß jetzt eine poetische Zauberin, wie sonst eine prosaische Hexe, daran eben erkannt wird, daß sie nicht weinen kann.

Kurz, Rührung wird gegenwärtig nicht verstattet – leichter eine Rückenmarksdürre als eine Augenwassersucht; – und wir Autoren gestehen es uns manchmal untereinander heimlich in Briefen, wie erbärmlich wir uns oft wenden und winden, damit wir bei Rühr-Anlässen (wir müssen selber darüber lachen) keinen Tropfen fahren lassen.

Ich schließe diese Zeilen ungern; aber der Ohnehosen Sehuster steht hinter dem Kopisten, *Halter*, schon gestiefelt und wartet auf die Kopie derselben mit der Jagdtasche; denn es wäre kaum zu sagen, was ich den trefflichen Testaments-Vollstrekkern noch zu sagen hätte über das Werk. Mög' ich und die Welt nicht zu lange bei Ihnen auf die nächsten 500 Nummern passen müssen! Nachgerade gegen den vierten Band spinnt sich in der Biographie ordentlich merkbar eine Art von Interesse an. Denn nun müssen die kostbarsten Sachen kommen und im Anzug sein; und ich brenne nach Nummern. Überall stehen Tellerfallen, und Dampfkugeln fliegen, Wildrufdreher schleichen, Hummerscheren klaffen – Walts und Winas neuester Bund ist seltsam und kann unmöglich lange bleiben ohne die größten Stürme, die Bändelang rasen von Messe zu Messe – Jakobinens Nachtvisite muß konfuse Folgen haben, oder kanns doch – der Larvenherr muß entlarvt werden (wiewohl ich ihn wahrlich errate; denn er ist mir zu kenntlich) – Vult hat seinen Schmollgeist, ist erlogen von Adel, lebt von Luft, stürmt so leicht – der testierende Elsasser ist ganz hergestellt und sieht zum Schalloch heraus – die meisten Erben minieren gewiß, ich seh' aber, bekenn' ich, noch nichts – des Helden Vater sitzt zu Hause und rennt und verschuldet Haus und Hof – Paßvogel, Harprecht, Glanz, Knoll müssen sich sehen lassen und graben noch unter der Erde – guter Gott, welche eine der verwickeltsten Geschichten, die ich kenne! Walt soll Pfarrer werden, und ich begreife nicht *wie*, und hundert andere Dinge nicht besser – der Graf Klothar will heiraten, kommt zurück und findet beim Himmel eine neue Wirtschaft und Historie, die ihn natürlich etwas frappieret – Walt will unendlich gut und willig bleiben und ein zartes Gottes-Lamm, und soll daraus ein Schaf, ein Hammel werden, unter Wollen-Scheren, unter Schlachtmessern – Schlingen, Flammen, Feinde, Freunde, Himmel, Höllen, wohin man nur sieht! . . . . . .

– Allerdings, verehrlichster Stadtrat! hat eine solche Geschichte noch kein Dichter gehabt; aber ein Jammer ist es eben und ein noch unbestimmliches Unglück für die ganze schöne Literatur, daß sie wahr ist – daß mir so etwas nicht früher eingefallen als zugefallen – daß ich unglückliche Haut, an Testaments-Klauseln und Naturalien-Nummern gefesselt gehend wie an klein-schrittigem Weiber-Arm, nichts von romantischen Gaben und Blüten (indem ich doch auch unter den Romanciers mitlaufe) künstlich pelzen darf auf solchen Stamm – – O Kritiker! Kritiker, wär's meine Geschichte, wie wollt' ich sie für euch erfinden und schrauben und verwirren und quirlen und kräuseln! Würfe ich z. B. etwan nur ein schmales Schlachtfeld in eine solche göttliche Verwicklung – ein paar Gräber – einen Schlegelschen Révenant des Euripidischen *Ions*[1] – fünf Schaufeln voll italischer Erde oder sonst klassischer – einen schwachen Ehebruch – einen Klostergarten samt Nonnen – von einem Tollhause die Ketten, wenn nicht die Häusler – ein paar Maler und deren Stücke – und den Henker und alles: – – – ich glaube, Vollstrecker, es fiele anders aus als jetzt, wo ich bloß nur nachschreibend zusehen muß, wie die Sachen gehen und aus Haßlau kommen, ohne daß ich, im möglichen Falle ungewöhnlicher Langweile, etwas anderes für die Welt und für Herrn *Cotta* in der Gewalt hätte als wahres Mitleiden mit beiden, fast zu sehr vom Gewissen und sonst eingeklemmt und angepfählt.

– Aber mein Rezensent, der junge Sehuster, der eben zwischen Schreiber und Abschreiber steht, treibt außerordentlich und will fort und sieht verdrüßlich nach dem Gottesacker hinaus. Noch schlüßlich ersuch' ich die Vollstrecker, falls schwere Kapitel, die besondere Kraft und Stimmung fordern, im An-

1 Ion heißet der Kommende.

zuge sein sollten, mir sie bald und jetzt zu schicken, wo gerade mein Lokale (wozu auch mein Leib zu rechnen), mein Schreibfenster, das den ganzen Ilzgrund beherrscht (denn ich wohne im Grunerschen Hause in der Gymnasiumsstraße), und das Blühen der Meinigen (worunter mein empirisches Ich mit gehört) mich sichtbar unterstützen; ja ich würde – wenn nicht solche Selbst-Personalien eher vor ein Publikum als vor einen Stadtrat gehörten – dazu selber den gedachten Gottesacker schlagen, wo man eben jetzt (es ist Sonntags 12 Uhr) halb in der Salvatorskirche, halb auf deren Kirchhofe im Sonnenscheine zwischen Kindern, Schmetterlingen, Sitz-Gräbern und fliegenden Blättern des Herbstes den singenden, orgelnden und redenden Gottes-Dienst so hält, daß ich alles hier am Schreibtische höre.

Ich könnte dabei manches empfinden; aber Rezensent drängt erbärmlich – weil die Tage kürzer werden –, und er ist schuld, daß ich in größter Eile mit der größten Hochachtung erharre   eines Hochedlen Stadtrats

Koburg, den 23. Okt. 1803.   *J. P. Fr. Richter*

VIERTES BÄNDCHEN

N<u>o</u> 51: AUSGESTOPFTER BLAUMÜLLER

Entwicklungen der Reise – und des Notariats

Der Notar glaubte wie ein erwachter Siebenschläfer eine ganz umgegossene Stadt zu durchtreten, teils weil er einige Tage daraus weggewesen, teils weil eine Feuersbrunst, obwohl ohne Schaden, da gehauset hatte. Noch in den Gassen blieb er auf Reisen. Auch zog das Volk, durchs Feuer aus der Alltäglichkeit aufgerissen, gescharet hin und her, um das Unglück zu besehen, das hätte geschehen können. Walt lief zuerst zum Bruder mit dem größten Drange, dessen Neugierde unglaublich zu spannen und zu stillen. Vult empfing ihn ruhig, sagte aber von sich, er sehe erhitzt aus und gebe das glühende Gesicht der Feuers-Not schuld. Der Notar wollte ihn sofort mit den erlebten Reise-Wundern in die Höhe schrauben und droben erquicken; er schickte daher die lockendsten Ankündigungen voraus, indem er sagte: »Bruder, ich habe dir Sachen zu melden, in der Tat Sachen« – »Auch ich«, unterbrach Vult, »bin mit einigen sieben Wundern der Welt versehen und kann erstaunen lassen. Nur erst das erste! Flitte genas! Noch staunt und starret die Stadt.« – »Unter dem Lazarus-Tor sah ich ihn schon am Schallloch stehen«, versetzte Walt, eilig wegredend. – »Das ist ganz natürlich«, fuhr jener fort. »Denn der Doktor Hut, ein wahrer Chapeau wie wenige, hat ihn wieder auf die Hinter-Beine gebracht, so daß der Testator sich selber beerbt als allernächster Anverwandte und du so wenig bekommst als der Rest. Wie freilich darüber die alten Ärzte, besonders die ältesten, welche in jeder Stadt als ein wahrer Rat der Alten einen *Alterserlaß* (veniam aetatis) nicht von 20, sondern von allen irdischen Jahren dem jüngsten erteilen und so die Sterblichkeit der Einwohner köstlich mit der Unsterblichkeit verknüpfen, wie sie, sag' ich, darüber, daß ein so junger Wicht einen nicht ältern herstellte, außer sich sein müssen: dies kann man ganz natürlich noch wenig oder nicht bestimmen, bevor gar eine bekannte Arbeit von Flitte gedruckt und bekannt geworden. Es hat nämlich der Elsasser eine schwache Danksagung ein paar Male umgearbeitet, worin er im Reichs-Anzeiger (Doktor Hut schießt die Inserats-Gelder her) mitten vor der Welt Huten gerührt genug dankt und beteuert, nie könn' ers ihm lohnen, was ein so wahres Gefühl ist, da er nichts hat.«

Walt konnte sich nicht länger eindämmen: »Liebstes Brüderlein,« begann er, »wahrlich mehr deinen Einfällen als deinen Berichten horcht' ich zu; denn das, was ich dir zu erzählen ... Deinen Brief nämlich mit dem Wunder-Traum hab' ich wirklich und in der Tat empfangen; aber was wäre bloß dies? Eingetroffen ist er von Punkt zu Punkt, von Komma zu Komma; höre nur!«

Er legte ihm jetzt die Spiel-Wunder zum ersten Male vor – dann (wegen der verworrenen Wellen der alles heranschwemmenden Flut) – zum zweiten Male. Kein Abenteuer, selber das schlimmste, ist je so selig zu erleben als zu erzählen. Ja, er hätte beinahe von Winas liebendem Blick unter dem Wasserfalle in seinem Sturm den Schleier gehoben, hätt' er nicht auf dem ganzen Wege, mit Wina an einer Hand und mit Vulten an der andern, das Wichtigste vorläufig bedacht und sich die stärksten Gründe eingeprägt gehabt, daß er durchaus Wina in den General einkleiden müsse und Empfindungen, obwohl nicht Tatsachen, unterschlagen; so gern er auch in das einzige ihm vom Leben aufgeschloßne Herz die beiden Arme seines in Liebe und in Freundschaft geteilten Stroms ergossen hätte.

»Aus deinen Abenteuern in Bezug auf meinen Brief«, sagte Vult, »mach' ich eben nicht das Meiste – ich lege dir nachher eine sehr gute Hypothese darüber vor –, hingegen in Jakobinens ›Stell-dich-ein‹ säh' ich mit Freuden klärer.« Walt erzählte dann den Nachtbesuch ganz wahr, hell und leicht und vergaß keine einzige Empfindung dabei.

»Nichts will ich leichter erklären«, fing endlich Vult an. »Kann denn nicht ein Kerl, der alle Verhältnisse weiß, dir durch Wälder und Felder immer drei Schritte nach- oder vorgeschlichen sein – mit der Flöte geblasen haben – deinen Namen in den Krügen und Hotels vorausgesagt – die kleinste Sache bestellt und angestellt, z. B. mit dem Bilderhändler und dem Quodlibet und dessen quod deus vult est bene factus, statt factum – und so fort? Was den Brief anlangt, so war er ja in meinem Namen und Stil so leicht zu schreiben, unterwegs aufzugeben, darin alles zu weissagen, was man eben selber vollführen wollte, das Geld aber eine Minute vorher einzugraben!« – »Unmöglich!« sagte Walt. »Und vollends der Larvenherr?« – »Hast du die Larve etwa in der Tasche?« sagte Vult. Er zog sie hervor. Vult drückte sie vor das Gesicht, funkelte ihn darhinter mit Zorn-Augen an und rief wild mit bekannter Stimme des Larvenherrn: »He? Bin ichs? – Wer seid ihr?« – »Himmel, wie wäre denn das?« rief der erschrockene Walt. – Sanft hob Vult die Larve ab, sah ihn ganz heiter an und sagte: »Ich weiß nicht, was deine Gedanken über die Sache sind; ich sentiere, daß sowohl der Larvenherr und Flötenspieler als auch ich und der Briefschreiber dieselben Personen sind.« – »Mein Verstand steht still«, sagte Walt. »Kurz, ich wars«, beschloß Vult. Aber der Notar wollte seiner eigenen Bestürzung nicht recht glauben: »Etwas Wunderbares«, sagte er, »steckt gewiß noch hinter der Zauberei; und warum hättest du mich überhaupt so sonderbar hintergangen?«

Aber Vult zeigte, daß er ihm einige Lust zuwenden, ja einige Unlust ersparen wollen. Er fragte schelmisch-blickend, ob er nicht zur rechten Zeit seine Maske ins Zimmer geworfen, ehe Jakobine die ihrige fallen lassen. Endlich sagte er gerade heraus, die Klausel des Testaments, welche für Fleisches-Sünden um halbe Erbschaften bestrafe, sei allgemein bekannt, und Walt sei leider stets sehr unschuldig, auf nichts aber werde in einer Aktion öfter und besser geschossen als auf Schimmel wegen der Farbe der Unschuld – die sieben Erben decken, wie kluge Feldherrn, ihr Lager mit Morast – »kurz,« beschloß er, »wie Taubenhändler wahrhaft betrügen und zwei Täubinnen oft für ein ordentliches Paar Ehetauben ausgeben: hätte man es mit dir und der Aktrice nicht ebenso machen können, wär' ich dir nicht nachgereiset?« – Da wurde der Notar blutrot vor Scham und Zorn, sagte: »O garstig über die Maßen« – setzte unter dem Umherfahren nach dem Hute hinzu: »In diesem Lichte steht ein armes Mädchen bei dir? Und dein eigner Bruder dazu?« – lief fort – sagte wild weinend: »Gute Nacht; aber bei Gott, ich weiß nicht, was ich dazu sagen soll« – und ließ keiner Antwort Zeit. Vult ärgerte sich fast über den unvermuteten Zorn.

»Ich, ich?« – wiederholte Walt auf der Gasse innigst-verletzt – »ich hätte mich versündigen sollen an einem Tage, wo mir Gott den rührendsten Reise-Abend bescherte und die fromme Wina mir so nahe lebte? – Das wolle Gott nicht!« –

Als er aber in sein Stübchen trat: überflog ihn eine ganz besondere Seligkeit und zehrte den Schmerz auf: – eine neue Empfindung wird an einem alten Orte lebendiger; – es war Winas guter Blick unter dem Wasserfalle, der jetzt ein ganzes Leben wie ein Morgenlicht golden überstrahlte und alle Taublumen darin blitzen ließ. Vieles um ihn war ihm nunmehr zu eigen geworden so wie neu: der Park unten, in dessen Gängen er sie einmal gesehen, und Raphaela im Hause, die ihre Freundin war, gehörten unter die Habseligkeiten seiner Brust. Selber seinen eignen Roman Hoppelpoppel kannte er kaum mehr, auf so neue Gemälde des liebenden Herzens stieß er jetzt darin, von denen er erst diesen Abend recht faßte, was er neulich etwa damit haben wollen; nie fand ein Autor einen gleichtöniger gestimmten Leser als er heute. Er bauete sich sogleich ein zartes Bilderkabinet für die Gemälde von den Auftritten, die Wina vermutlich diesen Abend haben könnte; z.B. im Schauspielhause, oder in den Leipziger Gärten, oder in einer gewählten Gesellschaft mit Musik. Darauf setzte er sich hin und beschrieb es sich mit Feuerfarben, wie ihr etwa heute sei in Glucks Iphigenie auf Tauris; dann machte er selige Gedichte auf sie; dann hielt er die Papiere voll Eden ins Talglicht und verkohlte alles, weil er, sagt' er, nicht einsehe, mit welchem Rechte er ohne ihr Wissen so vieles von ihr offenbare ihr oder andern.

Als er zu Bette ging, verstattete er sich, Winas Träume sich zu erträumen. »Wer kann mir verbieten,« sagt' er, »ihre Träume zu besuchen, ja ihr sehr viele zu leihen? Ist der Schlaf vernünftiger als ich? O sie könnte im wilden Wahnsinn desselben ja recht gut träumen, daß wir beide unter dem Wasserfalle ständen, verbunden aufflögen in ihn, umarmend hinschwämmen auf seinem flüssigen Feuergolde und zum Sterben herabstürzten mit ihm und vergöttert still nun weiter flössen durch die Blumen, in den Strahlen, sie mit ihrer Welle in meine schimmernd, und wir so uns ineinander verrönnen in das weite hohe blaue reine Meer, das sich über die schmutzige Erde deckt. Ach, wenn du so träumen wolltest, Wina!« – Dann sah er auf dem Kopfkissen recht hell und scharf – weil nachts in der wilden Zeit des Vortraums vor der Seele alle blasse Bilder junge Lebensfarben annehmen und die Gestalten blitzende Augen öffnen – das liebe, milde Auge Winas vor sich aufgetan und wie einen Mond, den der Tag zum Wölkchen verdünnte, am Nachthimmel herrschend strahlen; und er sank in das liebe Auge, wie ein Frommer in das Auge, unter welchem man Gott abbildet. Wie leicht und dünn ist ein Blick und ein erinnerter! Kaum das Alpenröschen ist er, das der Mensch von der höchsten Stelle seines Lebens herunterbringt. Aber doch hält der Mensch unter der Masse von Massen und Weltkugeln sich gern an die kleine, die ein Augenlid bedeckt, an einen verhauchten, kaum entstandenen Blick – und auf dem himmlischen Nichts ruht sein Paradies mit allen Bäumen fest! So sind Geister; denn da die Unsichtbarkeit ihre Welt ist, so ist ein Nichts leicht ihre Sichtbarkeit!

Am Morgen lag Sonnenschein und Seligkeit um ihn her. Alle Blüten zu Zankäpfeln waren abgefallen. Die Morgenstunde hat Gold, aber das reinste, im Mund; die Sonne scheidet das in

Schlacken vererzte Gemüt; das finstere Übermaß, besonders des Hasses, hört auf. Walt sah sich um im Morgenlicht, fand sich wie von einem Arm aus den Wolken durch alle übereinander stehenden Wolken des Lebens durchgehoben ins Blau – Wer liebt, vergibt, wenigstens den Rest dem Rest; er fragte sich, wie er denn gestern, gerade am Heimkehr-Feste, so gegen den armen Bruder aufbrausen können.

»Ja wohl den armen Bruder,« fuhr er fort; »denn er hat gewiß keine Geliebte, deren Liebesblick ihm wie ein Lebensbrennpunkt im Herzen bleibt.« Nun ging er ganz ins Einzelne und stellte sich – nach seinem Instinkte, der ihn stets in die fremde Seele trieb und in ihr über sie hinzuschauen zwang – an Vults Stelle, wie dieser nichts habe, nichts wisse (vom Wasserfalle nämlich), wie er alles oder vieles so sehr gut meine, besonders für Walt, wie er nur herrschsüchtig hart verfahre usw.

In dieser Gesinnung beschloß er, zum Bruder zu gehen und kein Wort zu sagen über die Essig-Sache, sondern bloß mit seiner Hand eine schon in Mutterleib verknüpft gewesene anzufassen und einiges gelassen zu besprechen, besonders was die bevorstehende Wahl eines neuen Erbamts betreffe.

Vult war verreiset. Ein Briefchen an Walt war an die Tür gesiegelt: »Bester! Ich reisete heute flüchtig ab, um in Rosenhof mein versprochenes Konzert zu blasen. Künftig arbeit' ich viel fleißiger; denn wirklich tu' ich für unsern Gesamt-Roman zu wenig, besonders da ich gar nichts dafür tue. Es entgeht uns nicht, daß ich lieber spreche – im reißendsten Strome mich schwemmend – als schreibe. Gut aber ists nicht, weder für die Literatur noch das Honorar. In Schulen gilt sonst *Rechen*- und *Schreib*-Meister für *einen*; ein trefflicher Buch-Schreibmeister hingegen ist selten ein Rechenmeister; leider bin ich nicht einmal einer von beiden und brauche doch Geld. Adieu! v. H.«

»Der gehetzte Bruder!« sagte Walt, »so muß er sich jetzt das Geschenk erpfeifen, das er mir so spaßhaft in die Hände gespielt; warum fall' ich immer so heftig aus und drücke den Guten?« Er faßte den ernstlichen Vorsatz, künftig seinem Sturm- und Poltergeiste ganz anders den Zügel anzuziehen. –

Aber Rosenhof warf bald heiteres Licht auf alles und heiligte fast den Flötenspieler, den er in den nachschimmernden Auen des schönsten Morgens mit Glanz besprützt umherwaten sah.

Wackerer als je betrat er nun seine Notariats-Gänge wieder, die sich gegen das Ende seines Erbamts immer häufiger auftaten. Es war ihm ganz einerlei – so freudig ging sein Puls –, worüber er ein Instrument aufsetzte, ob über die Verlassenschaft eines Hofpredigers, oder über eine angebohrte Öl-Tonne, oder über eine Wette: immer dacht' er an das Haus des Generals, oder an den Wasserfall, oder an Leipzig, und es konnte ihm gleichgültig sein (denn er gab nicht darauf acht), was er niederschrieb als offner kaiserlicher Notar.

So glänzend-umsponnen vom Nachsommer des Herzens, kam er aus dem September und dem Notariat endlich in den Oktober hinüber, wo er vor den Kabelschen Testaments-Exekutoren die Rechnung über das bisherige Erbamt abzulegen hatte, vor welcher ihm nicht im geringsten bange war; denn Winas Blick hatte in ihm einen so feurigen Herzschlag entzündet, daß er mit einem solchen Frühlings-Pulse vermochte, in jeder äußern Kälte des Schicksals warm zu bleiben.

Sein Vater Lukas hatte ihn neuerlich in mehreren Kopien von Brief-Originalen (die der Schulze behielt, weil im Briefschreiben das Original das schlechtere ist) seine Angst vor dem Notariats-Hintergrund und die Beteurung seiner »Herbeikunft« wissen lassen. Walten wurde die Wiederholung desselben dürren Gedankens, die so manchen frischen erdrückte, sehr zur Last, und er wünschte nichts weiter als die alte Freiheit, an hundert Dinge zu denken: »Warum ist denn ein Irrweg so verdrießlich,« sagt' er, »als bloß weil man so lange, bis man den rechten wieder erwischt, immer die abgeschabte platte Idee des Wegs besehen und behalten muß!« Die gemeinen Qualen des Lebens belasten weniger unter ihrer Geburt als während ihrer

Schwangerschaft, und der eigentliche Leidenstag geht 24 Stunden oder Zeiten früher an als der äußere. Der erste Schritt, den Walt am anberaumten Morgen ins Rathaus tat, machte ihn zu einem andern Menschen, nämlich zum alten – die Sache war für ihn vorbei, denn sie war so nahe. – Zu bald kam er im Vorzimmer an, harrte aber vergnügt und machte einen Polymeter, worin er einige gute Gruppen besang, die in halberhobener Arbeit am Ratsofen mit aller der Wärme dargestellt waren, welche die Jahreszeit an einem kalten Ofen erlaubt. Tanz-Horen, Füllhörner voll Heu, Fruchtschnüre oder -stricke, Büschel von dicken festen Blumen oder Obst und sechs Frühlinge aus Ton (denn es war ein Zirkulierofen) waren allerdings imstande, einen Dichter wie er zu heizen. – Als noch immer die Ratsstube zu blieb, so geriet er auf Neben-Ideen, ob nämlich nicht ein ganzer Roman aus Ofen-Pasten darzustellen und zu entwikkeln wäre, besonders ein komischer. So vermag nur ein Mann vor einer wichtigen Wendepunktsstunde, z. B. vor einer Krönung, Schlacht, Selbstermordung, nicht aber seine Frau vor einer ähnlichen, z. B. vor einem Balle, – zu dichten, zu schlafen, zu lesen.

Da endlich der Schirmherr der Kabelschen enterbten Erben, der Pfalzgraf Knoll, eintrat, so fing alles an und wurde gehörig vor den Bürgermeister Kuhnold gestellt.

In seinem Leben war ihm nie so federleicht in einer Ratsstube gewesen; auf dem Staubfaden einer Lilie hätt' er sich schaukeln können. Er fiel aber bald von seiner Lilie ins Beet herunter, als der Schirmherr anfing vorzutragen und zu belegen, »daß der offne geschworne Notar bisher sehr absurd gewirtschaftet« – daß er nicht nur erstlich und zweitens zweimal in Instrumenten abbrevieret – drittens ein nächtliches (das Turm-Testament) mit zweierlei Dinte und viertens bei einerlei Licht geschrieben – fünftens einmal radiert – sechstens einmal gar nicht angegeben, daß er ausdrücklich zur Aufrichtung des Instruments vorgefordert worden – desgleichen siebentens in dem nämlichen auch die Stunde nicht – achtens den nägelein-braunen Bindfaden, womit die Klagschrift N. N. contra N. N. umwickelt gewesen, als einen gelben zu Protokoll gebracht – neuntens Hauszeugen, als sie eidlich aussagten für ihren Herrn, ihrer Pflicht vorher durch Handgeben sowohl zu entlassen als diesen Akt des Entlassens anzuzeigen ganz vergessen – sondern daß er auch zehntens einen falschen Datum im Wechselprotest, ja eilftens neuerlich und ganz zuletzt ein Instrument gar an einem 31. September, der nicht existiere, auszufertigen wenig Anstand genommen. – Nun wurd' er gerichtlich befragt, was er dawider einzuwenden habe. »Ich wüßte eigentlich nichts« – versetzt' er gegnerischerseits –; »auch trau' ich fremdem Gedächtnis hier weit mehr als eignem. Doch was die Hauszeugen anlangt, so hielt ich es für eigenmächtig und unmöglich, sie durch mein bloßes Wort ihren Pflichten zu entnehmen und wieder zurückzugeben.« Darauf sagte Herr Kuhnold, dieser Grund sei mehr edel gedacht als juristisch, und berief sich auf Herrn Fiskal Knoll. Nichts sei lächerlicher, versetzte dieser und schob nun zehn bis zwanzig breite hohle Worte aneinander, um bei den Testaments-Exekutoren um das nachzusuchen, was sich von selber verstand – die Eröffnung des hier eintretenden geheimen Artikels.

Eh' es Kuhnold tat, erwies er dem Pfalzgrafen, daß gar nicht alle Rechtsgelehrten allgemein zu Nacht-Kontrakten drei Lichter begehrten, sondern nur mancher; und langte – als Knoll auf seinem Satze beharrte – bloß das promtuarium juris von Hommel oder Müller als den nächsten Beweis aus dem Schranke vor. Die Ratsbibliothek war nicht höher als die vier Bände des promtuarium stark; dennoch fehlte ihr, wie den meisten öffentlichen Bibliotheken, ein Katalog.

Knoll behielt sich das Seinige vor; Kuhnold gab aber nicht nach, sondern verlas den Straftarif; »daß nämlich für jeden juristischen Notariats-Schnitzer des jungen Harnisch jedem der sieben Erben ein Tannenbaum in Kabels Wäldchen zu fällen verstattet sein sollte«. Da er nun in zehn Sünden geraten war – ohne die streitigen Lichter –, so belief sich der Decem, mit den sieben letzten Plagen multipliziert, auf den ansehnlichen Schlag von 70 Stämmen, so daß Walt nie halb so gut dadurch gelichtet werden konnte als das Wäldchen selber. – »Nu«, sagte der Notar, schnell beide Hände seitwärts auswerfend, »was ist zu machen?« – Er wußte sich innerlich über die Zufälle des Lebens so erheiternd zuzureden wie ein Schuster den Kunden über neue Stiefel, die er bringt; sind sie zu enge, so sagt der Meister: sie treten sich schon aus; sind sie zu weit, so sagt er: die Nässe zieht sie schon ein. So dachte Walt heimlich: »Das witzigt mich. Jetzt kann ich doch als Notar ruhig alle meine Instrumente machen, ohne daß mir geheime Artikel das Geringste zu befehlen oder zu nehmen haben.« Aber am Ende machte ihm doch der Fiskal Knoll den leichten poetischen Götter-Ichor des Herzens schwer, dick und salzig, als dieser, ohne im geringsten durch die Freude über den Gewinn von Schlagholz irre oder trunken zu werden, seine Protestation im Punkte der drei Lichter erneuert zurückließ. Die stehende Gegenwart eines deutlich hassenden Wesen drückt und preßt eine immer liebende Seele, die ihre Kälte schon für Haß ansieht, mit dem schwülen Dunstkreis eines Gewitters, dessen Schlag weniger quält als dessen Nähe. Betrübt, selber von Kuhnolds sanftem Worte, das ihm so vermeidliche Fehler eben als die unverzeihlichern vorwarf, ging er nach Hause; und er sah Vults Fluchen und Scherzen darüber schon entgegen.

Das erste, was er zu Hause machte, war ein Sprung aus demselben auf die schönen stillen Höhen der Oktober-Natur, um seinem Vater, dem Schultheiß, und dessen Scherbengerichte zu entspringen, der, wie er gewiß wußte, in die Stadt laufen würde, um jede Scherbe des zerbrochenen Glücktopfes ihm an den Kopf zu werfen. Auf einer friedlichen Anhöhe – dem Wäldchen gegenüber – konnt' er, während er das medizinische Miserere des Schicksals durch Dichten und Empfinden in ein musikalisches verwandelte, recht gut wahrnehmen, daß schon mehrere Erben mit verständigen Holzhauern im Erb-Forste lustwandelten, um einträchtig mit Waldhämmern ihr Gnadenholz anzuplätzen. Endlich ritt im Schritt Flitte an der Spitze einer holzersparenden Gesellschaft mit Äxten, Sägen, Maßstäben in den Händen den Wald hinan. Gleich einem Witwer, der seine Halbtrauer täglich in kleinere Brüche zerfällt, in Drittelstrauer in ein $\frac{1}{4}$, $\frac{1}{8}$, $\frac{1}{64}$ Teil – wiewohl die Trauer oder die Zähler nie null werden kann, nach mathematischen Gesetzen –, verkehrte Walt bei diesem Anblick seine schwache Halbtrauer, arithmetisch zu sprechen, in einen unendlich großen Nenner und in einen unendlich kleinen Zähler, d. h. er wurde das, was man gemeinhin froh nennt. »Es ist schon recht,« dacht' er, »daß ich dem guten Flitte für seine gutmütige Erbeinsetzung meiner Person doch einen schwachen Dank durch meine Fehler zuschanze; er habe recht viele Freude dabei, nur keine Schadenfreude.« Aber die Lustigkeit über die Holz-Einbuße wurde Walten etwas verkümmert, als er den alten Schulzen aus der Stadt schreiten und ins Holz dringen sah, Märtyrerkrone und Zepter tragend. Auf die angeplätzten Stämme lief Lukas zu – fragte, sagte dies oder das und keifte – durchschnitt den Gehau nach allen Ecken – stritt ohne Vollmacht wider alles – flog als ein flüchtiges Waldgericht und Forstkollegium hin und her, an jeden Busch, neben jede Säge – machte die Wüste seines Gesichts immer dürrer und arabischer, je mehrere Erben ankamen, die größten Baumschänder, die er sich denken konnte – sah seufzend zu jedem Gipfel auf, der stürzen wollte – und trieb nichts durch als forstgerecht den Weg, auf welchem der fallende Baum das Buschholz schonen mußte.

Walt schaute erbärmlich herüber; so leicht er sonst sein schwarzes Schicksal wie sein weißes nur zu dichterischer Farbengebung verrieb, gleichsam zu Kohle und zu Kreide: so konnt' er sich doch den Holzschlag des Schlagholzes zu keinem dichterischen Baumschlag ausmalen, weil ihn der Vater peinigte. Er wartete aber fest dessen Weggang ab; dann fragte er nach der glühendsten Abendröte vor seinen Augen nichts, sondern er ließ in sich abstimmen, welches Erbamt, das seinen Vater freudig lasse, er jetzt zu wählen habe.

Nun fehlte es ihm aus Mangel des Flötenspielers an einer Stimmensammlung und an irgendeiner, auch nur kleinsten Minorität, weil die Majorität selber (er) nur 1 Mann stark war, welches, wenn nicht die kleinste – denn oft ist gar kein Mann beim Stimmen –, doch keine beträchtliche ist.

Endlich wählte er das kürzeste Amt, nämlich das siebentägige Leben bei einem Erben. Die Stelle darüber heißet im Corpus juris des Testaments claus. 6. Litt. g. so: »er (Walt) soll bei jedem der Herren Akzessit-Erben eine Woche lang wohnen (der Erbe müßt' es sich denn verbitten) und alle Wünsche des zeitigen Mietsherrn, die sich mit der Ehre vertragen, gut erfüllen.« Ein so kurzes Amt hoffte er ohne große Fehltritte und Fehlsprünge und mit einiger Ehre und in kurzem, noch eh' der Bruder erschiene, zu beendigen. Nach der Wahl des Amts mußt' er wieder die neue desjenigen Erben anstellen, welchem die erste Ehre davon zuzuwenden sei. Er erlas sich zum wöchentlichen Wohnen den, bei welchem er bisher gewohnt, Herrn Neupeter. »Auch begehrts die Zärte«, sagt' er.

Nº 52: AUSGESTOPFTER FLIEGENSCHNÄPPER

Vornehmes Leben

Nachdem er am Morgen die feinste Anrede an den Hofagenten ganz in den Kopf gebracht hatte, woraus sie ohnehin noch nicht gekommen war: trat er vor Neupeter, der ihn in der Schreibstube neben einem brennenden Lichte mit dem Petschaft am nassen Maul und mit der Nachricht empfing, es sei Posttag. Während der Kaufmann fortsiegelte, hielt er hinter dessen Rücken leicht seine Rede voll Zärte, bis dieser, da er ausgesiegelt hatte, das Licht ausputzte und fragte: »Was gibts?« Zerfahren war dem Notar der ganze Sermon.

Kein Mensch kann dieselbe Rede zweimal nacheinander halten; in der Eile mußte er nur darauf denken, aus dem Gesagten einen dünnen Bleiextrakt zu liefern. Der Hofagent ersuchte ihn aber, »mit solchen Schnurrpfeifereien den Leuten vom Halse zu bleiben.«

Alle mögliche Sünden im neuen Amte hätt' er lieber getragen als dieses harte Türzuschlagen vor demselben. – Jemanden nun ferner Ordensketten durch geschenktes Vorkaufsrecht der Wohnprobewoche überhängen zu wollen, fiel ihm nicht mehr ein: sondern wo ein armer, aber guter Teufel, mit welchem sich mehr Tränen- als Himmelsbrot, z. B. ein elendes Wohnloch teilen ließe, anzutreffen und zu beglücken wäre, darnach ging sein Sehnen, nicht sein Fragen; denn besagter Teufel war längst da, Flitte aus Elsaß. Walt ging auf den Nikolai-Turm und trug, aber furchtsam, Flitten den Vorzug an, daß er bei ihm die erste Probewoche halten wolle. Der Elsasser umhalste ihn erfreuet; und versicherte er ziehe diesen Tag noch vom Turm herab, weil er ganz hergestellt sei und der frischen Turmluft weniger bedürfe. »Ich miete für uns ein Paar kostbare garnierte Zimmer beim Cafetier Fraisse; pardieu wir wollen leben comme il faut«, sagt' er. Walt wurde zu selig. In einer halben Stunde hatte Flitte ein- und darauf ausgepackt; denn mit seinem Geräte hatt' er, wie eine Raupe und Spinne mit ihrem Fadengespinste, gewöhnlich den Gang durch seine Wechselwohnungen bedeckt und bezeichnet; gleichsam mit schönen Haarlocken, die zum Andenken ausgerauft werden; und hatte sich, wie gedacht, wie Weltkörper durch Umlauf kleiner eingeschliffen. Er wagte es jetzt, aus seinem Turm – seiner bisherigen Bastei und Grenzfestung gegen Gläubiger – herabzurücken in ein unbefestigtes Kaffeehaus, weil er teils sein eignes Testament beerbet hatte, nämlich den Kredit davon, teils das Kabelsche, in dessen Gütergemeinschaft ihn Walts neueste Fehler vor der Stadt einzusetzen schienen, teils die zehn Tannenstämme, Walts Klage-Eichen. »Der ausgestopfte Blaumüller« Nro. 51 erwähnte schon weitläuftiger, mit welchem Gepränge er die durch Walt gesäete Fehler-Ernte von Steinobst und

Kernhäusern aufgeknackt und ausgekernet hatte, um sich der Stadt zu zeigen.

Walt schied am schönsten Nachsommer-Morgen halb wehmütig aus seiner leisen Klause; ihm war, als brauche sie ihn und habe denn so leer und allein Langweile, besonders sein Sessel. Aber wie fuhr er, da er beim Cafetier Fraisse eintrat, vor der Garnitur der Zimmer, vor den langen Spiegeln voll Zurückfahrern, vor den Ei-Spiegeln an den Wandleuchtern und vor der Rest-Pracht zurück! – Er erschrak. Flitte lächelte – Fremden wollte Walt ein Ersparer sein; – daß der gute Elsasser solche Paläste von Stuben miete, bedacht' er und stöhnte sehr. Denn er hielts für Aufwand seinetwegen, weil er nicht voraussetzte, daß Flitte unter die wenigen sogenannten Verschwender gehöre, die wie der deutsche Kaiser schwören, nichts auf die Nachkommen zu bringen, Reich oder Reichtum, und welche wie hohe Staatsbediente Athens zum Zeichen ihrer Vaterlandsliebe nichts hinterlassen als Nachruhm und Schulden.

Walt zog ohne weiteres das aus der Kabelschen Operationskasse für die Probenwoche bewilligte Goldstück hervor und legt' es mit den Worten auf den Tisch: »Dies bestimmte der Testator; ich wollte gern, es wäre mehr.« – Wenige Menschen wurden noch so stark angefahren als er von Flitten, der ihn fragte, ob er denn beim Henker nicht sein Gast sei.

Aber nun hatt' er noch einen feinern Punkt, nämlich den testatorischen Zweck seines Wohnens zu besprechen. Er nahm folgende Wendung: »Es wird ordentlich schwer, in diesen kostbaren heitern Zimmern und bei Ihnen an etwas so Juristisches wie das Testament und dessen Haupt-Klausel zu denken; da ich aber meine Freude nicht meiner Obliegenheit gegen meine Eltern opfern darf: so – darf ich eben schwerlich, sondern ich muß Sie um den Vorschlag dessen bitten, worin ich etwa Fehler begehen könnte. Wahrlich, es wird mir schwerer zu fragen als zu handeln.« –

Der Elsasser faßte ihn nicht sogleich mit seinen Feinheiten: »Pah,« sagt' er, »was ist zu sakrifizieren? Wir parlieren und

tanzen zusammen; das geht den alten Kabel nichts an.« ——
»Parlieren und tanzen?« (versetzte der vom Notariat zusam-
mengescheuchte Walt) »Und zwar beides zusammen? – Ich
kann hier nichts sagen, als daß schon eines von beiden einen
unabsehbaren Spielraum zu Fehlern auftäte, geschweige –
Wahrlich, an und für sich oder für mich, lieber Herr Flitte –
aber ...« —— »Sacre –! wovon reden wir denn eigentlich? –
Wird denn ein Mensch auf der Erde prätendieren, daß man
zum langnasigen Bürgermeister läuft und ihm es vorsingt, wie
man lustig gewesen ist?« – Walt faßte schnell die Hand und
sagte: »Ich vertraue«; und Flitte umarmte ihn.

Sie frühstückten unter freudigen Gesprächen. Die langen
Fenster und Spiegel füllten das geglättete Zimmer mit Glanz;
ein kühler blauer Himmel lachte hinein. Der Notar verspürte
sich in vornehmer Behaglichkeit; das Glücksrad drehte ihn,
nicht er das Rad, und er brauchte es nicht wie ein Wagenrad erst
rot zu malen. Flitte las ihm zwei für den Reichs-Anzeiger in
wenigen Tagen ausgearbeitete Inserate vor; – im ersten foderte
er einen Generalkriegszahlmeister, Herrn v. N. N. in B., auf,
ihm die Summe von 960 Albustalern für Wein innerhalb 6
Monaten zu bezahlen, wenn er nicht gewärtig sein wolle, daß
er ihn öffentlich an den Pranger in dem Reichs-Anzeiger stellte.
Dem Notar entdeckte er gern den Namen des Mannes und der
Stadt; indessen war an der Sache nichts. Das zweite Inserat enthielt mehr ungefärbte Wahrheit, nämlich die Nachricht, daß er
einen Compagnon mit 20000 Tlr. zu einem Weinhandel suche
und wünsche.

Walts Gesicht glänzte von Freude, daß der gutmütige
Mensch so viele Mittel habe, und er erhob dessen vergoldete
Wetterstangen des Lebens recht stark.

Flitte aber versetzte: »Sagen Sie mir aufrichtig, ob keine Stil-
Fehler darin sind. Ich warf die Dinge in der Zeit einer kleinen
Stunde hin.« Walt erklärte, je kleiner eine Anzeige sei, desto
schwerer werde sie; er wolle leichter einen Bogen für den
Druck ausarbeiten als dessen ¼ Bogen. »Schadet wohl über-

haupt Lukubrieren viel? An der Makrobiotik sahen mich oft die Nachbarn bis 3 Uhr aufsitzen«, sagte Flitte, nicht ganz unwahr, da er bisher durch seine Nachtmütze auf einem Haubenstock und durch ein Licht daneben einen makrobiotischen Leser auf die leichteste und gesündeste Weise vorgestellt hatte. Darauf schnürte er vor dem Notar, dessen herzliches aufrichtiges Bewundern und einfältiges Vertrauen ihn mit süßer Wärme durchzog, ein Bündel seiner Liebesbriefe an sich auf, worin er, sein Herz und sein Stil sehr geschätzet wurde. Der Elsasser hatte das Paquet von einem jungen Pariser, an den es geschrieben war, zum sichern Verschlusse bekommen.

Walt wußte sich so wenig zu lassen vor Beifallklatschen über den Stil der schönen Schreiberin, daß der Elsasser am Ende beinahe selber glaubte, die Sache sei an ihn geschrieben; aber jener tats sehr deshalb, um nicht über die Liebe selber viel zu reden. Da er als ein unerfahrner verschämter Jüngling noch glaubte, die Empfindungen der Liebe müßten hinter dem Klostergitter, höchstens in einem Klostergarten leben, so sagt' er nur im allgemeinen: »Die Liebe dringt wie Opferrauch, so zart auch beide sind, doch im dicken Regenwetter durch die schwere Luft empor« – wurde aber ungemein rot. »Surement,« sagte der Elsasser, »die Liebe strebt jeden Tag immer weiter.«

Flitte ging noch weiter und zeigte sich seinem Gaste gar gedruckt; er wies ihm nämlich die feinsten Liebes-Madrigale, die er, wie er sagte, drucken lassen in Centesimo-Vigesimo Format und nie über einen $\frac{1}{20}$ Bogen stark; es waren Verseblättchen, aus Pariser Zuckerwerk ausgeschält, wahre Süßbriefchen, deren Plagiat Flitte sich dadurch erleichterte, daß er den süßen Einband aufaß. Warum lässet die deutsche Poesie der französischen den Vorzug der süßesten Einkleidung; warum wollen wir nämlich, wenn die Franzosen Zucker und Gebäck um ihre Verse wickeln, es umkehren und mit den unserigen Zucker und Gewürz einkleiden und einpacken? – könnte man hier fragen, wenn es der Ort wäre, hier zu antworten. – Walt pries unmäßig; der Elsasser schwamm auf Freudenöl, ertrank beinah in Lobes-Salb-Öl. Über jeden Genuß, den man den Menschen wohlwollend zubereite, waltet der Zufall der Aufnahme, des Gaumens, des Magens, der ihn verarbeitet; hingegen für den Genuß eines aufrichtigen Lobes hat ohne Ausnahme jeder Mensch zu jeder Stunde Ohr und Magen aufgetan; und er sagt außer sich: »Lob ist Luft, die das einzige ist, was der Mensch unaufhörlich verschlucken kann und muß.« Flitte nicht anders; neuerfrischt zog er den Notar auf die Stadtgassen hinaus, um ihm einige Freuden zu machen und sich Platz. Nämlich die alten Gläubiger jagten ihm so eifrig nach als er neuen; da er nun die Maxime der Römer kannte, welche nach Montesquieu so weit als möglich vom Hause Krieg führten: so war er selten zu Hause. Beide durchstrichen die Morgenstadt; und Walten wurde sehr wohl. Da Flitte der Stadt sich zeigen wollte – nämlich den Kabels-All-Erben Harnisch in der Probewoche –, so sprach er mit vielen ein Wort; und der Notar stand glücklich dabei. Vor jedem Parterre-Fenster – »par-terre«, sagte Flitte, »sprechen die Deutschen ganz falsch aus« – klopft' er wie an einer Glastüre an und sagte dem aufmachenden Mädchenkopfe, dem noch die halbe Aurora des Morgenschlafs anschwebte, hundert gute Dinge, und die Tochter in der Morgenkleidung mußte am Fensterrahmen fortnähen. Oft gab er ohne weiteres Fragen Küsse von außen hinein – was Walt für einen Grad von Lebensart hielt, den nur einige Günstlinge Frankreichs erreichten. Rauchte ein ansehnlicher Mann in der Schlafseide mit der Pfeife aus dem zweiten Stock herab: so sprach oder ging Flitte hinauf, und Walt tats mit. Jener kannte jeden lange; denn bei dem Hochbürgerstande lehrte er die Kinder tanzen und beim Adel die Hunde; letzterem ging er auch auf heiligern Wegen nach, nämlich zur Altar-Partie. Denn da der Haßlauer Adel, wie bekannt und sonst gewöhnlich ist, in corpore öffentlich auf einmal als eine heilige Tischgesellschaft und Kompagniegasse das Abendmahl genoß: so war er hinterdrein und der letzte Mann, wie hinter den Bürgerlichen der Scharfrichter; das einzige Mal ausgenommen, wo er wie ein

Schieferdecker es bloß nahm, weil er einen Turm bestiegen. Walt betrat nie mehr Zimmer als an diesem Morgen. Sprengte ein Herr vorbei: Flitte wußte ein Wort über den Gaul nachzuschicken, etwa dieses: er hinke. Stand ein Wagen fahrfertig: Flitte paßte, bis man einstieg, und verhieß nachzukommen aufs Landgut. Kehrten verspätete Kaufleute von der Leipziger Messe zurück: Flitte ließ sie auf die Meß-Neuigkeiten von Haßlau nie so lange warten, bis sie unter Dach und Fach waren, sondern er packte aus, während sie auspackten.

Walt wurde aller Welt vorgestellt und redete mehrmals.

Es wäre schwer zu glauben, daß beide an *einem* Morgen so viele Besuche abgestattet haben, wäre nicht die Gewißheit da. Sie gingen zu dem Spitzen- oder Klöppelherrn Herrn Oechsle und besahen die Sachen und die hübschen Klöpplerinnen aus Sachsen und viele Knöpfe aus Eger, in welche Vögel halb mit Farben, halb mit eigenen Federn gefasset waren. Walt hatte dessen schöne Fußtapeten ganz mit Stiefelspuren verschont durch einen einzigen tapfern Weitschritt, den er über sie sogleich in die gebohnte Stube tat.

Sie gingen ins Gartenhaus des Kirchenrat Glanz, wo Flitte seine Latinität an dem Kupferstich eines Kanzelredners schwach zu zeigen suchte, indem er die darunter gesetzten lateinischen Verse und Notizen fertig und mit gallischer Aussprache ablas, ausgenommen bis zu den Worten mortuus est anno MDCCLX. Denn wer solche fremde Zahlen-Zeichen mehr in eigner als in fremder Sprache ablesen muß, weil er diese nicht versteht, fällt halb ins Lächerliche bei aller sonstigen Gelehrsamkeit. –

Er ging mit Walt zum Postmeister, bloß um, wie er gewöhnlich tat, nach Marseiller Briefen vergeblich zu fragen. Dem Postsekretär las er eine schwere französische Aufschrift vor. Walt pries dessen Accent und Prononciation aufrichtig. Auf der Straße macht' ihm nun Flitte zehn vergebliche Male vor, wie er wenigstens beide Worte zu accentuieren und zu prononcieren habe. Walt gestand, daß ihm mehr Ohr als Zunge fehle, drückte ihm die Hand mit dem Bekenntnis, daß er die meisten Franzosen gelesen, aber noch keinen gehört, und daß er deswegen so eifrig auf jeden Laut von Flitte horche; indes berief er sich auf den General Zablocki, ob er nicht vielleicht eine erträgliche Hand von Schomaker davon gebracht. Darauf zeigte ihm Flitte gegenseitig Germanismen der Phrasen, die ihm noch anklebten.

Sie gingen zur Stückjunkerin, bei welcher Walt neulich Saiten aufgezogen hatte. Diese sprach von dem Tode ihres Mannes und der Einäscherung eines Palastes, den sie im belagerten Toulon gehabt, aus welchem sie nichts gerettet, als was sie zur Erinnerung ewig aufbewahrte, einen Nachttopf aus feinstem Porzellan. Der Zug entzückte den Notar durch den vornehmen Zynismus, womit er im Hoppelpoppel Leute von Welt kolorieren konnte. Selten sieht ein romantischer Anfänger einen alten General oder jungen Hofjunker im Zwielicht z. B. pissen, ohne sich an den Schreibtisch niederzusetzen und niederzuschreiben: »Herren vom Hofe stellen sich gemeinhin im Zwielicht in Ecken.« Man sprach viel französisch; und Walt tat, was er konnte, und sagte häufig: comment? – Flitte zeigt' ihm nachher den Germanismus in der Frage.

Sie gingen in die weibliche, ihm durch Vult bekannte Pensions-Anstalt, worin noch mehr Gallizismen und noch mehr Schönheiten regierten. Flitten war nicht nachzufliegen im freien Artigsein; doch wars ihm genug, nur nachzublicken und zwischen den Beeten voll Seelenlilien eng die eine Fußzehe an die Ferse der andern anzuschienen. »Ach ihr Lieben!« sagte sein Herz. Was er nur hörte, erklang ihm so zart; »aber«, dacht' er, »sind denn Frauenzimmer anders? Mitten im unreinen männlichen Weltleben, das alle Ströme und Leichen aufnimmt, sind sie ja abgesondert voll eigner Reinheit; im salzigen Weltmeer kleine Inseln voll frischen klaren Wasser; o diese Guten!« –

Als er heraustrat, wurden ihm auf einem goldnen Eßgeschirr des regierenden Fürsten leichte Farschen, Rouletten und Frikandellen aufgetischt – für die Freßspitzen der Phantasie. Das Geschirr – das Geschenk eines alten Königs – wurde nämlich jährlich zweimal öffentlich auf dem Markte abgescheuert und geputzt unter den Augen eines kleinen Kommandos zu Fuß, das seine Waffen hatte, um es gegen ungeratene Landeskinder zu decken.

Sie gingen zum Galanteriehändler Prielmayer und ließen sich von der Pracht der weiblichen Welt umgeben.

Ein so freier, leichter, alle Stände mischender Vormittag war Harnischen noch nie vorgekommen; ein Musenpferd nach dem andern wurde seinem Siegeswägelchen angeschirrt, und es flog. Flittens Leben hielt er von jeher für ein tanzendes Frühstück und für einen thé dansant; sein eignes hielt er jetzt für ein eau dansant. Er genoß ebensosehr in Flitten – den er sich wie sich begeistert dachte – als in sich selber hinein; die elsassischen Sonnenstäubchen vergoldete und beseelte er zu poetischem Blütenstaub. Zuletzt macht' er, neben ihm gehend, heimlich folgende Grabschrift auf ihn:

Grabschrift des Zephyrs

Auf der Erde flog ich und spielte durch Blumen und Zweige und zuweilen um das Wölkchen – Auch im Schattenland werd' ich flattern um die dunkeln Blumen und in den Hainen Elysiums. Stehe nicht, Wanderer, sondern eile und spiele wie ich.

Um 10 Uhr bracht' ihn Flitte dem Hofe näher: »Wir gehen in die champs élisées und nehmen ein déjeûner dinatoire.« Es war ein bejahrter Fürstengarten, welcher den Weg zur ersten Chaussee im Lande gebahnt hatte. Unterwegs fingen zwar Warnungstafeln gegen Kinder und Hunde an; aber in den champs élisées wurde erst ordentlich alles verboten, besonders die elysischen Felder selber – in keinem Paradies gab es so viele verbotene Bäume und Frucht- und Blumen-Sperren – auf allen Gängen blühten oben oder keimten unten Kerker-Diplome

und Aus- und Einwanderungsverbote – unter Expektanzde-
kreten der Züchtigung durchkreuzte jeder als ein lustwandeln-
der Züchtling das Eden und feierte Petri Kettenfeier im Gehen
und strapazierte sich hinter seinem Rücken – mehr wie eine
Wallfahrt durch Dantes Höllenkreise (der Himmel blieb nirgends als über dem Kopfe) denn als ein katholischer Bußgang
durch Christi Leidens-Stationen kam jedem unter dem schriftlichen Anschnauzen aller fluchenden Bäume und Tempel sein
Lustwandeln vor – – ja der Mensch verstimmte sich zuletzt in
den champs und kam fatigiert heraus.

War Walt je froh und frei: so wars in diesen Feldern; sein
innerer Mensch trug ein Thyrsus-Stäbchen und rannte damit.
Von allen diesen Warnungstafeln war nämlich nichts mehr da
als die Tafel, das Holz, Stein, Blech; die Warnung aber war gut
vermooset, verraset, versandet. Köstliche Freiheit und Freilas-
sung beherrschte nun Eden, wie ihm Flitte beschwur und
bewies. Die ganze Sperrordnung war bloß in jenen Zeiten an
der Tagesordnung gewesen, wo große und kleine Fürsten –
ganz anders als jetzt die großen – (höflich zu sprechen) etwas
grob gegen Untertanen waren, und wo sie als Ebenbilder der
Gottheit – welche darin eben nicht von dem Maler geschmeichelt wurde –, dem mehr jüdischen als evangelischen Gotte der
damaligen Kanzeln ähnlich, öfter donnerten als segneten.
»Was die Herrschaft jetzt etwa im Parke sehr lieb und gern
hat,« sagte Flitte, »dies ist schon besonders recht eingezäunt,
so daß ohnehin niemand hineinkann.«

Beide nahmen ihr déjeûner dinatoire, Morgenbrot und Mor-
genwein, in einem offenen und lustigen Kiosk, unweit des Gar-
tenwirts. Der Notar war erwähntermaßen selig; – den auf- und
absteigenden Tag- und Nachtgarten samt dem leichten, wie
herabgeflogenen Lustschlosse, das ein versteinerter Frühlings-
morgen schien, ferner die Wäldchen, woraus bunte Lusthäus-
chen wie Tulpen herauswankten, desgleichen die gemalten
Brücken und weißen Statuen und die Regelschnüre vieler Hek-
ken und Gänge – – das konnt' er dem Elsasser, dem ers zeigte,

gar nicht feurig genug vorfärben, je länger er trank. Diesem gefiels natürlich; denn gewöhnlich führte er seine Claude-Lorrains nur mit dem einzigen Wort und Striche wacker aus: süperb! – Jeder aber hat seine andere Hauptfarbe der Bewunderung; der eine sagt: englisch! – der andere: himmlisch! – der dritte: göttlich! – der vierte: ei der Teufel! – der fünfte: ei! –

Walt aber sagte, obwohl zu sich: »Dies ist von morgen an, oder ich irre entsetzlich, das wahre Weltleben Eleganter. Bin ich nicht wie in Versailles und in Fontainebleau; und Louis quatorze regiert zurück? Der Unterschied ist schwerlich erheblich. Diese Alleen – diese Beete – Büsche – diese vielen Leute am Morgen – dieser lichte Tag!« – Walten war nämlich, der Himmel weiß von welchen Frühblicken des Lebens, eine so romantische Ansicht von der Jugendzeit des galanten, liberalen, Länder, Weiber, Höfe besiegenden Ludwigs XIV. nachgeblieben, daß ihm dessen Jugend mit ihren Festen und Himmeln wie eine eigene Vorjugend schön als sanftes Feuerwerk in den Lüften vorschwebte und wie der freie frische Morgen eines im Negligé spazierenden Hofs – so daß ihn jeder Springbrunnen nach Marly warf, jede geschniegelte Allee nach Versailles und hohe Fontange-Kupferstiche an Schränken-Wänden ins damalige Königsschloß, ja sogar die ausgeschnittenen aufgepappten Bildchen auf seinem Schreibtische flogen mit ihm in jene lustige Hof-, wenn auch nicht lustige Völkerzeit. – »Ist nicht das Leben der Hofleute« – hatt' er sich mehrmals gesagt – »fortgehende Poesie (wenn anders die französischen Mémoires nicht lügen), ohne pressende Nahrungs-Qualen und in geflügelten Verhältnissen, und die Hofmänner können sich an jedem Musik-Abend verlieben und dann am Garten-Morgen mit den herrlichsten Geliebten spazieren gehen? O wie ihnen die Göttinnen blühen müssen im frischen schminkenden Morgenrot!«

Dadurch genoß er im Garten einen ganz andern, schon beerdigten; als Feuerwerk hing das phantastische Nachbild über dem liegenden Vorbild. Glücklicherweise tat ihm Flitte – der in jeder Gesellschaft stets eine neue suchte – den Gefallen, daß er mit dem Garten-Restaurateur in ein Gespräch geriet und ihn dadurch mit der köstlichen Einsamkeit zu einigen träumerischen Streifzügen beschenkte. Wie freudig tat er diese! Er sah alles und dabei an – die grünen Schatten, von Sonnen-Funken durchregnet – die fernen Seen, einige wie dunkle Augenlider des Parks, einige wie lichte Augen – die Barken auf Wassern – die Brücken über beide – die weißen hohen Tempel-Staffeln auf Höhen – die fernen, aber hell-herglänzenden Pavillons – und hoch über allen die Berge und Straßen draußen, die kühn in den blauen Himmel hinaufflogen – Sein Vormittag hatte sich stündlich geläutert, aus reinem Wasser zur Zephyr-Luft, diese oben zu Äther, worin nichts mehr war und flog als Welten und Licht. Den Bruder hätt' er gern hergewünscht – Winas Blick unter dem Wasserfall sah er am hellen Tage. Er war selig, ohne recht zu wissen wie oder warum. Seine Fackel brannte mit gerader Spitze auf in der sonst wehenden Welt, und kein Lüftchen bog sie um. Nicht einmal einen Streckvers macht' er, aus Flucht des Sylbenzwangs, es war ihm, als würd' er selber gedichtet, und er fügte sich leicht in den Rhythmus eines fremden entzückten Dichters.

In diesem innern Wohlklang stand er vor einem sonderbaren Garten im Garten und zog fast nur spielsweise an einem Glöckchen ein wenig. Er hatte kaum einigemale geläutet: so kam ein reich besetzter schwerer Hofdiener ohne Hut herbeigerudert, um einigen von der fürstlichen Familie die Türe aufzureißen, weil das Glöckchen den Zweck einer Bedientenglocke hatte. Als aber der vornehme Mensch nichts an der Türe fand als den sanften Notar: so filzte er den erstaunten Glöckner in einer der längsten Reden, die er je gehalten, aus, als hätte Walt die Sturm- und Türkenglocke ohne Not gezogen.

Diesem war indes sein Inneres so leicht und fest gewölbt, daß das Äußere schwer eindringen konnte, nicht mit einem Tropfen in sein leichtes fliegendes Schiff; zu Flitten kehrte er sogleich zurück. Sie gingen heim. Die großen Eßglocken riefen die Stadt zusammen, wie zwei Stunden später kleinere den

Hof; dies wirkte auf den satten Notar, der jetzt nicht zum Essen ging, sehr romantisch. Gibt es einen wahren Mann nach der Uhr, der zugleich die Uhr selber ist, so ists der Magen. Je dunkler und zeitlicher das Wesen, desto mehr Zeit kennt es, wie Leiber, Fieber, Tiere, Kinder und Wahnsinnige beweisen; nur ein Geist kann die Zeit vergessen, weil nur er sie schafft. Wird nun dem gedachten Magen oder Manne nach der Uhr seine Speise-Uhr um Stunden voraus oder zurück gestellt: so macht er wieder den Geist so irre, daß dieser ganz romantisch wird. Denn er mit allen seinen Himmels-Sternen muß doch der körperlichen Umdrehung folgen. Das Frühstück, das ein Spätstück gewesen, warf den Notar aus einem Gleise, worin er seit Jahrzehnden gefahren war, so weit hinaus, daß vor ihm jeder Glockenschlag, der Sonnenstand, der ganze Nachmittag ein fremdes seltsames Ansehen gewann. Vielleicht macht daher der Krieg den disziplinierten Soldaten durch die Verkehrung aller Zeiten in unordentlichen Ebben und Fluten des Genusses romantisch und kriegerisch.

Um die Vesperzeit erschien ihm der Schattenwurf der Häuser noch wunderlicher, und in Fraissens Zimmer wurd' ihm die Zeit zugleich eng und lang', weil er wegen seiner untergrabenen Sternwarte nichts voraussehen konnte. Er wollte wieder Monde und begleitete Flitten in ein Billardzimmer, wo er verwundert hörte, daß dieser die Bälle nicht französisch zählte, sondern deutsch. Hier entlief er bald aus dem magern Zuschauen allein hinaus an das schöne Ufer des Flusses. Als er da die armen Leute erblickte, welche an diesem Tage nach den Stadtgesetzen fischen durften (obwohl ohne Hamen) und Holz lesen (obwohl ohne Beil): so erhielt er plötzlich an ihren heutigen Genüssen eine Entschuldigung der seinigen, die ihm allmählich zu vornehm und zu müßiggängerisch vorgekommen waren: »Auch ich habe«, dacht' er, »heute vornehm genug geschwelgt und kein Wort am Roman geschrieben; doch morgen soll ganz anders zu Hause geblieben werden.«

Die langen Abend-Schatten am Ufer und die langen roten

Wolken legten sich ihm als neue große Schwingen an, welche ihn bewegten, nicht er sie.

Er durchstreifte allein die dämmernden Gassen, bereit zu jedem Abenteuer, bis der Mond aufging und seine Mond-Uhr wurde. Da war der Wirrwarr gelichtet, und der Magen wußte, welche Zeit es sei. Vor Winas schimmerndem Hause trug er das vielfach erregte Herz auf und ab; da sank ihm in dasselbe eine stille Sehnsucht wie vom Himmel nieder, und den lustigen Erden-Tag kränzte die heiligste Himmels-Stunde.

N⍛ 53: KREUZSTEIN BEI GEFREES IM BAIREUTHISCHEN

Gläubiger-Jagdstück

Am Morgen freuete sich Walt kindisch in den vergangenen Tag zurück, weil dieser durch eine kleine Wendung sein Leben so schillernd gegen die Sonne gehalten, daß er eine Menge Tage an *einem* verlebte, indes sonst viele hintereinander fliegende, sich deckende Zeiten des Menschen kaum eine zeigen. Heute aber blieb er zu Hause und schrieb sehr.

Das war Flitten nicht recht; zu Hause bleibende Einsamkeit war ihm wohl Würze und Zukost der Gesellschaft, aber nicht diese selber. Indes wer nicht nachahmt, wird eben nachgeahmt; Walt hatte ihm mit seinem poetischen Saus und Braus so sehr gefallen – ob er sich gleich als seine prosaische Sprech-Walze neben jenes dichterischer Spiel-Welle drehte und ihn selten verstehen oder beantworten konnte –, und dessen ungewöhnliches Anlieben und Anlegen hatte den umherfliegenden Menschen so sehr erwärmt, daß er selber mit zu Hause blieb, bloß bei ihm, ob er gleich besser als einer in der Welt voraussah, welche Gläubiger-Moskiten ihn heute stechen würden, da Mücken bekanntlich uns mehr im Stehen als Gehen anfallen. Denn ein Grundgesetz der Natur ist dies: wer nichts baut als spanische Schlösser, rechne auf nichts als spanische Fliegen, welche so gewaltig ziehen. Ein zweites Gesetz ist: man kann nicht früh genug bei einem schlechten Schuldner vorsprechen, der eben Tags vorher Geld bekommen.

Es kam das gewöhnliche wütende Heer, das der Elsasser immer als ein geheiltes zurückschicken mußte, zu rechter früher Tageszeit an; und Flitte konnte es hier wie überall in der besonders dazu gewählten Audienz-Kammer empfangen, um solchem das einzige zu geben, was er hatte, Gehör. Bloß letzteres mußte wieder der Notar versagen, der eifrig-taub fortdichtete, während Flitte von weitem seine Schlachten schlug. Es lohnet der Mühe, die Feldzüge flüchtig zu erzählen, welche der Elsasser an einem Tage tat, bevor er abends das warme Winterquartier des Betts bezog. Der linke Flügel des täglich angreifenden Heeres war aus Juden geworben; und den rechten formierten Zimmer- und Pferde- und Bücher-Verleiher und sämtliche Professionisten des menschlichen Leibs und deren Fisch-Weiber; und an der Spitze zog als Generalissimus ein Mann mit einer Tratte; – die offiziellen Berichte davon sind aber folgende:

Am Früh-Morgen im Nebel griff ein Quarré Juden an; leicht schlug er sie mehr mit grobem Kriegsgeschrei als feiner Kriegslist zurück und sagte nur: »sie wären nur Juden, und er habe noch nichts, und was sie weiter wollten?«

Beim Frühstück mit Walt berennte ihn ein Uhrmacher, von welchem er eine Repetier-Uhr gegen seine Zeige-Uhr und Geld-Assignate eingekauft hatte. Flitte schwur, sie repetiere schlecht, seine sei ihm ebenso lieb – auch repetiert eine Zeige-Uhr wenigstens das Zeigen –, und bot Auswechslung der Gefangnen an. Da nun der Mann die stumme schon selber verkauft hatte – Flitte freilich auch die laute –: so zog sich der Feind mit dem Verlust einer Uhr zurück.

Später sah er zu seinem Glücke aus dem Fenster und die Bewegungen des berittenen Feindes, eines Pferde-Verleihers. Er empfing ihn in der Audienz-Kammer, bekannt mit dessen einhauender Stimme und Kriegsgurgel; erstickte aber dessen Feldgeschrei durch die Dampfkugel, die er so warf: »Lieber Mann! kennt Er die Ecktanne in Kabels Wald, die eben mein Erbstück geworden samt vielem anderem, des Künftigen zu geschweigen? – Eine Mühlwelle drechselt sich daraus her! – Was brauchts Redens! Kurz, ich hatte sie schon halb einem andern versprochen; Er soll aber das Vorzugsrecht haben – schätz' Er sie – dann geb' Er nach Abzug der Schuld heraus, was honett ist – was sagt Er, mein Freund?« – Sein Feind versetzte, das sei einmal ein Wort, das Hand und Fuß habe, und räumte das Feld.

Hart hinter ihm trabte ein zweiter Pferdelieferant ein, in langem, blauen, über dem Schurzfell aufklaffenden Überrock, und schob grimmig und grüßend die Ledermütze von hinten über die halbe Stirne hinein: »Wie wirds?« fragt' er. »Finten und Quinten schlagen heute nicht an bei mir.« – »Gemach!« versetzte Flitte. »Kennt Er die Ecktanne etc.? – Eine Mühlwelle drechselt etc. – Kurz, ich hatte sie schon etc.« – Der Feind versetzte: »Ists aber Vexiererei: Gott soll – Gott befohlen!«

Mit einer harthörigen Altreißin turnierte er gefährlich, weil ihr Geschrei nur mit einem solchen empfangen werden mußte, daß Walt es vernehmen konnte. Zum Glück konnt' er einen alten vergoldeten Schaupfennig – der schon 100mal seine Belagerungsmünze und sein Hecktaler gewesen – herausziehen und ihr hinhalten und bloß ins Ohr schreien: »Wechseln – abends 6 Uhr!« Doch feuerte sie auf dem Schlachtfeld noch lange fort, weil sie sich nie verschoß. Die weibliche Bellona ist furchtbarer als der männliche Mars.

»Nur hieher!« rief er; ein kurzstämmiger, rundbackiger, runder Apothekers-Junge kugelte sich herein. »Allhier überbring' ich als Diszipel unserer Hechtischen Offizin laut Rechnung die Rechnung für die arme Bitterlichin in der Hopfegasse, weil sich mein Herr Prinzipal bestens empfiehlt und die Heilungskosten dafür zu haben ersucht. Es ist nur von wegen unsrer Ordnung in der Offizin; denn übermorgen werde ich bekanntlich zum Subjekt gesprochen.« Vor dem sanften Feinde streckte er das Gewehr, eine halbe Pistole (auf alten Pistolenfuß), sagte aber: »Herr Hecht lässet sich seine versilberten Pillen stark vergolden. Den Geburtshelfer – richt' Ers aus – hab' ich schon saldieret.« – »Guter, guter Mann!« sagte Walt. »Die Frau war ja in den kümmerlichsten Umständen von der Welt und heute noch; und ist nicht einmal hübsch dabei«, sagt' er.

Ungesehen war eben ein Heerbann eingerückt, *einen* Banner stark, der so anfing: »Gehorsamer! – Ein für allemal, der Mensch läßt sich in die Länge nicht hänseln. Seit Pauli Bekehrung bin ich Sein Narr und laufe nach dem bißchen Mietzins. Herr, was denkt Er denn von Unser-Einem?« – »Weiß Er wohl,« versetzte Flitte, »daß ich nur messenweise zahle und überhaupt mich gar nicht mahnen lasse, Er?« – »So?« erwiderte der Banner. »Ich und noch drei Hausherren und der Stiefelwichser haben uns schon zusammengeschlagen und die Schuld dem Armen-Leute-Hause vermacht.« – »Wahhas, ungehobeltes Pack?« sang Flitte dehnend. »Das ist mir ja recht lieb. Eben gab ich dem Hechtischen Subjekt (der Herr da zeugts) ein halbes Goldstück für die blutfremde blutarme Bitterlich; was geht sie mich weiter an?« – Hier hielt er ihm den einen, mit einem Ringe zugeschraubten vollen Beutelpol mit der Erklärung vor, der Zins sei hier für ihn schon bereitgezählt gewesen, jetzt bekomm' er keinen Deut; – worauf der Feind nach vergeblichen Einlenkungen, das Armenhaus habe nichts Schriftliches, ohne alles klingende Spiel abzog, äußerst verdrüßlich, daß der Beutel, wie bei den Türken, das Geld selber bedeutet habe.

Diesem folgte der 23te Herr, der Territorialherrschaft über ihn ausgeübt – dem 23ten sukzedierte der 11te – diesem der fünfte – jeder, um den Grundzins, die Quatembersteuer, das Stättegeld für den Winkel seines Staatsgebäudchens einzutreiben. Groben Herren gab er nichts als die Antwort, unter ihnen sei in die Zimmer mehr der Wind als das Licht eingedrungen, die Aufwartung schlecht und die Möbel alt gewesen. Höfliche bezahlte er für ihre Territorialrechte mit Territorialmandaten auf die zehn Erb-Stämme, mit den Bonbons der Bons. Darauf kam der Herr, der vor dem Türmer regiert hatte, ein frommer Huter, mit zwei großen grauen Locken, welche aus dem knappen Lederkäppchen vorwalleten, und bat ihn um ein Darlehn, gerade die Hälfte der Schuld. Flitte gab ihm das Geld und sagte: »Ohnehin restiere ich, entsinn' ich mich recht, noch etwas, Herr Huter.« – »Es wird sich finden«, sagt' er.

Nach dem Vesperbrot lief ein Bücherverleiher Sturm und Gefahr. Er forderte für ein Buch à 12 gr. und 12 Bogen genau 2 Tlr. Lesegeld auf 2 Vierteljahre. Flitte hatte nämlich nach seiner Weise, keine Sache abzuborgen, die er nicht ihrer Bestimmung gemäß wieder verborgte, das Werk so lange umlaufen lassen – denn jeder ahmte ihm nach –, daß es verloren war. Umsonst erbot er sich zum Drittel, zum Kaufe; der Verleiher bestand auf Lesegeld und fragte, ob viel mehr als ein Pfennig auf die Seite komme. Selber Walt suchte den Verleiher von seinem »Eigennutzen« zu überzeugen. »Eigennützig? das verhoff' ich eben; vom Eigennutzen lebt der Mensch«, sagte der Verleiher. Flitte ließ ihn ganz kurz ab- und wild in die nächste Gerichtsstube hineinlaufen, nachdem er bloß zehn Neujahrswünsche und fünf Kalender, die er zur Auswahl gehabt und behalten, großmütig bezahlet hatte.

Kurz vor 6 Uhr wollte das Paar ein wenig in die Luft, von der Flitte am liebsten lebte; auf der Hausschwelle bebte der Pinselmacher Purzel – jüngerer Bruder des Theaterschneiders – ihnen entgegen mit einem ausgehöhlten Gesicht wie ein Hohlglas (Stirn- und Kinn-Ränder waren konvex) – das verschabte Überröckchen auf die linke Seite hinübergeknöpft – mit einem langen Fadenwurm von Zopf aus Zopfband – und wackelnd mit dem rechten Knie: »Ihro gnädigen Gnaden«, fing das Jammerbildchen an, »werden meinen Miniatur-Pinsel vorgestern herrlich und nett erhalten – Ich stehe davor, daß der Pinsel ganz vortrefflich einigermaßen – und bitte denn um das Wenige, was er kostet, und auch, daß Sie mir bei dieser Gelegenheit etwas schenken.« – »Hier!« sagte Flitte zum stillen lebendigen Friedensfest, ja ruhigen Reichs-Friedensprotokoll, zu Purzel dem Jüngern.

Abends machte den Waffentanz der Cafetier Fraisse mit einem Großvatertanz aus. Er kam herauf, um höflich anzumerken, es sei seine herkömmliche Weise, Gästen aus der Stadt jeden Abend die Rechnung zur Einsicht vorzulegen, damit sie solche sähen und saldierten. Walt sah hier zum erstenmale einen französischen oder elsassischen Zorn ohne Ohren; es war ein stürzend-fortrollender Streit- und Sichelwagen, woran Flüche, Schwüre, Blicke, Hände auf- und niederschlugen und zersäbelten. Fraissen wurde das nötige Geld vor die Füße, ja an den Kopf geworfen, dann eingepackt und fluchend fortgezogen in des verreiseten Doktor Huts leeres Haus. Walt wehte durch seine niederblasenden Friedenspredigten die Flammen nur höher auf. Eine verlebte Stunde war für Flitte der einzige Epiktet.

Nᵒ 54: SURINAMISCHER ÄNEAS

Malerei – Wechselbrief – Fehdebrief

Licht und leicht flogen die Horen in Doktor Huts vielgehäusigem Hause ein und aus und holten Honig. Hier, in diesem sonnenhellen Eiland der unschuldigen Freude, sah Walt keinen höflich-groben Fraisse – hörte keinen Geld-Werber und Geld-Jäger, der das durch Kontrakte eingezäunte Wild pürscht, keinen aus den fünf (Mosis-Bücher-)Klassen der Gläubiger, die uns ewig an die Lebens-Darre und Dörrsucht erinnern – hier hört' er nur Liederchen und Sprünge; hier waren ganze Sackgäßchen aus dem *neuen* Jerusalem. Denn was aus dem *alten* teils von Juden, teils von Christen einwanderte, konnt' er nicht hören, weil Flitte sich von seinen Arsenikkönigen der Metalle, den Gläubigern, bloß in einem fernen Schmollwinkel vergiften ließ. Im ersten Stockwerke wohnte die streitende Kirche, Flitte und die Könige; im dritten die triumphierende, Flitte und Walt.

Indes brachte der Notar es doch nicht so weit, daß er gar nichts gemerkt hätte. »Ich wollt', ich wäre kurzsichtiger,« (sagt' er sich) »bedenkt man, wie froh und freigebig der gute Mensch schon ist in Drangsalen, und wie ers vollends wäre ohne die geringsten Qualen – denn wahrlich gewisse Menschen hätten Tugend, wenn sie Geld hätten –, und mit welcher Süßigkeit er vom Reichsein spricht: wahrhaftig, so wüßt' ich keinen schönern Tag als den, wo der arme Narr die höchsten Geldkästen und Geldsäcke plötzlich in seiner Stube stehen sähe. Wie könnten einem solchen Menschen schon die Zinsen von den Zinsen der Zinsen der englischen Nationalschuld aufhelfen!« Er fragte, warum, da alle Leiden Ferien finden, denn die eines deutschen Schuldners nie absetzen, indes in England doch der Sonntag ein Ruhetag des verschuldeten Ohrs ist, wie sogar um die Verdammten (nach der jüdischen Religion) am Sabbat, am Feste des Neumonds und unter dem wöchentlichen Gebete der Juden die Hölle erstirbt und ein sanfter kühler Nachsommer des begrabnen Lebens über die heißen Abgründe weht.

Lieblich überwallte ihm das Herz, wenn er sich das Seelenfest ausfärbte, womit er den Flötenspieler durch den Elsasser und diesen durch jenen zu beschenken hoffte, wenn er Vulten die unschuldige liberale poetische Lebensfreiheit Flittens beschwüre und diesem einen Spiel- und Edelmann zugleich zuführte: »O ich will dabei dem wackern Bruder das Bewußtsein und Geständnis, geirrt zu haben, so sanft ersparen!« sagt' er entzückt.

Immer wärmer lebten beide sich in die Woche und ineinander hinein, sie hätten die Probewoche lieber wiederholt als geendigt. Flitten war das liebende, warme Wesen, womit Walt wie mit einer elektrischen Atmosphäre umgeben war, etwas Neues und Anziehendes; er konnte zuletzt schwer mehr ohne ihn aus dem Hause.

Walt machte daraus desto mehr, je weniger beide eigentlich, wie er fühlte, einander unterhalten konnten; ihre Nervengewebe hatten sich verstrickt, sie waren wie Polypen ineinander gesteckt; doch fraß jeder so auf eigne Rechnung, daß keiner weder der Magen noch die Nahrung des andern war.

Es kam der letzte Probe- und Flitterwochentag. Walt scheuete alles Letzte, jedes scharfe Ende, sogar einer Klage. Ein Ripienist von Vults Spiele in Rosenhof hatte dessen Eintreffen verkündigt. Auch der Doktor Hut wollte nachts anlangen. Einige schöne Mitternachtsröte stand ihm bevor. Flitte bat ihn, diesen letzten Nachmittag, wo sie beisammen wären, ihn zu Raphaelen zu begleiten, welche ihm heute flüchtig sitze zu einem schlechten Miniatur-Porträt für den Geburtstag ihrer Mutter: »Wir drei sind süperbe allein«, fügt' er hinzu. »Wenn ich nun male, parlier' ich wenig; und doch animiert Reden ein Gesicht unglaublich.« Ob Walt gleich wenig delikate Welt darin fand, daß man ihn als Sprach- und Reiz-Maschine vor ein Sitzgesicht aufzustellen trachtete: so folgte er doch. Er wars schon gewohnt seit einer Woche, einige Male des Tags zu erstaunen über Mangel an zärtester Denkart, sowohl auf dem Markte als in den besten Häusern, welche äußerlich einen glänzenden Anstrich und Anwurf hatten.

Mit Vergnügen kam er in dem eigenen Hause wie in einem fremden an. Raphaela lächelte beiden von der obersten Treppe herab und führte sie hastig in ihr Schreibzimmer hinein. Hier waren schon widersprechende Weine, Eise und Kuchen gehäuft. Da eine Frau leichter das Herz als den Magen eines Mannes errät: so weiß sie freilich nicht, was er abends um 4 Uhr am liebsten trinkt. Ein Bedienter nach dem andern sah durch die Türe, um einen von Raphaelens Wünschen zu holen und erfüllt zurückzubringen. Die ganze Dienerschaft schien ihre Regierung für eine goldne von Saturn zu halten; man sah einige von der weiblichen sogar im Park spazieren gehen. Die immer voller ins Zimmer hineinströmende Abendsonne und der Freudenglanz, der jedem Gesichte steht, bewarfen das Mädchen und die Situation mit ansehnlichen Reizen. Flitte war gegen Raphaela nicht die Falschheit selber, sondern ein Fünftelsaft von Wesen – nämlich ein Fünftel galant, ein Fünftel gut, eines sinnlich, eines geldsüchtig, ein Fünftel ich weiß nicht was, als sie zu Walts Entzücken gesagt hatte: »Schmeicheln sollen Sie meinem Gesichte nicht, es hilft nichts; machen Sie es nur, daß ma chère mère es wiedererkennt.« – Im Notar kroch heimlich die stille Freude herum, daß er jetzt gerade unter seinem eignen Zimmer stehe, im Hause zugleich Gast und Mietsmann, daß er ferner nicht die kleinste Verlegenheit spüre – denn Flitte war ihm nicht fremd, und über *eine* Frau war schon zu regieren –, und daß die schönsten Düfte und namenlosesten Möbeln jede Ecke schmückten: »Hätt ich aber dies sonst als Bauernsohn aus Elterlein denken sollen?« dacht' er.

Flitte zog nun das Elfenbein und das Farbenkästchen hervor und erklärte dem Modelle, je freier und belebter es sitze, desto besser glück' es dem Maler. Indes hätte sie ebensogut auf dem Nordpol sitzen können, er aber auf dem Südpol kleben: die Ähnlichkeit wär' ihm nicht anders gelungen; er, überhaupt kein malerischer Treffer, wollte nichts treffen als das, was sie anhatte. Sie setzte sich hin und verfertigte das Sitz-Gesicht, das die Mädchen unter dem Malen schneiden. Die noble masque, womit sich alsdann der Mensch überstülpen will, ist das Kälteste, wozu er je sein Gesicht aushauet, so daß seltner Menschen als ihre Büsten porträtiert werden. Dieses Gesicht heißet in weiblichen Pensions-Anstalten das Sitz-Gesicht der Mädchen; – dann kommt das gespannte Frisiergesicht – dann das essende Butterbrot-Gesicht, eines der breitesten – endlich zwei Ballgesichter, das eine, die Wetterseite, für die Putzjungfer, das andere, die Sonnenseite, für den Tänzer. Walt kam jetzt in Gang und ins Feuer, und zwar um selber zu malen, nicht um andere malen zu helfen. Er kelterte – vortrefflich genug – Auszüge aus seiner neuesten Reise um die Welt und mischte beiher ein, daß er ihre Freundin, Wina, unter der Katarakte gesehen. Unter allen Erzählern und Unterhaltern sind Reisebeschreiber die glücklichsten und reichsten; in eine Reise um $\frac{1}{1000000}$ der Welt können sie die ganze Welt bringen, und niemand kann ihnen (zweitens) widersprechen. Der Notar wollte sich seiner malerischen Stärke in Sommer- und Herbst-Landschaften – Flitte lieferte die Winter-Landschaft – noch stärker bedienen und setzte zu einem wandbreiten goldnen Bergstücke der Rosenhöfer Berghörner an; – aber Raphaela war ganz entzückt davon und brachte die Rede bald auf ihre Freundin Wina, um solche allein fortzuspinnen. Sie erhob deren Reize und Handlungen mit Feuer – sie zeigte ein Mahagony-Kästchen, worin deren Briefe lagen – sie wies die sogenannte Winens-Ecke im Winkel, wo diese gewöhnlich saß und zwischen der Park-Allee der untergehenden Sonne nachsah – sie glänzte ganz liebend und warm. – Der Notarius war ziemlich schwach bei sich; nach seinen stillen Augen zu urteilen, jubelte er laut, feierte er Bacchanalien, trieb artes semper gaudendi, lieferte Lusttreffen, sprach sich selber die Seligsprechung – ja er ging so weit, daß er sich zufällig hineinsetzte in Winas Ecke –

Der Jubel wuchs ganz. Man trank fort – in jeder halben Viertelstunde machte ein Diener die Türe auf, um einen zweiten spätern Befehle wegzufangen. Flitte wußte gar nicht, wie er auf einmal zu der Glückseligkeit gelangte, daß man so viel sprach ohne alles Langweilen zum Henker, und daß Raphaela sich so herrlich enthusiasmierte. Zufällig rückte Walt den Fenster-Vorhang, und eine Sonne voll warmer Tinten übergoß Raphaelens Gesicht, daß sie es wegkehrte; auf sprang Flitte, wies ihr ihr Sbozzo, fragte, ob es nicht halb aus den schönen Augen gestohlen sei. »Halb? Ganz!« sagte Walt aufrichtig, aber einfältig; denn sie hätte demselben Bildchen ebensogut mit dem Hinter-Kopfe und Stahlkamm gesessen. Der Elsasser gab ihr darauf einige Küsse öffentlich. Er tats vermutlich zu abrupt, dachte zu wenig daran, daß auch *erblickte* Empfindungen – so gut als *gelesene* – vor dem Zuschauer wollen motiviert sein; Walt sah eiligst in den Park und stand endlich gar auf.

»Ich wäre ja ein Satanas,« dacht' er, »ließ' ich sie nicht einander abherzen« und schlich unter einem landschaftsmalerischen Vorwand ein wenig auf sein Zimmer. Flitte machte sich, sobald er die Türe zugedrückt, vom schönen Munde wieder ans Malen desselben und punktierte fleißig. »Wie müssen jetzt die Seligen«, sagte oben Walt, »einander an den Herzen halten, und die Abendsonne glüht prächtig dazwischen hinein!« – In seine eigne Stube quoll das Füllhorn der Abendrosen noch reicher und weiter aus; dennoch standen seine verschlissenen Zimmer-Pieces (die Wohn- und die Schlaf-Kammer) im Abstich von der eben verlassenen Putz-Stube, und er maß die Kluft seines äußerlichen Glücks. Er wurde weich und wollte aus Sehnsucht, die Liebe wenigstens zu sehen, eben eilig hinunter, als Vult hereintrat. Ans Herz, ins Herz flog ihm Walt: »Ach so himmlisch,« sagt’ er, »daß du jetzt eben kommst!«

Vult, mit sanfter Stimmung zurückkehrend, tat zuerst (nach seiner Gewohnheit) die Fragen nach fremder Geschichte, eh’ er die nach eigner auflöste. Walt teilte frei und froh den Ablauf des Notariats-Amtes und den Verlust der 70 Stämme mit. »Schlimm ists nur,« sagte Vult gelassen, »daß ich gerade selber verschwende und Geld verachte; sonst würd’ ich dir aus Vernunft, Gewissen, Geschichte zeigen, wie sehr und wie recht ich meine Ebenbildnerei an andern, z. B. an dir, verfluche. Verachtung des Geldes macht weit mehrere und bessere Menschen unglücklich als dessen Überschätzung; daher der Mensch oft pro prodigo, nie pro avaro erklärt wird.« – »Lieber ein volles Herz als einen vollen Beutel!« sagte lustig Walt und sprach sogleich von der neuen Erbamts-Wahl und von der schönen Flittes-Woche und vom Lobe des Elsassers: »Wie oft«, beschloß er, »wünscht’ ich dich her in unsere heimlichen geflügelten Feste hinein; auch damit du ihn weniger hart richten lerntest; denn dies tust du, Lieber!«

»Flitte scheint dir erhaben? ein Seelenklassiker oder so? Und seine Lustigkeit poetisches Segel- und Flugwerk?« fragte Vult. »Ich habe in der Tat«, versetzte Walt, »recht gut seinen schönen Temperaments-Leichtsinn, der nur Gegenwart abweidet,

von dem dichterischen leichten Schweben über jeder unterschieden; er freuete sich nie lange nach.« –

– »Hat er dich in deiner Probe-Woche, die du dir selber sehr
gut ohne allen fremden Rat gewählt, keine bedenklichen
Sprünge machen lassen, die etwa Bäume kosten?« sagte Vult.
»Nein,« versetzte Walt, »aber französische Fehltritte hat er mir
abgewöhnt.« Hier fuhr der Notarius fort und bediente sich der
fragenden Figur, ob Flitte ihm nicht das Feinste entdecket
habe, z. B. daß man nie oder selten comment fragen müsse,
sondern höflicher Monsieur oder auch Madame? Hab' ers nicht
gerügt, fragte Walt, als er so ganz unfranzösisch bon appetit
wünschte, oder eine Kammerfrau, femme de chambre, zur
Kammerjungfer machte, oder einen friseur nicht coeffeur hieß?
Hab' er ihm nicht gut erklärt, warum porte-chaise dumm sei,
weil man die Wahl habe zwischen einer chaise à porteur und
porteurs de chaise?

»Ich glaube nicht,« sagte Vult, »daß dich diese Sprachstun-
den mehr kosten als den Rest des Kabel-Walds.« – »Ein Hund
woll' er heißen,« sagte Walt, »schwur mir Flitte, benütz' ers. In
der Rechtschreibung aber dient' ich ihm, z. B. jabot schrieb er
chapeau. Ach, bekäme der Arme nur weniger Gläubiger und
mehr Geld!« – »Das wird eben deine Klippe auf ihm«, sagte
Vult. »Wer arm *wird* – nicht wers *ist* –, verdirbt und verderbt,
und wär's nur, weil er jeden Tag einen andern Gläubiger oder
denselben anders zu belügen hat, um nur zu bestehen. So feiert
er jeden Tag ein Fest der Beschneidung fremder Narren. So
muß auch jeder Schuldner ungemessen prahlen; er muß mit
Leibnizens Dyadik die 8 (z. B. Gulden) mit 1000 schreiben.
Welche Reden – jeden Tag eine andere – hab' ich oft denselben
Schuldmann an seinen Faust- und Pfand-Gläubiger halten
hören und seine herrliche Unerschöpflichkeit Dichtern und
Musikanten gewünscht, womit er dasselbe Thema – daß er
nämlich eben nichts habe – so köstlich und süß immer mit
Variationen vorzuspielen verstanden!« – »Ich lasse dich erst
ausreden«, sagte Walt.

»So beschoß z. B., um es kurz zu machen,« – fuhr Vult fort –
»der polnische Fürst *** in W. jeden Gläubiger anders; denn
ich stand dabei; gemeines tiefes Volk beschoß er teils mit dem
dragon, der 40 Pfund schießt, teils mit dem dragon volant, der
32 – nämlich er war grob gegen das Grobe – Honoratioren,
besonders Advokaten, denen er schuldete, griff er teils mit der
coulevrine, die 20 Pfund schießt, teils mit der demi-coulevrine
an, die 10 – höher hinauf gebraucht' er den pelican, der 6 – den
sacre von 5 – den sacret von 4 – und gegen seinesgleichen, einen
Fürsten, den ribadequin, der 1 Pfund schießt.«

»Nun«, begann Walt, »darf ich dir doch mit einiger Zufriedenheit berichten, daß der gute Mensch, weit entfernt, harther-
zig zu sein, eben durch Arme selber ein Armer wird. Aus lauter
guter Freude über ihn bezahlt' ich hinter seinem Rücken zwei
Damenschneiderinnen; denn er selber braucht doch nur einen
Herrenschneider, und zwar *einen;* so aber überall; z. B. die Bitterlich.« – Da entbrannte der Bruder – sagte, dies sei vollends der
Satan, im Dezember Häuser anzuzünden, um einige Brände an
Hausarme auszuteilen – niemand verschenke mehr als Personen, die man später henke – nichts sei weicher als Schlamm, der
versenke – Tyrannen, solche Tränen-Räuber, sängen und klängen wie Seraphim, aber mit Recht, da Seraphim feurige Schlan-
gen bedeuteten – und hass' er etwas, so sei es diese Mischung von
Stehlen und Schenken, von Mausen und Mausern – –

»O Gott, Vult!« – sagte Walt – »kann der Sterbliche so hart
richten? – Soll denn ein Mensch sich gar nicht ein wenig lieb
haben und etwas für sich tun, da er doch den ganzen Tag bei
sich selber wohnt und sich immer hört und denkt, was ihn ja
schon mit den niedrigsten Menschen und Tieren zuletzt ver-
söhnt, nämlich das Beisammensein? Wer nimmt sich denn
eines armen Ichs von Ewigkeit zu Ewigkeit so sehr an als dieses
Ich selber? – Ich weiß recht gut, was ich sage; und jeden Einwurf. Doch basta! – Nur möcht' ich wissen, wenn man wie du
schon kalt und ohne Leidenschaft die armen Menschen so rauh
richtet und nimmt: was dann werden soll in heftiger Hitze, wo

man von selber übertreibt. Vielleicht wie mit deiner Uhr, wovon du mir sagtest, daß der Stift, bloß weil er eben und recht passe, in kalter Zeit gut tue, aber in der Hitze, weil er sich ausdehne, das Werk aufhalte.«

»Solltest du nicht getrunken haben?« – sagte Vult – »du sprichst heute so viel; aber in der Tat sehr gut.«

Nun bat ihn Walt, selber mitzutrinken und mit ihm hinabzugehen, um sich drunten mit eignen Ohren von seinem schönen Leben mit Flitte zu überreden. »Der Tollheit wegen tu' ichs,« versetzt' er, »ob ich gleich weiß, daß ich beiden bürgerlichen Narren einen Eitelkeits-Jubel über die Herablassung eines adeligen bereite; du aber mußt mich mit einer Feinheit zu entschuldigen wissen, die kaum zu schätzen ist.«

»Herr v. Harnisch« – führte drunten Walt ihn ein – »fand mich in meinem Zimmer; wie sollt' ich, Demoiselle, nun mein Vergnügen schöner teilen, als daß ichs mit ihm und mit Ihnen zugleich teilte.« Er warf dies so leicht hin und bewegte sich so leicht auf und ab – auf den teils von Flitte bisher polierten Rädern, teils auf den vom Wein eingeölten –, daß Vult ihn heimlich auslachte und sich dabei ärgerte; er verglich still den Bruder mit Minervens Vogel, mit einer Eule, der der Vogelsteller gewöhnlich noch einen *Fuchs*schwanz anheftet. Das erstemal, da ein Mensch, den wir vorher als unbeholfen gekannt, uns beholfen und gewandt vorübertanzt, will er unsrer Eitelkeit durch einen Schein der seinigen nicht sonderlich gefallen.

Vult war sehr artig – sprach über Malen und Sitzen – lobte Flittes Miniatur-Punktierkunst als ziemlich ähnlich, ob die Farben-Punkte gleich so wenig als roter und weißer Friesel ein Gesicht darstellten – und lockte dadurch den Bruder, der aufrichtiger lobte, in den Ausbruch der schelmischen Zartheit hinein: »Raphaela ist ja nicht weit von Raffael.«

Als jene indes nach ihrem Trauerreglement der Lust, sich ihr Freudenöl in Tränentöpfen zu kochen, auf des Flötenspielers Musik, dann schnell auf die Blindheit und deren schönen Eindruck auf andere verfiel und sich nach seinem Augen-Stand erkundigte, unterbrach Vult sie kurz: »Das war nur ein Scherz für mich und ist vorüber ...... Herr Notar, wie können wir beide so müßig dastehen und reden, ohne zum Malen zu helfen?« – »Herr von Harnisch?« fragte Walt, ohne comment zu sagen. »Kann denn nicht einer von uns, Freund, vorlesen« – versetzte Vult – »ist nichts dazu da? – und ich dazu die Begleitung blasen? – Wie oft sah ich auf meinen Reisen, daß Personen, welche saßen, sich hoben und entfalteten, weil nichts die Physiognomie, welche der Maler auffangen will, in ein so schönes Leben setzt als eine mit Musik begleitete Vorlesung von etwas, das gerade anpaßt!« –

Raphaela sagte, sie nehme freilich ein Doppelgeschenk von Musik und Deklamation dankend an. Vult faßte einen nahen Musenalmanach – blätterte – sagte, er müsse klagen, daß in allen Musenkalendern leider der Ernst zu hart mit dem Spaß rangiere, wie in J.P..s Werken, wolle aber Hoffnung geben, daß er vielleicht durch Töne zu diesen Mißtönen Leittöne herbeischaffe – und reichte Walten eine Elegie, mit der Bitte, sie vorzulesen und darauf unbekümmert die satirische Epistel und dann das Trinklied.

Da dieser erfreuet war, daß er seinem Feuer eine Sprache, obwohl eine nachsprechende, geben durfte: so verlas er so heiß, laut und taub das sehr rührende Gedicht, daß er gar anfangs nicht vernahm, mit welchen närrischen ⅝ Takten, Ballett-Passaden, sogar mit einem Wachtelruf ihn der Bruder flötend sekundierte. Erst als er die satirische Epistel vorlas, hörte er in der Kälte einigen Wider-Ton, daß nämlich Vult dem Witze mit Lagrimosis-Passagen und einigen Sylben aus Haydns sieben Worten zur Seite ging; er nahm sie aber für Überreste voriger Rührung. Dem Trinkliede nachher setzte Vult mehrere Languidos-Halte, gleichsam schwarz und weiße Trauerschneppen, an. Der Widerstreit preßte den Zuhörern einen gelinden Angstschweiß aus, der eben, wie Vult fest behauptete, ein Gesicht, das sitze, beseele.

Aber plötzlich trat ein ganz anderer Miß- und Dur-Ton, der

vier Fuß lang war, höflich mit dem Hut in der Hand ins Zimmer. Es kam nämlich der Reisediener des Kauf-Herrns in Marseille, bei welchem Flitte lange gewesen, und präsentierte ihm einen fälligen Wechsel, den er auf sich ausgestellt.

Flitte verlor die Farben, die er Raphaelen geliehen, und verstummte ein wenig, und wurde wieder reich an roter. Endlich fragte er den Reisediener: »warum er so spät am Verfalltage komme? Jetzt hab' er eben nichts.« Der Diener lächelte und sagte, er habe ihn vergeblich gesucht zu seinem Verdrusse, denn er müsse jede Minute fort, sobald er die Valuta habe. Flitte zog ihn aus dem Zimmer auf *ein* Wort; aber fast noch unter dem Worte trat der Fremde wieder mit gezuckten Achseln ein und sagte: »Entweder – oder –; in Haßlau gilt das sächsische Wechselrecht.« Lieber fuhr Flitte in die Hölle, welche wenigstens gesellig ist, als in die Einsiedelei des Kerkers; dennoch lief er ohne eine sanfte Miene auf und ab und murmelte fluchende Angriffe; endlich sagt' er französisch Raphaelen etwas ins Ohr. Diese bat den Reisediener so lange um Geduld, bis eine Antwort auf ein Blättchen von ihr zurück sei; es war eine Bitte an ihren Vater um Geld oder Bürgschaft.

Flitte setzte sich wieder zum Malen mit jener Folie des Stolzes nieder, wovon der Diener eigentlich den Juwel besaß. Walt jammerte leise und flatterte so ängstlich *um* den Bauer als Flitte in demselben und folgte jedem Umherschießen des eingekerkerten Vogels außen am Gitter nach. Vult beobachtete scharf den gewandten Diener: »Sollt' ich Sie nicht«, sagt' er, »in der Gegend von Spoleto schon gesehen haben, wovon die alten Römer, wie bekannt, die Opfer-Tiere hergeholt wegen der *weißen* Farbe?« – »Ich war nie da und reise bloß nördlich,« (sagt' er) »mein Name klingt zwar italienisch, aber nur meine Großeltern warens.« – »Er heißet Mr. Paradisi«, sagte Flitte.

Endlich kam Neupeters Antwort, Flitte sah keck mit Raphaela ins aufgehende Blatt: »Ich glaube, du bist betrunken. Dein Vater P. N.«

Mit großem Schmerzen blickte sie sinnend auf die Erde. Der

Elsasser war von oben und von unten gerädert zu einem organischen Knäul und sann, wiewohl ins Blaue hinein. Paradisi trat höflich vor Raphaela und bat um Vergebung, daß er sie und die Gesellschaft in der schönen Stunde des Malens unterbrochen habe; »aber«, beschloß er, »Herr Flitte ist in der Tat ein wenig mit schuld.« – »O sacre!« sagte er, »was bin ich?« – »Sie kommen«, fragte Raphaela, »aus Norden wieder hiedurch? und wann?« – »In sechs Monaten, aus Petersburg«, sagte der Reisediener. Darauf blickte sie ihn, dann den Notar mit feucht-bittenden Augen an. »O, Herr Paradisi!« (fuhr dieser heraus) »ich will ein Wort mit wagen – ein Kriegszahlmeister, den Herr Flitte im Reichs-Anzeiger auffodert, muß ihn dann gewiß bezahlt haben –« – »Lassen Sie denn keine Bürgschaft bis zu Ihrer Rückkehr zu, edler Signore?« fragte Raphaela. »Herr Harnisch!« sprach sie und zog ihn in ihr Schlafzimmer. »Nur auf *ein* Wort, Herr Notar!« sagte Vult. »Gleich!« versetzte Walt und folgte Raphaelen.

»Ach guter Harnisch,« fing sie leise an, »ich bitte Sie mit Tränen – ich weiß, Sie sind ein edler Mensch und lieben den armen Flitte so aufrichtig – denn ich weiß es von ihm selber – Und er verdients, er geht Freunden durchs Feuer – Mit diesen meinen Tränen. . . .« Aber eine nahe laute Trommelschule von Kriegs-Anfängern ein taub-stumm-machendes Institut, zwang sie, unwillig inne zu halten. Er blickte ihr unter der Lärmtrommel in die großen runden Regen-Augen und nahm ihre weiße Wachs-Hand, um etwan durch beides ihre Bitte zu erraten. »Mit Wonne tu’ ich alles,« – rief er im wohlduftenden Kabinette voll Abendsonnen und roter Fenstervorhänge, voll Amor und Psychen und vergoldeter Standuhren mit herübergelegten Genien – »weiß ich nur *was*.«

»Ihre Bürgschaft für Herrn Flitten,« (fing sie an) »sonst muß er heute noch ins Gefängnis; – hier in Haßlau, ich beteure Ihnen, borgt und bürgt für ihn kein Mensch, selber mein lieber Vater nicht. – O wäre meine Wina da; – oder hätt’ ich mein Nadelgeld noch. . . .« –

Sie schlug ihren weißen Bettvorhang auf die Seite und wies ihn oben auf die kurze Furche des blendenden Deckbettes mit den Worten: »Da liegt er stets am Morgen, der holdselige Wurm, den ich ernähre, ein Soldatenkind – aber ich bürg' Ihnen für alles.« – »Herr Notarius Harnisch,« rief Vult aus dem Malerzimmer, »Sie sind hier nötig!« –

»Ich bin in der Tat selig« (sagte Walt und faltete die gehobnen Hände) – »Auch jene teuren Spielwaren dort auf dem Tisch schafften Sie für Kinder an?« – »Ach ich wollte lieber, ich hätte das Geld noch«, sagte Raphaela. – »Mit welcher Gesinnung ich Herrn Paradisin Bürgschaft leiste – denn ich leiste sie –, brauch' ich wahrlich Ihnen in solchem Zimmer nicht auszusprechen; glauben Sie mir!« sagt' er. Sie stürzte aus einer von ihr halb angesetzten Umarmung zurück, drückte die Hand und führte ihn daran heiter in die Gesellschaft zurück, der sie alles meldete. Der Reisediener dankte dem Mädchen lange und verbindlich, kam aber mit einer fein gekleideten Frage über des Bürgen Rückbürgschaft zum Vorschein. Sie schrieb hastig eine Bitte an ihren Vater, den der Diener längst für solid gekannt, damit er diesen über Walts künftige Reichtümer belehre und bewähre. Paradisi ging handküssend damit ab und versprach, wieder zu kommen.

Vult bat freundlich den Notar um einen Augenblick auf seinem Zimmer. Auf der Treppe dahin sagte er: »Himmel, Hölle! Rasest du? – Öffne nur hurtig! – Eile, fleh' ich! – O Walt, was hast du heute gemacht im Schlafzimmer! – Dreh' nicht – es ist Brot im Schlüssel – Klopf' ihn aus – Ist denn der Mensch ewig ein Hund, der zu passen hat? – Was hast du darin gemacht! – Wieder ein Ebenbild von dir; – wenn nun Feuer wäre! – Aber so bist du überall … Ein Ebenbild wäre mir daraus wahrlich lieber entgegengehüpft als du selber – Gottlob!« Die Stube war offen. Walt begann: »Ich erstaune ganz.« – »Du merkst also nicht,« sagte Vult, »daß alles ein vom Satan gedrehter Fallstrick ist, womit sie dich H. Bürgen würgen und in den Fußblock schnüren, damit du dich ihnen nach der dummen Testaments-klausel[1] so lange verzinsest, als du sitzest?« – »Ich fürchte nichts«, sagte Walt. – »Du hoffest wohl,« versetzte Vult, »der alte Kaufmann werde dir den Kredit schon abschneiden, daß man deine Bürgschaft gar nicht annimmt?« – »Das verhüte der Himmel!« sagte Walt. – »Du verbürgst dich?« – »Bei Gott!« schwur Walt.

Der Flötenspieler sank jetzt steilrecht und versteinert auf den Stuhl, starrte waagrecht vor sich hin, jede Hand auf eines von den aufgesperrten, rechtwinklichten Knien gelegt, und wimmerte eintönig: »Nun so erbarm's denn Gott und wer will! Das sind also die Garben und Weinlesen, die ich davontrage nach allem Anspannen und Hiersein! Und der Teufel hauset, wie er will! Das ist der Lohn, daß ich wie der Rumormeister bald hinten, bald vornen im Heere ritt bei jedem Unfug. – – Nu so schwör' ich, daß ich tausendmal lieber einem Schiffsvolk mitten im Sturm auf einem Schaukel-Schiffe den Bart abnehmen will, als einen Dichter sauber scheren, den alles bewegt und erschüttert. Lieber den Brocken hinauf will ich als hinterster Leichenträger im Wedel-Mantel eine Leiche tragen und nachstemmen, als einen Poeten geleiten und fortschaffen hinauf und hinab; denn dem redlichen, nicht ganz viehdummen Bruder glaubt der Poet weniger als weichem Diebsgesindel, das ihn umstellt und mit Füßen tritt wie ein Töpfer den Ton, um ihn zu kneten.«

»Ich muß dir gestehen,« – erwiderte Walt sehr ernst – »daß der weichste Mensch zum ersten Mal hart werden könnte gegen einen harten, der über die Menschen stets ungerecht richtet.«

»Wie gesagt,« – fuhr Vult fort – »das tut er nicht, der Poet. Vergeblich reitet ihm ein leiblicher Zwillingsbruder, wie dem Suworow ein Kosak, nach und hat den leichten Nachtstuhl für ihn am Halse hängen, so daß er sich nur zu setzen brauchte aufs Gestelle – er tuts nicht, sondern er zeigt sich – und mehr dazu – der Welt« –

---

1 In der neunten steht ausdrücklich: »Tagreisen und Sitzen im Kerker können nicht zur Erwerbzeit der Erbschaft geschlagen werden.«

»An Menschheit glauben,« versetzte Walt, »an fremde und eigne – durch sein Inneres ein fremdes ehren und kennen – das ists, worauf das Leben und die Ehre ankommt; alles Übrige hole der Henker. Wie, größere Leute haben in größern Gefahren auf Leben und Tod vertrauet, ein Alexander hat seinen Schein-Gift während der Brief-Lesung seines Arztes getrunken; und ich sollte den heißen Tränen eines menschenfreundlichen Mädchens nicht glauben? Nein, lieber nehm' ich diesen Stab, der ein Bettelstab ist, und gehe damit, so weit mich meine Füße tragen ...«

»Weiter kann auch kein Bettler« – sagte Vult – »aber du unterbrichst. So daß also, will ich nur noch zusetzen, die Alten nicht ohne Anspielung dem Gotte der Dichter einfältige junge Schafe geopfert. – Daher ein Reichs-Hofrats-Schluß jeden, der einen Band Gedichte bei Trattner verlegen lassen, sofort pro prodigo erklären sollte, da er in Betracht seiner ewigen göttlichen Apollos-Jugend von 15 Jahren zu bürgerlichen Handlungen, z. B. Schenken unter den Lebendigen, nicht fähig ist, welche Volljährigkeit befehlen ..... Nun aber einmal gelassen, Bruder! Was ist denn das für ein Leben dahier, zum Sakrament? – Aber ganz ruhig! Vater, Mutter, Zwillingsbruder willst du Leuten opfern, von denen ich – nichts weiter sage? Bedenk' alles – siebzig eben gefällte Notariats-Bäume – eine so unerwartete Verkettung so vieler Ketten – manche deiner Irrsale auf dem Weg nach Rosenhof – und in der Tat bist du auch heute ganz .... belebt durch den Wein. – Am Ende fliegst du wohl gar mit Sperber- und mit Weihes-Fittichen um das Brautherz der Sitzerin, Fuchs, und brauchst den Pinsel-Bräutigam nur zum Lockvogel, du Raub- und Spaßvogel! Doch du wirst rot. Was Raphaelens Tränen anlangt – glaube mir, *die Weiber haben größere Schmerzen als die, worüber sie weinen!*«

»Gott, wie desto trauriger!« rief Walt. »Weiber und Müller«, sagte Vult, »halten versteckte Windlöcher, damit Mehl für sie verstäube, wenn der andere mahlt.« –

»Meinetwegen!« sagte Walt. »Ich gab einem Frauenzimmer

mein Wort. Ich bürge. Gott dank' ich nur, daß er mir eine Gelegenheit bescherte, das Vertrauen zu zeigen, das man zu den Menschen haben soll, will man nicht das eigne verlieren. Soll es aber sein – lass' mich reden in dieser Stunde –, daß kein Gefühl mehr wahrsagt, soll der Glaube und die Liebe bluten und verbluten: o so freu' ich mich, daß ich die Wunde nur empfange, aber nicht schlage. Ich bürge entschieden. Vater-Zorn – aber kennt er in seiner Dorf-Welt meine höhern Verhältnisse? – und Mutter-Zorn – und Kerker und Not: es brech' ein; ich bürge. Zürne du. Ich bürge und gehe hinab.«

Vult hielt ordentlich noch an sich, ganz bestürzt und aus dem Sattel gehoben von Walts Sprüngen, der jetzt immer weniger zu regieren war, je mehr er ihn stach und trieb – vielleicht, weil der sanfteste Mensch, sobald man seiner Freiheit, statt zu schmeicheln, droht, *spornstetig*[1] wird –: »Du gehst,« sagte Vult, »(ich bitte dich gewiß ruhig) gehe bloß in dich. Fahre nicht, wie ein geblendeter Vogel, gerade in die Höhe! Kehr' um. Ich flehe dich, Bruder!« – »Und müßt' ich gleich ins Gefängnis, ich hielte Wort!« sagt' er. – »Verschimmle da«, sagte Vult; »ich wehr' es nicht; nur aber die klärste Vernunft und Billigkeit behalt' ihr Recht – nur das Gesindel triumphiere nicht – Am Ende wird noch dazu erfahren, daß ich mit dir verwandt bin, und ich werde so verflucht ausgelacht als einer von uns – Freund, Bruder, höre, Teufel!«

Er ging aber. »O du wahrer Linker!«[2] (sagte glühend der Flötenist) »Doch zusehen will ich dir unten, wie du vor meinen Augen die Wintersaat zur herrlichsten Sommer-Ernte von Distelköpfen für Finken aussäest!«

Als sie eintraten, fanden sie das Liebes-Paar allein; der Reisediener war noch nicht zurückgekommen zu Vults Verdruß, der oben manche Reden lange gesponnen hatte, um versäumen zu lassen. Walts Gesicht glühte bewegt, auch die Stimme; dabei

---

1 So sagt man von Pferden, welche das Spornen zu nichts bringt als zum Stehen.
2 So hießen in Elterlein bekanntlich die adeligen Insassen.

warf er Blicke auf Vult, in Angst, dieser werde grob. Aber gegen alles Erwarten war der Flötenspieler eine Flöte; er schauete so unbefangen an und sprach so sanft. »Malen Sie ganz lustig weiter«, sagte Vult zu Flitten. »Darüber kann wohl jeder sein Lied singen, über dergleichen Bußtexte; manche besitzen ganze Liederbücher. Ich habe selber einmal in diesem Gesange der drei Männer im Feuer auf eine Weise eine Stimme gehabt, daß ichs beinah' hier zum Besten geben möchte, wenn ich wüßte, daß es uns zerstreuete. Ich entsinne mich nämlich noch sehr wohl, daß ich vorher in London eine Zeitlang in einer Sakristei wohnte und nachts den Kniepolster des Altars als Kopfkissen unterhatte, weil mir die Gelder ausblieben, die ich aus Deutschland bezog. Nicht ganz reich, noch weniger bequem kam ich mit noch sechs Emigranten auf der Post nach Berlin, aber nicht blind, sondern samt unserer ganzen gelder-sparenden Gesellschaft für ein einmänniges Postgeld. Einer nämlich ließ sich stets einschreiben, welcher zahlte und öffent-lich vor der Welt einsaß. Draußen stieg einer um den andern von uns auf, nach der ancienneté der Müdigkeit, indes die übri-gen Deutschlandsfahrer neben dem Wagen auf beiden Seiten mitgingen; so daß vor dem zweiten Posthaus immer ein anderer Passagier absprang, als vor dem ersten aufgesprungen war. Die deutschen Posten fahren immer so gut, daß man schon mit fort-kommt zu Fuße. In Berlin selber fuhr ich, weil mir die Gelder ausblieben, die ich aus England bezog, noch viel härter. Vom einzigen Berge da, monte di pietà, hatt' ich Aussicht; in großen Städten mietet man sich alles, Häuser, Pferde, Kutschen, böse Frauen, besonders aber zuerst Geld. In letzterem ging ich weit. Schulden führen wie andere Silber-Pillen erst den Morgen dar-auf, wenn man ausgeschlafen, das ab, was man noch hat. Eine Figurantin bei dem Ballet, welche ich heiraten wollte, weil sie die Unschuld selber war und folglich solche nie verlieren konnte, steigerte das Leid ohne Beileid, die Schulden, noch höher, weil wir die Flitter- und Honig-Wochen vor der Ehe ab-taten, damit diese nachher ungestört aus *einem* Stück gemacht wäre; Flittern und Honig wollen aber gekauft sein. Wie wir freilich liebten, sie im bessern Sinne Figurantin, ich Figurist, mit welchen Konfigurationen – davon ist kein anderer Zeuge mehr da – denn sie wollte kein bloßes Bruststück – als ihr Herzgrubenstück, das ich in einer Ferne von 6 Schuhen malte, indem ich nämlich, selber ein lebendiges Kniestück, die niedrigen Beine aus Ehrfurcht hinter mich oder meine Schenkel zurückwerfend, vor ihr stand auf den bekannten Scheiben der Kniee. Ärzte haben oft bemerkt, daß plötzliches Erschrecken den Körper und dessen Finger so frostig-knapp einziehe und einklemme, daß Ringe, die letztern sonst nicht abzuschrauben waren, von selber abglitten. Es sollte mir so gut werden, etwas Ähnliches zu beobachten. Das gute Tanz-Wesen erschrak so fürchterlich, als ich nachher beschreiben werde, den 7. Februar im Karneval. Ich stieß bei ihr vorher meine gewöhnliche Anzahl Seufzer in einer Minute aus – nämlich vierundzwanzig, wovon, weil man in einer nur zwölfmal atmet, die Hälfte aus-, die Hälfte eingezogen wird –, tat die alten Wünsche, ich möchte meinen Seufzern Luft machen können, als ob ein Seufzer aus etwas anderm bestände, und rief endlich im Feuer aus: ›Wie viel, du Kostbare, bin ich Berlin *schuldig*, daß ich dich kennen lernte, Unbezahlbare‹ –: als plötzlich bei diesen Worten, wie bei Stichworten, meine ganze Dienerschaft von Lakaien und meine ganze Herrschaft von Hausherren an der Spitze eines Jockeys hereindrangen auf mein Theater – leider keines, worauf meine Kebsbraut sprang – und Dinge von mir verlangten, die ich natürlich nicht bewilligen konnte. Meiner Geliebten – die weniger darauf vorbereitet war als ich – entglitschte vom erschrocknen erkälteten Ringfinger unser großer Ring der Ewigkeit, und sie sagte im Schrecken ohne Bewußtsein verflucht grob: ›Herr von Lumpenhund!‹

Wer in Berlin war, wundert sich gar nicht, sondern weiß, wie man da zuweilen angeredet wird, wenn man zwar von Stand und folglich nicht zu bezahlen ist, aber auch nicht zu bezahlen hat. Ich mutmaße, ich wäre damals gestorben in der Friedrichs-

Straße, wär' ich nicht zu meinem Glücke erkrankt an einem hitzigen Fieber. Die Krankheit – weniger der Arzt – rettete mich. Sie, Herr Flitte, wurden, hör' ich, von der Ihrigen auf dem Turm durch die Kunst gerettet; wahrscheinlich also eine ganz andere als die meinige. Mein Fieber organisierte mich so sonderbar, daß mir nicht nur die alten Haare ausfielen – bloß zu einem Titus behielt ich schwachen kurzen Pelz –, sondern auch die alten Ideen, vorzüglich verdrüßliche.

Platner bemerkt recht gut – so wie den teleologischen Vorteil davon –, daß das Gedächtnis des Menschen das Süße weniger fahren lasse als das Bittere.

Mit mir – obwohl nicht vom Krankenlager – standen meine Gläubiger auf. ›Trefflicher Herr Musikhändler Rellstab! – mein Bedienter versichert, Sie hießen so‹ – (sagt' ich zu dem bekannten Manne, meinem starken Gläubiger) ›eben mach' ich mich vom hitzigsten Fieber von der Welt auf und habe alles, 100 000 Dinge, ja den Namen vergessen, den ich gewöhnlich unterschreibe. Erklären läßt sichs gut genug aus Physiologie, aus Schweißen, Fieberbildern und Ermattungen; aber verdrüßlich ists für einen Mann wie ich, der gern seine Nota von Musikalien abführt, und dem doch alles entfallen. In dieser Not bitt' ich Sie, so lange zu warten, bis ich mich der Sache entsinne, guter Rellstab; dann, wahrlich, haben Sie Ihr Geld auf der Stelle im Hause, was sich im anderen Sinne ohnehin versteht.‹

Darauf erschien der erste Theaterschneidermeister und Garderobier und ersuchte mich um das Seinige. Ich antwortete: ›Lieber Herr Freytag – denn Sie sind, höre ich, ein Namensvetter des heutigen Karfreitags –, entfährt jedem Schuldner so viel auf dem Krankenbette als mir (z. B. etwa den Blutschuldnern, Ehrenschuldnern), so ists schlimm für Gläubiger. Denn mir für meine Person ist rein alles entfallen, was ich schuldig bin; – Sie werden mir kaum glauben, wenn ich Sie an meine Krankenmatratze führe, wo ich so geschwitzt und gefiebert, daß ich nichts behalten habe. Münzen helfen hier wenig ohne Gedächtnis-Münzen; es ist aber betrübt, Rellstab.‹

Er heiße Freytag, sagt' er. ›Das hole der Teufel,‹ sagt' ich, ›brauch' ich auch gar einen Kor-Repetitor? Nun, ich will nicht vergessen, mich zu erinnern.‹ –

Der Kammerherr Julius . . . . . trat ein und wünschte zu meiner Genesung sich sowohl Glück als die zwanzig Friedrichsd'or Spielgeld von mir. ›Ich soll Sie kennen‹, sagt' ich. – ›Quoddeusvult? – Ich hoffe, du verstehst mich‹, sagt' er. – ›Entschieden!‹ sagt' ich. ›Aber du erschrickst; denn wenn ich weiß, ob ich mehr dir oder dem Mann im Mond oder dem Großwesir Spielgeld schuldig bin: so will ich nicht krank gewesen sein. Recht hast du gewiß; aber sollte man sich denn nicht jedesmal, eh' man in ein hitziges Fieber verfällt, tausend Knoten ins Schnupftuch machen, um genesen manche besser zu lösen als durch das Zuwerfen des Schnupftuchs? Sprich, Kammerherr! – Pass' also, bis mir die Memorie wieder aufhilft! – aber verflucht fatal, daß ihr Leute vom Hofe ganz gegen Platners Bemerkung gerade nur das Fatale (weniger fast Fatalien) behaltet. Aber wie gehts übrigens? Revüe schon an?‹ – ›Wie, im Winter, Vult?‹ sagte Julius. ›Nun, du siehst es selber‹, sagt' ich. ›Was macht denn die liebenswürdige Königin? – Manches, glaub' ich, vergißt man weniger.‹ – Darauf bat ich ihn, nächstens mich zu erinnern, und wir schieden ganz gütlich.

Anders gings, als ich von der langen Brücke in die Königsstraße wollte und mich ein gebildeter Jude aufhielt: ›Lieber Moses!‹ sagt' ich, ›böse Nachrichten! das Fieber hat mich zu einem Titus geschoren.‹ – ›Böse!‹ unterbrach der Jude; ›wenn wir Juden einen schlimmen Fürsten malen wollen, so sagen wir: das ist ein wahrer Titus! – Die TituskÖpfe bauen uns kein Jerusalem.‹ – ›Sonst‹ – fuhr ich fort – ›war Hebräisch, Judenteutsch, Neuhebräisch mein Fach, samt den Hülfssprachen, dem Chaldäischen, Arabischen – alles ist vergessen durchs starke Fieber, Moses – Sonst kannt' ich meine Schuldner auf hundert Schritte, die Gläubiger auf tausend weit.‹ – ›Wechsel‹, versetzt' er, ›sind da gut‹ und präsentierte mir einen fälligen noch über der Spree« . . . .

Hier machte aufgeheitert Herr Paradisi die Türe auf und dankte Raphaelen sehr für ihr Blatt und warf ein höfliches Auge auf Walt. Er nahm dessen Bürgschaft an. Selten war der Notarius seliger – und unseliger gewesen. Vults parodischer, zynischer Spaß hatte ihm allein rein-bitter geschmeckt – andern nur abgeschmackt –; indes ihn das neue Glück erquickte, Flittes Entsatz und Schutzgeist zu werden. Vor Vults Ohren und Augen wurde kühn und kalt die Wechselsache vollführt und geründet, und der Flötenspieler wurde über die so frei auseinanderblühende Gegenwart bestürzt und erzürnt, obwohl heimlich; so wenig verträgt sogar der Kraftmensch fremde Stärke und Konsequenz, sobald sie mehr *wider* ihn auftritt als *für* ihn, weil jeder überhaupt vielleicht von fremder mehr zu fürchten als zu hoffen hat.

Als der Wechsel erneuert war, schied der Flötenspieler sanft von der Gesellschaft, besonders von Walt. Dieser begleitete ihn nicht. Er fragte Flitten, ob er die wenigen Stunden, die etwa seiner Probe-Woche noch abgingen, nicht in seinem eignen Zimmer verbringen dürfe. Flitte sagte freudig Ja. Raphaela drückte dankend Walten noch ihre zarte Hand in die seinige. Er ging in seine stille Stube zurück, und beim Eintritte war ihm, als wenn er in Tränen ausbrechen sollte, ob vor Freude, oder Einsamkeit, oder Trunk, oder überhaupt, das wußt' er nicht; am Ende vergoß er sie vor Zorn.

Nᵒ 55: PFEFFERFRASS

Leiden des jungen Walts – Einquartierung

Der Notarius konnte eine ganze Nacht lang weder schlafen, noch seinen Bruder lieben; sondern der Zorn war sein Traum, und das nächtliche Auftürmen zankender Gründe erhitzte ihn zuletzt dermaßen, daß er, wenn Vult sich an dessen Bett gewagt hätte, vielleicht fähig gewesen wäre, ihm zu sagen: »Ich rede nun anders mit dir, Bruder; setze dich aber nicht aufs scharfe Bettbrett, sondern mehr auf die Kissen herein!« – Unbegreiflich und unverzeihlich fand er dessen Kraft, Menschen ins Gesicht hinein zu martern, den armen Flitte und ihn selber. Schon öfters hatt' er bei der Weltgeschichte versucht, in jene mächtigen Schnee- und Gletscher-Männer, welche mitten unter dem Hasse eines ganzen Hofs und Volks heiter glänzen und gedeihen, sich so gut poetisch zu versetzen als in andere Charaktere; aber es hatte nie besondern Erfolg – er wäre ebensogut einer Statue durch den Mund ins Herz gekrochen. Ihm griff schon ein Menschen-Antlitz in die Seele, und wär' es punktiert an der Puppe eines Nachtschmetterlings erschienen, oder wächsern an der Puppe eines Kindes; er hätte beide nicht kalt eindrücken können mit dem Daumen.

Er stieg aus dem Bette in einen platt-gemähten Herbsttag; denn er wollte, wie er pflegte, lieben und der süßesten Empfindung kaum mächtig sein; fand aber nichts Brauchbares dazu, sondern nur die Zuckersäure der vorigen Zuckerinsel. Jetzt stellte er sich, da es sein erstes Zürnen war, recht dazu an. Ein Herz voll Liebe kann alles vergeben, sogar Härte gegen sich, aber nicht Härte gegen andere; denn jene zu verzeihn ist Verdienst, diese aber Mitschuld.

Darauf machte er sich auf den matten Weg aufs Rathaus, um da, wie bisher, sich für seine Erbamts-Sünden wacker abstrafen zu lassen. Der Spaßvogel Flitte, jetzt sein gestriger Unglücksvogel, war schon da – denn er hatte fast nichts auf der Erde als Zeit –; samt Paßvogeln, dem Buchhändler. Walt sah so liebegießend dem Elsasser ins Auge, als hätte dieser sich für ihn verbürgt; nie warf irgendein Fegfeuer auf den Gegenstand, der es für ihn schuldlos angezündet, vor seiner Seele irgendeinen gelben häßlichen Widerschein; vielmehr freuete er sich recht, allein im Fegfeuer zu stehen und den Fremdling rein aus den Flammen anzuschauen.

Der Testaments-Ober-Vollstrecker, Herr Kuhnold, eröffnete nach der siebenten Klausel – möchte doch jeder Leser das

Testament aus dem Buche herausgeschnitten, broschiert, immer neben sich haben – *den* geheimen Artikel des Reguliertarifs, der rechtmäßig zu öffnen war. In der Tat war darin auf jeden französischen Germanismus, den Flitte von ihm an Eides Statt berichten würde, ein Tag verspäteter Erbschaft zur Schulstrafe gesetzt. Flitte erwiderte darauf, »er wisse niemand, der so viel Organ für französische Sprache besitze, so wie Kalligraphie dafür, als Herrn Walt, und er entsinne sich keines erheblichen Fehlers.« Walt griff nach dessen Hand und sagte: »O wie schön, daß ich mir Sie so immer dachte! Aber meine Freude ist nicht so uneigennützig, als sie scheint, sondern noch uneigennütziger.« Der Ober-Vollstrecker wünschte ihm erfreuet Glück – desgleichen der Buchhändler – und jener bat ihn um die Wahl des neuen Erbamtes.

Es ist sehr schlimm für diese Geschichte, daß die Welt nicht die sechste Klausel »*Spaßhaft und leicht mags*« auswendig kann, auf welcher doch gerade die Pfeiler des Gebäudes stehen. Der Notar wußte sie ganz gut, und der Buchhändler am besten. Als Walt in dem Seelen-Rausche über die schönste Rechthaberei, die es gibt – sich nämlich nicht in guten Voraussetzungen von Flitte geirrt zu haben –, nicht sogleich das Erbamt erlesen konnte, das er bekleiden wolle: trat Paßvogel zu ihm und erinnerte ihn an den Buchstaben e der Klausel, welcher sagt: »Er soll als Korrektor 12 Bogen gut durchsehen.« – »Trefflich genug!« sagte Walt, verstand und erklärte sich dazu; – in das vom Nacht-Zorne zerfressene Herz flossen die kleinsten Ergüsse menschlicher Milde balsamisch-heilend ein.

Außerhalb der Ratsstube fand er auf einmal sein Herz umund dem Bruder wieder zugewandt; Flitte war gerechtfertigt, er selber entschuldigt, und er verzieh in Massen, bloß weil er so viel – Recht gehabt. Nachdem er eilig seinem geängstigten Vater den schönen Ablauf seines Wochenamtes geschrieben hatte: so machte er sich ernsthafter an seine alte Versetzung ins fremde Ich und fragte: »Kann denn Vult seine Handlungen nach andern Grundsätzen zuschneiden als nach seinen eigenen? Und wollt' er denn anders als ich selber, eben für mich handeln? – Jeder begehrt von andern Gerechtigkeit und dann noch ein wenig Nachsicht dazu; ei gut, so geb' er andern auch beides, und das will ich tun.« Er fand zuletzt in Vults Stoßkraft eine Ergänzung seiner eigenen weichwolligen Außenseite; die Freundschaft und Ehe wird, so wie ein Fernrohr, durch Zusammensetzung erhobner und hohler Gläser gemacht.

Was half aber sein aufgetanes Herz? Niemand ging hinein. Liebes-schamhaft harrte er, daß Vult nur eine Viertels-Elle von einer weißen Friedensfahne flattern ließe, um sogleich mit Liebesaugen in die fremde Seele einzuziehen; aber nicht einen Fingerbreit davon streckte dieser aus, sondern er schickte ihm Ausschweifungen für den Hoppelpoppel ohne ein Wort dazu. Walt sandte ihm mehrere Kapitel, die er in seinem Herzenskloster um so leichter aufgesetzt, da ihn Paßvogel noch immer auf den ersten Korrekturbogen warten ließ, so wie die Stadt ihn auf irgendein Notariats-Instrument, das ihn hätte stören und bereichern können. Ihnen fügt' er bloß zwei Streckverse bei:

I.

Meine ganze Seele weint, denn ich bin allein; meine ganze Seele weint, mein Bruder!

II.

Ich sah dich, und liebte dich. Ich sah dich nicht mehr, und liebte dich. So muß ich dich immer lieben, ich mag nun frohlocken oder weinen tief im Herz.

Einen Tag darauf schickte ihm Vult die ausgearbeitetsten Ausschweifungen zu und gedachte des Genusses kurz, den ihm jetzt Walts Hoppelpoppel oder das Herz zuführe, da jedes Kapitel mit wahrer Kunstwärme erschaffen sei und überfeilt – und schrieb noch, er selber schreibe zwar eifriger als je, dürfe aber nicht entscheiden, wie glücklich – und schrieb weiter nichts. »Nun denk' ich,« – sagte Walt zu sich – »weiß ich recht gut, woran ich bin, ich bin fast sehr unglücklich – es ist vorbei mit dem Himmel, der sich hier auftat für mein Armen-Auge – Auf ewig ist mir der Bruder begraben und eingesenkt – Tritt er etwan einmal vor mich, so, weiß ich wohl, ists ein Antlitz grimmig verzogen, und mich wird schaudern durch mein Herz. O mein Bruder, wie schön war es einst, als ich dich noch umarmte und zwar weinen mußte, aber ganz anders!«

Darauf schrieb er wieder ein gutes Kapitel am Romane, schickt' es ihm mit folgendem, hier ganz mitzuteilendem Briefe:

Bruder!
Hier! – – – – – – –

Dein Bruder
G.

Vult versetzte nichts darauf. Gottwalt erzürnte sich nach der Terzien-Uhr; dann hatt' er wieder lieb nach der Turm-Uhr. Nur die Träume drangen mit ihren greulichen aufgerissenen Larven in seinen Schlaf, jede mußte wie ein Bruder aussehen, der ihn marterte auf einer unabsehlichen Folterleiter, auf der er ausgespannt lag von Stern zu Stern.

An einem November-Nachmittage ging er in das Wirtshaus zum Wirtshaus, wo er ihn, wie bekannt, nach einem langen Lebens-Winter gefunden hatte, wie einen Mai. Der herrnhutische Wirt prügelte eben, da er eintrat, die Wirtin aus dem Gasthofe hinaus, warf ihr seinen Jungen nach und schrie: wär' er kein Christ, so würd' er sie anders behandeln; so eben zähm' er sich, und kein böses Wort komme aus seinem Maule. Walten kannt' er gar nicht mehr, als dieser um das vorige, jetzt zugemauerte Oberzimmer anhielt, wo er im July geschlafen hatte. Teils Würste, teils Flachs auf Stroh waren darin auseinandergebreitet. Er entfloh auf den herrnhutischen Gottesacker, wo er einstens, als die Sonne unter- und der Bruder aufging, so froh und so neu geworden. – Aber die Bäume waren, anstatt begrabne Gerippe laubig zu bedecken, selber steilrechte geworden – dabei schneiete es regnerisch – mehr das Gewölke als die Sonne ging unter – und Abend und Nacht waren schwer zu sondern. Der Notarius sah aus wie der eben regierende November, der, noch weit mehr dem Teufel als dem April ähnlich, nie ohne die verdrüßlichsten Folgen abtritt.

Von da trug er sich verarmt – fern von jenem reichen Morgen, wo er neben dem reitenden Vater zu Fuße hergelaufen – zurück in die Stadt. Als er über die kalt wehende Brücke ging und nichts um ihn war als die öde dunkle Nacht: so flogen zwei dicke Wolken auseinander – der helle Mond lag wie eine Silberkugel einem weißen Wolkengebürge im Schoß, und der lange Strom wand sich erleuchtet hinab. Auf dem Wasser kam etwas herabgeschwommen wie ein Hut und ein Ärmel. »Geht es durch die Brücke unter mir durch,« sagte Walt, »so nehm' ichs für ein Zeichen, daß auch mein Bruder so von mir dahingeht; stößt es sich an die Pfeiler, so bedeutet es etwas Gutes.« Er fuhr zusammen, da es unten wieder hervorkam; endlich fiel ihm ein, daß wohl gar ein ertrunkener Mensch unter ihm ziehen könne, ja Vult selber. Er sprang herunter ans Ufer herum, wo sich das schwimmende Wesen in eine Bucht voll Buschwurzeln verfangen hatte. Mühsam und zitternd hob er mit seinem Stabe einen leeren Ärmel, dann noch einen und darauf gar noch einige auf, bis er sehr sah, daß das Ganze nichts sei als eine ins Wasser geworfene, von der Jahrszeit abgedankte – Vogelscheuche.

Aber ein Schauder dauert länger als sein Anlaß oder Irrtum; er ging, noch sorgend für den Bruder, in dessen Wohngasse, als seine Flöte schon von ferne herauftönte und wie die Flut alle die offnen rauhen Klippen der Welt mit *einem* weichen Meer zudeckte. Der elende November, der herrnhutische Wirt, die Vogelscheuche und die leere Ebbe des Lebens gingen nun unter in schönen Wogen. Walt trat, weils finster war – denn am Tage schauete er nur die lange Gasse hinab –, dicht vor Vults Haus, obwohl in die Monds-Schatten-Seite. Er drückte den Türdrükker wie eine Hand, weil er wußte, wie oft ihn die brüderliche mußte angefaßt haben. Vult, dies merkte er aus dem Schatten und dem Lichtschimmer gegenüber, mußte mit dem Notenpulte nah' am Fenster stehen. Als wieder ein langer Wolkenschatte die Gasse herauflog: schritt er quer über und guckte hinauf und sah hinter dem erleuchteten Notenpulte das so lange begehrte Gesicht; und weinte bitter. Er ging an ein großes rotes Tor seitwärts, worauf Vults Schattenriß, aber greulich auseinandergezogen wie ein angenagelter Raubvogel, hing, und küßte etwas vom Schatten, aber mit einiger Mühe, weil sein eigner viel verdeckte.

Gern wär' er jetzt zu ihm hinauf gegangen mit der alten Bruder-Brust an sein Herz; aber er sagte: »Blies' ich selber droben, o so weiß ich alles wohl – nein, es gäbe für mich kein fremdes Herz; aber er ist fast immer das Widerspiel seines Spiels und oft fast hart, wenn er sehr weich dahinflötet. – Ich will ihn in seiner Geister-Lust nicht stören, sondern lieber manches zu Papier bringen und morgen schicken.«

Er tats zu Hause, die Flötentöne des Bruders fielen schön in das Rauschen seiner Gefühle ein – er versiegelte einen geistigen Sturm. Er legte dem Sturm zwei Polymeter über den Tropfstein bei, dessen Säulen und Bildungen bekanntlich aus weichen Tropfen erstarren.

Erster Polymeter

Weich sinkt der Tropfe im Höhlen-Gebirge, aber hart und zakkig und scharf verewigt er sich. Schöner ist die Menschen-Träne. Sie durchschneidet das Auge, das sie wund gebiert; aber der geweinte Diamant wird endlich weich, das Auge sieht sich um nach ihm, und er ist der Tau in einer Blume.

Blick' in die Höhle, wo kleine stumme Zähren den Glanz des Himmels und die Tempelsäulen der Erde spielend nachschaffen. Auch deine Tränen und Schmerzen, o Mensch, werden einst schimmern wie Sterne und werden dich tragen als Pfeiler.

Vult antwortete darauf: »Mündlich das Übrige, Lieber! Wie mich unser so wacker gefödertes Schreiben freut, weißt du besser als ich selber.« – »So hol' ihn der Henker,« sagte Walt, »ich habe mehr eingebüßt als er, denn ich lieb' ihn ganz anders.« Er war nun so unglücklich, als es die Liebe auf der Erde sein kann. Er webte – ganz entblößt von Menschen und Geschäften – seinen Roman fort, als das einzige dünne leichte Band, das sich noch aus seiner Stube in die brüderliche spannen ließ.

An einem Abende, als der ausgewachsene reife Mond gar zu hell und lösend schien, bedacht' er, ob es denn nicht schicklich sei, ordentlich Abschied zu nehmen. Er schrieb folgendes Briefchen:

»Empfange mich nicht übel, wenn ich diesen Abend um 7 Uhr komme. Wahrlich, ich nehme nur Abschied; alles wird auf der Erde ohne Abschied auseinander gestürmt; aber der Mensch nimmt seinen von einem Menschen, wenn er kann, wenn kein Meer-Sturm, wenn kein Erdbeben die Seelen-Nächsten plötzlich zerwirft. Sei wie ich, Vult; ich will dich nur wieder sehen und dann nicht länger. Antworte nur aber nicht; weil ich mich fürchte.«

Er bekam auch keine Antwort und wurde noch furchtsamer und trauriger. Er ging abends, aber ihm war, als sei der Abschied schon vorbei. In Vults Stube war Licht. Welche Bürde trug er die Treppe hinauf, nicht um sie oben abzuladen, sondern zu verdoppeln! Aber niemand sagte: komm' herein! Das Zimmer war ausgeleert, die Kammertüre offen – auf einem Stalleuchter wollte ein sterbendes Licht verscheiden – die Bettstelle beherbergte, gleich einer Scheune, nur fatales Stroh – verzettelte Papier-Späne, Brief-Umschläge, zerschnittene Flöten-Arien bildeten den Bodensatz verlaufener Tage – es war das Gebeinhaus oder Gebeinzimmer eines Menschen.

Walt dachte im ersten Unsinn des Schreckens, Vult könne, wenn nicht damals, doch später, im Wasser gelegen sein, und griff alle Papier-Reliquien mit groß tropfenden Augen halb unbewußt zusammen. Auf einmal rief die baßstimmige Frau des Theaterschneiders herauf, wer droben umtrabe. »Harnisch«, versetzt' er. Da fuhr sie die Treppe herauf und schalt: das sei Harnischens Stimme nicht. Als sie ihn gar im Finstern sah – denn er hatte das sterbende Licht getötet, weil jede Nacht besser ist, so wie der Tod besser als Sterben –, so mußt' er sich mit der Theaterschneiderin in ein anzügliches Hand-, nämlich Wortgemenge über seine Diebs-Tendenzen einlassen und zuletzt über sein Lügen. Denn er hatte sich in der Eile für Vults dasigen Bruder ausgegeben und doch gefragt, wohin Vult gekommen sei.

Verworren und gescholten wanderte er seiner Stube zu und schlich auf den Treppen voll Lichter und Leute – der Hofagent gab einen tanzenden Tee – gebückt hinauf.

Da fand er sein Zimmer aufgetan und einen Mann darin mit Hämmern arbeitend, um sich gut einzurichten in seiner neuen Wohnung. Es war Vult.

»Erwünschter« – sagte Vult und nagelte an einer Theater-wand fort – »Aber guten Abend! Erwünschter, meint' ich näm-lich, kann mir nichts kommen, als du endlich kommst. Schon seit Schlag sieben vexier' ich mich ab, um alles aufs Beste aufzu-stellen und etwa so einzurichten, daß keiner von uns nachher brumme oder grunze; unterstütze mich aber dabei, bei der gemeinschaftlichen Einrichtung, und hilf! – Du siehst mich so an, Walt?« –

»Vult? – Wie? – Sprich nur!« (sagte Walt) »Es könnte doch etwas Himmlisches sein! Und sei nur von Herzen willkom-men!« Hier lief er mit Kuß und Umhalsen an ihn; Vult konnte aber, da er in der Hand den Nagel hielt, in der andern den

Hammer, nichts dazu ablassen als Gesicht und Hals und antwortete: »Die Hauptsache ist wohl, daß du jetzt ein vernünftiges Wort darüber hören lässest, wie die Sachen zu traktieren sind für beiderseitige Lust. Denn ist einmal alles fest genagelt: so änderts der Mensch ungern. Mich däucht aber, so besitzest und beherrschest du gerade das eine Fenster und fast drüber, und ich das andere; ein drittes fehlt.«

»Ich weiß wahrlich nicht, was du vorhast, aber mache nur alles und sage dann, was es ist«, sagte Walt. »So muß ich dich gar nicht verstehen,« versetzte Vult, »oder du mich nicht. Solltest du kein Briefchen von mir erhalten haben?« sagte Vult. – »Nein«, sagte er.

»Ich meine das heutige,« fragte jener fort, »worin ich schrieb, ich würde dein Schweigen für ein Ja auf meine Bitte nehmen, daß wir doch möchten zusammen wie ein Vögelpaar *ein* Nest oder Quartier bewohnen, dieses nämlich? Wie?« – »Nichts« (sagte Walt) »Aber du willst dies? O warum traut' ich denn deinem Gemüte weniger? Gott züchtige mich dafür! O wie bist du!« –

»In diesem Falle muß ich das Blatt noch in der Tasche tragen« (versetzte Vult und zog es hervor) – »zuvörderst müssen wir aber unsern Stuben-Etat für den Winter ins Reine und aufs Trockne bringen; denn, Freund, leichter verträgt sich ein Simultaneum von Religionsparteien in einer Kirche als eines von Zwillingen in einer Stube, wie sie denn schon als kleine Kraken nicht einmal im Mutterleibe es ein Jahr lang ausdauern, sondern sich sondern. Mein Wunsch ist allerdings, daß die Feuermauer, die ich zwischen uns Flammen gezogen – und die Bühnenwand langt zum Glück so nett –, uns körperlich genug abtrenne, um uns nicht geistig zu trennen. Die Scheidewand ist auf deiner Seite mit einer schönen Reihe Paläste übermalt, auf der meinigen ist ein arkadisches Dorf hingeschmiert, und ich stoße nur dieses Palast-Fenster auf, so seh' ich dich von meinem Schreibtische an deinem. Reden können wir ohnehin durch die Mauer und Stadt hindurch.«

»Das ist ja köstlich«, sagte Walt.

»Wir arbeiten dann in unserm Doppel-Käfig am Hoppel-poppel Tag und Nacht, weil der Winter für Autoren und Kreuzschnäbel die beste Zeit zum Brüten ist und wir darin und die schwarze Nieswurz (was sind wir anders als Nieswurz der Welt?) im Froste blühen.«

»O herrlich«, sagte Walt.

»Denn ich muß leider bekennen, daß ich bisher aus einer Ausschweifung in die andere, nämlich aus spaßhaften in reelle geraten und in der Tat wenig gegeben. So aber werden wir beide schreiben und dichten, daß wir rauchen; – nur für Bücher und Manuskripte wird gelebt, nämlich von Honorarien. – In 14 Tagen, mein guter Freund, kann schon ein sehr hübscher Aktenstoß an einen Verleger ablaufen vom Stapel.«

»O göttlich«, sagte Walt.

»Falls ein solches gemeinschaftliches Zusammenbrüten in *einem* Neste – ich als Tauber, du als Täubin – nicht am Ende einen Phönix oder sonst ein Flügel-Werk aussitzen kann, das sich vor der Nachwelt so gut sehen lässet, daß sie ihre Vorwelt fragt, wer beide Brüder waren, wie lang, wie breit, wie sie gegessen, genieset, und was die Gebrüder sonst für Sitten und Möbeln und Narrheiten gehabt; wenn das, sag' ich, nicht der Fall bei uns sein soll: so will ich nicht im Ernste gesprochen haben.«

»Ach du schöner Gott«, rief Walt mit Freudenblicken.

»Fressen will ich meine Zunge vor Hunger und, wie man von Bomben sagt, krepieren, crêper, wenn wir uns hier nicht lange vorher lieben, eh' wir uns zanken, kurz, überhaupt nicht Sachen vorfallen, wovon in Zukunft ein Mehreres mündlich.«
– »Bei Gott, du gibst mir neues Leben«, sagte Walt. »Hältst du es aber genehm,« sagte Vult und führte ihn in die Schlafkammer, »daß ich unsere Bettstellen durch die spanische Wand – für die spanischen Schlösser der Träume – quer geschieden halte? Ich sehe sie aber mehr für einen alten Bettschirm an.«

»Du kennst darüber meine Grundsätze«, sagte Walt; »ich

hielt es schon in frühern Jahren für unschicklich, nur mit einem Freunde gymnastisch zu ringen oder ihn zu tragen, es müßte denn aus Lebensgefahren sein.«

Darauf zeichnete ihm Vult den ganzen Weg und engen Paß vor, worauf er hereinkommen, ferner seine Zukunfts-Karten. Schon längst hab' er, sagt er, zu ihm ziehen wollen, teils aus Liebe für ihn und den Hoppelpoppel, teils des halbierten Miet-zinses halber, teils sonst. Neulich auf einem Spaziergange hab' er sich in die Gunst der guten Raphaela zurückgeschwungen, mit welcher er als mit einem Hebels-Langarm dann den Vater habe bewegt. Vor einer Stunde sei er mit der Theaterwand von Purzel und mit dem Koffer eingetroffen und habe den Stuben-schlüssel im bekannten Mausloch gefunden. »Nun erbrich aber doch mein Schreiben«, beschloß er. Auf dem Umschlag stand: »An Herrn Walt, abzugeben bei mir.«

Walt bemerkte nicht, daß auf dem Briefe neben Vults Siegel auch seines stand und daß es jener alte war, worin Vult ihm in der Zukunft das nächtliche Poltern, Türen-Zuwerfen seines Polter- oder Schmollgeistes voraussagt, um nachher entschul-digt zu sein, und den wir früher gelesen als Walt, oder vielmehr später[1]. Walt glaubte eilig, er meine eine von heute an zukünf-tige Zukunft, und sagte, dahin komm' es nicht; aber als Vult ihm am Datum zeigte, daß eine vergangne geschildert sei: so faßte der Notar seine Hände mit beiden fest, sah ihm in die Augen und fing mit langem Ton der Rührung an: »Vult! – Vult!« – Den Flötenspieler drückte es, daß er einige Tropfen in die eignen Augen, über die er mit den gefangnen Händen nicht hinfahren konnte, mußte treten lassen: »Nun,« fuhr er auf, »auch ich bin kein Kiesel; lasse mich aber auf mein Zimmer gehen und auspacken!« und fuhr hinter die Bühnenwand.

Er packte aus und stellte auf. Walt ging im seinigen auf und ab und erzählte ihm über die Stadt herüber seine bisherigen Versuche, ihren Seelen-Tauf-Bund zu erneuern. Alsdann kam er wieder in den Verschlag und half ihm, sein Haus- oder Stu-

1 Bd. II. S. 142 ff.

bengeräte ordnen. Er war so hülf-fertig, so freundlich-tätig, er wollte dem Bruder so viel Platz aufdringen samt Fenster-Licht und Möbeln, daß Vult heimlich sich einen Narren schalt, daß er ihm den eigensinnigen Widerstand in der Flittischen Wechselsache zu hart nachgetragen. Walt hingegen stellte seinerseits wieder heimlich den Flötenspieler ins größte Glanzlicht, dafür daß er ihm zu Liebe den Widerwillen gegen Raphaela ersticke; und nahm sich vor, alle schönen Züge desselben unbemerkt aufzuschreiben, um sie als Rezepte nachzulesen, wenn er wieder knurren wolle. Die Gütergemeinschaft und Stuben-Verbrüderung wurde auf die hellsten Grenzverträge zurückgebracht, damit man am Morgen gleich anfangen könnte, beisammen zu sein. Schön bemerkte Vult, man müsse innerlich dem Zorne recht viel Platz machen, damit er sich abtobe und tot renne an den Gehirnwänden; dann werde ja dem Menschen nichts leichter, als mit dem gestorbenen Wolf im Herzen ein weiches Lamm zu sein außen mit der Brust. Man könnte aber hier noch andere Bemerkungen machen, z.B.

– Die starke Liebe will für Fehler nur bestrafen und dann doch vergeben –– Wenn mancher von kleinen Beleidigungen der Freundschaft zu tief getroffen wird: so ist daran bloß eine hassende Denkungsart über alle Menschen schuld, die ihn dann in jedem einzelnen Falle ergreift und diesen zum Spiegel des Ganzen macht –– Die höchste Liebe kennt nur Ja und Nein, keinen Mittelstand; kein Fegefeuer, nur Himmel und Hölle; – und doch hat sie das Unglück, daß sie Geburten der Stimmung und des Zufalls, die nur zu Vorhimmel und Vorhölle führen sollten, zu Pförtnerinnen von Himmels- und Höllentoren macht –

Beide kleideten voreinander die eigentümlichsten Gefühle in allgemeine Sätze ein. Aber als Vult hinter dem Schirme ins Bett einstieg, sagt' er: »Versetze mir nichts darauf – denn ich stopfe mir eben die Ohren mit dem Kopfkissen zu –, aber ich glaube selber, ich hätte dich bisher noch besser lieben können.« – »Nein, ich dich«, schrie Walt.

Brief des Biographen – Tagebuch

Gegenwärtiger Biograph der jungen Harnische bekam nach dem Abschlusse der vorigen Nummer (des sogenannten Pfefferfraßes) von dem Haßlauer Stadt-Rate vier neue – nämlich den fliegenden Hering 56, den Regenpfeifer 57, die Giftkuttel 58 und die Notenschnecke 59 – samt einem äußerst wichtigen Tagebuche Vults über Walt. Darauf antwortete er den trefflichen Testaments-Exekutoren folgendes, was durchaus als ein Zeitstück der Flegeljahre hereingehört.

P. P.

Indem ich Ihnen, verehrlicher Stadtrat und Vollstrecker, die Ausarbeitung der 55sten Nummer *Pfefferfraß* zusende und den Empfang der vier neuesten Naturalien, der Nummern 56, 57, 58, 59, desgleichen des Vultischen Tagebuchs bescheinige: leg' ich zugleich die vier Kapitel für das Nummern-Viereck bei, welche ich dadurch geliefert zu haben hoffe, daß ich das Vultische Tagebuch unzerzauset einwob und es durch Überschriften in Kapitel schnitt und andere Drucker-Sachen anflocht, z. B. Gänsefüßchen, um Vults jetzige Worte von meinen künftigen zu scheiden. Man griffe ohne weiteres meinen Charakter an, wenn Sie mich deshalb etwan einen Schelm, einen Naturalien-Räuber schölten und einen Arbeits-Knauser. Säh' es ein verehrlicher Haßlauer Stadtrat etwan lieber – was so unmöglich zu glauben –, wenn ich den herrlichen Vult, einen zwar außen ungemalten, aber innen schön glasierten Sauertopf, mit meinen Töpferfarben umzöge? Oder kann irgendein Testament ansinnen, daß ich einem fremden Charakter etwas aus meinem eignen vorstrecke? Mich dünkt, ich und sämtliche poetische Weberschaft haben oft genug bewiesen, wie gern und reich wir jedem Charakter – und wär' er ein Satan oder Gott – von unserem leihen und zustecken. Wir gleichen am wenigsten – dies dürfen wir sagen – jenem englischen Geizhalse, Daniel Dancer, welcher auf einen *fremden* Acker nichts von dem, was die Natur bei ihm übrig hatte, wollte fallen lassen, sondern wie toll vorher auf *seinen eignen* rannte mit der Sache. Sondern recht freudig leihet der Romancier alles, was er *hat* und was er *ist*, seinen geschriebenen Leuten ohne das geringste Ansehen der Person und des Charakters! Folglich hätte wohl niemand Vults Tagebuch so gern umgeackert und besäet als ich, wär' es nötig gewesen.

Andere Gründe, z. B. Zeitmangel und Haus-Tumult, schütz' ich nicht einmal vor, weil diese sich auf persönliche Vertrauungen gründen, womit man wohl schicklicher das Publikum als einen verehrlichen Stadtrat behelligt; worunter aber in jedem Falle die Nachricht gehören würde, daß ich gestern nach meinem Wechselfieber des Wechsels – doch nur mit Städten – wieder aus Koburg abgezogen bin nach Baireuth. Niemand muß überhaupt die Zeit mehr sparen als einer, der für die Ewigkeit nicht sowohl lebt – das tut jeder Christ – als schreibt. Wie viel Blattseiten lässet denn die Biographia britannica unseres Ichs der Historiole des Universums übrig? – Wie ohnehin alles uns Dichter drückt, scheinen nur die alten Holzschnittschneider zu ahnen, wenn sie Bienen und Vögel – diese bildlichen Verwandten unsers Honigs und unsers Flugs – bloß als fliegende Kreuze zeichnen. Wer hängt an diesen Kreuzen als wir Kreuzträger, z. B.

Ihr

testierter

Biograph,

J. P. F. Richter?

Baireuth, d. 13. August 1804.

Jetzt geht Walts Geschichte so fort, nämlich Vults Wochenbuch fängt so an:

»Ich schwöre hiemit mir, daß ich ein Tagebuch wenigstens auf 1 Vierteljahr schreiben will; hör' ich früher auf, so strafe mich Gott oder der Teufel. Von heute – dem Tage nach dem gestrigen Einzuge – geh' es an. Ja, wenn mich der Gegenstand – nicht ich, sondern Walt – hinge, pfählte, knebelte, zerfetzte, nach Sibirien schickte, in die Bergwerke, in die zweite Welt, in die dritte, ja in die letzte: so führ' ich das Wochenbuch fort; und damit ich nicht wanke, so will ich mit den Fingern, die man sonst dazu aufhebt, es herschreiben:

Ich schwöre.

Die Welt – welche aber nie dieses Blatt bekommen soll – kann sich leicht denken, über wen das Wochenbuch geführet werde; nicht über mich. Ein Tagebuch über sich macht jeder Dinten-Mann schon an und für sich, wenn er seine opera omnia schreibt; bei einem Schauspieler sinds die Komödienzettel; bei einem Zeitungsschreiber die Jahrgänge voll Welthändel; bei einem Kaufmann das Korrespondenzbuch; bei einem Historienmaler seine historischen Stücke; Angelus de Constantio, der an seiner storia del regno di Napoli 53 Jahre verschrieb, konnte bei jeder Reichsbegebenheit sich die seinigen, obwohl nur auf 53 Jahre, denken; und so schreibt jeder Verfasser einer Weltgeschichte damit seine eigne mit unsichtbarer Dinte dazwischen, weil er an die Eroberungen, innern Unruhen und Wanderungen der Völker seine eignen herrlich knüpfen kann. Wer aber nichts hat und tut, woran er seine Empfindungen bindet, als wieder Empfindungen: der nehme Lang- und Querfolio-Papier und bringe sie dazu, nämlich zu Papier. Nur wird er Danaiden- und Teufelsarbeit haben: während er schreibt, fällt wieder etwas in ihm vor, es sei eine Empfindung oder eine Reflexion über das Geschriebene – dies will wieder niedergeschrieben sein – kurz, der beste Läufer holet nicht seinen Schatten ein.

Und welch ein lumpiges knechtisches katoptrisches Nach-Leben, dieses grabes-luftige Zurückatmen aus lauer Vergangenheit statt eines frischen Zugs aus frischer Luft! Das flüchtige Getümmel wird ein Wachsfigurenkabinett, der blühende flatternde Lebensgarten ein festes pomologisches Kabinett. Ists nicht tausendmal klüger, der Mensch ist von Gegenwart zu Gegenwart wie Gott von Ewigkeit zu Ewigkeit, und der fröhliche Trieb tut seinen Windstoß in die Blumen und Wellen hinein, wirft Blumenstäubchen und Schiffe an ihren Ort und gähnt und stöhnt nicht wieder erbärmlich zurück?

Hingegen ein Tage- und Wochenbuch über andere! – Ich gesteh' es meinem geneigten Leser, dem guten Vult, dies ist etwas anderes; aber ich muß freilich sehen und – anfangen.

Doch so viel lässet sich auch, ohne anzufangen, annehmen, daß mein Hausherrlein und Brüderlein Walt vielleicht zu einem historischen Roman (den Titel ›Tölpeljahre eines Dichters‹ verschwör' ich nicht) zu verbrauchen ist, nämlich als Held, besonders da er eben in Liebes-Blüte und vollends gegen eine Häßlichkeit[1] steht; wenn mich nicht der ganze neuliche Wechsel-Prozeß und sein heißes Verteidigen und Beschauen ihres Gesichts und Herzens zu sehr betrügt. Nur ist durchaus erforderlich, daß ich als der Beschreiber des Lebens ihn geschickt, wie eine herkulanische Bücherrolle, auseinanderwinde und dann kopiere. Ich seh' auch nicht ein, warum ich nicht überhaupt so gut einen göttlichen Roman schreiben sollte wie Billionen andere Leute. Mir selber ist Schriftstellerei so gleichgültig, Vult! Wie ich lebe, nicht um zu leben, sondern weil ich lebe, so schreib' ich bloß, Freund, weil ich schreibe. Worin soll denn das Ebenbild Gottes sonst bestehen, als daß man, so gut man kann, ein kleines Aseitätchen[2] ist und – da schon *Welten* mehr als genug da sind – wenigstens *sich* Schöpfer täglich erschafft und genießt, wie ein Meßpriester den Hostiengott? – Was ist überhaupt Ruhm hienieden in Deutschland? Sobald ich mir nicht einen Namen machen kann, daß ich vom Niedrigsten bis zum Höchsten täglich genannt, gelobt und vor Begierde verschlungen werde – diesen Namen aber hat in Deutschland weiter niemand als Broihann, nämlich der erste Brauer des Broihanns –, so erhebe mich doch nie ein Journal, fleh' ich.

1 Gegen Raphaela, glaubt er.
2 aseitas, seine eigne Ursache sein.

Ebensogern als einer Vergrößerung durch dasselbe will ich einem Erzengel zu Gebote stehen, welcher mit einem mittelmäßigen Sonnen- und Weltenmikroskop auf dem Marktplatz der Stadt Gottes etwas verdienen will und daher, um andern neugierigen Markt-Engeln die Wunder Gottes und des Mikroskops zu zeigen, mich als die nächste Laus einfängt und auf den Schieber setzt mit vergrößerten Gliedmaßen zum allgemeinen Bewundern und Ekeln.

Dies beiseite, so merk' ich noch für dich besonders an, liebes Wältlein, falls du der zweite Leser dieses Wochenbuchs würdest, wie dein Vult der erste ist – in welchem Falle du aber ein ausgemachter ausgebälgter Spitzbube wärest, der sein gestriges Wort bräche, nie in meine Papiere zu blicken –, ja, ich setz' es absichtlich zur Strafe der Lesung für dich her, was ich jetzt behaupten werde, daß ich nämlich dich ächter zu lieben fürchte, als du mich liebst. Wäre dies gewiß: so ging' es schlimm. Sehr zu besorgen ist, mein' ich, daß du – ob du gleich sonst wahrlich so unschuldig bist wie ein Vieh – nur poetisch lieben kannst, und nicht irgendeinen Hans oder Kunz, sondern bei der größten Kälte gegen die besten Hänse und Künze, z. B. gegen Klothar, in ihnen nur schlecht abgeschmierte Heiligenbilder deiner innern Lebens- und Seelenbilder knieend verehrst. Ich will aber erst sehen.

Du wirst dich nicht erinnern, Wältchen, daß ich dir gestern oder heute oder morgen weisgemacht, daß ich nicht aus andern Gründen, sondern deinetwegen allein in deine Schweiß-, Dachs- und Windhunds-Hütte eingezogen bin. Folglich log ich nichts vor. Nur keine Lüge sage der Mensch, dieser Spitzbube von Haus aus! Fast alles ist gegen einen Geist eher erlaubt, weil er gegen alles sich wehren kann, nur keine Lüge, welche ihn, wie ein altrömischer Henker die unmannbare Jungfrau, in der Form der innigsten Vereinigung schänden und hinrichten will.

Schauest du also so sehr spitzbübisch und ehrvergessen in dieses Journal: so erfährst du hier nach dem vorigen Doppel-

Punkt, daß ich ein Narr bin, und eine Närrin will, mit *einem* Wort, daß ich eben ein Fenster von dir – wie zu einer Hinrichtung Damiens' um vieles Geld – gemietet, bloß um aus dem Fenster mich selber hinzurichten, nämlich hinunterzusehen in den Neupeterschen Park, wenn *Wina*, in die ich mich vergafft habe, zufällig mit deiner Raphaela lustwandelt. Ich freue mich darauf, wie wir beide an unsern Fenstern stehen und hinabschmachten und lächerlich sein werden. Nichts ist komischer als ein Paar Paare Verliebter; noch mehr wär' es ein ganzer rechter und ein linker Flügel, der seufzend einander gegenüberstände; – hingegen eine ganze Landsmannschaft von Freunden sähe nur desto edler aus.

Für jeden ist eine Frau freilich etwas anderes: für den einen Hausmannskost, für den Dichter Nachtigallenfutter, für den Maler ein Schauessen, für Walten Himmelsbrot und Liebesund Abendmahl, für Weltmenschen ein indisches Vogelnest und eine pommersche Gänsebrust – kalte Küche für mich. Die Lungensucht, welche Liebende und die Wärter der Seidenraupen – jene wollen ja auch Seide dabei spinnen – davontragen, wird mich als Seladon eher verlassen als ergreifen, weil ich so lange die lungengefährliche Flöte einstecke, als ich auf den Knieen liege und spreche. Ich bin dir aber wirklich sehr gut, Wina, zumal da deine Singstimme so kanonisch ist und so rein! – Aber ich will denn mein heutiges Tagebuch über den Bruder anheben ...«

NACHTRAG ZU
N⁰ 56: FLIEGENDER HERING

Das Vorstehende war zur Testaments-Exekution abgeschickt, als ich es von derselben – dem trefflichen Kuhnold – mit diesem Briefe wieder bekam:

Verehrtester Herr Legations-Rat! Ich glaube nicht, daß die Van der Kabelschen Erben das bloße Einheften der zugefertigten Dokumente, wie das Vultische Tagebuch ist, für eine hinlängliche Erfüllung der biographischen Bedingungen, unter welchen Ihnen das Naturalienkabinet testiert worden, nehmen werden. Und ich selber bin, gesteh' ich, mit den Vorteilen meines Geschmacks zu sehr dabei interessiert, als daß es mir gleichgültig sein sollte, Sie durch Vult verdrängt zu sehen. Ihr Feuer, Ihr Stil etc. etc. – – huldigen.[1] –

Dazu steht noch vieles andere dagegen. Es kommen im Verfolge des Vultischen Tagebuchs – zumal im Februar, wo er in vollen Flammen tobt – Stellen vor, deren Zynismus schwerlich durch den Humor, weder vor dem poetischen noch sittlichen Richterstuhle, zu entschuldigen steht. Z.B. die am 4ten Februar, wo er sagt: »das junge Leben als eine Sonne verschlingend verdauen und es als einen Mond kacken« – Oder da, wo er dem dezenten Bruder, um ihn zu ärgern, erzählt, wie er, da er kein Wasser um sich gehabt, um es ins vertrocknete Dintenfaß zu gießen, sich doch so geholfen, daß er eintunken konnte, um sein Paquet Briefe, seinen »Briefbeutel«, zu schreiben. Das zweite mag eher hingehen, daß er, wenn er mit vielen Oblaten Paquete gesiegelt und doch keine Siegelpresse und keine Zeit, sondern zu viele Arbeit gehabt, sich bloß eine Zeitlang darauf gesetzt, um andere Sachen zu machen unter dem Siegeln. Es sind überhaupt, Verehrtester, in unserer Biographie so manche Anstößigkeiten gegen den laufenden Geschmack – vom Titel an bis zu den Überschriften der meisten Kapitel –, daß man ihn wohl mehr zu versöhnen als zu erbittern suchen muß.

Noch einen Grund erlauben Sie mir, da er der letzte ist. Unsere Biographie soll doch, der Sache, der Kunst, der Schicklichkeit und dem Testamente gemäß, mehr zu einem histori-

1 Die Bescheidenheit erlaubt nicht, Lobsprüche stehen zu lassen, die, wie leicht zu erraten, den Gegenstand zu einem literarischen Pair ausrufen und die desto größer und folglich desto unverdienter sind, je feiner, gebildeter und aufrichtiger der Geschmack des Herrn Bürgermeisters bekanntlich ist.

schen Roman als zu einem nackten Lebenslauf ausschlagen; so daß uns nichts Verdrüßlicheres begegnen könnte, als wenn man wirklich merkte, alles sei wahr. Werden wir aber dieses verhüten – verzeihen Sie mein unhöfliches Wir –, wenn wir bloß die Namen verändern, nicht aber den Stil des Akteurs? Denn wird man uns nicht auf die Spur kommen schon durch Vults unverändert geliefertes Tagebuch allein, sobald man dessen Stil mit dem Stil des Hoppelpoppels (auch dieser Titel gehört unter die Gesamt-Rüge), den die Welt gedruckt in Händen hat und dessen Verfasser seit dem neulichen Artikel im literarischen Anzeiger jeder kennt, zusammenzuhalten anfängt? O ich fürchte zu sehr. –

Aber alle diese Noten stören die Verehrung nicht, womit ich ewig etc.

Kuhnold

*

Ich antwortete folgendes:

Ich fluche, aber ich folge. Denn was hälf' es, den Deutschen zuzumuten und das Beispiel zu geben, nur wenigstens auf dem Druckpapier – nicht einmal auf dem Reichsboden – so keck zu sein, als ihre Vorfahren im 16ten, 17ten Säkul auf beiden waren? Gedachte sagen, sie hofften seitdem von den Franzosen weiter gebracht zu sein. Unser Diamant der Freiheit ist aus unserem Ringe in einen Drachenkopf gekommen, wo er nicht eher glänzen kann, als bis wir im Drachenschwanze stehen.

Ich weiß nicht, ob ich mich dunkel erkläre, hoff' es aber.

Trefflichster! der Humorist hat zwar einen närrischen, widerlichen Berghabit zum Einfahren in seine Stollen; – er verleibt sich zwar nach Vermögen alle Aus- und Miß-Wüchse der Menschheit ein, um das Beispiel der Mißgeburten zu befolgen und zu geben, die in vorigen Jahrhunderten bloß darum mit fleischernen Fontangen, Manschetten und Pluderhosen geboren wurden, um damit der Welt, wie die Strafprediger errieten, ihre angezogenen vorzuwerfen; – und hiemit wäre Vult entschuldigt –; aber wie gedacht, ich folge und schlage nichts ein als den alten aristotelischen Mittelsteig, der hier darin besteht, daß ich weder erzähle, noch erdichte, sondern dichte; und wenn Skaliger in einem Werkchen von 8 Bogen über seine Familie imstande war, vierhundertundneunundneunzig Verfälschungen anzubringen, wie Scioppius gut erwiesen[1]: so dürfte in einem Werkchen von ebenso vielen Bänden die Doppelzahl davon ebensoleicht als nützlich ausfallen.

Vor dem Erraten der wahren Namen unserer Geschichte dürfen wir, Herr Bürgermeister, uns nicht ängstigen, da bisher für keine von allen Städten, die ich in meinen vielen Romanen abkonterfeiet habe, der Büschingische Name ausgespähet wurde, ungeachtet ich in einigen davon selber wohnte, sogar z. B. in Haelwebeemcebe und Efgeerenengeha.

Indes ersuch' ich die Testaments-Exekution, daß mir doch Vults Einleitung zu seinem Tagebuch samt unserem Briefwechsel darüber in den fliegenden Hering (Nro. 56) einzunehmen zugelassen werde, weil Sachen dadurch vorbereitet werden, die ohne das Tagebuch kein Mensch motivieren kann, nämlich Vults schnelles Einziehen und Verlieben. Wahrlich Sie, verehrlicher Stadtrat, sind glücklich und erfahren nichts von den Vater- und Mutterbeschwerungen erträglicher Autoren. Sie als Menschen stehen sämtlich unter dem herrlichen Satze des Grundes, und der Freiheit dazu, und alles, was Sie nur machen oder sehen, bekommen Sie sogleich schon motiviert – – Aber Dichter haben oft die größten Wirkungen recht gut fertig vor sich liegen, können aber mit allem Herumlaufen keine Ursachen dazu auftreiben, keine Väter zu den Jungfernkindern. Wie ihnen dann Kritiker mitspielen, die weniger mit als von kritischem Schweiße – der hier die Krankheit, nicht die Krisis ist – ihr Brot verdienen, wissen der Himmel und ich am besten.

Der ich verharre etc., etc.

J. P. F. R.

❊

Meiner Bitte wurde, wie man sieht, willfahren.

1 Mencken de Charl. erud. ed. IV.

Doppel-Leben

»Der Himmel besteht wahrscheinlich aus ersten Tagen – wiewohl die Hölle auch –, so sehr jauchzet mich heute dein elendes Nest an«, sagte Vult beim Frühstück. Beide gingen in ihre Wohnungen an ihre Arbeiten nach Hause. Vult schrieb am Tagebuch ein wenig und schnitt zwei brauchbare Ausschweifungen sogleich heraus für den Hoppelpoppel. Dann sah er aus dem Fenster und sprach zur freundlichen Raphaela herab, welche auf Vaters Befehl im Garten Wachstehen mußte, weil man die Bildsäulen wie die Orangerie-Kästen in die Winterquartiere trug. Da er voraussah, daß Walt ihn hören müßte, so schneiete er zierlich-gefrorne Eisblümchen von Anspielungen auf Liebe, Kälte, Halbgötterchen und ganze Göttinnen hinab, welche, hofft' er, Walts und Raphaelens Wärme schon zu schönen bunten Tropfen auftauen würden. Raphaela ließ ähnliche Eisblumen an seinen Scheiben anschießen; und wurde im kalten Wetter des Gartens schön geheizt, bloß weil Vult ein Mann und ein Edelmann war. Für manches Mädchen sitze ein Ahnen-Mann auf seinem Stammbaum so entgliedert und zerschossen wie ein Schützenvogel am dritten Tage auf der Stange, sie wird doch an ihm gern zur Königin und will ihn erzielen. Mit einer Freude ohne Eifersucht gab sie ihm auf die Frage, wann der General mit seiner Tochter komme, die Hoffnung ihrer Nähe.

Kaum hatten die Gebrüder mit größerer Mühe wieder zu fliegen und zu scherzen angefangen im Roman: so stand Vult auf und murmelte so zu sich – Walt mußt' es hören –: »Ich wüßte nicht, warum ich nicht zu meinem einsamen Bruder einmal einen Spaziergang machte, da die Wege von hier zu ihm noch ebener und fester sind als selber in Kursachsen.« Darauf öffnete er das Kappfensterchen am gemalten Palaste der Bühnenwand und rief hindurch: »Kannst du mich hören? Ich hätte Lust, zu dir zu marschieren, wenn du eben allein wärest.« –

»Du Schelm, du guter«, sagte Walt. Jener reisete denn um die Wand mit anderthalb Schritten und dem Wandnachbar entgegen mit vorgestrecktem Handschlag sagend: »Mich schröckt das Schneegestöber draußen wenig ab, dich in deiner Einsiedelei aufzusuchen und sie vielleicht zu verwandeln in eine lachende Zweisiedelei.« – »Bruder,« sagte Walt, vom Schreibetisch aufstehend, »könnt' ich komisch dichten oder dürfte man einen Freund abschatten in Rissen und Schattenrissen: wahrlich ich schriebe jeden Schritt ab von dir. Aber ich glaube nicht, daß es sich geziemt, ein geliebtes Herz auf den poetischen Markt zur Schau zu legen. Bin ich etwa zu sehr im Schreibfeuer?«

»Nein,« versetzte Vult, »auch nicht im Rechte; ists Zufall oder was, daß du in der Stube wieder ein Linker bist, und ich ein Rechter?[1] – Aber ich muß endlich nach Hause, Alter, und da spaßen – vor Welt und Nachwelt.« Er ging. Walt hielt es für Pflicht, ihn auch bald zu besuchen, um ihm die Einsperrung in eine halbierte Stube ein wenig zu vergelten. Er sagte Vulten, wie heute so viele andere Zufälle sich zu ihrem Glück vereinigten, daß z. B. der erste Schnee falle, der von jeher etwas Häusliches und Heimisches für ihn aus der Kindheit gehabt, gleichsam die Maienblümchen des Winters – und daß er heute von hier aus die ersten Drescher höre, diese Sprach- oder Spielwalzen des Winters. »Du meinst die Flegel«, sagte Vult; »nur störet ihr Takt meiner Flöte ihren.« – »Wie kommts beiläufig, mein Alter,« – sagte Walt – »daß ein fast so einfältiger Vers, der den Takt von drei Dreschern nachklappen soll, etwas Anziehendes für mich hat: ›Im Winter, mein Günther, so drischt man das Korn; wenns kalt ist, nicht alt bist, tapfer gefror'n‹?« – »Es kann so sein,« antwortete Vult, »daß der Vers in seiner Art vortrefflich ist und nachahmend, wer wills wissen? – Oder auch, weil ihn uns unser Vater so oft aus Herrn v. Rohrs Haushaltungs-Recht vorlas. Nämlich in Kursachsen hatte damals

1 Bekanntlich hießen im Dorfe Elterlein die fürstlichen Untertanen am rechten Bachufer die Rechten, die adeligen am linken die Linken.

die Drescherzunft besondere Gesetze. Z. B. wer, wie du weißt, das halbe Vierte nicht nach dem Verse drasch: ›Fleisch in Töpfen, laßt uns höpfen‹, bekam 40 Streiche mit der Wurfschaufel auf den Steiß. So wars ein Zunftartikel, daß man für jeden Zank in der Scheune einen neuen Flegel abgeben mußte; eine Strafe, welche bei literarischen Zwistigkeiten schon im Fehler selber abgeführt wird.«

Beide hoben wieder das Schreiben an. »Ich dachte jetzt daran,« – rief ihm Vult aus dem Palastfensterlein – »als ich dich laut das Papier umwenden hörte und innen hielt, wie von solchen Kleinigkeiten ganze europäische Städte, für die wir etwa arbeiten, mit ihren feinsten Empfindungen geradezu abhängen. Eine von Staub verdickte Dinte – oder eine elende weiße, die sich später schwärzt – ein ähnlicher bestohlner Kaffee – ein rauchender Ofen – eine knuspernde Maus – eine verdammte rissige Feder – ein Bartscherer, der dich gerade mitten in deinem höchsten Schuß durch den Äther einseift und dir mit dem Bart die Flügel beschneidet – – sind das nicht lauter elende Wolkenflocken, welche einer ganzen Erde eine Sonne voll Strahlen, um einen Autor so zu nennen, verdecken können? Es ist ja ordentliche Fopperei der Welt. Auf der andern Seite ist es allerdings – schreibe aber dann fort – ebenso ermunternd und erhaben, daß der Tropfe Dinte, den du oder ich nachher aus der Feder aufs Papier im Stillen hinflößen, Wasser für die Mühlräder der Welt sein kann – aushöhlendes Ätzwasser und Tropfbad für das Riesengebirge der Zeit – ein Riechspiritus und Hirschhorngeist für manches Volk – der Aufenthalt des Meergottes als Zeitgeistes – oder sonst etwas Ähnliches dem Tropfen, womit ein Banquier oder ein Fürst Städte und Länder überschwemmt. Gott! womit verdient man es, daß man so erhaben ist? – Jetzt schreib aber.«

Abends gegen vier Uhr hörte Walt deutlich, daß Vult zu Floren sagte: »Eh' du uns bettest, schönes Kind, so laufe zum Herrn Notarius Harnisch, in meiner Nachbarschaft, und ich ließ' ihn bitten, diesen Abend zum Tee, auf einen Thé marchant

– und bringe nur mir Licht, weil er dann keines braucht.« – Walt erschien, um das erstemal in seinem Leben einen Tee anders als nach Laxiermitteln zu trinken. Vult gab ihn mit Wein, den er nie vergaß zu borgen. »Wenn die Alten schon den Ahorn mit Wein begossen, wie viel mehr wir den Lorbeer! – Wer einen Hoppelpoppel schreibt, sollte ohnehin einen Hoppelpoppel trinken, ja er sollte beides vereinen und ein Punsch-Royalist werden, wenn du weißt, was Punch royal ist. Ich genieße das Leben sub utraque.« Beide führten darauf ihre guten Diskurse, wie Menschen pflegen und sollen. Vult: »Ich sprech' unendlich gern – vorher eh' ich das Gesprochne aufschreibe. Tausend Sachen lassen sich erfinden, wenn man keift und kriegt. Daher kommts vielleicht, daß man auf Akademien sich in alle Würden und Erlaubnisse, zu lehren, nicht wie an Höfen hineinschmeichelt, sondern hineinzankt, d.h. disputiert, wozu Sprechen so nötig; z.B. so bring' ich selber diesen Einfall oder den vormittägigen vom Flegel zu Papier.« – Walt: »Darum werden Briefe als Nachhalle der Gespräche so geschätzt.« – Vult: »Denn sogar zum Philosophieren ist ein zweites Menschengesicht behülflicher als eine weiße Wand- oder Papier-Seite.« – Walt: »O Lieber, wie hast du recht! Doch kann es nicht so sehr auf poetische Darstellungen passen als auf scherzhafte und witzige und philosophische; dir hilft Reden mehr, mir Schweigen.« – Vult: »Der Winter ist überhaupt die fruchtbarste Lettern-Zeit; Schneeballen gefrieren zu Bücherballen. Hingegen, wie reiset und fliegt ein Mensch im Lenz! Hier wären Bilder leicht; aber die Ostermesse ist der beste Beweis.« – Walt: »Es ist, als wenn der Mensch, von neuen Bergen aus Wolken umschlossen, ohne Himmel und ohne Erde, bloß im Meer des Schnees treibend – so ganz allein – kein Sington und keine Farbe in der Natur – ich wollte etwas sagen; nämlich der Mensch muß aus Mangel äußerer Schöpfung zu innerer greifen.«

Vult: »Trink' diese Tasse noch. O sehr wahr! Wiewohl wir heute eben nicht viel geschrieben und ich gar nichts.«

Beide bedauerten nur, daß ihre so schöne Gemeinschaft der Güter durch Mangel an Gütern etwas gestört würde, indem alles, was sie von Gold in Händen hätten, sich bloß auf die Goldfinger daran einschränke. Weder Vult konnte auf dem Instrumente, das er blies, noch Walt mit den Instrumenten, die er jetzt selten zu machen bekam, sich viel verdienen. Armen-Anstalten für beide mußten getroffen und jeder der Almosen-Pfleger des andern werden. Noch heute, ja auf der Stelle mußte ein Zauberschlag von unabsehlichen Folgen getan werden; sie taten ihn im Weinfeuer mit vier Armen.

Sie schickten die ersten Kapitel und Ausschweifungen des Hoppelpoppel oder das Herz an den Magister Dyk in Leipzig zum Verlage.

Denn ein Werk kann immer mit dem hintern Ende noch in der Schneckenschale des Schreibpultes wachsen, indes das vordere mit Fühlhörnern schon auf der Poststraße kriecht. Sie setzten ihre erste Hoffnung gütiger Annahme darum auf den Magister, weil sie glaubten, ein Buchhändler, der selber ein Gelehrter ist, habe doch immer mehr prüfenden Geschmack für Manuskripte als ein Buchhändler, der erst einen Gelehrten hält, welcher prüft.

Walt mußte im Briefe – auf Vults Welt-Rat – sich stolz gebärden und viel begehren und sich alle Rechte der folgenden Auflagen vorbehalten. »Da Milton« – setzte er hinzu – »12 Guineen für sein verlornes Paradies einstrich: so wollen wir, um in Leipzig zu zeigen, wie wenig wir uns ihm gleichsetzen, achtundvierzig begehren.« – Der Notar erstaunte, daß ein Autor, besonders er, die große Gewalt ausübe, Papier, Druck, Format und Stärke der Auflage – 3000 Exemplare wurden dem Magister zu drucken erlaubt – dem Verleger vorzuschreiben.

Vult trug darauf selber die Kapitel auf die sächsische Post, um, wie er sagte, einmal wieder die Welt zu sehen.

Am Tage darauf schufen beide sehr. Ein junger Autor glaubt, alles, was er auf die Post schickt, sei schon dadurch verlegt und gedruckt, und schreibt darum fleißiger. Kein

Besuch, kein Fest, kein Mensch, kein Brief störte sie. Vult hatte kein Geld, und Walt war zum Sitzling geboren. Dichter bauen, wie die afrikanischen Völker, ihre Brotfelder unter Musik und nach dem Takte an. Wie oft fuhr Walt überglücklich vom Sessel auf und durch die Stube mit der Feder in der Hand (Vult sah oben über die spanische Wand hinein und merkt' es an) und ans Fenster und sah nichts und konnte den süßen Sturm kaum aus der Brust aufs Papier bringen und setzte sich wieder nieder! Darauf sagt' er überfließend: »Flöte immer, mein Vult, du störest mich nicht; ich gebe gar nicht darauf acht, sondern verspüre nur im allgemeinen das Ertönen vorteilhaft.« – »Sagt mir lieber, Ihr Kauz, von was ich jetzt auszuschweifen habe in Euerem Kapitel, damit wir beisammen bleiben!« sagte Vult.

Über dem Essen – bald auf Walts, bald auf Vults Zimmer – dehnten beide die Mahlzeit in die Länge, die aus *einer* Portion für zwei Menschen bestand, weil kein Wirt die zweite herborgte (was jedoch das Beisammenwohnen desto schöner motiviert), und zwar dadurch, daß sie mit höherem Geschmacke sprachen als mit körperlichem und mehr Worte als Bissen über die Zunge brachten. Sie rechneten aus, um wie viele Meilen die ersten Kapitel dem Magister Dyk schon näher wären, mit welchem Feuer der Hoppelpoppel ihn durchgreifen und aus allen Fugen schütteln würde, und ob das Drucken etwa, wenn es anginge, nicht so schnell fortginge, daß mit dem Schreiben kaum nachzukommen wäre. – Vult bemerkte, wenn ein Romanschreiber gewiß wüßte, daß er sterben würde – z. B. er brächte sich nur um –, so könnt' er so seltsame herrliche Verwicklungen wagen, daß er selber kein Mittel ihrer Auflösung absähe, außer durch seine eigne; denn jeder würde, wenn er tot wäre, die durchdachteste Entwicklung voraussetzen und darnach herumsinnen. »Weißt du denn gewiß, Walt, daß du am Leben bleibst? Sonst wäre manches zu machen. – Inzwischen seh' ich jetzt in unsrer Stube herum und denke daran, wie auffallend, falls wir nun beide durch unsern Hoppelpoppel uns unter Ehrenpforten und in Unsterblichkeits-Panthea hineinschrieben, unser Nest würde gesucht und besucht werden – jeden Bettel, den du an die Wand spucktest, würde man wie aus Rousseaus Stube auf der Peters-Insel abkratzen und abdrucken – die Stadt selber bekäme einigen Namen, wahrscheinlich nach Ähnlichkeit von Ovidiopolis den Namen Harnischopolis – Was mir aber die persönliche Unsterblichkeit versäuert, ist, daß mein Name nur *lange* währt, nicht *lang*.[1] O wer es wissen könnte bei der Taufschüssel, daß er sich einen großen Namen machte, würde sich ein solcher Mann, wenn er sonst scherzt, nicht einen der ausgestrecktesten erkiesen, zum Beispiel (denn der Sinn hat nichts zu sagen) den Namen, den schon ein Muskel führt, nämlich Mr. Sternocleidobronchocricothyrioideus? Belesene Damen kämen zu ihm und redeten ihn an: Herr Sternocl und könnten nicht weiter. Militärs tätens nach und sagten: Herr Sternocleido! – Die Geliebte allein suchte den Namen auswendig zu können und liebt' ihn so lange, als sie ausspräche: teurer Mr. Sternocleidobronchocricothyrioid! Er würde gern zitiert von Gelehrten, weil schon sein Name eine Zeile gilt vor Setzern und Käufern. – Apropos! Warum schickt denn der Sieben-Erbe Paßvogel nicht den ersten Korrekturbogen, gemäß allen Testaments-Klauseln in Haßlau?«

»Der Autor bessere noch an der Handschrift, ließ er mir vorgestern sagen«, sagte Walt. – Darauf verschnauften sich beide in der Luft. Wie manchen flüchtigen Zug der höhern Stände schnappte der Notar auf der Straße im Vorbeigehen auf für seinen Roman! Die Art, wie ein Haßlauer Hofkavalier aus dem Wagen sprang oder wie eine Gräfin aus dem Fenster sah, konnte romantisch niedergeschrieben werden und *ein* Mann für Tausend stehen und fallen! Diese Übertragungs-Manier, ein Farbenkorn zu einer erhobenen Arbeit zu machen, erleichtert Bauernsöhnen das Studium der höhern Stände unglaublich. Aus demselben Grunde besuchte Walt am liebsten die Hofkirche und tat die Augen auf.

Alsdann ging man nach Hause und ans Erschaffen, das so

1 Lange bezieht sich auf Zeit, lang auf Raum.

lange währte, bis es finster wurde. Auf die Dämmerung verschoben sie – um Licht zu ersparen – teils weitläuftigere Gespräche, teils Flöte. Wenn Vult so blies hinter der Wand und Walt so dort saß im Finstern und in den blauen Sternenhimmel sah und an den Morgen in Rosenhof dachte und an Winas Herz und Wiederkunft und unter dem mondhellen Flöten-Lichte sein klippenvolles Leben eine romantische Gegend wurde: o so stand er oft auf und setzte sich wieder hin, um den Bruder dadurch im Blasen nicht zu stören, daß er ihm bekannte, wie ihn jetzt die Minuten in Brautkleidern umtanzen und mit Rosenketten umflöchten. Aber wenn er ausgeblasen hatte und nach der langen Polardämmerung Licht kam: so sah ihn Walt forschend an und fragte froh: »Bist du zufrieden, Bruder, mit dieser süßen Enge des Lebens; und mit den Orchester-Tönen und innern Zauberbildern, die wir heute vielleicht ebenso reich, nur ungestörter, genossen haben als irgendein großer Hof?« – »Eine wahre Himmelskarte ist unser Leben,« versetzte Vult, »freilich vor der Hand nur ihre weiße Kehrseite; doch einen Taler, den mir jemand auf die Karte legte, säh' ich nicht mit Unlust.«

Am Morgen darauf sprach Walt von seinen schönen Aussichten auf die flötende Nachtigallen-Dämmerung. Etwas mühsam wurde Vult zu einer neuen Wiederschöpfung des melodischen Himmels gebracht. Aber mit desto größerem Feuer erzählte darauf der Notar, wie glücklich er die dämmernde harmonische Hörzeit angewandt habe, nämlich zur Verfertigung einer Replik und eines Streckverses im Roman; der Held sei – hab' er unter der Flöte gedichtet – getadelt worden, daß er über das Wort einer alten, kranken, dummen Frau, welche ihn für seine Gaben an jedem Abend in ihr Gebet eifrig einzuschließen versprochen, sich innigst erfreuet; allein der Held habe versetzt: nicht ihres Gebetes Wirkung auf ihn wäre ihm etwas, sogar wenn diese gewiß wäre, sondern die auf sie selber, daß ein so frierendes Wesen doch jeden Abend in eine schöne Erhebung und Erwärmung gelange. »Ist das kein wahrer Zug von mir, Vult?«

»Es ist ein wahrer von dir« (sagte Vult) – »In der Kunst wird, wie vor der Sonne, nur das Heu warm, nicht die lebendigen Blumen.« Walt verstand ihn nicht; denn oft kam es ihm vor, als finde Vult zuweilen später den Sinn als das Wort.

Im nächsten Dämmerungs-Feiertag und Feierabende, nämlich im dritten, war der dritte abgeschafft, Vult griff kein Flötenloch, blies keine Note. Aber der Bruder nahm den künstlerischen Eigensinn nicht übel, hielt den Bruder für so glücklich als sich und wandte nichts ein gegen einen Wechsel der Dämmer-Partien. »Hab' ich denn nicht eine Luftröhre wie du, so gut zu Lauten gebohrt als die Flöte? Kann ich denn dir nichts sagen, ohne das Holz ins Maul zu stecken? – Diskurieren wir lieber beiderseits«, sagte Vult.

In den folgenden Dämmerungen kehrte dieser zur alten Sitte zurück, hinter den Laternenanzündern die Gassen zu durchstreifen – ein Abenteuer mit einer Schauspielerin zu bestehen – Burgunder allein zu borgen (Walten hielt er, seit dieser ihn mit Zucker absüßte, keines mehr würdig) – mit der Flöte in fremde Flöten auf der Gasse oder in die Kulisse einzutreten – und sich endlich auf dem Kaffee-Hause halb tot zu ärgern, daß er am Ende so gut als einer sich unter die Haßlauer mische und, allmählich hinabgewöhnt, sich mit ihnen in Gespräche verflechte, da er doch mit der festesten Verachtung im Sommer angekommen sei.

Walt blieb freudig zu Hause; er fand in den kleinsten Blümchen, die durch seinen Schnee hindurchwuchsen, so viel Honig, als er brauchte. Als die Tage abnahmen: so freuete er sich über die Länge der Abenddämmerung so wie des gestirnten Morgens; ohne dabei zu vergessen, daß er sich ebensogut, nur später, über die Zunahme freuen würde. Der Mond war eigentlich sein Glücksstern, so daß er ihm in jedem Monate nicht viel weniger als 27 schöne Abende oder Morgen herunterwarf; denn beinahe 14 Tage (nur die paar ersten ausgenommen) konnt' er auf dessen Wachstum bauen; – von Vollmond bis zum letzten Viertel wurde ohnehin Elysiums Schimmer, bloß später, oft über seinem Bette aufgetragen, und das letzte Viertel gab den Morgenstunden Silber in den Mund. Da einmal gerade in der Dämmerung Ballmusik gegenüber war: so nahm er sich sein Stück Winterlustbarkeit heraus, so gut wie einer. Die Musik drang unsichtbar, ohne den Armen-Zickzack und die Backen-Kurven des Orchesters, nur entkörpert mit seligen Geistern in sein dämmerndes Stübchen. Er stellte sich zum Tanzen an, und weil es ihm an den schönsten Tänzerinnen nicht fehlte – da ganze Harems und Nonnenschaften darin waren und mehrere Rosenmädchen und alles –: so zog er Göttinnen von solchem Glanz zum Tanzen auf und machte mit ihnen – obwohl leise, um unter seinen Füßen nicht rezensiert zu werden – nach den fernen Takten, die er begleitete, so gut seine Pas, seine Seiten-, seine Vorpas zu Hopstänzen, zu Eier-, zu Schaultänzen, daß er sich vor jedem sehen lassen durfte, der nichts suchte als einen muntern Geist, der im Finstern umhersetzt. Was er in der Seligkeit zu scheuen hatte, war bloß Vults plötzlicher Eintritt.

Ihn – der ohnehin nicht gewohnt war, daß er etwas hatte – drückte kein Entbehren; er hatte Phantasie, welche helles Krystallisationswasser ist, ohne welches die leichtesten Formen des Lebens in Asche zerfallen.

Doch wurde sein Himmel nicht immer so phantastisch weit über die Lüfte der Erde hinausgehoben, er wurde auch zuweilen so real heruntergebaut wie ein Theater- oder ein Betthimmel. An Sonntagsgeläuten, am Hofgarten, an frischer kalter Luft, Winterkonzerten (die er unten auf der Gasse spazierend hörte) hatt' er so viel Anteil als irgendeine Person mit Schlüssel und Stern, der im Innern gerade beide fehlen. Aß er sein Abendbrot, so sagt' er: »Der ganze Hof ißt doch jetzt auch Brot wie ich«; dabei setzte und benahm er sich zierlich und artig, um gewissermaßen in guter Gesellschaft zu sitzen. An Sonntagen kauft' er in einem guten Hause sich einen der besten Borsdorfer Äpfel ein und trug ihn sich abends in der Dämmerung auf und sagte: »Ganz gewiß werden heute an den verschiedenen Höfen Europens Borsdorfer aufgesetzt, aber nur als seltner Nachtisch; ich aber mache gar meinen Abendtisch daraus – und wenn ich mehr Leibliches begehre, du guter Gott, so erkenne ich deine Güte nicht, die mir ja in einem fort mit stillsten Freuden wie mit tiefen Quellen die Seele überfüllt.«

Im durchsichtigen Netze seiner Phantasie fing sich jeder vorüberschießende Freuden-Zweifalter – dazu gehörte sogar ein erwachender gelber Schmetterling im Gartenhaus – jeder Stern, der stark funkelte – italienische Blumen, deren deutschen Treibscherben zwischen Schauls er auf der Gasse aufgestoßen – eine bekränzte, zwischen Andacht und Putz glühende Braut – ein schönes Kind – ein Kanarienvogel in der Webergasse, der mitten im deutschen Winter in Kanarieninseln und in Sommergärten hinüberschauen ließ – und alles.

Flog Flora, die Bettmeisterin, mit hellen Gesängen die Treppen herauf, so hörte er erste Sängerinnen für seinen Teil. –

Einst an einem Markttage hatt' er halb Italien mit einem ganzen Frühling um sich. Der Tag schien dazu erlesen zu sein. Es war ein sehr kalter und heller Winternachmittag, worin Mükken in den schiefen Strahlen spielen, als er im Hofgarten – den der gute Fürst jeden Winter dem Publikum öffnen ließ – die silbernen Schneeflocken der Bäume unter der blitzenden Sonne in weiße Blüten, die den Frühling überluden, umdachte und darunter weiterspazierte. So plötzlich auf die Frühlings-Insel ausgesetzt, schlug er in ihr die heitersten Wege ein. Er machte einen nahen an der Bude eines Sämereienhändlers vorbei und hielt ein wenig vor dessen Budentisch, nicht um eine Düte zu kaufen – wozu ihm ein Beet fehlte, da alle seine Morgen Lands nur in seinem Morgenland bestanden –, sondern um den Samen von französischen Radiesen, Maienrüben, bunten Feuerbohnen, Zuckererbsen, Kapuzinersalat, gelbem Prinzenkopf zu denken und zu riechen und auf diese Weise (nach Vults Ausdruck, glaub' ich) einen Vorfrühling zu schnupfen. In der Tat geht unter allen Sinnen-Wegen keiner so offen und kurz in das fest zugebauete Gehirn als der durch die Nasenhöhlen.

Darauf holte er sich beim Bücherverleiher vieles, was er von guten Werken über Schmetterlinge, Blumen- und Feldbau erwischen konnte – und las aufmerksam in den Werken, um sich die Lenz-Sachen vorzustellen, die darin auftraten. Bloß das Ökonomische, Botanische und Naturhistorische überhüpfte er ohne besondern Verstand und Eindruck, weil er auf wichtigere Dinge zu merken hatte.

Als der Bruder fort war, stand gerade die Abendröte am Himmel und auf dem Schneegebürg, dieses Vorstück Aurorens, dieser ewige Widerschein des Frühlings.

Über das Haus herüber war schon das Mondsviertel gerückt und konnte, nicht weit von der Röte, zugleich mit ihr in sein Stübchen kleine Farben und Strahlen werfen. »Wenn nicht der Winter nur eine längere Polar-Morgenröte des Frühlings für die Menschen ist,« sagt' er, indem er aufstand, »so weiß ich in der Tat nicht was sonst.« Der ganze Nachmittag war voll Frühling gewesen – und jetzt in der Abendstunde quoll gar ein Nachtigallenschlag wie aus einem äußern Blütenhain in seinen innern herüber. Er nahm einen Judenjungen, der im nächsten Wirtshaus schlug, für eine wahre Nachtigall. Ein unmerklicher Irrtum, da die Philomele, die uns singt, eigentlich doch nirgends sitzt und nistet als in unserer Brust! Schnell, wie von einem Zauberer, wurden die steilen Felsenwände seiner Lage umher mit Efeu und mit Blümchen überzogen. Der Mond kam heller herein, und Walt stand und ging mitten in seinem leisen Glanze träumend betend, es war ihm, als höben und hielten ihn die geraden Strahlen und als habe er jeden gemeinen Gegenstand im Zimmer oder auf der Gasse mit Festtapeten zu verhüllen, damit der Himmel nur Himmlisches auch auf der Erde berühre. »So war es gerade einst«, sang er mehrmals, auf jenen Abend deutend, wo er neben Winas Zimmer mondstill auf und ab ging. Ja, er improvisierte singend den Polymeter:

»Liebst du mich?« fragte der Jüngling die Geliebte jeden Morgen; aber sie sah errötet nieder und schwieg. Sie wurde bleicher, und er fragte wieder, aber sie wurde rot und schwieg. Einst, als sie im Sterben war, kam er wieder und fragte, aber nur aus Schmerz: »Liebst du mich nicht?« – und sie sagte Ja und starb.

Er versang sich immer tiefer in sein Herz – Zeit und Welt verschwand – er spielte wie eine sterbende Ephemere süß in den hellern Strahlen des Mondes und unter Mondsstäubchen –: da kam Vult heiter zurück und brachte die Nachricht, Wina sei angekommen, deckte aber sogleich deren Wert für ihn selber durch eine zweite lustige zu (und lachte stark): daß er nämlich, sagt' er, im Vorbeigehen zu seinem Schuster gegangen, um ihn zu fragen, ob er denn seit 14 Tagen keinen 15ten gefunden, um die Rehabilitierung, Palingenesie, Petersensche Wiederbringung seiner Stiefel (so drücke mancher leider ihr Besohlen aus) zu vollenden; er habe ihn aber nicht eher als auf dem Rückwege gefunden, wo er auffallend ihm immer rechts in die Schattenseite ausgebogen; – bis er nach langem Predigen gesehen, daß der Mann die Stiefel, welche der Bußtext der Kasualrede waren, an den Beinen bei sich habe und herumtrage, um sie erst noch etwas abzutreten, bevor er sie flicke. »War dieser Spaß, der noch dazu voll Anspielungen steckt, nicht so viel wert als das beste Paar Stiefel selber?« – »Ist er denn so sonderlich?« sagte Walt. – »Warum«, fragte Vult bestürzt, »siehst du so sonderbar aus? Warest du traurig?« – »Ich war selig, und jetzt bin ichs noch mehr«, versetzte Walt, ohne sich weiter zu erklären. Die höchste Entzückung macht ernst wie ein Schmerz, und der Mensch ist in ihr eine stille Scheinleiche mit blassem Gesicht, aber innen voll überirdischer Träume.

N⁰ 58: GIFTKUTTEL

Erinnerungen

Der Notarius erwartete am Morgen nichts Geringeres und Gewisseres als einen Bedienten außer Atem, der ihn eilig vor das Schreibepult des Generals bestellte. Nichts kam. Der Mittelmann glaubt, die Obermänner stehen darum auf den höhern Sprossen der Staatsleiter, um besser die Nachsteiger zu überschauen; indes er selber das Auge weniger auf den Kopf seines Nachsteigers als auf den Hintern seines Vorsteigers heftet; und so alle auf und ab. Die mittlern Stände haben den höhern keine andere Vergeßlichkeit schuldzugeben als die, welche die niedern wieder ihnen vorwerfen.

Die Dämmerung konnte Vult kaum erwarten, um ein Dämmerungsfalter zu werden und auszuflattern; Walt zählte ebenso stark darauf, um ein Dämmerungs-, ein Nacht- und ein Tagfalter zugleich zu sein, aber nur geistig und nur daheim.

Himmel! er wurd' es so sehr! Denn als Vult ganz spät und nicht in bester Laune nach Hause kam, fand er Walten hingegen darin, nämlich in bester – feurig schreitend – fast verjüngt, ja verkindlicht – so daß er ihn fragte: »Du hast, ich schwöre, heute Gesellschaft gehabt oder gesehen, und zwar die angenehmste, nur weiß ich nicht welche.« (Er meinte heimlich Raphaela.) »Oder hat der Magister Dyk gut geschrieben?«

»Ich erinnerte mich«, versetzte Walt, »den ganzen Abend fort, und zwar der Kindheit; denn sonst hatt' ich noch nichts.« – »Lehre mich diese Gedächtniskunst«, sagte Vult. – »Das Schulmeisterlein Wutz von J.P. macht' es wie ich, so wunderbar errät ein Dichter das Geheimste. Ich möchte wohl Tage lang über die kleinen Frühlingsblümchen der ersten Lebenszeit reden und hören. Im Alter, wo man ohnehin ein zweites Kind ist, dürfte man sich gewiß erlauben, ein erstes zu sein und lange zurückzuschauen ins Lebens-Frührot hinein. Dir offenbar' ichs gern, daß ich mir höhere Wesen, z.B. Engel, ordentlich weniger selig aus Mangel an Kindheit denken kann, wiewohl Gott vielleicht keinem Wesen irgendeine Kindheits- oder Vergißmeinnichts-Zeit mag abgeschlagen haben, da sogar Jesus selber ein Kind war bei seiner Geburt. Besteht denn nicht das gute Kinderleben nur aus Lust und Hoffnung, Bruder, und die Frühregen der Tränen fliegen darüber nur flüchtig hin?«

»Früh-*Regen* und alter Weiber *Tänze* und so weiter – nämlich junge Not und alte Lust und so weiter. Fall' ich noch in den Zeitpunkt deiner versus memoriales?« sagte Vult.

»Wahrlich, stets hob ich in Leipzig und hier nur Tage dazu heraus, wo du noch nicht mit dem Musikus entlaufen warst.«

»So erinnere dich deines heutigen Erinnerns wieder vor mir«, bat Vult; – »ich stehe dir mit neuen Zügen bei.«

»Ein neuer Zug aus der Kindheit ist ein goldnes Geschenk«, sagte Walt – »nur wirst du manches zu kindisch finden.« (»Kindisch bloß«, sagte Vult.) »Ich nahm heute zwei Tage, nahe am kürzesten und längsten.

Der erste Tag fiel in die Adventszeit. Schon dieser Name und der andere »Adventsvogel« umfliegt mich wie ein Lüftchen. Im Winter ist ein Dorf schön, man kann es mehr überschauen, weil man mehr darin beisammen bleibt. Nimm nur den Montag. Schon den ganzen Sonntag freuete ich mich auf die Schule am Montag. Jedes Kind mußte um 7 Uhr bei Sternenschein mit seinem Lichtchen kommen; ich und du hatten schön bemalte von Wachs. Vielleicht mit zu großem Stolze trug ich einen Quartband, einige Oktavbände und ein Sedez-Werkchen unter dem Arm.«

»Ich weiß,« sagte Vult, »du holtest der Mutter noch Semmel aus dem Wirtshause, als du schon den Markus und seinen Ochsen griechisch exponiertest.«

»Dann fing die schöne Welt des Singens und Lehrens in der süßen Schulstubenwärme an. Wir großen Schüler waren hoch über die kleinen erhoben; dafür hatten die Abc-Zwerge das Recht – und es war ihnen zu gönnen –, daß sie den Kandidaten laut anreden und ohne Anstand ein wenig aufstehen und herumgehen durften.

Wenn er nun entweder die Spezialkarte aufhing und wir am meisten froh waren, daß Haßlau und Elterlein und die umliegenden Dorfschaften daraufstanden – oder wenn er von den Sternen sprach und sie bevölkerte und ich voraussah, daß ich abends den Eltern und Knechten dasselbe erweisen würde – oder wenn er uns laut vorlesen hieß: –«

»Du weißt,« fiel Vult ein, »daß ich dann das Wort Sakrament, er mochte sagen, was er wollte, immer mit einem Akzent herlas, als ob ich fluchte, desgleichen Donnerwetter. Auch war ich der einzige, der ins laute gemeinschaftliche Abbeten eine Art ⅜ Takt zu bringen versuchte.«

»Ich hätte dem arbeitsamen Manne so gern Entzückungen gegeben, wenn ich sie gehabt hätte. Ich betete oft ein leises Vaterunser, damit Gott ihn einen Finken, wenn er hinter seinem Kloben lauerte, darauf fangen ließe; und du wirst dich erinnern, daß ich stets die Schlachtschüssel mit Fleisch (du aber nur den Suppentopf) zu ihm trug. Wie ich mich auf das nächste Wiedersehen in der Schule freuete!«

»Wer mich hart gegen den Schulmeister findet,« sagte Vult, »dem halt' ich bloß vor, daß mir der Schulmann einmal eine angerauchte Pfeife abpfändete und sie in derselben Schulstube öffentlich vor meiner Nase gar ausrauchte. Heißt dies exemplarischer Lebenswandel von Schulmeistern? Oder etwa dies, daß sie Fischchen-Fangen und Vögel-Stellen uns Scholaren sprichwörtlich verbieten, wie Fürsten die Wagspiele, sich aber selber erlauben? Darüber möcht' ich einmal Männer in öffentlichen Blättern hören.« –

»O die liebe erste Schulzeit! Mir war alles erwünscht, was gelehrt und geboten wurde, die kleinste Wissenschaft war ja ganz voll Neuigkeiten, indes ihr jetzt in Messen nur einige nachwachsen. Kam nun vollends der Pfarrer mit den großen Augenbrauen im Priesterornat und verdunkelte doch den Kandidaten, wie ein Kaiser oder Papst einen Landesregenten, den er besucht: wie süß-schauerlich! Wie groß fiel jeder Laut seiner Baßstimme! Wie wollte man das Höchste werden! Wie wurde jedes Wort unsers Schomakers dreifach besiegelt durch seines!

Ich glaube, man ist schon darum in der Kindheit glücklicher als im Alter, weil es in ihr leichter wird, einen großen Mann zu finden und zu wähnen; ein geglaubter großer Mensch ist doch der einzige Vorschmack des Himmels.«

»Insofern«, sagte Vult, »möcht' ich ein Kind sein, bloß um

zu bewundern, weil man damit sich so gut kitzelt als andere. Ja, ich möchte als ein Fötus mit Spinnenarmen an die Welt treten, um die Wehmutter als eine Juno Ludovisi anzustaunen. Ein Floh findet leicht seinen Elefanten; ist man hingegen älter, so bewundert man am Ende keinen Hund mehr. Doch muß ich dir bekennen, daß ich schon damals unserem knurrenden Pfarrer Gelbköppel aus seiner Kragen-Glorie einige Strahlen ausrupfte. Ich hatte, wie gewöhnlich, ein Buch unter die Schultafel in der Absicht fallen lassen, hinunterzukriechen und drunten die Fruchtschnur von Hangfüßen am Bank-Galgen lächerlich zu finden: als ich auch Gelbköppels Wochen-Stiefel auf dem Boden antraf und durch den aufklaffenden Priesterrock die Hosen, die er bei dem Grummet-Aufladen angehabt, zu Gesicht bekam – weg war seine ganze oben daraufgepelzte Würde – Der Mensch, wenigstens der Apostel, sei aus *einem* Stück gekleidet, er sei kein halber Aposteltag, Walt!«

»Vult, bist du dergleichen nicht fast in mancher Bemerkung? – Nun kam 11 Uhr heran, wo wir beide auf den Turm zum Läuten und Uhr-Aufziehen gehen durften. Ich weiß noch gut, wie du dich oben auf dem Glockenstuhl an das Seil der ausschwankenden Glocke hingst, um geschwungen zu werden, obgleich viele dir sagten, sie werfe dich durch das Schalloch. Ich hätte selber hindurchfliegen mögen, wenn ich so hinaussah über das ganze kreuzweis gebahnte Dorf voll lärmender Dreschtennen und an die dunkle Bergstraße nach der Stadt und über den weiten Schnee-Glanz auf allen Hügeln und Wiesen und dabei den blauen Himmel darüber her! Doch damals war der Erde der Himmel nicht sehr nötig. – Hinter mir hatt' ich die ernsthafte Glocke mit ihrer eiskalten Zunge und mit ihrem Hammer, und ich dachte mir es schauerlich, wie sie einsam in der frostigen Mitternacht zu mir ins tiefe Haus und warme Bette hinabreden werde. Ihr Summen und Aussummen in dieser Nähe umfloß den Geist mit einem stürmenden Meere, und alle drei Zeiten des Lebens schienen darin untereinander zu wogen.«

»Bei Gott! Hier hast du recht, Walt. Nie hör' ich dieses Ton-brausen ohne Schauder und ohne den Gedanken, daß der Müller *erwacht*, sobald die rauschende Mühle still steht, unser Leib mit seiner Holz- und Wasser-Welt; indes ergötzt die Betrachtung schlecht für den Augenblick.«

»Nimm nicht dein ernstes Herz so wieder zurück, Bruder! Sollt' ich dein Gleichnis wieder mit einem beantworten, so würd' ich sagen, diese Stille sei die auf dem Gipfel des Gott-hardsberges. Alles ist dort stumm, kein Vogel und kein Lüft-chen zu hören, jener findet keinen Zweig, dieses kein Blatt; aber eine gewaltige Welt liegt unter dir, und der unendliche Himmel mit allen übrigen Welten umfängt dich rings. – Willst du jetzt weiter gehen in unserer Kindheit, oder lieber morgen?«

»Jetzt, besonders jetzt. Der Kindheit werf' ich nichts vor als zuweilen – Eltern. Wir stiegen also beide die langen Turmtrep-pen herunter« –

– »und im elterlichen Hause wurden wir durch die reinlich-geordnete Mittags-Welt erfreuet an der Stelle der trüben Mor-genstube; überall Sonnenschein und Aufordnung. Da aber der Vater in der Stadt war und also das Mittagsbrot schlechter und später: so ließ ich mir es bis nach der Schule aufheben, weil ich nicht zu spät in diese kommen wollte, und weil mir jetzt aus der Ferne durchs Fenster schon Kameraden und Lehrer wieder neu erschienen.

In der Schulstube grüßte man die unveränderten Bänke als neu, weil man selber verändert ist. Ein Schul-Nachmittag ist, glaub' ich, häuslicher, auch wegen der Aussicht, abends zu Hause und noch häuslicher zu bleiben. Ich freute mich auf das ungewöhnliche Allein-Essen und auf den Vater mit seinen Sachen aus der Stadt. Ein ganzer Wolkenhimmel von Schnee-flocken wirbelte herunter, und wir Schüler sahen es gern, daß wir kaum mehr die kleine Bibel lesen konnten in der ohnehin dunkeln traulichen Schulstube.

Draußen nun sprang jeder in neu gefallnen Schnee sehr lustig mit den lange müßigen Gliedmaßen. Du warfst deine Bücher ins Haus und bliebst weg bis zum Gebetläuten; denn die Mutter erlaubte dir das Austoben am meisten in Absein des Vaters. Ich folgte dir selten. Der Himmel weiß, warum ich stets kindischer, ausgelassener, hüpfender, unbeholfen-eckiger war als du – ich machte meine Kinds- oder Narrenstreiche allein, du machtest deine als Befehlshaber fremder mit.«

»Ich war zum Geschäftsmann geboren, Walt!«

»Aber in der Vesper las ich lieber. Ich hatte erstlich meinen orbis pictus, der, wie eine Iliade, das Menschen-Treiben auseinanderblätterte. Ich hatte auf dem Gesimse auch viele Beschreibungen, teils vom Nordpol, teils von alter Norden-Zeit, z. B. die frühesten Kriege der Skandinavier usw., und je grimmig-kälter ich alles in den geographischen Büchern fand oder je wilder in den historischen: desto häuslicher und bequemer wurde mir. Noch kommt mir die altnordische Geschichte wie meine Kindheit vor, aber die griechische, indische, römische mehr wie eine Zukunft.

In der Dämmerung verflatterte das Schneegestöber, und aus dem reinen Himmel blitzte der Mond durch das Blumengebüsch der gefrierenden Fenster – Hell klang draußen in der strengen Luft das Abendläuten unter den aufgebäumten Rauchsäulen – Unsere Leute kamen Hände-reibend aus dem Garten, wo sie die Bäume und Bienenstöcke in Stroh eingebauet hatten – Die Hühner wurden in die Stube getrieben, weil sie im Rauche mehr Eier legen – Das Licht wurde gespart, weil man ängstlich auf den Vater harrete – Ich und du standen auf den Hand- oder Fußhaben der Wiege unserer sel. Schwester, und unter dem heftigsten Schaukeln hörten wir dem Wiegenlied von grünen Wäldern zu, und der kleinen Seele taten sich tauschimmernde Räume auf – Endlich schritt der geplagte Mann über den Steg, bereift und beladen, und eh' er noch den Quersack abgehoben, stand sein dickes Licht auf dem Tisch, kein dünnes. Welche herrliche Nachrichten, Gelder und Sachen bracht' er mit und seine eigne Freude!«

»Wer bezweifelt seine Entzückung weniger als ich, den er

darin allemal ausprügelte, bloß weil ich auch mit entzückt sein wollte und dadurch, springend und tanzend, den Lärm erregte, den er in stiller Lust am meisten verfluchte; so wie ein Hund sich nie mehr kratzen muß, als wenn er freudig an seinem Herrn aufspringt.«

»Scherze nicht! Und bedenke, was er uns mitbrachte; ich weiß es aber nicht mehr – mir einen für mein Geld gekauften Bogen Konzeptpapier, wovon ich damals nicht denken konnte, daß so etwas Breites, Nettes nicht mehr koste als zwei Pfennige – für die Schwester ein Abc-Buch mit Gold-Buchstaben schon auf der äußern Deckel-Schale und mit frischen saubern Tier-Bildern im Vergleich gegen unsre abgegriffenen alten.«

»Schießpulver als Digestivpulver für das Schwein, wovon die wenigen Körnchen, die ich zusammenkehrte, mir bessere Feuerwerke auf einen Span bescherten als irgendeinem König ein dreißigjähriger Krieg.« –

»Das Beste war wohl der neue Kalender. Es war mir, als hielt' ich die Zukunft in der Hand, wie einen Baum voll Fruchtlage. Mit Lust überlas ich die Namen Lätare, Palmarum, Jubilate, Kantate, wobei mir mein wenig Latein gute Dienste tat. Die Epiphanias waren mir verdrüßlich, besonders zu viele; hingegen je mehrere Trinitatis-Sonntage fielen, desto länger grüne, dacht' ich, die freudenreiche Zeit. Lächerlich kommt es mir vor, daß, eben da ich hinten im Kalender die Haßlauer Postberichte las, die kaiserliche reitende Post im Dorfe ins Horn stieß und ich den guten Menschen bewunderte und bedauerte, der nun, laut dem Berichte, mitten im Winter allein nach ganz Pommern, Preußen, Polen und Rußland ritt; ein Irrtum, den ich erst in Leipzig fahren ließ. Wenn nun darauf der Kandidat Schomaker zum Essen kam und wir vom Vater manche Historien mit Vergnügen zum zehntenmal hörten – wenn du nach dem Essen auf einer Span-Geige aus gewichstem Zwirnfaden kratztest – und ich einen glimmenden Schleußen-Span zu einem Feuerrad umschwang – und ich und du und der lange Knecht, der mir damals, wie den Kindern vielleicht alle gewohnte Gesichter, schön vorkam, spielten und sangen: ›Ringe, ringe Reihe, 's sind der Kinder dreie, Sitzen auf dem Holderbusch, Schreien alle Musch, Musch, Musch! Setzt euch nieder! Es sitzt 'ne Frau im Ringelein, Mit sieben kleinen Kindern. Was essens gern? Fischelein. Was trinkens gern? Roten Wein. Setzt euch nieder!‹ – Innig erfreuet las ich neulich in Grä-ters Bragur das einfältige Kinderding – Ich muß aber meinen Satz ganz anders angefangen haben.« –

»Nunmehr ist er geschlossen. Das Leben fängt, wie das grie-chische Drama, mit Possen an. Beginn', eh' du erwachst, dei-nen versprochenen Sommertag.«

»Ich könnte ihn wohl von der Fasnacht anheben, wo der neu erstandene Frühling lauter Sonnenstrahlen in die Schulstube voll kleiner geputzter Tänzer streuet, so daß es in den Seelen früher blühte als in den Gärten. Schon der alte simple Vers: ›Zur Lichtmeß essen die Herrn am Tag', Zur Fasnacht tuns die Bauern auch nach‹ zog Abendröte und Blütenschatten um den Abendtisch. Gott, wie wehen noch die Namen Marientage, Salatzeit, Kirschenblüte, Rosenblüte die Brust voll Zauber-duft! – So denk' ich mir auch die Jugend meines Vaters bloß als einen ununterbrochenen Sommer, besonders in der Fremde; so wie ich meinen Großvater und überhaupt die zurückliegende Zeit vor meiner Geburt immer jung und blühend sehe. Da gabs schöne Menschentage, sagt man sich. Wie frisch und hell sprin-gend, gleich Frühlingsbächen, kommen mir die alten Universi-täten, Bologna und Padua, vor mit ihren ungemessenen Frei-heiten, und ich wünschte mich oft in diese hinein!«

»Macht' ich weniger aus dir, so müßt' ich bei deinem Wun-sche denken, es wäre damals, außer Hauspump, Buxen, Lan-desvater, auch Gassatim rumoren und Degen wetzen deine Sache gewesen, aber ich weiß gut, du wolltest zu allem nur ruhig sitzen und zusehen als Rector magnificus. – Allein gib nun deinen heutigen Sommertag!«

»Es war das heilige Dreifaltigkeitsfest, und zwar das jener

Woche, worin du auf und davon gingest. Nur vorher lasse mich noch bemerken, daß mir deine erwähnten Studenten-Wörter teils neu klingen, teils roh. An diesem heiligen Feste nun, das mit Recht in die schönste Jahreszeit fällt, gingen, wenn du es nicht vergessen, unsere Eltern immer zum heiligen Abendmahl. Gerade an jenem Sonnabend – wie denn überhaupt an jedem Beichtsonnabend – bezeigten die lieben Eltern sich noch gütiger und gesprächiger gegen uns Kinder als sonst; Gott aber schenke ihnen in dieser Stunde die Freude, die mir jetzt in ihrem Angedenken das Herz durchwallt! Die Mutter ließ vieles im Stall durch Leute besorgen und betete aus dem schwarzen Kommunion-Büchlein. Ich stand hinter ihr und betete unbewußt mit herunter, bloß weil ich das Blatt umkehrte, wenn sie es herab hatte. Die Bauernstube war so rein und schmuck aufgeräumt für den Sonntag – wie am heiligen Christabend war es am Beichtabend – aber schöner und höher – dazu hing nun der reichschwere Frühling herein, und der Blütengeruch zog durch das ganze Haus und jeden Dachziegel – Frühling und Frömmigkeit gehören gewiß recht füreinander – Ich sah nachher, als der Nachtwächter antrat, noch ein wenig aus dem Dachfenster, voll Düfte und Sterne war der Himmel über dem Dorfe – die Generalin ging so spät noch mit ihrem Kinde an der Hand auf dem Schloßwall spazieren, und das ganze Dorf wußte, daß sie morgen kommunizierte und ich und du die Kommunikantentüchlein dabei hielten – Wahrlich, ob ich gleich schon lateinisch sprechen konnte, die weißgekleidete Generalin kam mir als die Mutter Gottes vor, und das Kind als ihr Kind.«

»Hat denn die Generalin einen Sohn?«

Walt sagte verlegen: »Ich stellte mir nämlich ihre damalige Tochter so vor in der Ferne. Ich möchte jetzt noch vor Freude über die Wundernacht weinen, wenn du nicht lachtest....«

»So weine zum Henker! Wer lacht denn, Satan, wenn einmal ein Mensch die Aufrichtigkeit in Person ist?«

»Es erschien denn das heilige Trinitatis-Fest mit einem blauen Morgen voll Lerchen und Birkendüfte; und als ich aus dem Bodenfenster diese Bläue über das ganze Dorf ausgespannt erblickte, wurde mir nicht, wie sonst an schönen Tagen, beklommen, sondern fast wie jauchzend. Unten fand ich die Mutter, die sonst nur in die Nachmittagskirche ging, schon angeputzt, und den Vater im Gottes-Tischrock, wodurch sie mir, zumal da sie unser Sonntags-Warmbier nicht mittranken, sehr ehrwürdig erschienen. Den Vater liebt' ich ohnehin am Sonntag stärker, weil er bloß da rasiert war. Ich und du folgten ihnen in die Kirche; und ich weiß, wie darin die Heiligkeit meiner Eltern gleichsam in mich herüberzog unter der ganzen Predigt; eine fremde wird in einem blutsverwandten Herzen fast eine größere.«

»Mein Fall war es weniger. Ich lebte nie lustiger als an ihren Kommuniontagen, weil ich wußte, daß sie es für Sünde hielten, mich früher als nach Sonnenuntergang auszuwichsen – und weil sie nach dem Abendmahl auch das Mittagsmahl bei dem Pfarrer nahmen und wir folglich das Schachbrett zum Rösselsprung frei hatten. Steht es noch vor deiner Seele, malt es sich noch glühend, färbt es sich noch brennend, daß ich an demselben Sonntage mit einem Taschenspiegel vom Chore herab den Sonnenglanz wie einen Paradiesvogel durch die ganze Kirche und sogar um die zugedrückten Augen des Pfarrers schießen ließ, indes ich selber ruhig mit nachsah und nachspürte? Und gedenkst du noch – denn nun entsinn' ich mich alles –, daß mich darüber der satanische Kandidat erwischte und der Vater nach der Kirche mich nach der peinlichen Halsgerichts-Ordnung von Karl, die (im Art. 113) Gefangenschaft mit Besen-Streichen leicht vertauschen lässet, aus Andacht bloß einkerkerte, anstatt, was mir lieber gewesen, mich halb tot zu schlagen?«

»Du hieltest aber dennoch in der Kirche das rechte Altartüchlein bei der Oblate unter den Kommunikanten auf und ich das linke beim Kelch. Es soll nie von mir vergessen werden, wie demütig und rührend mir unser blasser Vater auf seinen Knieen an der scharlachenen Altarstufe vorkam, indes der Pfarrer ihm sehr schreiend den goldnen Kelch vorhielt. Ach wie wünscht' ich, daß er stark tränke vom heiligen Weine und Blut. Und dann die tief geneigte Mutter! Wie war ich ihr unter dem Trinken so rein-gut! Die Kindheit kennt nur unschuldige *weiße* Rosen der Liebe, später blühen sie röter und voll Schamröte. Vorher aber trat die majestätische lange Generalin in ihrem schwarzen und doch glänzenden Seidengewand an die Altarstufe, sich und die langen Augenwimpern senkend wie vor einem Gott, und die ganze Kirche klang mit ihren Tönen drein in die andächtige Gegenwart dieser idealen Herzogin für uns alle im Dorf.«

»Die Tochter soll ihr so ähnlich sehen, Walt?«

»Die Mutter wenigstens ist ihr sehr ähnlich. Darauf zog man denn aus der Kirche, jeder mit emporgehobnem Herzen – die Orgel spielte in sehr hohen Tönen, die mich als Kind stets in helle fremde Himmel hoben – und draußen hatte sich der blaue Äther ordentlich tief ins Sonntagsdorf hineingelagert, und vom Turme wurde Jauchzen in den Tag herab geblasen – Jeder Kirchgänger trug die Hoffnung eines langen Freudentags auf dem Gesichte heim – Die sich wiegende lackierte Kutsche der Generalin rasselte durch uns alle durch, nette, reiche Bedienten sprangen herab – – Überhaupt, wäre nur nachher nicht die Sache mit dir gewesen – –«

»Zu oft käue sie nicht wieder!«

»Also ging der Vater im Gottestischrock ins Pfarrhaus und hinter ihm die Mutter. Und als ich, da sie abgegessen hatten, die Klingeltüre des Pfarrhofs öffnete und schon die Truthühner desselben mit Achtung sah: –«

»Du brauchst mirs nicht zu verdecken, daß du mich drüben aus meiner verfluchten Karzerkammer losbitten wolltest, weil ich zu sehr schrie und Fenster und Kopf einzustoßen schwur.«

»Die Bitte half wenig beim Vater; vielleicht weil der Pfarrer sagte, du hättest ihn zu sehr beleidigt und geblendet. Ich vergaß leider bald dich und die Bitte über dem herrlichen süßen Wein, den ich trank. Auf dem Lande hat man zu wenig Erfahrung der vornehmern Welt und bewundert ein Glas Wein. Der Pfarrer ließ mich Entzückten durch ein Prisma schauen und gleichsam jedes einzelne Stück Welt mit einer Aurora und Iris umziehen. Ich bildete mir oft ein, ich könnte wohl, da ich so viel Gefühl für Malerei, sogar für Farben an Schachteln, Zwickeln, Ziegelsteinen zeigte, fast mehr zum Maler taugen, als ich dächte. Da ich meinen Vater tief unten an der Tafel sitzen sah, dacht' ich mir das Vergnügen, ihn einst sehr auszuzeichnen, falls ich etwas würde.«

»Es ist auffallend, wie oft auch ich schon seit Jahren geschworen, mich meiner Herkunft zu entsinnen, wenn ich im Publikum bedeutend in die Höhe und Dicke wüchse, und mich weder deiner noch der Eltern zu schämen. Man kann fast nicht früh genug anfangen, sich bescheiden zu gewöhnen, weil man nicht weiß, wie unendlich viel man noch wird am Ende. – Liebe für Farben, wovon du sprachst, ist darum noch keine für Zeichnung; inzwischen kannst du immer, wenn die eine Art Maler sich von fremder Hand die Landschaften, die andere sich die Menschen darin malen ließ, beide Arten in dir vereinen. Vergib den Spaß!«

»Recht gern! Wir zogen als vornehme Gäste durchs Dorf nach Hause, wo der Vater die Scharlachweste anlegte und mit mir und der Mutter spazieren ging, um abends gegen 6 Uhr im Gartenhäuschen zu essen. Nun glaub' ich nicht, daß an einem solchen Abende, wo alle Welt im Freien und angeputzt und freudig ist und die Generalin und andere Vornehme mit rot seidnen Sonnenschirmen spazieren gehen, irgendein Herz, wenn es zumal in einem Bruder schlägt, es ertragen kann, daß du allein im Kerker hausest.«

»Sakerment!« sagte Vult.

»Sondern es war natürlich, daß ich und der Knecht dir eine Dachleiter ans Fenster setzten, damit du herunterkönntest ins Dorf zur Lust. – Nein, kein Spaziergang mit Menschen ist so schön als der eines Kindes mit den Eltern. Wir gingen durch hohe grüne Kornfelder, worin ich die Schwester hinter mir nachführte in der engen Wasserfurche. Alle Wiesen brannten im gelben Frühlingsfeuer. Am Flusse lasen wir ausgespülte Muscheln wegen ihres Schillerglanzes auf. Das Flößholz schoß in Herden hinab in ferne Städte und Stuben, und ich hätte mich gern auf ein Scheit gestellt und wäre mitgeschifft! Viele Schafherden waren schon nackt geschoren und legten sich mir näher ans Herz, gleichsam ohne die Scheidewand der Wolle. Die Sonne zog Wasser in langen wolkigen Strahlen, aber mir kam es vor, als sei die Erde mit Glanzbändern an die Sonne gehangen und wiege sich an ihr. Eine Wolke, die mehr Glanz als Wasser hatte, regnete bloß neben, nicht auf uns; ich begriff aber damals gar nicht, als ich die Grenzen der nassen und der trocknen Blumen sah, wie ein Regen nicht allezeit über die ganze Erde falle. Die Bäume neigten sich gegeneinander, als die Wolke tropfend darüber wegwehte, wie die Menschen am Abendmahls-Altar. Wir gingen ins Gartenhaus, das innen und außen nur weiß ist; aber warum glänzet dieser kleine Name über alle stolz gedeckte Prachtgebäude herüber und blinkt in seinem Abendrot sehr gegen fremdes Morgenrot? Alle Fenster und Türen waren aufgemacht – Sonne und Mond sahen zugleich hinein – die rot-weißen Äpfelknospen wurden von ihren starren struppigen Ästen hineingehalten und zuweilen eine schneeweiße Äpfelblüte mit (o Vult, ich gebe den Apfel für die Äpfelblüte gern) – Die Bienen gaben dem Vater Zeichen eines nahen Schwärmens – Ich fing mir in eine Schachtel Goldkäfer, für welche ich den Zucker längst aufgesparet hatte – Noch glänzt mir das Gold und der Schmaragd dieser Paradiesvögelchen hienieden, in Deutschland meint' ich – Auch zog ich mir im Garten Schößlinge aus, um sie daheim anzupflanzen zu einem Lustwäldchen unter meinem Knie. Die Vögel schlugen wie bestellt in unserem Gärtchen, das nur fünf Apfelbäume und zwei Kirschbäume hatte und mehrere Pflaumenbäume samt guten Johannisbeer- und Haselstauden. Zwei Finken schlugen, und der Vater sagte, der eine singe den scharfen Weingesang und der andere den Bräutigam. Aber ich zog – und noch jetzt – meinen guten Embritz vor –«

»Deutlicher in der ornithologischen Sprache Emmerling, Goldammer, Gröning, Gelbling, Gelgerst, Emberiza citrinella L.«

– »welcher, wie die Eltern sagten, sang: ›Wenn ich eine Sichel hätt', wollt' ich mit schnied.‹ – Was ist denn das Dunkle im Menschen-Innern, daß ich wirklich den einfachen Embritz, wenn ich durch Wiesen gehe und ihn an belaubten Abhängen höre, leider über die göttliche Nachtigall, die freilich wenig rein durchführt, sondern heftig springt, zu setzen suche? – Floß aber nicht nachher die Abendröte in den ganzen Garten hinein und färbte alle Zweige? Kam sie mir nicht wie ein goldner Sonnentempel mit vielen Türmen und Pfeilern vor? Und gingen nicht auf den Wolkenbergen die Sternchen wie Maienblümchen auf? – und die breite Erde war ein Webstuhl rosenroter Träume? Und als wir spät nach Hause wandelten, hingen nicht in den finstern Büschen goldne Tautropfen, die lieben Johannis-Würmchen? Und fanden wir nicht im Dorfe ein ganz besonderes Fest-Leben, sogar die kleinen Viehhirten endlich im Sonntagsputz, und dem Wirtshause fehlte nichts als Musik, und auf dem Schlosse wurde gesungen?«

»Und nahm mich nicht«, fuhr Vult fort, »der gute Vater, als er mich in dieser Freude als Teilhaber fand, leise bei den Haaren mit nach Hause und prügelte mich so verflucht? – O daß doch der Teufel alle Erziehungen holte, so wie er selber keine erhalten! Wer nimmt mir jetzt die Fest-Prügel ab und den Karzer? Du kannst dich leicht herstellen und entsinnen und vergnügt außer dir sein und die Repetieruhr der Erinnerung aus der Tasche ziehen. Aber Hölle, was hab' ich denn schmelzend mich zu erinnern als an die lausige Aurora eines aufgehenden Schwanzsterns? O wie glücklich, glücklich könnte man ein Kind machen! Dies probiere aber einmal einer bei einem greisen Schelm von 40 Jahren! Ein einziger Kindertag hat mehr Abwechsel als ein ganzes Manns-Jahr. Sieh an, wie er mich, wenn das kühne Bild zu gebrauchen ist, aus einem zarten weißen Kindsgesicht so zu einem braunen Kopfe geraucht und erhitzt hat wie einen Pfeifenkopf! – Wärme mich nicht mehr wieder so auf! – Was seh' ich denn von Elysien und elysischen Äckern um mich her als ein Paar Sessel? – unsern Bett- und Stuben-Schirm? – nichts zu trinken? – dich guten Millionär bloß voll innerer Gedächtnismünzen? – und einen hölzernen Sitz der Seligen? – O ich möchte ... He, herein nur! Vielleicht bringt uns doch, Walt, ein Himmelsbürger ein oder ein paar Himmelspforten und Empyräen.«

Es schritt die gelbe Postmontur ein mit dem Hoppelpoppel oder das Herz unter dem Arm, das der Magister Dyk mit den Worten zurückschickte, er verlege zwar gern Rabenersche und Wezelsche Pläsanterien, aber nie *solche*. »Nu, ist das kein Sonnenblick aus unserm Freudenhimmel?« fragte Vult. »Ach,« sagte Walt, »ich glaube, ich war eben vorhin und bisher zu glücklich; darauf kommt immer ein wenig Betrübnis – Es ist doch gut, daß das Werk nicht auf der Post hin und her verloren gegangen.« – »O du weiches – Holz!« fuhr jener auf. »Aber nicht du sollst es ausbaden, sondern der Magister. Ich will ihn waschen mit Seewasser, obs gleich nicht weiß macht.«

Er setzte sich auf der Stelle nieder und schrieb im Grimm einen unfrankierten Brief an den Magister, worin die Höflichkeit des Briefstils so gut als ganz hintan gesetzt war.

Nᵣₒ 59: NOTENSCHNECKE

Korrektur – Wina

Am Morgen kam wieder ein Manuskript, aber ein fremdes abgedrucktes: der Setzer der Paßvogelschen Buchhandlung – für Walt war ein Setzer viel – händigte den ersten Korrekturbogen ein, damit der Universalerbe der Kabelschen Verlassenschaft daran seinen Testamentsartikel erfülle. Das Werk, dessen Titel war: »Das gelehrte Haßlau, alphabetisch geordnet von Schieß«, – nun in aller Händen – war sehr gut in deutscher

Sprache mit lateinischen Lettern geschrieben, nur aber ganz schlecht oder unleserlich, und enthielt jeden Haßlauer, der mehr als eine Seite, nämlich zwei, d.h. ein Blatt, für Straße und Welt gemacht, samt einem kurzen Nachtrag von den Lands-Gelehrten, die schon als Kinder verstorben. Wenn man zählt, welche Menge von Autoren *Fikenscher* aus seinem *gelehrten Baireuth* bloß dadurch hinaussperrt, daß er keinen aufnimmt, der nicht mehr als *einen* Bogen geschrieben – sogar zwei reichen nach der Vorrede nicht hin, wenns bloß Gedichte sind –, und welche noch größere Meusel aus seinem gelehrten Deutschland verstößt, dadurch daß er nicht einmal Leute einläßt, die nur *ein* Büchlein geschrieben, nicht aber zwei: so sollte wohl jeder wünschen, in Haßlau geboren zu sein, bloß um in das gedruckte gelehrte zu kommen, da Schieß nicht mehr dazu begehrt zum Einlaßzettel als etwas nicht Größeres, als der Zettel ist, nur ein gedrucktes Blatt; denn sich mit noch Wenigerem in einen solchen Charons-Kahn, der stets zur Unsterblichkeit des Edens entweder, oder des Tartarus abführt, einschiffen wollen, hieße ja Schriftsteller einladen, die ganz und gar nichts geschrieben.

Der Notar fing sofort das Korrektieren an – in die Korrekturzeichen hatt' er sich längst eingeschlossen –; aber er fand statt der Hügel Klippen zu übersteigen. Schieß schrieb eine gelehrte Hand und eine ungelehrte zugleich; der Korrekturbogen war aus Titeln, Namen, Jahrszahlen und solchen Sachen gewebt, die nirgends zusammenhängen als in Gott. Es ist daher die gemeine Meinung, daß Paßvogel bloß zum Drucke des Notars den Druck des Werkes eingegangen. Vult wollte zwar bessern helfen, aber Walt fand fremde Hülfe gott- und treulos und korrigierte allein.

Eh' ers hintrug in die Buchhandlung, fragte ihn Vult, ob man nicht einen witzigen Einfall haben und er, Vult, nicht ihren Roman mit einem Briefe an Paßvogel tragen könnte, worin er sich als den Verfasser ausgäbe und sagte, der Endes Unterschriebene stehe dem Leser eben vor der Nase. Es geschah.

Beide trafen zufällig einander im Buchladen. Kaum sah Paßvogel aus Vults Tasche eine Manuskript-Rolle stechen: so machte er sich nichts aus ihm – weils ein Autor war –, sondern setzte Walt, den Korrektor und Erben, höher und überlas freundlich den Bogen: »Der Herr Autor«, sagte er, »wird schon nachsehen.«

Darauf überreichte ihm Vult furchtsam den Brief samt Roman und sah begierig in seine lesende Physiognomie, wie sie sich bei der Stelle umsetzen würde, wo der Briefschreiber dasteht als Briefträger. Aber dem feinen, im Gesetze der geselligen Stetigkeit lebenden Manne tat der Riß und Zuck weh auf der eleganten Haut, und er sagte – nach dem Überlaufen des Titels – verdrüßlicher als gewöhnlich, er bedaure, daß er schon überladen sei, und schlage kleinere Buchhändler vor. »Wir Autoren«, versetzte Vult, »gehen anfangs wie Hirsche, denen das zarte Gehörn erst entsprießet, mit gesenktem Haupte; aber später, wenn es groß und hart zu sechzehn Enden ausgeschossen, schlägt man damit an die Bäume heftig, und ich fürchte, Herr Paßvogel, ich werde im Alter grob.« – »Wieso?« sagte dieser.

Vult tat darauf, als kenn' er Walten von weitem, und sagte: wenn er als Kabelscher Erbe erst den ersten Bogen übergeben, so schein' es fast, als wollten ihm die Erben das zwölfbogige Korrekturamt zu zwölf Wochen ausdehnen. Dann entsprang er nach seiner boshaften Sitte plötzlich, um dem Feinde die Replik zu entwenden.

Beide verliehen daheim vor allen Dingen dem Romane Flügel, weil die Hoffnung immer so lange zum Totliegenden gehörte als das Buch. Man schickte ihn an Herrn Merkel in Berlin, den Brief- und Schriftsteller, damit er das Buch einem Gelehrten, Herrn Nicolai, empfähle und aufheftete.

Mitten in dem Genuß der abfahrenden Post fiel wieder ein Staubregen: der hinkende Notar, der bekannte Geschäftsträger der Erben, kam mit dem ersten Korrekturbogen und Schießens Re-Korrekturen.

Walt hatte ein und zwanzig Druckfehler stehen lassen. Schieß wies aus dem Manuskripte nach, daß er ein c statt einem e – dann ein e statt eines c – ein ſ statt eines s – ein ſ statt eines f – ein Komma statt eines Semikolons – eine 6 statt einer 9 – ein h statt eines b – ein n statt eines u und umgekehrt, da eben beide umgekehrt waren, habe stehen lassen usw. Walt sah nach und sann nach und sprach seufzend: »Wohl ists nicht anders!«

Arme Korrektoren! wer hat noch eurer Mutter-Beschwerungen und Kindsnöten in irgendeinem Buche ernsthaft genug gedacht, das ihr zu korrigieren bekommen! So wenig, daß Millionen in allen Weltteilen aus der Welt gehen, ohne je erfahren zu haben, was ein Korrektor aussteht, ich meine nicht etwa dann, wann er teils hungert, teils friert, teils nichts hat als sitzende Lebensart, sondern dann, wann er ein Buch gern lesen möchte, das er zwar vor sich sieht (noch dazu zweimal, geschrieben und gedruckt), aber korrigieren soll; denn verfolgt er wie ein Rezensent die Buchstaben, so entrinnt ihm der Sinn, und er sitzt immer trister da; ebensogut könnte einer sich mit einer Wolke, durch deren Dunststäubchen er eine Alpe besteigt, den Durst löschen.

Will er aber Sinn genießen und sich mit nachheben: so rutscht er blind und glatt über die Buchstaben hinweg und lässet alles stehen; reißet ihn gar ein Buch so hin wie die zweite Auflage des Hesperus, so sieht er gar keinen gedruckten Unsinn mehr, sondern nimmt ihn für geschriebnen und sagt: »Man verstehe nur aber erst den göttlichen Autor recht!« – Ja, wird nicht selber der Korrektor dieser Klage bloß aus Anteil an dem Anteil, den ich zeige, so manches übersehen? –

Endlich brachte das schlecht sprechende und schön singende Kammermädchen des General Zablocki nicht nur Raphaelen ein Briefchen der Tochter, sondern auch um eine Treppe höher Walten die Frage des Vaters, ob er nicht diesen ganzen Tag bei ihm schreiben könnte. »O Gott, gewiß!« sagte er und begleitete das Mädchen drei Treppen herab.

Vult lächelte ihn seltsam an und sagte: er kopiere ja mémoires érotiques mit und ohne Feder und jage Mädchen; er Hund hingegen müsse, wie die Schmetterlings-Puppe eines Naturforschers, sich in einer Schachtel von Stube zum Falter entfalten, wenn jener im Freien gaukle. »Allein«, setzt' er dazu, »ein Greifgeier, ein Basilisk wie ich hat so gut seinen Liebes-Pips als ein Phönix wie du.« – Walt wurde sehr rot, er sah sein und Winas Herz gleichsam gegen das helle freie Tagslicht gehalten. »Nu, nu, versteige dich nur um drei Treppen hinauf oder hinab; indes ich daheim hinter meiner arkadischen Dorfwand ein Madrigal auf den Schmelz der Auen und der Zähne setze und Blumen und Lippen röte. Das Mädchen gefiele mir selber, sie sollte eher ein Palast- als ein Kammermädchen sein.« Sehr zornrot erwiderte Walt, der endlich eigne und fremde Verwechslung erriet: »Du tust gar nicht recht, da du weißt, wie mir dieses Mädchen bei der besten Singstimme einmal durch unziemliche Reden aufgefallen.«

Damit ging er so rasch und wild fort, daß Vult sich gestand, er würde, wenn er nicht schon früher dessen Liebe für eine vornehmere Raphaela kennte, sie jetzt aus dem Grimm erraten, den bloße Heiligkeit unmöglich einbliese. Als der Notar in den großen Zablockischen Palast, wovor und worin viele leere Wagen standen, und unter die kalte Dienerschaft kam: so wirkten Vults Scherze, die seine Liebe entweder wie Schießpulver unter das Dach, oder wie Öl in den Keller lagerten, verdrüßlich nach, und er erstaunte nun erst, daß er Wina liebe und ihren Morgenblick aufbewahre. Sein Glück blühte als eine nackte Blumenkrone auf einem entblätterten Stiel. Spät kam er nach seinem Erinnern an frühestes Vorfordern in das alte Schreibstübchen; und später der General.

»Innigst« – so spann Walt, nahe an ihn tretend, die Unterredung an, um sie dem andern nach den Gesetzen der Lebensart zu erleichtern – »wünsch' ich Ihnen Glück zum Glück der Wiederkunft, wie damals in Rosenhof zur Abreise, wenn Sie sich dieser Kleinigkeit noch entsinnen. Mög' Ihnen Leipzig ein fortgesetzter Spaziergang gewesen sein!« – »Sehr verbunden!«

(sagte Zablocki) »Sie verpflichten mich, wenn Sie heute die bewußten Briefe zu Ende kopieren und mir Ihren Tag weihen.« – »Welchen nicht? – War Ihr dreifaches Glück – verzeihen Sie die kecke Frage – nicht, wie ich hoffe, der Jahrszeit ungleich?« fragt' er.

»Für die späte Jahrszeit war das Wetter gut genug«, versetzte Zablocki.

Da der Notar nichts Schwierigeres kannte, als zu fragen – d. h. im Ozean zu angeln –, nichts Leichteres aber, als zu antworten, weil die Frage die Antwort umkränze: so hielt er es für Pflicht jedes Unter-Sprechers, auf den Ober-Sprecher nur die leichtere Last zu laden, und fragte sogleich. Wie bequem wohnen dagegen Männer, welche gerade das Widerspiel als Weltsitte kennen und ehren, unter ihrer Gehirnschale, und wie vergnügt, wenn sie vor Kronen und Kronerben treten! Aller Anreden gewärtig und gewiß, machen sie außer der Verbeugung nichts und keine eigne, sondern warten ab. Sogar nach der ersten Antwort passen die Welt-Männer gelassen von neuem, weil kein anderer als der gekrönte Kopf fortzuweben hat.

Der Notar machte darauf seine Abschriften von den verliebten Zuschriften, aber seine Seele wohnte mit ihren Fühlfaden nirgends als in der Schnecke des Ohrs, um jedem Laute der verborgenen Lebensseele nachzustellen. Er schrieb keine Seite, ohne sich umzudrehen und das heilige Zimmer zu beschauen, das er einen ganzen Tag, aber als den letzten, bewohnen durfte, – für ihn, wenn kein Sonnen-, doch ein Mondtempel, dem nichts fehlte als die Luna dazu. Sogar der blaue Streusand voll Goldsand – das blauweiße Dintenfaß und Papier – das blaue Siegellack – und die Blumendüfte, welche aus dem Nebenzimmer einwehten, schmückten sein stilles Äther-Fest der Hoffnung. In der Liebe ist das Erntefest der Freude nicht um eine halbe Sekunde vom Säetage und Säefest der Freude verschieden.

Als er sich nun abschreibend abmalte, wie ihm das Herz schlagen würde, das schon heftig schlug, wenn die Liebes-

Gestalt aus seinem Kopf und langen Traume wie eine Göttin lebendig ins Leben spränge, nämlich vor ihn hin: so kam nichts als das verhaßte Kammermädchen mit einem Stick-Gerüste, aber bald ihr nach die blühende Wina, die Rose und das Rosenfest zugleich. Es ist schwer zu sagen, womit er sie anmurmelte, da er sie damit nicht anredete. Sie verbeugte sich so tief vor ihm, als wäre er der goldene und figurierte Knopf am Oberstabe des Generals, und sagte das höflichste Bewillkommungs-Wort und setzte sich an den Stickrahmen. Konnte sie nicht hundert Deckmäntel ihrer Absicht, im Schreibzimmer zu sein, als ein Mädchen finden und umlegen? Hätte sie nicht z. B. ihr blaues Kleid aus dem Wandschrank holen können – oder das weiße – oder den Schleier – oder einmal eintunken wollen – oder an der elektrischen Lampe ein Licht zum Siegeln anzünden – oder hier den Vater ganz vergeblich suchen? – So aber trat sie herein und setzte sich vor den Stickrahmen, um für eine Stiftsdame einen Ordensstern aufgehen zu lassen, der für den abschreibenden Sternseher, wie oft für Trägerinnen, nichts werden konnte als ein Irr- und Nebelstern.

Der Schreiber schwamm nun in der Wonne einer himmlischen Gegenwart, wie in unsichtbarem Duft einer hauchenden Rose, Winas Dasein war eine sanfte Musik um ihn. Er sah zuletzt sehnsüchtig kühn ihre gesenkten großen Augenlider und den ernst geschloßnen Mund im Spiegel zu seiner Linken an, versichert der eignen Unsichtbarkeit und erfreut, daß gerade zufällig, wenn er eben in den Spiegel sah, immer ein warmes Erröten das ganze niederblickende Antlitz überfloß. Einmal sah er im Spiegel den Brautschatz ihres Blicks ausgelegt, sie zog leise wieder den Schleier darüber. Einmal, da ihr offnes Auge darin wieder dem seinigen begegnete, lächelte sie wie ein Kind; er drehte sich rechts nach dem Urbild und ertappte noch das Lächeln. »Ging es Ihnen seit Rosenhof wohl, Herr Harnisch?« sagte sie leise. »Wie einem Seligen,« versetzte er, »wie jetzt.« Er wollte wohl etwas viel anderes, Feineres sagen; aber die Gegenwart unterschob sich der Vergangenheit

und testierte in deren Namen. Doch gab er die Frage zurück.
»Ich lebte«, sagte Wina, »mit meiner Mutter, dies ist genug;
Leipzig und seine Lustbarkeiten kennen Sie selber.« – Diese
kennt freilich ein darbender Musen- und Schulzensohn wenig,
der an den Rosen des kaufmännischen Rosentals nicht höher
aufklettert als bis zu den Dornen, weil er jene nicht einmal so
oft teilt als ein Maurer-Meister einen fürstlichen Saal, zu welchem dieser stets so lange Zutritt hat, als er ihn mauert. Indes
denken sich die höheren Stände nicht leicht hinab, zu Honoratioren besonders – denn von Schäfer-, d.h. Bauerhütten
haben sie im französisch eingebundenen Geßner eine gute
Modell-Kammer –, als sich die tiefern hinauf. »Göttlich ist da
der Frühling«, antwortete er, »und der Herbst. Jener voll
Nachtigallen, dieser voll weichen Duft; nur gehen der Gegend
Berge ab, welche nach meinem Gefühl durchaus eine Landschaft beschließen müssen, doch nicht unterbrechen; denn auf
einem Berge selber ist nicht die Landschaft, sondern wieder
ein fernster Berg schön und groß. – Die Leipziger Gegend
enget also ein, weil die Grenze, oder vielmehr die Grenzlosig-
keit, nichts der Phantasie übrig lässet, was, soviel ich gehört,
nicht einmal das Meer tut, das sich am Horizont in den Äther-
Himmel auflöset.« – »Sonderbar«, versetzte Wina, »bestimmt
hier die Gewohnheit des äußern Auges die Kraft des innern.
Ich hatte eine niedersächsische Freundin, welche zum erstenmale von unsern Bergen ebenso beschränkt wurde als wir von
ihren Ebenen.« Der Notarius war über ihre philosophische
Sprachkürze – da überhaupt der Mann an der Frau gerade so
sehr seinen Kopf bewundert, als seine Brust verdammt – so
betroffen, daß er nicht wußte, was er sagen sollte, sondern
etwas anderes sagte. »Besuchten Sie zuweilen die Badörter um
Leipzig?« fragte sie spät. Da er darunter nicht Lauchstädt,
sondern die Studenten-Badörter in der Pleiße verstand und
eine solche Frage von weiblichen Lippen zum vornehmen
Zynismus rechnete: so umging er sie nach Vermögen in der
Antwort: »Der Leipziger Magistrat habe zu seiner Zeit wegen

mehrerer Unglücksfälle erst die bessern Badörter bestimmen lassen.« – Wina mißverstand wieder sein Mißverstehen. Und so kann in Deutschland und fast auf der Erde jeder, der sich verspricht, auf einen zählen, der sich verhört; so wenige Ohren, ob sie gleich doppelt am Kopfe stehen, gibt es für die hiesigen Zungen, und man findet noch schwerer ein offnes als ein kurzes.

Plötzlich sprang der General wie mit einem verschimmelten bleichen Gesicht herein aus dem Puderstübchen – mit einem Bilde in der Hand und trocknete sich aus den Augenlidern den Puder wie Zähren ab. »Sage mir, wer ist ähnlicher, die Mutter oder die Tochter? – In der Tat recht brav retouchiert!« Das Gemälde stellte Wina vor, wie sie zu einem ihr ähnlichen Töchterchen, das nach einem Schmetterling fing, ihr Gesicht herab an die kleine Wange beugt, sehr mütterlich-gleichgültig, ob sie vom Kinde über dem Schmetterling übersehen werde oder nicht. Im Kunst-Feuer fragte der General auch den Notar: »Ist denn die Mutter nicht so ausnehmend getroffen, meine Wina nämlich, daß man die Ähnlichkeit sogar im Kinde wieder findet? – Sprechen Sie als Dritter!« – Walt, verlegen mit seiner Erötung über den bloßen Gedanken, das Kind sei Winas, versetzte: »Die Ähnlichkeit ist wohl Gleichheit?« – »Und zwar auf beiden Seiten!« erwiderte Zablocki, ohne sehr den Notar zu fassen, der nach den gewöhnlichen Voraussetzungen des Standes schon alles voraussetzen sollte, und zwar folgendes: der General wollte seiner losgetrennten Gattin ein Denkmal seiner Zärte zuwenden, einen Spiegel, der nur sie abbildete, nämlich ein festes Bild; hatt' aber leider aus Kälte sie sonst nie *sitzen* lassen, außer zuletzt juristisch – Zum Glücke war nun Wina ihr so ähnlich – die wenigen Jahrzehende ausgenommen, wodurch sich Töchter hauptsächlich von den Müttern zu unterscheiden suchen –, daß die jetzige Wina als die vorige Mutter zu gebrauchen war, der man nichts als die vorige Wina in die Hand zu geben hatte, die, als Kind gemalt, eine Aurikel in der Linken hält und darauf einen weißen Schmetterling mit der Rechten setzt. Diese zweimal, als Bild und als Urbild, angewandte Wina wollte der General seiner Frau als einen ölgemalten Ichs-Himmel auf Leinwand auftun, um sie in Erstaunen zu setzen, daß sie über vierzig Meilen gesessen – einem Maler.

Als der Vater fort war, machte Walt – noch tiefer in Erstaunen und Unglauben gesetzt – die Bemerkung, sie sehe dem schönen Kinde ähnlich, um nur herausgezogen zu werden. »O bliebe man sich nur auch in wichtigern Punkten ähnlich!« sagte Wina. »Auch war ich noch bei meiner Mutter; ich glaube, Sie oder Ihr Bruder lag damals am Tage des Malens an den Blattern blind; denn sie ging mit mir in Ihr Haus. Schöne Zeit! ich wollte gern die eine Ähnlichkeit auf mich nehmen, könnte ich damit meiner Mutter die andere zurückführen.«

Nun fuhr der Notar über die Nähe des erhelleten Abgrunds, in den er hätte treten können, rot zurück und fürchtete ordentlich, die Betise fahre ihm noch wider Willen aus dem Halse. »Auch ich ginge gern in jene Blindheit zurück; die Nacht ist die Mutter der Götter und Göttinnen!« sagte er und wollte erträglich auf die Aurikelbraut anspielen. Wina verstand nichts davon als den Ton und Blick; und so war es genug und gut gemacht.

Man rief sie zum Essen. Da er glaubte, er werde wie im Rosenhöfer Wirtshaus wieder an die Generals-Tafel gezogen: so stand er auf, um ihr den Arm zu bieten, sie stickte aber fort; und er stand nahe am Rahmen und sah herab auf das lockige Haupt, worin seine Welt und seine Zukunft wohnte, die sich in lauter Schönheiten verbarg – das Fruchtgewinde des Geistes war vom Blumengewinde der Gestalt schön verhüllt und schön verdoppelt. Sie stand auf. Jetzt näherte er sich mit dem rechten Arme, um sie fort zu führen. »Ich werde« – sagte Wina sanft – »nach dem Essen wieder kommen und Ihrem Herzen eine Bitte bringen«; und sah ihn mit den großen Augen unverlegen an und gab, wie zur Antwort auf seinen fragenden Arm, ihm ein wenig die ablenkende Hand in seine, um sie zu drücken. Mehr braucht' er nicht, der Liebe ist eine Hand mehr als ein Arm, wie ein Blick mehr als ein Auge. Er blieb reich zurück am einsamen Eßtische, den ein verdrüßlicher Bedienter an den Schreibtisch gesetzt hatte. Seine Hand war ihm wie geheiligt durch das Wesen, das bisher nur von seiner Seele berührt wurde. Wer kann es sagen, warum der Druck einer geliebten Hand mehr innige Zauberwärme in die Seele sendet als selber ein Kuß, wenn nicht etwa die Einfachheit, Unschuld, Festigkeit des Zeichens es tut?

Er speiste an einer Göttertafel – die Welt war der Göttersaal –, denn er sann Winas nächster Bitte nach. Eine tun, heißt in der Liebe mehr geben, als eine erhören. Aber warum macht die Liebe denn diese Ausnahme? Warum gibt es denn keine verklärte Welt, wo alle Menschenbitten so viel gelten und geben, und wo der Geber früher dankt als der Empfänger?

Mit wunderbaren Gefühlen irrte er um Winas Bitte herum, da er doch fühlte, Wina sei ein durchsichtiger Juwel ohne Wölkchen und Federn. Denn dies ist eben die Liebe, zu glauben, man durchschaue das Geliebte noch schärfer als sich, so daß man den blauen Himmel dadurch erblickt, durch welchen man wieder die Sterne sieht – indes der Haß überall Nacht sieht und braucht und bringt.

Als er die wenigen Strahlen küßte, die am Sterne des Stifts und der Liebe aufgegangen waren oder gestickt: tat sein Himmel alle Wolken wieder auf, nämlich die Flügeltüren, und Wina erschien und schien. Er wollte sagen: ich bitte um die Bitte; aber er hielt es für unzart, das eine Bitte zu nennen, was Wina eine genannt. So hatt' er den höchsten Mut für sie, aber nicht vor ihr; und von den langen Gebeten an dieses Heiligenbild, welche er zu Hause sich aussann und vornahm, brachte er nichts zum Bilde selber auf seinen Knien als: Amen, oder Ja, ja. »Sind Sie zuweilen bei den hiesigen Tees?« fing Wina an und setzte, wie es ihr Stand tut, immer ihren Stand voraus. »Neulich bei mir, bei dem vortrefflichen Flötenspieler, den Sie gewiß bewundern.« – »Ich hör' dies heute von meinem Mädchen«, sagte sie, meinend die Nachricht des Beisammenwohnens;

Walt aber nahm an, sie habe von seinem magern Weintee manches gehört.

»Ich meine vorzüglich, sind Sie öfters bei den geistreichen Töchtern des Herrn Hofagenten? Eigentlich red' ich bloß von meiner Freundin Raphaela.« Er führte – doch ohne die Wechsel-Not – den Abend an, wo sie für den mütterlichen Geburtstag gesessen. »Wie schön!« sagte Wina. »So ist sie eben. Einst, als sie bei mir in Leipzig in eine lange Krankheit fiel, durfte ihrer Mutter nichts geschrieben werden, bis sie entweder genesen oder verschieden sei. Um dieser Liebe wegen lieb' ich sie so. Ein Mädchen, das seine Mutter und seine Schwestern nicht liebte, – ich weiß nicht, warum oder wie es sonst noch recht lieben könnte, nicht einmal seinen Vater.« – Walt wollt' es gern äußerst fein auf sie selber zurückwenden und machte daher die allgemeine Bemerkung, daß Töchter, die ihre Mutter lieben, die besten und weiblichsten sind.

»Ich tauge nicht zu Wendungen, wie Sie hören, Herr Sekretär. Empfangen Sie meine offne Bitte gutmütig auf einmal.« Es war diese: da Raphaelens Geburtsstunde in die Nachmitternacht oder Morgenstunde des Neujahrs einfalle: so wolle sie durch den Beistand Engelbertens sie durch leises Ansingen zur Feier des erneuerten Lebens wecken; wünsche aber zur dürftigen Stimme eine Begleitung, nämlich die Flöte, und an wen könne sie sich schicklicher wenden als an Herrn von Harnisch? – Walt schwur freudig, dieser blase freudig dazu.

Sie bat auch um das Setzen des Gesangs; Walt schwur wieder. »Aber sogar um die Verse dazu muß ich Ihren werten Freund angehen,« – setzte sie unbeschreiblich-lieblich lächelnd hinzu – »da ich ihn aus unserer Zeitung als einen weichen Dichter des Herzens kenne.« –

Ganz froh erstaunt fragte Walt, was Vult darin gemacht. Sie sagt' ihm – mit der den Literatoren noch gewöhnlicher Verwechslung gleicher Namen – folgende Polymeter von ihm selber her:

Weißes Glöckchen mit dem gelben Klöppel, warum senkst du dich? Ist es Scham, weil du, bleich wie Schnee, früher die Erde durchbrichst als die großen stolzen Farbenflammen der Tulpen und der Rosen? – Oder senkst du dein weißes Herz vor dem gewaltigen Himmel, der die neue Erde auf der alten erschafft, oder dem stürmenden Mai? Oder willt du gern deinen Tautropfen wie eine Freuden-Träne vergießen für die junge schöne Erde? – Zartes, weißes Knospenblümlein, hebe dein Herz! Ich will es füllen mit Blicken der Liebe, mit Tränen der Wonne. O Schönste, du erste Liebe des Frühlings, hebe dein Herz!

Walten waren unter dem Zuhören vor Freude und Liebe und vor Dichtkunst die Augen übergegangen – und Wina hatte mitgeweint, ohne es zu merken –; darauf sagt' er: »Ich habe wohl den Vers gemacht.« –

»Sie, Lieber?« – fragte Wina und nahm seine Hand – »und alle Polymeter?« – »Alle«, lispelte er. Da blühte sie wie das Morgenrot, das die Sonne verspricht, und er wie die Rose, die schon von ihr erbrochen ist. Aber einander verborgen hinter den froher nachquellenden Tränen, glichen sie zwei Tönen, die unsichtbar zu *einem* Wohllaut zittern; sie waren zwei gesenkte Maienblümchen, einander durch fremdes Frühlingswehen mehr nachbewegt als angenähert.

Jetzt hörte sie den Vaterstritt. »Und Sie machen den Text für den Geburtstag?« sagte sie. – »O!« (versetzte er) – »Ja, ja!« und durfte nicht fortreden, weil Zablocki eintrat und mit dem Väter- und Gatten-Schnauben ihr den arbeitsamen Verzug vorrückte, da sie, wie er sagte, wisse, daß die Neupeters – dahin fuhr er mit ihr – Bürgerliche wären, und eh' er solche im Kleinsten manquiere, komm' er lieber bei seinesgleichen um Stunden zu spät. Sie floh dahin; er rief sie aber zurück, um selber mit einem Schlüsselchen, so groß wie ein Staubfaden, ein goldnes Schloß an einer Kette auf ihrem schönen Halse aufzuschließen und sie abzunehmen. Unter dem Aufsperren sah sie gutmütig dem Vater ins Auge; dann warf sie scheidend dem Notar einen Flugblick voll Weltall zu.

Kauen und Schlucken unter einem Adagio Pianissimo einer Tafelmusik hätte Walten nicht so widerstanden als die Annahme von Kopiergebühren, die ihm der General jetzt aufnötigen wollte. Das Weigern hielt dieser anfangs scherzend aus, bis er durch den Argwohn, Walt handle aus Ehrgefühl, sein eigenes so beleidigt fand, daß er so heftig schwur, ihn, wenn er nicht gehorche, nie mehr zu einem Notariats-Instrument ins Haus zu lassen, daß Walt sich entschloß, sich seine Himmelspforte nicht selber zuzuriegeln.

Nun war er allein und zum letztenmale als Kopist im Zimmer; und hatte, was der Mensch zum feinsten Glücke braucht, nämlich einen Widerspruch der Wünsche: er wünschte nicht nur wegzukommen, um über Winas Kopf zu Hause mit Sternen-Träumen auf- und abzuschweben, sondern auch da zu bleiben, da er das Krönungs-Zimmer seines Lebens zum letztenmale bewohnte. Die Sonne fiel immer feuriger hinein und vergoldete es zu einer Zauberlaube im elysischen Haine. Als er es verließ, war ihm, als falle ein blühender Zweig herab, worauf bisher die Nachtigall seiner Seele gesungen.

Wie lag zu Hause, wo ihm nichts fehlte als Vult – aber dieser kaum –, das Leben und der Traum im Leben wie vergoldetes Gewölk um ihn her! Tausend Paradieses-Zweige schlugen über ihm unsichtbar zusammen und durchzogen ihn heimlich mit einem berauschenden Blüten-Dufte, in dessen Eden er nicht hineinsehen konnte. Wenn bisher die Wolke zu stehen schien und der Mond zu fliehen: so sah er jetzt die Flucht der Wolken unter dem festen schönen Gestirn.

»Wenn sie nur recht innig liebt,« – dacht' er – »gesetzt auch, sie meinte mich nicht allein; die Hauptsache ist ihre Wonne. Sie sollte dazu ordentlich mehrere Mütter haben, mehrere Väter und unzählige Freundinnen!« Er freuete sich mehr als dreißigmal über die Freude, womit Wina die Neujahrs-Nacht und jetzt unter seinen Füßen die Freundin anschauen werde. Daß sie ihn liebe und achte, wußt' er nun recht; aber nicht wie stark; – den höchsten Grad ihrer Liebe gegen ihn sich jetzt zu denken, hieß ihm, sich abzuzeichnen, wie ihm sein würde, wenn man ihn auf Millionen Weltstufen auf die Gipfel-Sonne geleitete, um ihn, den Notar, zum Gott zu krönen.

Er hatte schon viel von dem Geburtstags-Gedicht ohne sein Wissen ausgearbeitet – bloß durch das Denken an Winas Bitte –, als endlich Vult erschien. In der Angst, dieser schlage aus Kälte gegen Raphaela und den Adel das Musikfest ab, wollt' er ihn etwas künstlich, wie in einem englischen Garten, auf feinen Schlangenlinien und mit Mäandern vor den Vorschlag wie vor ein Denkmal führen. »*Leider* schrieb ich heute das letztemal beim General«, sagt' er mit der seligsten Miene von der Welt. »Du willst sagen ›Gottlob‹«, sagte Vult. Walt stolperte schon vornen in den Mäander hinein und ertrank fast. »Ich hoffte bisher,« versetzte Vult, »du solltest mich Stimmen-Narren allmählich beim Vater einführen, damit die Tochter sänge, wenn ich bliese.« – »Beides«, schlug Walt heraus, »kannst du ohne ihn und mich jetzt haben, dies hab' ich dir sogar vorzuschlagen.«

Der Flötenspieler fragte heftig. Walt bestand aber darauf, daß er, bevor er deutlich werde, ihm einen einzigen Zug von Raphaelen geben dürfte; es war der schöne vom Verschweigen des Krankseins.

Es gab keinen Charakterzug von der Welt, den der Flötenspieler je mit einem so abstrebenden Gesichte sich vorzeichnen lassen, als diesen; doch zog er den satirischen zuckenden Stachel in die Scheide zurück, um nur den Vorschlag zu bekommen.

Walt quälte ihn so lange um sein Urteil hierüber, daß er losbrach: »Ich schwöre dir ja, ich schätze die Handlung; der Teufel und seine Großmutter könnten nicht zärter verfahren; es ist eine Redensart, ich meine wir beide. Nun sprich!« –

Walt schlugs vor.

»Du bist ein guter Mensch« – sagte Vult mit einer schwer zu bergenden Erfreuung – »ich nehm' es willig an. Ich scherze überhaupt oft bloß. Als Mietsmann zeig' ich der Tochter vom Hause so gerne einige Aufmerksamkeiten – und ich soll es. Doch die Wahrheit zu sagen – ein böser Ausdruck, gleichsam als habe man vorher keine gesagt –, so stimmt mich hier Wina mit ihrer reinen rollenden Perlen-Stimme noch mehr. Gott! wie kann nicht eine Singpartie gesetzt werden (besonders von mir), wenn man das edle Portamento der Sopran-Person, deren diminuendo und crescendo und ihre herrliche Vereinigung von *Kopf-* und *Brust*-Stimme – du verstehst mich unmöglich, Bruder, ich spreche als Künstler – dermaßen kennt wie ich! Mensch, glaubst du, daß ich damals, als ich sie in Elterlein hörte, schwur, sie soll mit meinem Willen nie mehr à secco singen? – à secco, Walt, heißt nämlich *allein*; ein Punsch-Royalist wie ich kommt freilich auch leicht aufs Trockne, aber anders.«

Walten schien es ein wenig, als komme Vult eben nicht vom festen Lande her. Beider Abend wurde aber im Feuer der Liebe vergoldet. Jeder glaubte, er sehe über den Paradieses-Strom hinüber recht gut die Quelle der Freude des andern von weitem rauchen und nebeln. Walt zwang ihn scherzhaft, es auf einen Bogen zu schreiben, daß er morgen noch der heutigen Meinung sein und blasen und setzen wolle. Vult schrieb: »Ich will, wie Siegwart, den Mond zu meinem Bettwärmer machen – oder ein Lauffeuer im Laufe aufhalten – ja ich will die erste beste Glacière von Prüde heiraten und mir es also gefallen lassen, daß eine Jungfrau die Früchte der Glutzeit zu Eiszieraten ausquetscht, z. B. zu Rosen- und Aprikoseneis, zu Stachelbeereneis, zu Zitroneneis: wenn ich nicht die beste Flötenmusik sogleich Mozartisch setze und blase zur Zauberflöte, in der Minute, wo diese mein Bruder gedichtet und aufgeschrieben hat; und ich entsage jeder Exzeption, besonders der, daß ich heute nicht gewußt hätte, was ich morgen wollte.« –

»Ein wahrer Schelm ist doch mein Walt« – dacht' er im

Bette –; »würde ihn ein anderer wohl im Hauptpunkte so durchschauen wie ich? – Kaum!«

N⍛ 60: SCHERSCHWÄNZEL

Schlittschuh-Fahrt

Der nächste Tag des Notars war aus 24 Morgenstunden gemacht, weil er über das Geburtstags-Lied für Wina nachsann. Der zweite bestand aus ebenso vielen Mittagsstunden, weil er es ausführte. Es war, als müßt' er sich selber verklären, um Winas heiliges Herz auf seine Zunge zu nehmen; als müßt' er in Liebe zerrinnen, um ihre Liebe gegen die Freundin in seiner Seele wie ein zweiter Regenbogen neben dem ersten nachzuglänzen. Da die Liebe so gern im fremden Herzen lebt: so wird sie noch zärter, wenn sie in diesem wieder für ein drittes zu leben hat, wie das zweite Echo leise über die Milde des ersten siegt. – Dies alles aber war nur leichtes Säen im Frühling, wo lauter neue Sänger am Himmel flogen; aber am zweiten Tage fiel die heiße Ernte ein – Walt mußte um die ätherischen Träume die feste Form des Wachens legen, nämlich nicht nur die neue metrischer Verhältnisse, sondern auch musikalischer, weil Vult oft den besten Gedanken weder sing- noch blasfähig fand. So muß sogar der Geist des Geistes, das Gedicht, aus seinem freien Himmel in einen Erdenleib, in eine enge Flügel-Scheide ziehen.

Vult hingegen hatte leicht Gesang und Begleitung gesetzt; denn im unermeßlichen Äther der Tonkunst kann alles fliegen und kreisen, die schwerste Erde, das leichteste Licht, ohne zu begegnen und anzustoßen.

Da Walt bekanntlich das Gedicht in seinem Roman ganz abdrucken lassen, nur mit wenigen, aber unwesentlichen Abänderungen in den Stellen: »Wach' auf, Geliebte, der Morgen schimmert, dein Jahr geht auf« – dann: »Schläferin, hörst du nicht die Liebe rufen, und träumst du, wer dich liebt?« – und endlich: »Dein Jahr sei dir ein Lenz und dein Herz im langen Mai die Blume« – so setz' ich die Verse als allgemein bekannt voraus.

Jetzt war bloß die Schwierigkeit, Winen Musik und Text zuzuspielen. Walt schlug mehrere ausführbare Mittel und Wege dazu vor, die sehr dumm waren, Vult schlug aber jedes aus, weil man beim Treibjagen der Mädchen, sagt' er, nichts zu tun habe als ruhig zu stehen auf dem Anstand schußfertig, um sogleich abzubrennen, wenn sie das Wild vortreiben.

Indes wurde nichts gebracht; Wina verstand von den weiblichen Vermittlers- und Dietrichs-Künsten so viel als Walt. Endlich erschien eine helle Dezember-Dämmerung im Park, wo der lange See (es war ein schmaler Teich) mit dem Besen von Schnee gesäubert wurde, und wo später, da der Mond scharf jeden dürren Schatten-Baumschlag auf dem weißen Grund abriß, nicht nur die drei Ursachen davon verschwanden in die nahe Rotonda – ein schönes Rindenhaus, das dem römischen Pantheon auffallend ähnlich war in der Öffnung nach oben –, sondern auch sogleich einander wieder herausführten aufs See-Eis, weil die drei sämtlich Schlittschuhe darin angeschnallet hatten, Wina sowohl als Raphaela und Engelberta.

»Göttlich« – rief Walt, als er fahren sah – »fliegen die Gestalten wie Welten durcheinander, umeinander; welche Schwung- und Schlangenlinien!« Eben machte Engelberta, beide Arme malerisch aufgehoben, hernickende Fingerwinke. »Lauf mit deinem Musikblatt und sei drunten ein Mensch!« sagte Vult zu Walt. »Sie wollen uns beim Teufel.« – »Unmöglich,« versetzte Walt, »betrachte doch die Dämmerung und die Zärte!« – »Für ein Paar Stiefel hat doch der See noch Platz?« fragte Vult hinab und flatterte drei Treppen hinunter, um einen Ladendiener ohne weiteres zum Nachtragen von ein Paar Schlittschuhen zu kommandieren, die er voraussetzte.

Walt steckte das heilige Blatt voll Ton- und Dichtkunst an einen Ort, den er für schicklicher als die Rocktasche ansah, nämlich an dessen Geburtsort, d. h. unter die Weste ans Herz. Drunten am See-Teich ließ er an seinem langen Bückling die drei Danksagerinnen vorübergleiten und teilend losen, weil er nicht offenbaren konnte, wie viel er jeder vom Rückenbogen abschneide.

Aber welche entwickelnde Lebenskraft war mit Vulten aufs Eis gefahren, und wie schwebte der Geist über dem Wasser, das gefroren war! – Zuerst bald Winas Bart-, bald ihr Wandelstern, bald ihre gerade schießende Sternschnuppe zu sein, damit fing er an – sie Schachkönigin zu decken gegen jede Königin, es sei als Läufer, als Springer oder Turm – als Amors Pfeil zu fliegen, sooft sie Amors Bogen war – es nicht – zu leiden, wenn sie kühner fliegen wollte als er, sondern sie so lange zu überbieten, bis er selber überboten wurde und dann leichter den Wettflug mit einem Doppelsiege schloß – dies war die Kunst, womit seine schöne, von der Welt erzogne Gestalt ihren Wert entwikkelte in leichter Haltung und Wechslung.

Walt war am Ufer als Strandläufer außer sich vor Lust und warf laut den schönen Tanz- und Schweb-Linien Kränze von Gewicht in so richtigen Kunstwörtern zu, daß man hätte schwören sollen, er tanze. Er sprach noch vernehmlich von drei Grazien; – »welche noch dazu,« versetzte Vult, »wenn nicht um die Venus, doch um deren Mann tanzen; und was fehlt denn uns, Herr Harnisch, zu drei Weisen als die Zahl?« – Nur mußte Walt unter dem Bewundern beklagen, nämlich sich und sein Strandlaufen; denn auf dem Eise wäre er nicht viel leichter zu drehen gewesen als ein Kriegsschiff. Vielleicht wird der Druck einer niedrigen Abstammung nie schmerzlicher empfunden als in den geselligen Festen, zu welchen die dürftige Erziehung nicht mit den Künsten der Freude ausrüstete, wie Tanz, Gesang, Reiten, Spiel, französisches Sprechen sind.

Gegen Raphaela war Vult der artigste Mann, den es auf dem Teiche gab, sagte ihr Höflichkeiten über ihre für diesen Tanz gemachte Gestalt – welche ihm und ihr leicht zu glauben waren, weil sie wirklich einige Zolle über Wina hinaus maß –

und schnitt oder fuhr sogar ihr Namens-R mit den Schuhen in die Eisrinde wie in eine Baumrinde ein.

Sie nahm indes sein höfliches Übermaß ohne eignes auf; vielleicht weil das seinige den Scherz nicht genug verbarg und weil sie als eifersüchtige Freundin Winas unwillig die Hand sah, die er so offen nach dieser ausstreckte. Er überhüpfte oder überfuhr es. Zu Engelberta sagt' er: »Wir wollen Geliebtens spielen.« – »Auf dem Eise bin ich dabei,« erwiderte sie; und so neckten beide sich leicht und rasch mit ihrem Rollen-Schein, er mit edel- und weltmännischer Keckheit, sie mit kaufmännischer weiblicher. »Wüßte man nur,« schien sie zu denken, »ob er mehr ein seltsamer Haberecht wäre als ein närrischer Habenichts: dann wäre mehr zu tun.«

Fünfmal hatte schon Walt an sein Musikblatt gedacht, um es einzuhändigen, und es viermal vergessen, wenn Wina wie seine ganze Zukunft um sein Ufer flog oder gar ihn mit einem Blumenblicke bewarf, dem er zu lange nachträumte. Endlich sagte er der Eisfahrerin: »Zwei Ja sind neben Ihnen.« – »Ich verstand Sie nicht ganz«, sagte sie lächelnd wiederkommend und entglitt. Er ging ihr am Ufer ein wenig entgegen aufs Eis: »Ihr Wunsch wurde auch der fremde«, sagte er. »Wie ists mit der Flötenmusik?« fragte sie fliehend. »Ich trage Musik und Text bei mir, aber nicht bloß *am* Herzen«, antwortete er, als sie wieder herfuhr. »Wie herrlich!« sagte sie umwendend und glänzte vor Freude.

Vult flog wie eifersüchtig fragend her: »Hat sie das Blatt?« – »Sehr hingedeutet hab' ich dreimal,« versetzte Walt, »aber, wie natürlich, fährt sie nicht unweiblich vor mir aus und steht.« – Jener zog seine Flöte öffentlich vor und sagte laut, daß der ganze Teich es hörte: »Herr Harnisch, Sie haben vorhin mein Musikblatt eingesteckt? Jetzt blas' ich.« Dieser reichte es (seinem Blicke mehr als seinem Worte) zu. Wina kam herbei; »können Sie«, sagte Vult laut zu ihr, es übergebend, »im Mondschein noch lesen, was ich abspiele?« Das trauende Mädchen sah ihn lieblich an und ernsthaft ins Blatt hinein, da er zu flöten anhob. Am Härchen des Zufalls hing nun der ganze Neujahrs-Morgen herab, zwar kein Schwert, aber eine blumige Krone. Gleichwohl tobt und jauchzet der Mensch wechselnd über dasselbe Härchen, bloß weil es zur einen Zeit ein Schwert, zur andern ein Diadem über seinem Kopfe hält und auf diesen fallen läßt.

Wina las lange auf dem Blatt Noten nach, die er gar nicht blies, bis sie endlich Vults End-Absichten merkte und erfüllte. Wie flog sie dann der Flöte nach, um mit Blicken zu danken – und Walts Stand-Ufer vorüber, um ihn anzuschauen – und freudig über die kalte Fläche, weil ihre freundschaftlichen Wünsche so schön begünstigt waren und dieser Nacht nichts mehr fehlte als die erste des künftigen Jahrs. Welche erfreute Blicke warf sie auf ihre Freundin und zum Sternenhimmel! Dazu ging nun die umherirrende Flöte, die wie mit einem Springstabe den Notar vom Eis der Erde ans Empyreums-Eis des Himmels aufhob. Alles war zwar selig, Vult besonders, Walt aber am meisten. »Ach wolltest du mir nicht« – sagte Vult herfahrend mit vergnügtem Gesicht – »ein paar Doppel-Louis vorstrecken nur auf zwei Stunden, armer Wicht?« – »Ich?« fragte Walt. Aber jener fuhr und blies fröhlich weiter, um als Chorführer mit Sphärenmusiken den himmlischen Körpern auf dem Eise vor- und nachzuschweben. Wenn die Tonkunst, welche schon in die gemeine feste Welt gewaltsam ihre poetische einschiebt, vollends eine offne bewegte findet: so wird darin statt des Erdbebens ein Himmelbeben entstehen, und der Mensch wird sein wie Walt, der das Ufer mit stillen Dankgebeten und lautem Freudenrufen umlief und seine Herzens-Welt, sooft die Flöte sie ausgesprochen, immer von neuem und verklärter erschuf. Er sammelte alle fremde Freuden wie warme Strahlen in seiner stillgehaltenen Seele zum Brennpunkte. Den mit Sternen weißblühenden Himmel ließ er ins kleine Nachtigallenspiel herabhängen, und der Mond mußte seinen Heiligenschein mit Winas Gestalt zusammenweben. Dieser Mond, sagt' er sich, wird in der Nachmitternacht des Neujahrs fast wieder so am Himmel stehen, und ich werde nicht nur die Flöte und meine Gedanken, auch *ihre* Stimme hören. – Die Sterne des Morgens werden blinken – und ich werde erst unter dieser künftigen Musik denken: »So groß hätt' ich mir die Wonne am frohen Abend der Eisfahrt nie gedacht.«

Jetzt trat er immer weiter in den Teich hinein, oder stach weiter in die See oder ins Eismeer, um der Geliebten näher zu begegnen. Da sie ihn nun ein paar Mal nahe umkreisete und seine Freudenblumen den höchsten Schuß taten und mit breiten Blättern wogten, mähte sie Zablockis Bedienter mit der Nachricht ab: der Wagen sei da. Der stolze Lakai erinnerte ihn wunderbar an Winas Stand und an seine Kühnheit.

Nach der Flucht der Drei nahm ihn Vult am Arme aufs Eis hinein und sagte: »Jede Lust ist eine Selbstmörderin, und damit gut. Aber gibt es denn ein kahleres Paar arme Häute als ich und du, sämtlich? Denn wenn es ein Lumpen-Hündchen-Paar gibt, das drei durstige Engel den ganzen Abend trocken auf dem Wasser herumfahren lässet, weil es nicht so viel in der Tasche oder droben in der Stube zusammenbringen kann, um den Engeln nur die kleinste Erfrischung vorzusetzen, das wenige Kommiß-Eis ausgenommen, worauf sie fuhren –: so ist wahrlich das Paar niemand als wir. – Ach, waren wir denn imstande, wenn sie schlechtes Wetter und kein Fuhrwerk hatten, nur eine Halbchaise anzuspannen und einen Floh dazu anzuschirren, wie einmal ein Künstler in Paris eine samt Passagieren und Postillon so fein ausgearbeitet hatte, daß ein einziger Floh alles zog? – Sonst war der Abend hübsch.«

»O wahrlich! Freilich; – aber gewiß so wenig als ich diesen Abend an leibliche Genüsse dachte, so wenig vielleicht die guten Wesen! Die Frau hat einen Schmerz, eine Freude; der Mann hat Schmerzen, Freuden. Sieh nach, dies trifft schön mit den Worten auf der Tafel, die dort an der Eiche hängt.« –

»Eine Linde ists«, sagte Vult. »So kenn' ich«, versetzte Walt, »immer die Gewächse nur in Büchern. – Darauf steht: ›Die schöne weibliche Seele sucht, wie die Biene, nichts als Blüte und Blume; aber die rohe sucht, wie die Wespe, nur Früchte.«...

»Ja sogar Ochsenleber, wie die Fleischer wissen.« – »O, alle«, fuhr Walt fort, »waren heute so froh, und besonders über dich! Nun, ich sage dirs offen, habe ich dich je als freien, gewandten, kühnen, alles schlichtenden Weltmann erkannt, so wars heute«, sagte Walt und hob besonders sein Benehmen gegen Raphaela heraus. Vult bedankte sich mit einem – Spaße über sie. Es war der, daß Weiber den Augen glichen, die so zart, rein und für Stäubchen empfindlich wären, und denen doch Metallsafran, Cayennepfeffer, Vitriolspiritus und andere angreifende Ätzmittel als Heilung dienen. Von Zeit zu Zeit ließ er einen mäßigen Scherz gegen Raphaela los, um den Bruder von einer verdrüßlichen Eröffnung seiner Liebe zurückzuschrecken.

Allmählich sanken beide sanft und tief in die Stille ihres Glücks. Von der schimmernden Gegenwart war ihnen nichts geblieben als oben der Himmel, und unten das Herz. Der Flötenspieler maß seinen Weg zu Winas Ich zurück und fand sich schon auf halbem – Ihr Danken, ihr Blicken, ihr Nähern, Raphaelens Meiden langte zu, ihm für die Neujahrs-Nacht, wo er alles durch einen Zauberschlag entscheiden wollte, die schönste Hoffnung zu lassen, und doch noch größere Sehnsucht. Aber gerade diese war ihm fast lieber und seltner als jene; er dankte Gott, wenn er sich nach irgend etwas unbeschreiblich sehnte, so sehr mußte er sich nach Sehnen sehnen. Aber die Entbehrungen und Schmerzen der Liebe sind eben selber Erfüllungen und Freuden und geben Trost, und brauchen keinen, so wie die Sonnenwolken eben das Leuchten der Sonne erzeugen und die Erdenwolken vertreiben.

Nur auf Walt, dessen dichterische Nachtigallen in seinem warmen Duft-Eden betäubend schlugen, machten die göttlichen Sterne und ein glücklicher Bruder zu starken Eindruck; er dürfte, schwur er vor sich, dem aufgeschloßnen Freunde gerade die heiligste Herzens-Stätte, wo Winas Denkmal in

Gestalt einer einzigen Himmelsblume stand, nicht länger verdecken und umlauben. Daher schickte er ohne weiteres Hand-Drucke und Augen-Blicke als Vorspiele der schamhaften Beichte seiner kühnsten Sehnsucht voraus, um ihn zu fragen und vorzubereiten; dann fing er an: »Sollte der Mensch nicht so offen sein als der Himmel über ihm, wenn dieser gerade alles Kleinliche verkleinert, und alles Große vergrößert?« – »Mich vergrößert er wenig«, versetzte Vult. »Lass' uns aber im Schatten gehen; sonst muß ich alles vorbeigehend lesen, was da von Empfindungen an die Bäume genagelt ist. Denn so sehr mir Raphaela seit näherer Bekanntschaft in einem andern Lichte erscheinen muß als sonst, so hasse ich doch das gewaltsame Herauskehren und Umstülpen des Innern zum Äußern noch fort, als sei man eine kehrbare Tierpflanze. Wenn ein Mädchen anfängt: ›eine schöne weibliche Seele‹: so lauf' ich gern davon; denn sie besieht sich mit. – Herzen hat ohnehin jedes so viele aufzumachen und zu verschenken als ein Fürst Dosen, und beide enthalten das Bildnis des Gebers, nicht des Empfängers. Überhaupt! Und so fort! – Aber ich berufe mich auf dich selber, ob du wohl bei deiner und unserer Delikatesse fähig wärest, von deinen heiligern Herzens-Gegenden, vom innersten und heißesten Afrika, alles bekannt zu machen und Landkarten davon zu stechen. Ein anderes, Bruder, sind Spitzbübereien der Liebe – bloße schlimme Streiche – Wiegenfeste des alten Adams – alles dieses dergleichen wilde Fleisch am Herzen, oder, möcht' ich mit den Ärzten sprechen, solche Extravasata, oder mit den Kanonisten, solche Extravagantia, kurz deine starken Ausschweifungen kannst du mir, ob ich sie dir gleich kaum zugetrauet hätte, ohne Schaden entblößen. Verliebte Liebe hingegen – bedenke dies wenigstens für künftige Fälle. Denn der vortreffliche Mann, dem du etwa deine Flamme und deren Gegenstand bekannt gemacht, weiß nicht recht, da er doch an deinen frohen Empfindungen den frohesten Anteil nehmen will, wie er die Person zu behandeln habe – Ob ganz wie du? Aber dann fehlte gar der Unterschied, und du knurrtest wohl am Ende – Oder ob ganz matt und hochachtend? Dann wirst du gequält und gedrängt, daß er dir mit seinen gypsernen Augen in deine naß-brennenden sieht. Der vortreffliche Mann schluckt jedes Wort zurück, das nicht wie ein Wunderungs-O über sie aussieht, dieser schöne Selbstlauter, der im Munde ebensogut den Kreis als die Nulle nachspielt. – Ihr beide oder ihr drei sitzt immer befangen nebeneinander. Der Mann schämt sich vor dem Mann stets mehr der Liebe als der Ehe; denn in der Ehe finden ein paar Freunde schon eher etwas zum Sympathisieren, z. B. Wechsel-Jammern über ihre Weiber usw.«

Walt schwieg, legte sich ins Bett und in die Träume hinein und tat die Augen zu, um alles zu sehen, was ihn beglückte.

Nᵣₒ 61: LABRADOR-BLENDE VON DER INSEL ST. PAUL

Vults antikritische Bosheit – die Neujahrs-Nacht

Auf die süßen Früchte und Rosen, die sie an der Wetterseite ihres Lebens zogen, blies wieder ein rauhes Lüftchen, nämlich Herr Merkel, der ihren Roman mit wahrer Verachtung zurückschickte, den Waltischen Anteil noch erträglich, den Vultischen aber nicht nur abgeschmackt fand, sondern gar dem Guckguck Jean Paul nachgesungen, welcher selber schon ohne die Guckgucks-Uhr der Nachahmung langweilig genug klinge. Dieses brachte den Flötenmeister dermaßen auf, daß er alle kritischen Blätter dieses Selbst-Redakteurs durchlief und darin bloß nach Ungerechtigkeiten, Bosheiten, Fehlschlüssen, Fehlgriffen und Fehltritten so lange nachjagte, bis er ihm gerade so viele, als man Delille in seinem homme aux champs Wiederholungen[1] vorwarf, zum zweiten Einrücken zufertigen konnte in einem Briefe, nämlich sechshundertunddreiundvierzig.

1 Im Appel aux principes, wozu noch 558 – Antithesen vorgeworfen werden.

Der ganze Brief war voll Ironie, nämlich voll Lob – Anfangs erwähnte Vult achtend der Kritik im allgemeinen, welche er eine nötige Zuchthäusler-Arbeit nennt, da sie im *Polieren* des Marmors, *Schleifen* der Brillen, Raspeln der *Färbehölzer* und Hanfklopfen für *Stricke* bestehe – machte glaublich, daß, insofern Genies nur durch Genies, Elefanten nur durch Elefanten zu bändigen und zu zähmen wären, ein kritischer Floh sich ganz tauglich dazu anstelle, da er sich von anderen Elefanten weder in der Gestalt noch, unter einem Vergrößerungsglase, in der Größe unterscheide und noch den Vorzug habe, sich leichter ins Ohr zu setzen und überall zu stechen und zu hüpfen – erklärte jedoch die gewöhnliche Regelgeberei bei Männern wie z. B. Goethe für ebenso unnütz als eine zurechtweisende Sonnenuhr auf der Sonne – rückte nun Herrn Merkel nicht ohne Bosheit näher, indem er es erhob, daß er gerade an großen Autoren, die es am ersten und stillsten vertrügen, sich am meisten zeige durch kleine Ergießungen von Galle und Hirnwasser, so wie man nirgends (selten an kleine Privathäuser) so oft als an erhabene und öffentliche Gebäude wie Rats-, Opernhäuser und Kirchen pisset. – Er wunderte sich, daß das Publikum sich noch nicht die Qual und Arbeit stark genug vorgestellt, womit er ganz allein in den Frauenzimmer-Briefen das tote Musenpferd aus der Straße wegzuschleppen strebte, eine Marter, wovon ein Wasenknecht zu sprechen wisse, der mehrere Tage ganz allein, weil jeder Vorbeigehende sich zur Handreichung aus Vorurteil für zu ehrlich halte, an einem gefallenen Gaule abtrage – nahm davon Gelegenheit, dessen Stolz im vorteilhaften Lichte zu erblicken, da M. allerdings über die ungeheuren Riesenschenkel und den Riesenthorax seines Schattens vergnügt erstaunen müsse, den er auf die Märker-Fläche projektiere bei dem tiefen Stand der Morgensonne der neuen Zeit. –

Da aber Vult im Verfolge anfängt, anzüglich zu werden, ja verachtend: so hält sich der Verfasser durch kein Kabelsches Testament und durch keine Labrador-Blende von der Insel St.

Paul für das Kapitel verbunden, den Rest hier zu exzerpieren; umso mehr, da nicht einmal Merkel selber das ganze Schreiben eingerückt oder beantwortet hat, den ich hier öffentlich zu bezeugen auffordere, ob nicht der unterdrückte Rest noch unschicklichere Angriffe enthalten habe und aus gleichen Gründen von ihm wie von mir unterschlagen worden sei. –

Darauf wurde der Roman an Herrn v. Trattner in Wien geschickt, weil man dahin, sagte Vult, nur halb frankieren dürfe. »Ich danke Gott, sobald ich nur hoffen kann«, sagte Walt. Die neue Arbeit wurde der alten mit beigelegt. Der Buchhändler blieb dabei, daß er jede Woche nicht mehr als *einen* Korrektur-Bogen zuschickte und folglich dieses Erbamt des Korrektorats ungewöhnlich ausdehnte. Der Notarius beging jede Woche zwar nicht neue Korrektorats-Fehler, aber unzählige; nur über den Buchstaben W keine, weil sein Wohl und Weh, Wina, damit anfing.

Tot-öde wäre das Doppel-Leben der Brüder ausgefallen ohne die Liebe, welche den Baugefangenen der Not die höchsten Luftschlösser erbauen läßt, welches so viel ist, als sie bewohnen! Nichts erträgt die Jugend leichter als Armut (so wie das Alter nichts leichter als Reichtum); denn irgendeine Liebe – sie meine ein Herz oder eine Wissenschaft – erhellet ihre dunkle Gegenwart künstlich und lässet sie im künstlichen Tage so freudig sein, als sei es ein wahrer, wie Vögel vor dem Nachtlicht fortschlagen, weil sie es für einen Tag ansehen.

Vult war nun entschlossen, in der Neujahrs-Nacht auf Winas Herz seine feindliche Landung – mit der Flöte in der Hand – zu machen. Hoffnungen hatt' er – da aus Gemeinschaft der Arbeit leicht die des Herzens wird und aus dem Faktor der Handelswitwe leicht ihr Mann – genug: »Wenn ein Paar durch das Ausführen eines zweistimmigen Satzes nicht einstimmig werden: so irr' ich mich sehr«, sagt' er. Walt hingegen entwarf keinen andern Eroberungsplan als den, Wina verstohlen anzuschauen – vor Freude zu weinen – ja heranzurücken mit sich – und, wenn Gott ihm Finsternis oder sonst

Gelegenheit bescherte, im Saus und Braus der Wonne ihre Hand zu küssen und gewiß irgend Etwas zu sagen. Bis dahin sagte er ihr noch mehr, aber gedruckt auf Taffent und feinstem Papier.

Da er nämlich durch seinen poetischen Anteil an der Haß-lauer Zeitung das Vertrauen des Herausgebers so sehr gewonnen hatte, daß dieser von ihm die ganze Lieferung gedichteter Neujahrswünsche, eines beträchtlichen Handels-Artikels des Mannes, sich verschrieben, so legte er in die Blätter, die für Mädchen verkauft wurden, unzählige Phönix-, Paradiesvögel- und Nachtigallen-Eier zum Wünschen nieder, welche das Schicksal später ausbrüten sollte; nämlich es gab mit anderen Worten wenig Freudenkränze, Freudenmonde, Freudensonnen, Freudenhimmel, Freudenewigkeiten, welche er auf dem Taffent nicht den verschiedenen Mädchen wünschte, bloß in der Hoffnung, daß unter so vielen Wünschen wenigstens einer von so vielen Freundinnen Winas werde gekauft werden, für diese. »O wohl zehn!« sagt' er.

So kam Weihnachten heran und ging vorüber, ohne daß aus der Asche der Kindheit die gewöhnlichen schillernden Phönixe aufstiegen – da die Neujahrs-Nacht ihnen zu nahe vorglänzte –, und diese brach endlich mit ihrer Abend-Aurora an, die noch dem alten Jahre gehörte.

Noch abends beim Schimmer des Hesperus oder sonst eines Sterns verfluch' es Vult von neuem, daß er nichts weiter hatte als die schönste Gelegenheit, aber kein Geld, nachts den galantesten Mann von Welt bei den Jungfrauen zu spielen: »Ich wollte, ich wäre wie schlechtere Musici mit dem Bettelorden der Neujahrsfahrer umhergeschifft und hätte wenigstens mir so viel erbettelt, um den Reichen zu machen«, sagt' er. Sobald Engelberta ihn auf 4 Uhr morgens in die große gelbe Stube mit dem Bewußten bestellte: so ging er Nachts mit Walt freudeglühend in das Weinhaus, wo er als ein alter Hausfreund den Tag vorher (es kostete ihm bloß seine feinen Beinkleider-Schnallen) Champagner-Wein ohne Kork aufs Eis setzen lassen, um, wie er sagte, die Ruinen ihres Hunds-Lebens ein wenig auszutapezieren.

Walt nahm sich eine halbe Stunde Zeit, um zu begreifen, daß dem offenen Weine kein Weingeist verrauchet sei. Dann trank – allen Nachrichten zufolge, die man hat – jeder; doch so, daß beide einander als positive und negative Wolken entladend entgegenblitzten, Walt mehr mit scherzhaften Einfällen, Vult mit ernsten. In einer Blumenlese aus ihrem Gespräche würden die Farben so bunt nebeneinander kommen, als hier zur Probe folgt:

»Der Mensch hat zum Guten im Leben so wenig Zeit als ein Perlenfischer zum Perlen-Aufgreifen, etwa zwei Minuten. – Manche Staatseinrichtungen zünden ein Schadenfeuer an, um die eingefrornen Wasserspritzen aufzutauen, damit sie es löschen. – Man steigt den grünen Berg des Lebens hinauf, um oben auf dem Eisberge zu sterben. – Jeder bleibt wenigstens in *einer* Sache wider Willen Original, in der Weise zu niesen. – Winckelmann verdient Suworows Ehrennamen Italiskoi. – Heimlich glauben die meisten, Gott existiere bloß, damit sie erschaffen wurden; und die durch den Äther ausgestreckte Welten-Partie sei die Erdzunge ihres Dunst-Meers, oder ihre Erde sei die Himmelszunge. – Jeder ist dem Andern zugleich Sonne und Sonnenblume, er wird gewendet, und wendet. – Viele Witzköpfe an *einer* Tafel, heißt das nicht mehrere herrliche Weine in *ein* Glas zusammengießen? – Kann eine Sonne mit andern Kugeln als Welt-Kugeln beschossen werden? – Sterben heißt sich selber durch Schnarchen wecken.« – –

Und so weiter; denn im Verfolge war viel weniger Zusammenhang und mehr Feuer. So schlug endlich die Totenglocke des Jahrs; und der unsichtbare Neumond des neuen schrieb sich bald mit einer Silber-Linie in den Himmel ein. Als die Gläser endlich geleert waren wie das Jahr: so lustwandelten beide auf der Gasse, wo es so hell war wie am Tage. Überall riefen sich Freunde, die von Freuden-Gelagen herkamen, den Neujahrs-Gruß zu, in welchem alle Morgen- und Abendgrüße eingewickelt liegen. Auf dem Turm-Geländer sah man die Anbläser des Jahrs mit ihren Trommeten recht deutlich; Walt dachte sich in ihre Höhe hinauf, und in dieser kam es ihm vor, als sehe er das Jahr wie eine ungeheure Wolke voll wirbelnder Gestalten am Horizont heraufziehen; und die Töne nannten die Gestalten künftiger Stunden beim Namen. Die Sterne standen als Morgensterne des ewigen Morgens am Himmel, der keinen Abend und Morgen kennt; aber die Menschen schaueten hinauf, als gäb' es droben ihren eiligen Wechsel und ihre Stunden- und ihre Totenglocken und den deutschen Januar.

Unter diesen Gefühlen Gottwalts stand die Geliebte als ein Heiligen-Bild, von Sternen gekrönt, und der Himmels-Schein zeigte ihre großen Augen heller und ihre sanften Rosenlippen näher. Nicht wie sonst stellte ihm das alte Jahr, das an der Geburt des neuen starb, das Vergehen des Lebens dar; die Liebe verwandelt alles in Glanz, Tränen und Gräber; und vor ihr berührt das Leben, wie die niedergehende Sonne auf den nordischen Meeren am langen Tage, nur mit dem Rande die Untergangs-Erde und steigt dann wieder morgendlich den Himmelsbogen hinauf.

Beide Freunde gingen Arm in Arm, endlich Hand in Hand in den Straßen umher. Walts kurze Lustigkeit war dem tiefern Fühlen gewichen. Er sah sich oft um und in Vults Gesicht hinein: »So müssen wir bleiben in einem fort, wie jetzt«, sagt' er. Geschwind drückte ihm Vult die Hand auf den Mund und sagte: »Der Teufel hörts!« – »Und Gott auch«, versetzte Walt; und fügte dann leise, rosenrot und abgewandt hinzu: »In solchen Nächten solltest du auch einmal das Wort *Geliebte*! sprechen.« – »Wie?« sagte Vult rot, »dies wäre ja toll.« –

Nach langem Genuß des hellen Vorfestes sahen sie endlich Wina mit Engelberta wie eine weiße Blumen-Knospe in das Feuerhaus einschlüpfen. Hoffend auf die ausgearbeiteten Plane seiner Liebes-Erklärung und so glücklich wie ein Astronom, dem sich der Himmel aufklärt, ehe sich der Mond total verfinstert, suchte Vult jetzt die Ohren des Bruders in etwas vom

Liebhaber-Theater wegzustellen, indem er ihm vorhielt, wenn er in einiger Ferne, z. B. unten im Park zuhorchte, würden ihn die Töne viel feiner ergreifen. »Guckst du mir über die Achsel: so ists soviel, als schnaubest du selber mit ins Flötenloch hinein, wobei wenig zu holen ist; und was überhaupt die Heldin des ganzen Musikfestes zu einem Lager, das zwei junge Männer vor ihrem eignen im Bette aufschlagen, sagt, braucht doch auch Bedacht, mein Walt!« – »Da es dir so lieb ist, so wend' ich nichts ein«, sagte dieser und ging in den kalten Garten, wo der blendende Schnee so gut gestirnt war als der tiefe Äther.

Aber oben ging es wider Vults Vermuten, doch nicht wider dessen Wunsch. Engelberta versicherte, ihre Schwester würde, da sie Flöte und Stimme so kenne, vom ersten Anklang erwachen und alles verderben. »So muß die Musik in größter Ferne anfangen und wachsend sich nähern.« – »Gut, das geschieht im Park«, sagte Wina und eilte hinab. Auf der Treppe, hinter nahen Ohren, nahm Vult eiligst alle musikalische Abreden mit ihr, damit er auf dem einsamern Park-Wege nichts zu machen brauchte als seine Eroberung. Zu seinem Schrecken stand jetzt wie eine stille Pulverschlange, die bloß auf das Loszünden wartete, der Notar auf der Hauptstraße, der mit seiner heitern Miene sich und andern versprach, mitzugehen und alles zu begleiten. Wina gab ihm einen freudigen Morgen-, dann noch einen Neujahrs-Gruß und die Frage: »Geht nicht alles vortrefflich?« – »Sta, Sta, Viator!« sagte Vult und winkte ihm heftig rückwärts, still zu liegen – was jener nachdenkend vollzog, »weil ich ja«, dacht' er, »nicht weiß, was er für Ursachen dazu hat«.

»Ein wahrer, inniger Mensch und Dichter«, begann Vult. »Seine Gedichte sind himmlisch«, versetzte sie. »Dennoch haben Sie uns beide als Verfasser verwechselt?« (fragt' er rasch, weil ihm wie einem Ewigen und Seligen jetzt nichts fehlte als Zeit) »Ein solcher Irrtum verdient nicht die geringste Verzeihung, sondern Dank. Eine andere, aber richtigere Verwechslung denk' ich mir eher –« (Wina sah ihn scharf an.) »Denn ich und er haben ein Paar gegenseitige Zwillings-Geheimnisse des Lebens, die ich niemand in der Welt entdecke – außer Ihnen, denn ich vertraue Ihnen.« – »Ich wünsche nichts zu wissen, was Ihr Freund nicht gern erlaubt«, versetzte sie.

Jetzt sprang er, weil das Entdeckungs-Gespräch viel zu lange Wendungen nahm und er vergeblich auf langsamere Schritte sann, um ihr näher zu kommen, plötzlich vor eine Linde und las davon folgende Tafelschrift von Raphaelen ab: »Noch im Mondenschimmer tönen Bienen in den Blüten hier und saugen Honig auf; du schlummerst schon, Freundin, und ich ruh' hier und denk' an dich, aber träumst du, wer dich liebt?«

»Eilen wir nur«, sagte sie. »Wie köstlich ist Ihr Auge wieder hergestellt!« – »Ich nehme auch alles lieber von Amor an, besonders die Giftpfeile, als die Binde; *ich sah Sie stets*, verehrte Wina, wer dabei von uns beiden am meisten gewinnt, das weiß nicht ich, sondern Sie«, sagte er mit feiner Miene.

»Schön«, fuhr er fort, »hat der Dichter in Ihren Gesang die Zeile eingewebt: ›träumst du, wer dich liebt?‹« – Darauf drehte er sich halb gegen sie, sang ihr leise diese Zeile, die er absichtlich zu diesem Gebrauche komponiert, ins treuherzige Angesicht, und sein schwarzes Auge stand im langen Blitze der Liebe. Da sie schwieg und stärker eilte: so nahm er ihre Hand, die sie ihm ließ, und sagte: »Wina, Ihr schönes Herz errät mich, Ihnen will ich anders, ja, wenns nicht zu stolz ist, ähnlicher erscheinen als der Menge. Ich habe nichts als mein Herz und mein Leben; aber beides sei der Besten geweiht.« – »Dort, Guter!« sagte sie leise, zog ihn eiliger an die Stelle, wo sie spielen wollten; dann stand sie still, nahm auch seine andre Hand, hob die Augen voll unendlicher Liebe zu ihm empor, und auf ihrem reinen Angesicht standen alle Gedanken klar, wie helle Tautropfen auf einer Blume. »Guter Jüngling, ich bin so aufrichtig als Sie, bei diesem heiligen Himmel über uns versichere ich Sie, ich würd' es Ihnen offen und froh gestehen, wenn ich Sie liebte, in dem Sinne, worin Sie es wahrscheinlich meinen. Wahrlich, ich tät' es kühn aus Liebe gegen Sie. Schon jetzt schmerzen Sie mich. Sie haben meinen Morgen gestört, und meine Raphaela wird mich nicht froh genug finden.«

Vult zog, schon ehe sie die letzten Worte sagte, die Flötenstücke heraus, setzte sie zusammen und gab, nur einen Blick hinwerfend, ein stummes Zeichen anzufangen. Sie begann mit erstickter Stimme, eine kurze Zeit darauf mehr forte, aber bald ordentlich.

Walt durchschnitt den Hauptgang unten hin und her, um beiden nachzublicken, bis sie ihm ferne in den Mondschimmer wie zergingen. Endlich hörte er den wunderbaren Gruß-Gesang an die Schlafende, seine eigenen Worte, aus der Dämmer-Ferne und sein Herz in eine fremde Brust versetzt, wie es der armen Schläferin droben, an die selber er bisher gerade am wenigsten gedacht, die Worte sagt: »Erwache froh, geliebtes Herz!« – Er sah deshalb aufrichtig mit Glückwünschen an ihr Fenster hinauf, um sich zu entschuldigen, und wünscht' ihr alles, was Leben und Liebe Schönes zu reichen haben, unter dem größten Bedauern, daß ihr Flitte gerade verreiset sein mußte. »Möchtest du dich doch, gutes Mädchen,« dacht' er, »täglich für immer schöner halten, wär' es auch nicht ganz wahr! Und deine Mutter, deine Wina müsse auch so denken, um sich sehr an dir zu freuen!«

Auf einmal hört' er Engelberta, die ihm riet, er möge, wenn er sich warm laufen wolle, lieber ins Haus hinauf. Da ihn nun diese Aufmerksamkeit eines Zeugen störte: so ging er ins nahe Rindenhaus, wo er nichts sah als über sich das nächtliche Himmelsblau mit dem hereinstrahlenden Monde, und nichts hörte und in sich hatte als die süßen Worte der fernen zarten Lippen. Er sah hinter der Rinde die schimmernde Wildnis des Himmels aufgetan, und er jauchzete, daß das neue Jahr in seiner mit Sternen besetzten Morgenkleidung so groß und voll Gaben vor ihn trat.

Nun kam Wina, die melodische Weckerin zum Wiegenfesttage, immer näher mit stärkeren Tönen, Vult hinter ihr, um die heißen Tränen des Unmuts, die er neben der Flöte nicht trocknen konnte, niemand zu zeigen als der Nacht. In der Nähe gab ihr Engelberta auf das Schlafzimmer der Schwester und Walts Rinden-Rotunda winkende Zeichen, welchen sie zu folgen glaubte, wenn sie sich in die Rotunda singend verbarg, um da sich und ihr Frühlings-Lied von der erwachenden Freundin finden zu lassen.

Sie fand den Notar mit dem Auge auf dem Monde, mit dem Geiste in dem blauen Äther – ihre näheren Töne und Vults fernere hatten ihn berauscht und außer sich und außer die Welt gesetzt. Eigentlich versteht niemand als nur Gott unsere Musik; wir machen sie, wie taubstumme Schüler von Heinecke Worte, und vernehmen selber die Sprache nicht, die wir reden. Wina mußte fortsingen und die Anrede durch ein englisches Anlächeln ersetzen.

Da er gleichfalls nichts sagen durfte, so lächelte er auch an, und sehr, und schwamm vor ihr in Liebe und Wonne. Als sie nun die schöne melodische Zeile sang: »Träumst du, wer dich liebt?« und sie so nahe an seiner Brust die heimlichen Laute derselben nachsprach: so sank er auf die Knie, unwissend, ob zum Beten oder zum Lieben, und sah auf zu ihr, welche vom Mond wie eine obenherabgekommene Madonna umkleidet wurde mit dem Nachglanze des Himmels. Sie legte sanft die rechte Hand auf sein weichlockiges Haupt; – er hob seine beiden auf und drückte sie an seine Stirn; – die Berührung lösete den sanften Geist in Freudenfeuer auf, wie eine weiche Blume in üppiger Sommernacht Blitze wirft – Freudentränen, Freudenseufzer, Sterne und Klänge, Himmel und Erde zerrannen ineinander zu *einem* Äthermeere, er hielt, ohne zu wissen wie, ihre Linke an sein pochendes Herz gedrückt, und der nahe Gesang schien ihm wie einem Ohnmächtigen aus weiten Fernen herzuwehen.

Die Flöte stand ganz nahe, das letzte Wort wurde gesungen. Wina zog ihn sanft von der Erde auf; er glaubte noch immer, es töne um ihn. Da kam mit freudigem Ungestüm Raphaela hineingestürzt, an die Brust der Geberin des schönsten Morgens.

Wina erschrak nicht, aber Gottwalt – sie gab der Freundin eine ganze Freundin. Sie sagte zu Gottwalt, der nicht sprechen konnte: »Wir sehen uns abends wieder, am Montage?« – »Bei Gott«, antwortete er, ohne das Mittel zu kennen. Jetzt trat Vult hinzu und empfing von Raphaela lauten Dank, und er verließ schweigend mit Walt den seltsamen Garten.

Oben hing sich dieser warm an seinen Hals. Vult nahm es für Freuden-Lohn seiner Bemühung um Raphaelens Morgenfest und drückt' ihn einmal an die Brust. »Laß mich reden, Bruder«, begann Walt. »O laß mich schlafen, Walt«, versetzte er – »nur Schlaf her, aber rechten tiefen, dunkeln; wo man von Finsternis in Finsternis fällt. O Bruder, was ist recht derber Schlaf nicht für ein köstlicher weiter Landsee für beidlebige Tiere, z. B. einen Aal, der matt vom schwülen Lande kommt, und der nun im Kühlen, Dunkeln, Weiten schwanken und schweben kann! – Oder leugnest du so etwas, und mehr?« – »Nun, so gebe dir Gott doch Träume, und die seligsten, die ein Schlaf nur haben kann«, sagte Walt.

Nᵒ 62: SAUSTEIN

Einleitungen

Walt hatte nun in seinem (mit Blumen ausgeschmückten) Kopf nichts weiter als den Montag, an welchem er Wina sehen sollte, ohne zu wissen wo. Nach einigen Tagen ließ ihm Raphaela durch Flora sagen, die Redoute am Montage sei durch eine Landestrauer verschoben. Er stutzte das Mädchen an und sagte: »Wie, es war eine Redoute?« Als ihm Vult aber nachher auf die Achsel klopfte und anmerkte, wahrscheinlich habe ihn Engelberta dahin bestellt und lasse es fein genug durch die Schwester sagen, so ging ihm ein Licht, ja ein Stern über Winas Montag auf. Seine Gehirnkammern wurden vier Maskensäle; er schwur, so lange sich abzukargen – und sollte er verhungern –, bis er so viel Geld zusammen hätte, daß er zum erstenmal in seinem Leben den Larventanz besuchen und mitmachen könnte. »Hab' ich einmal eine Maske vor,« dacht' er, »so tanz' ich selig mit *ihr* oder führe *sie* und frage wahrlich nichts darnach, wie alles aussieht.« Wie sanft hätte es ihn berührt und gewärmt, wenn er seinen Zwillingsbruder an und in sein Herz und Geheimnis hätte ziehen können! Nur wars zu unmöglich. Die Schmerzen hatten in diesen harten Edelstein Winas Namen und Nein sehr tief geschnitten – dies ertrug er nicht, sondern er wollte den Juwel selber abnutzen und abscheuern, damit nichts mehr daran zu lesen wäre; nicht vor Liebe, sondern vor Ehrliebe, nicht vor Sehnsucht, sondern vor Rachsucht hätte er sterben oder töten können. In diesem Zustand war es jedem, der kein Notarius war, schwer, mit ihm auszukommen. Vor allen Dingen mißfiel ihm die Nähe und die Ferne, er verfluchte Quartier und Stadt, jenes fein, diese geradezu, indem er sie eine Chaluppe zu Brants Narrenschiff – eine Loge zum hohen Licht voll ausgelöschter, stinkender Studierlampen – ein Gebeinhaus von Geköpften ohne Schädelstätte – eine Tierresidenz mit Viehmarkt und Tiergärten, feinen Käferkabinetten und einigen Mäusetürmen nannte; Ausdrücke, wovon er viele in den Hoppelpoppel oder das Herz hineinnahm. Walt leitete die Ergießungen auf die Stadt doch auf sich selber, nämlich als ob der Bruder sagen wollte: »Deinetwegen sitz' ich im Nest.« – »Ach wärst du doch glücklicher, Vult«, sagte er einmal, und nicht mehr. »Was hast du von mir gehört?« sagte zornig Vult. »Nun eben das Vorige«, versetzte er und nahm ihm den Argwohn, daß er um die Fehlschlagung seiner Liebes-Erklärung wüßte.

Am schönen Halbzimmer mit der arkadischen Aussicht auf das gemalte Bühnen-Dörfchen verschliß jetzt aller vorige Glanz. Vult donnerte – als wäre Walt an der Störung des Flötens und Schreibens schuld – hinter der Wand, wenn draußen ein guter angehender Zwerg von Tambour bei leidlichem Wetter sich auf der Trommel nach Vermögen übte und angriff; – oder wenn der näher wohnende Fleischer von Zeit zu Zeit ein

Schwein abstach, das schrie, wenn er blies; – oder nachts, wenn der Nachtwächter so abscheulich absang, daß Vult mehrmals im Mondschein ihm über den Park hinüber die stärksten Schimpf- und Drohworte zuschreien mußte.

Die milde Wärme des ewig liebenden Notars trieb und blähte seinen Sauerteig nur mehr auf; »auch ich wäre an seiner Stelle«, sagte Vult, »ein Gottes-Lamm und eine Madonna und ein Johannes-Schoß-Jünger, wenn ich das hätte, wofür er seine Grazie hält.«

Der Notar aber dachte bloß an den Larventanz und an die Mittel dazu. »O liebte nur mein Bruder irgendeine Geliebte, wie leicht und selig wollten wir sein! Wir drückten dann alle uns an *eine* Brust, und welche er auch liebte, es wäre meine Geliebte mit. – So ists leicht, ihm alles zu vergeben, wenn man sich an seine trübe Stelle nur setzt!«

Zufällig verflogen sich in ihre Zimmer Lose einer Kleiderlotterie. Da nun Walt aus der Sattel- und Geschirrkammer der Masken manches brauchte und nichts hatte, und Vult gar noch weniger, und doch beide in die Redoute begehrten: so nahm jeder ein Los, um etwa eine Maske zu ziehen.

Beide scharrten das Losgeld zusammen, Vult unter vielem Fluchen auf ihre Nichtshaberei und unter dem Beschwören, es geh' ihm so schlimm als den Hinterbacken eines Gaules. – Überhaupt hielt er über jeden Mangel und Unfall lange Schimpfreden gegen das Leben, indem er sagte, auf der Vorhöllen-Fahrt sei das Leben ein Hemde-Wechseln, nämlich mit Hären-Hemden, und zu jedem pis sage das Schicksal bis, und auf das Kanonen-Fieber folge das Lazarett-Fieber – oder indem er fragte, ob nicht so das Gebiß den Zahnfraß bekommen müßte, da es nichts anderes anzubeißen habe, wie Mühlsteine ohne Körner sich selber angreifen. – Bald sagte er auch, das Leben sei durch Eis gut darzustellen – auf einem Eisfeld habe man, außer kalter Küche und Gefrornes, noch seinen russischen Eispalast mit einem guten Eiskeller für Kühltränke, und, von Eisvögeln umsungen, drücke man den Glacier ans Herz, in der heißern Zeit eines Maifrosts. – »Ich kann dir nicht sagen,« sagt' er unter dem Anziehen einmal, »wie sehr ich wünschte, es wäre bei uns wie bei den Dahomets in Ober-Guinea, wo niemand Strümpfe tragen darf als der König, und es wäre jetzt wie unter Karl VII. von Frankreich, wo im ganzen Lande niemand zwei Hemden besaß als seine Gemahlin.« – »Warum?« fragte Walt. »Ei, dann könnten wir uns recht gut mit unserm Stand entschuldigen«, versetzte er.

Durch diese Ergießungen führte er eine Menge Verdruß ab, nur aber dem Bruder manchen zu, weil sich dieser für die Quelle hielt. »Armut«, antwortete Walt, »ist die Mutter der Hoffnung; gehe mit der schönen Tochter um, so wirst du die häßliche Mutter nicht sehen. Aber ich will gern dein Simon von Cyrene sein, der dir das Kreuz tragen hilft.« – »Bis nämlich auf den Berg,« versetzte jener, »wo man mich daran schlägt.« – Liebe kennt keine Armut, weder eigne noch fremde.

Endlich wurde die Kleider-Lotterie gezogen, auf welche beide sich bloß durch Länge der Zeit die größten Hoffnungen angewöhnt und weisgemacht hatten. Die Gewinste waren für Nro. 515 (Walt) ein beinah' vollständiger Anzug von Schützischem Gichttaffent, so daß er für jeden Gichtischen, es mochte ihn reißen, in welchem Gliede es wollte, brauchbar war. Nro. 11000 (Vult) gewann ein erträgliches blaues Fuhrmanns-Hemd. In dieser Minute brachte der Postbote den Hoppelpoppel wieder, den sie an die Buchhandlung Peter Hammer in Köln mit vielen aufrichtigen Lobsprüchen des Herrn Hammers ablaufen lassen – nachdem vorher leider das Manuskript von Herrn von Trattner mit der kahlen Entschuldigung abgewiesen worden, er drucke selten etwas, was nicht schon gedruckt sei –; auf dem Umschlag hatte das löbliche Kölnische Postamt bloß bemerkt, es sei in ganz Köln keine Peter Hammersche Buchhandlung dieses Namens zu erfragen, und der Name sei nur fingiert.

Hätte Vult je die beste Veranlassung gehabt, über die ewigen Erdstöße des Lebens zu fluchen, etwa zu fragen, ob nicht alle

Höllenflüsse für ihn aufgingen und Eis und Flammen führten, oder auch zu behaupten, daß in ihr Schicksal geradesogut Poesie zu malen sei als auf eine Heuschreckenwolke ein Regenbogen – hätte er je eine solche Gelegenheit gehabt, so wäre es jetzt gewesen, wenn er nicht aus diesem Schlagregen wäre herausgekommen gar unter die Traufe eines Wasserfalls. Der Elsasser erschien, aber er gehörte noch zum Regen. Er dankte beiden sehr für die Geburtstags-Arbeiten – noch regnete es –; darauf aber, da er mit seinem Auftrage von Raphaela herausrückte, welche Walten einen vollständigen Berghabit ihres Vaters, den er zuweilen in seinem Bergwerkchen *Gott in der Höh' sei Ehre* trug, für den Larventanz anbot – als Flitte seine Glückwünschungs-Mienen, und Walt seine Danksagungs-Mienen spielen ließ – dann beide wieder die Mienen umtauschten, und dies alles so wohlwollend gegeneinander, daß, wenn der Notar nicht der ausgemachteste Spitzbube des festen Landes war, Raphaela durchaus noch die Geliebte des Elsassers sein mußte: so fiel auf einmal der lange Nebel und Vult in die Traufe.

»Gott verdamme, *er* liebt Wina!« (sagte Vult in sich) »und sie wohl ihn!« Alle seine wilden Geister brauseten nun wie Säuren auf – doch fest zugedeckt, ausgenommen im Tagebuch. »So falsch, so heimlich, so verdammt keck und wie toll emporstrebend dacht' ich mir doch den Narren nicht« – sagte sein Selbstgespräch – »o recht gut! – Bei Gott, ich weiß, was ich tue, hab' ichs nur ganz gewiß! – Aber auf dem Larventanz entlarv' ich; – der Plan geht leicht, darauf kommt der Teufel und holt. Erst recht klar will ich mich, zum Beweise meiner Freundschaft gegen ihn, überzeugen lassen, und zwar von *ihr* selber. Himmel, wenn der Glückliche meinen refus in der dummen Neujahrs-Nacht erführe! – Ich tät' ihm viel an. – O lieber Vult, so sei nur diesmal, eben deswegen, desto gezähmter und stiller und bändige dein Sprech-Zeug und Gesicht, bloß bis morgen nachts!«

Vults bisherige Fehlblicke entschuldigt leicht die Bemerkung, daß dieselbe Leichtigkeit, womit man sich einbildet, geliebt zu werden, ja auch weismachen müsse, daß ein anderer geliebt werde, Walt von Raphaelen. Auch glaubte er, als Weiberkenner, die Weiber so verschieden, und folglich ihre Weisen, die Liebe zu bekennen, noch mehr, daß er nur eine Weise annahm, worauf zu fußen sei, welche aber nicht darin bestehe, daß die Frau etwa an den Hals oder an das Herz falle, sondern daß sie bloß einfach sage: ich liebe dich; »alles Übrige«, sagte er, »sagt dies ganz und gar nicht.«

Um also sich das Wort der Ruhe zu halten und kalt und fest wie ein Hamilton auf der heißen Lava-Rinde zu stehen, auf welcher er fortrückte: so sprach er, wovon er wollte, und berichtete Flitten, er und Walt duzten sich jetzt. Er riet sehr ernsthaft dem Notar, lieber im Gicht-Taffent eingescheidet auf dem Ball zu erscheinen; und als dieser sich in seinem und der Mittänzerin Namen ekelte vor der Krankenhülle: blieb jener dabei, er sehe hierin nichts als eine ungewöhnliche Maske, die ganz unerwartet sei. »Doch fahre meinetwegen in den Berghabit ein und damit in den goldhaltigen Lustschacht; aber mein Fuhrmanns-Hemd wirf wenigstens über das A-leder«, sagte Vult. »Wenn in der Redoute«, versetzte Walt, »sich das Leben und alle Stände untereinander und aneinander mischen: so mögen zwei sich wohl an *einem* Menschen finden und einen.« – »Verzeih nur das ganz gewöhnliche *Bergwort*«, sagte Vult, für welchen es keine größere Freude gab, als Walten ins verlegne Gesicht zu schauen, wenn er von Culs de Paris sprach, welche er anus cerebri Lutetiae nannte (so heißt der Anfang der vierten Gehirnkammer), nie ein anderes Wort zur Übersetzung erlas als das gedachte, so sehr auch schon dem schwachen Kenner der deutschen Sprache der größte Reichtum zum Wechsel vorliegt.

»Er kann nämlich«, wandt' er sich zu Flitten, »das bekannte Wort A – nicht leiden; ich bin hierin fast mehr frei wie irgendein Pariser oder Elsasser. Überhaupt, Herr Flitte, seh' ich doch nicht, warum die Menschen so viel Umstände machen, Sachen auf die Zunge zu bringen, zu welchen Gott selber mit seiner sagen mußte: werdet! Zur Sünde sagte ers gewiß nicht. Kannst du denn überhaupt je vergessen, Herr Notar, – mehr frag' ich nicht – wenn du an der größten Hoftafel Europens speisest, die es geben soll, daß hinter den feinsten Ordensbändern doch Splanchnologien liegen, wovon jeder die seinige unter die zierlichsten Menschen mitbringt und sich damit vor den heiligsten Herzen, weil er die Splanchnologie nicht wie seinen Mantel dem Bedienten geben kann, verbeugt? Wenigstens ist dies immer meine Entschuldigung, wenn er mich scharf vornimmt, weil ich die Feder an der innern unsichtbaren Überrocks-Klappe abstreife, indem er immer einwirft, die abgewandte Fläche sehe doch wenigstens der Geist; worauf ich ihm, wie gesagt, den Nabel der Menschheit entgegenhalte. Doch Scherz beiseite! Reden wir lieber von Liebe, die auf dem Larven-Ball gewiß nicht fehlen wird. Ewige, glaub' ich, dauert lange, und länger als man glaubt – denn ich wüßte nicht, warum ein Liebhaber die seinige beschwüre, wenn er nicht damit verspräche, sein Herz so lange brennen zu lassen als das Steinkohlen-Bergwerk bei Zwickau, das es nun 1 Säkulum durch tut.« – »Vive l'Amour!« sagte Flitte.

Vult erzählte jetzt, Jakobine, die Schauspielerin, sei angekommen: »Sie wird auf dem Balle auch ihre Rolle spielen, spiele du weder den ersten noch den letzten Liebhaber, Walt. Es ist Teufels-Volk, die Weiber; scheinen sie schlimm, so sind sie es auch; scheinen sie es nicht, so sind sie es doch. Indes zieh' ich alle Jakobinen allen Prüden vor, welche ihre himmelblauen Netze durch den Äther aufspannen.« Walt fragte, wie es denn eine arme Schöne machen solle, wenn Schein und Sein nichts hälfen. Allerdings ist eine gewisse Zurückziehung ein Netz, aber eines um einen Kirschbaum voll süßer Früchte, nicht um die Sperlinge zu fangen, sondern um sie abzuhalten. Aber Vults Zunge schonte, ungleich dem Löwen, jetzt keine Frau.

Walt trug mit stillem Beklagen des verarmten Bruders alles ganz gern. Vor Vult hatte sich die Lebensseite in die Nachtseite gekehrt, darum mußte er im Schatten kalt sein und, wie andere Gewächse, Gift-Lüfte ausatmen. Hingegen der Liebe wendet sich die Himmelskugel, wie auch die irdische Welt sich drehe, stets mit aufgehenden Sternen zu. Wie ein Schiffer auf einem windstillen Meer, sieht sie ohne alle Erde Himmel über, Himmel unter sich offen, und das Wasser, das sie trägt, ist bloß der dunklere Himmel.

Als Vult mit Flitte freundlich fortging, dachte Walt: »Ich mach' ihn ja immer friedlicher; sogar mit dem Elsasser scheint er sich auszusöhnen.«

Nº 63: TITAN-SCHÖRL

Larven-Tanz

»Nachts werden wir uns sehen«, sagte Vult zu Walt am Morgen der Redoute – und ging mit diesem Vorgruße wie mit dem Entschleiern eines Schleiers davon. In der Einsamkeit brannte dem Notar der Tag zu hell für die schöne Nacht, woraus und wozu dieser Tag bestand. Unter dem Essen sehnte er sich nach dem Bruder, dessen leeres Gehäuse noch leerer wurde, weil er ihn abends antreffen sollte, ohne doch zu wissen in welcher Gestalt.

Walt ging in eine Larven-Bude und suchte lange nach einer Larve, welche einen Apollo oder Jupiter darstellte; er begreife nicht, sagte er, warum man fast nur häßliche vorstecke. Da Vult ihm geraten, erst um 11 Uhr in den vollen Saal zu kommen: so holte er im gemächlichen Anputzen sich aus jedem Kleidungsstück wie aus Blumenkelchen feinen Traum-Honig. – Das Ankleiden gerade in der Zeit des Auskleidens und das allgemeine späte Wachen und Lärmen der Stadt so wie des Hauses färbte ihm die Nachtwelt mit romantischem Scheine, besonders der Punkt, daß er eine Rolle in diesem großen Fastnachtsspiele hatte. Wie anders klingt das Rollen der Wagen, wenn man weiß, man kommt ihnen nach, als wenn man es hört, mit der Nachtmütze vor dem Bett-Brett stehend! –

Da er aus dem Stübchen trat, bat er Gott, daß er es froh wieder finden möge; es war ihm wie einem ruhmdurstigen Helden, der in seine erste Schlacht auszieht. Mit häuslichem Gefühle, in der Doppelmaske des Bergknappen und Fuhrmanns gleichsam zu Hause zu sein und nur wie aus zwei Mansardenfenstern zu gucken, trug er sich wie eine Sänfte über die Gasse und konnte es kaum glauben, daß er so herrlich ungesehen und zweigehäusig mit allen Seelen-Rädern überall vorbeigehe, wie eine Uhr in einer Tasche. Durch einen Irrweg, der sein Leben verfolgte, trat er zuerst in das Punschzimmer ein, das er für den Tanzsaal hielt, worein Musik aus schicklicher Ferne schön-gedämpft eindringe. Ihn wunderte nichts so sehr, als daß er seine Bergkappe, einfahrend in die schimmernde Baumannshöhle voll Figuren, nicht abzog. Als er sich kühn aus der Maske mit den Augen ans Fenster legte, fand er umhersehend nicht ohne Verwunderung viele nackte Angesichter, mit der abgeschundenen Maske in der einen Hand, in der andern mit einem Glas. Das allgemeine Schöpfen aus dem Gesundbrunnen oder Ordensbecher rechnete er zu den Ballgesetzen und verlangte sogleich sein Glas und darauf – weil eine Admiralsmaske sein Flügelmann und Muster war – noch eines. Wina sah er nicht, auch keinen Schein von Vult. Eine Ritterin vom Orden der Sklavinnen der Tugend ging gewandt umher und sah ihm sehr in die Augenhöhlen hinein. Endlich faßte sie seine Hand, machte sie auf und zeichnete ein H darein; da er aber von dieser Fern- oder Naheschreibekunst nichts wußte, drückte er ihre Hand mäßig, anstatt solche zu beschreiben.

Endlich geriet er, da er das hereinströmende Nebenzimmer prüfen wollte, in den wahren schallenden brennenden Saal voll wallender Gestalten und Hüte im Zauberrauch hinaus. Welch ein gebärender Nordschein-Himmel voll widereinander fahrender zickzackiger Gestalten! Er wurde dichterisch erhoben, da er, wie bei einer auferstehenden Erdkugel am jüngsten

Tage, Wilde, alte Ritter, Geistliche, Göttinnen, Mohren, Juden, Nonnen, Tyroler und Soldaten durcheinander sah. Er folgte lange einem Juden nach, der mit herausgeschnittenen Schuldforderungen aus dem Reichs-Anzeiger behangen war, und las ihn durch, dergleichen einen andern, welcher die Warnungstafeln des fürstlichen Gartens, an passende Gliedmaßen verteilt, umhatte. Von einer ungeheuren Perücke voll Papilloten, welche der Träger abwickelte und austeilte, nahm er auch seine an und fand nichts darin als einen gemeinen Lobspruch auf seine bezaubernden Augen.

Am meisten zog ihn und seine Bewunderung ein herumrutschender Riesenstiefel an, der sich selber anhatte und trug, bis ein altväterischer Schulmeister mit dem Bakel ihn so kopfschüttelnd ernst und zurechtweisend ansah, daß er ganz irre wurde und sich selber an sich und an seinem Fuhrmanns-Hemde nach einem Verstoße umsah. Als der Schulmann dieses merkte, winkte und rügte er noch heftiger, bis der Notar, der ihm erschrocken in die dräuenden Augen geblickt, sich in die Menge einsteckte. Es war ihm etwas Fürchterliches, in die dunkle unbekannte Augenhöhle wie in die offne Mündung eines Geschosses hineinzuschauen und lebendige Blicke eines Unbekannten zu empfangen.

Noch hatte er weder Vult noch Wina gesehen; und ihm wurde am Ende bange, ob er auch in diesem Meere sie wie Perlen oder Inseln finde.

Auf einmal stellte sich eine Jungfrau mit einem Blumenkranz auf dem Kopfe vor ihn; aus dem Munde der Maske hing ein Zettel des Inhalts: »Ich bin die personifizierte Hoffnung oder Spes, die mit einem Blumenkranz auf dem Kopfe und einer Lilie in der rechten Hand abgebildet wird; mit dem linken Arm stützt sie sich auf einen Anker oder eine starke Säule. S. Damms Mythologie, neue Auflage von Levezow §. 454.« Walt, der anfangs in jeder Sache mit den dümmsten Gedanken geplagt war, wollte innerlich auf Wina raten, wäre die Gestalt nur feiner und weniger groß gewesen. Die Hoffnung drehte sich schnell um; eine verlarvte Schäferin kam und eine einfache Nonne mit einer Halbmaske und einem duftenden Aurikel-strauß. Die Schäferin nahm seine Hand und schrieb ein H hinein; er drückte die ihrige nach seiner Gewohnheit und schüttelte den Kopf, weil er glaubte, sie habe sich mit einem H unterzeichnen wollen. Plötzlich sah er die Halbmaske, nämlich das Halbgesicht der Nonne recht an, an der feinen, aber kecken Linie der Rosenlippen und am Kinn voll Entschiedenheit erkannte er plötzlich Wina, welche bloß aus dem Dunkel mit sanften Augen-Sternen blickte. Er war mit der Hand schon auf dem Wege nach der Bergkappe, bis er sie nahe daran wieder in Maskenfreiheit setzte. »O wie selig!« (sagt' er leise) »Und Sie sind die Mademoiselle Raphaela?« Beide nickten. »O was begehrt man denn noch in solcher geistertrunkenen Zeit, wenn man sich, verhüllt wie Geister ohne Körper, in elysischen Feldern wieder erkennt?«

Ein Läufer tanzte daher und nahm Raphaela zum Tanzen davon: »Glück auf, Herr Bergknappe!« sagt' er entfliegend, daß Walt den Elsasser erkannte. Jetzt stand er eine Sekunde allein neben der ruhigen Jungfrau – die Menge war einen Augenblick lang seine Maske – Neu, reizend drang aus der Halb-Larve wie aus der Blüten-Scheide einer gesenkten Knospe die halbe Rose und Lilie ihres Gesichtes hervor. – Wie ausländische Geister aus zwei fernen Weltabenden sahen sie einander hinter den dunkeln Larven an, gleichsam die Sterne in einer Sonnenfinsternis, und jede Seele sah die andre weit entfernt und wollte darum deutlicher sein.

Da aber Walt in dieser Stellung Miene machte, als wollte er einige Jubiläen dieser schönen Minuten feiern und erleben: so fragte ihn Wina, als Spes forschend die Sklavin der Tugend vorüberführte, ob er nie tanzte. Sogleich wurde er in den Tanz-Sturm geweht und half wehen, indem er tanzte wie die Römer, bei welchen nach Böttiger das mimische Tanzen in nichts bestand als in Bewegung der Hände und Arme. Mit den Füßen ging er feurig den Walzer bis zum Rast-Zeichen der Wage, wo der fliegende Schwarm hintereinander sich anlegte als Stand-Herde. Indes glaubt' er, er flöge hinter einem mit Sommervögeln fliegenden Sommer. Wie ein Jüngling die Hand eines berühmten großen Schriftstellers zum erstenmale berührt: so berührte er leise, wie Schmetterlingsflügel, wie Aurikeln-Puder, Winas Rücken und begab sich in die möglichste Entfernung, um ihr lebenatmendes Gesicht anzuschauen. Gibt es einen Ernte-Tanz, der die Ernte ist; gibt es ein Feuerrad der liebenden Entzückung: Walt, der Fuhrmann, hatte beide. Da er aber keinen Fuß bewegen konnte ohne die Zunge: so war der Tanzsaal nur sein größerer Rednerstuhl; und er schilderte ihr unter dem Tanz, »wie da sogar der Körper Musik werde – wie der Mensch fliege, und das Leben stehe – wie zwei Seelen die Menge verlieren und einsam wie Himmelskörper in einem Ätherraum um sich und um die Regel kreisen – wie nur Seelen tanzen sollten, die sich lieben, um in diesem Kunst-Schein harmonischer Bewegung die geistige abzuspiegeln«. Als sie standen und er die Redoute mit ihrem tanzenden Sturmlaufen übersah, so sagte er: »Wie erhaben sehen die Mäntel und großen Hüte der Männer aus, gleichsam die Felsenpartie neben der weiblichen Gartenpartie! Ein Ball en masque ist vielleicht das Höchste, was der spielenden Poesie das Leben nachzuspielen vermag. Wie vor dem Dichter alle Stände und Zeiten gleich sind und alles Äußere nur Kleid ist, alles Innere aber Lust und Klang: so dichten hier die Menschen sich selber und das Leben nach – die älteste Tracht und Sitte wandelt auferstanden neben junger – der fernste Wilde, der feinste wie der roheste Stand, das spottende Zerrbild, alles, was sich sonst nie berührt, selber die verschiedenen Jahreszeiten und Religionen, alles Feindliche und Freundliche wird in *einen* leichten, frohen Kreis gerundet, und der Kreis wird herrlich wie nach dem Sylbenmaß bewegt, nämlich in der Musik, diesem Lande der Seelen, wie die Masken das Land der Körper sind. – Nur *ein* Wesen steht ernst, unbedeckt und unverlarvt dort und regelt das heitere Spiel.« Er meinte den Redoutenmeister, den er mit einem nackten kleinen Gesicht und Kopfe in einem Mantel ziemlich verdrüßlich Acht geben sah.

Wina antwortete leise und eilig: »Ihre Ansicht ist selber Dichtkunst. So mag wohl einem höhern Wesen die Geschichte des Menschengeschlechts nur als eine längere Ball-Verkleidung erscheinen.« – »Wir sind ein Feuerwerk,« versetzte Walt schnell, »das ein mächtiger Geist in verschiedenen Figuren abbrennt« und fuhr in seinen eckigen Walzer hinein. Je länger er ging, bis er stand, je mächtiger pries er die Frühlinge, die im Tanzflug ihm duftend begegneten. »O dürfte ich mich heute für die schönste Seele opfern, dann wär' ich die glücklichste«, sagt' er. Die Hoffnung (Spes) stand ihm überall zur Seite, wenn er sprach. Die Nonne Wina, eine sanfte Taube, noch dazu mit dem Ölblatt im Munde, bemerkte gar nicht, daß er ungestüm spreche, und schien sich aus Kühnheit über Mißdeutung fast so leicht wegzusetzen als er aus Unwissenheit.

Heute erschien sie ihm ganz vollendet, wiewohl er bisher jedes letztemal geglaubt hatte, er überschaue ihren ganzen weiten Wert; wie der Mond schon vorher, eh' er mit vollem Lichte über uns hängt, uns als eine vollendete Scheibe aufzugehen scheint.

Nach dem Ende des deutschen Tanzes ersuchte er sie – da ihm ihre Nachsicht allmählich zu einer Ehrenpforte seiner Kunst aufwuchs – gar um einen englischen, bloß damit er recht oft ihre Hand fassen und recht lange den guten Lippen und Augen gegenüberstehen könnte, ohne aufspringen zu müssen. Sie sagte leise: »Ja!« –

Noch leiser hört' er seinen Namen; hinter ihm stand Spes und sagte: »Gehe gleich durch die große Saaltüre und siehe links draußen umher.« Es war Vult. Erfreuet fand er unter Unbekannten seinen lieben Bekannten wieder, den er auf seiner elysischen Insel herumführen konnte. Er ging hinaus; Spes ins fünfte Kabinet; draußen winkte sie ihm aus einer Türe hinein. Walt wollte den Bruder umarmen, aber dieser fuhr nach beiden Türschlössern: »Bedenke das Geschlecht unserer Masken!« und schloß zu. Er warf seine Larve weg, und eine seltsame heiße Wüsten-Dürre oder trockne Fieberhitze brach durch seine Mienen und Worte. »Wenn du je Liebe für deinen Bruder getragen,« – begann er mit trockner Stimme und nahm den Kranz ab und lösete das Weiberkleid auf – »wenn dir die Erfüllung eines innigsten Wunsches desselben etwas gilt, dessen Wichtigkeit du 24 Stunden später erfährst; – und ist es dir unter deinen Freuden nicht gleichgültig, ob er die kleinsten oder größten haben soll, kurz, wenn du eine seiner flehentlichsten Bitten erhören willst: so ziehe dich aus; dies ist die halbe; ziehe dich an und sei die Hoffnung, ich der Fuhrmann; dies die ganze.«

»Lieber Bruder,« – antwortete Walt erschrocken und ließ den im langen Erwarten geschöpften Atem los – »darauf kann ich dir, wie sich von selbst versteht, nur zur Antwort geben: mit Freuden.«

»So mache nur schnell«, versetzte Vult, ohne zu danken. Walt setzte hinzu, sein feierlicher Ton erschrecke ihn beinahe, auch fass' er den Zweck des Umtauschs wenig. Vult sagte, morgen werd' alles heiter entwickelt, und er selber sei gar nicht verdrüßlich, sondern eher zu spaßend. Unter dem wechselseitigen Entpuppen und Verpuppen fiel Walt auf den Skrupel, ob er aber als Maskendame mit Wina, einer Dame, den versprochenen Englischen tanzen könne: »O, ich freue mich so sehr darauf,« sagte er dem Bruder: »unter uns, es ist die allererste Angloise, die ich in meinem Leben tanze; aber auf mein heutiges Glück und auf die Maske muß ich ein wenig rechnen.« Da schossen auf Vults dürrem Gesicht lebendige Mienen auf. »Himmel, Hölle,« sagte er, »ebensoleicht nach dem Takte will ich niesen, oder die Arme zurückstrecken und meine Flöte traversière hinten anlegen, als, was du vorhast, nachtun. Deine Walzer bisher, nimm nicht die Nachricht übel, liefen als gute mimische Nachahmungen, teils waagrechte des Fuhr-, teils steilrechte des Bergmanns, im Saale durch, aber einen Englischen, Freund! und welchen? Ein teuflischer, nicht einmal ein irländischer wirds. Und erwägst du deine Mittänzerin, die ja schamrot und leichenblaß wird einsinken als eine Ritterin von trauriger Gestalt, als deine leidtragende Kreuzträgerin, sobald du nur stockst, plumpst, drunterfährst als Schwanzstern? – Aber dies ist nun alles so herrlich zu schlichten, als ich eben will. Der Pöbel soll nun eben sehen, daß der Fuhrmann sich entlarven und aus dem Tanz Ernst machen kann. Denn ich tanze in deiner Maske die Angloise. Sogar in Polen galt ich für einen Tänzer; geschweige hier, wo nichts von Polen tanzt als der Bär.«

Walt blieb einige Minuten still, dann sagte er: »Die Dame, wovon ich meinte, ist Wina Zablocki, der ich die Mühe bisher gemacht haben soll. Aber da sie meiner Maske den Tanz versprochen, wie willst du mich und den Wechsel entschuldigen bei ihr?« – »O dies ist eben unser Triumph« – (sagte Vult) – »aber du sollst nicht eher erraten, wie ich es mache, als morgen.« – Darauf entdeckte er ihm, er habe heute im Pharao so viel gewonnen, daß er durchaus ein Goldstück als Stückwerk zum Zerstücken von ihm annehmen müsse, wäre es auch nur, damit er unter den Zuschauern etwas zu tun habe, im Magenzimmer; dabei empfahl er ihm, sich als Spes mit keiner weiblichen Maske einzulassen, da aus einer guten Hoffnung leicht die andere werde.

Walts Abendstern trat allmählich wieder ins Vollicht, und als er Vulten die Halbbüste anlegte und ihm ins sehr ernste Gesicht und Auge sah, so sagte er heiß: »Sei froher! Freuden sind Menschenflügel, ja Engelsschwingen. Ich bin nur heute zu sehr von allem berauscht, als daß ich dir meinen Wunsch fein genug ausdrücken könnte, wie du noch mehr lieben solltest als mich.« –

»Liebe«, versetzte Vult, »ist, um in deiner Flötensprache zu reden, ewig ein Schmerz, entweder ein süßer oder ein bitterer, immer eine Nacht, worin kein Stern aufgeht, ohne daß einer hinter meinem Rücken untertaucht – Freundschaft ist ein Tag, wo nichts untergeht als einmal die Sonne; und dann ists schwarz, und der Teufel erscheint. –

Aber ernsthaft zu sprechen, die Liebe ist ein Paradies- und Spaßvogel – ein Phönixvogel voll weicher Asche ohne Sonne – ist zwar weiblichen Geschlechts, hat aber, wie die Ziege, Hörner und Bart, so wie wieder deren Ehemann wahre Milch hat.[1] Es ist beinahe einerlei, was einer über die Liebe sagt oder einwirft; denn alles ist wahr, zu gleicher Zeit. – Hiemit setze ich dir den Blumenkranz auf und verkleide dich in das, was du hast, die Spes. Gehe aber durch meine Türe in den Saal, wie ich durch deine – sieh' zu, schweige still und trinke fort!«

Walten kams beim Eintritt vor, als sehe jeder ihm den Larventausch an und kundschafte seinen Kern hinter der zweiten Hülse leichter aus als hinter der ersten. Einige Weiber merkten, daß Hoffnung hinter den Blumen jetzt blonde Haare statt der vorigen schwarzen trage, maßen es aber der Perücke bei. Auch Walts Schritt war kleiner und weiblicher, wie sichs für Hoffnungen geziemt.

Aber bald vergaß er sich und Saal und alles, da der Fuhrmann Vult ohne Umstände Wina, die jeder kannte, an die regierende Spitze des englischen Tanzes stellte und nun zum Erstaunen der Tänzerin mit ihr einen Tanzabriß künstlich entwarf und, wie einige Maler, gleichsam mit dem Fuße malte, nur mit größeren Dekorationsstrichen. Wina erstaunte, weil sie den Fuhrmann Walt vor sich zu haben glaubte, dessen Stimme und Stimmung Vult wider Walts Voraussetzung hinter der Larve wahrhaft nachspielte, damit er nicht etwa als Lügner befunden werde, der sich für den Notarius nur ausgebe.

Spät am Ende des Tanzes ließ Vult im eiligen Händereichen, im Kreuzen, im fliegenden Auf- und Abgleiten sich immer mehrere polnische Laute entwischen – nur Hauche der Sprache – nur irre, aufs Meer verwehte Schmetterlinge einer fernen Insel. Wie ein seltner Lerchengesang im Nachsommer klang Winen diese Sprache herab. Freudenfeuer brannten hinter ihrer halben Larve. Wie sie aus der einsylbigen Angloise in den

1 Nach Bechstein und andern Naturforschern hat der Bock so gut als der Amerikaner Milch, und das alte Sprichwort ist richtig.

sprachfähigen Walzer sich hinübersehnte, weil sie ihm ihr Erstaunen und Erfreuen gern anders als mit frohen Blicken sagen wollte, sahen seine, die keine frohen waren.

Es geschah. Aber das zuwehende Lob seiner so lange bedeckten Talente blätterte wieder eines auf, seine Bescheidenheit. Er habe, sagte er von sich in den besten Polonismen, so wenig Welt, so viel Einfalt wie wenig andere Notarien und heiße mit Recht Gottwalt, nämlich Gott walte! Doch sein Herz sei warm, seine Seele rein, sein Leben leise dichtend; und er nehme, wie er vorhin im ersten Walzer gesagt, den Larventanz im Erdensaal gern und froh vom Länderer und Schäferballet an bis zum Waffen- und Totentanz.

Da jetzt der zweite Teil der Musik in jene sehnsüchtige Überfülle, wie in tiefe Wogen, einsank, welche gewaltsamer als alle Adagios den innersten Boden der Sehnsucht heiß aus tiefem Meer aufhebt – und da die Menschen und die Lichter flogen und wirbelten – und das weite Klingen und Rauschen die Verhüllten wieder in sich selber einhüllte, so sagte Vult im Fluge, aber polnisch: »Mit großblätterigen Blumengewinden rauscht die Lust um uns. Warum bin ich der Einzige hier, der unaufhörlich stirbt, weil er keinen Himmel und keine Erde hat, Nonne? denn du bist mir beides. Ich will alles sagen, ich bin begeistert zur Pein wie zur Lust – willst du einen Gottverlaßnen aus einem Gottwalt machen? O gib ein Zeichen, aber eines Worts! Nur der Zunge glaube ich mein Hochgericht; sie sei mein Schwert, wenn sie sich bewegt, Nonne!«

»Gottwalt,« sagte Wina erschüttert und schwerer als er dem Tanze folgend, »wie könnte eine Menschenzunge dies sein? – Aber dürfen Sie mich so quälen und sich?« – »Nonne,« fuhr er fort, »der Laut sei mein Schwert!« – »Harter,« antwortete sie mit leiser Stimme, »Sie foltern härter zum Schweigen als andere zum Reden.«

Jetzt hatt' er alles, nämlich ihr Liebes-Ja für seinen Scheinmenschen oder Rollenwalt, und lachte den wahren aus, der als Rolle und als Wahrheit noch bloße Hoffnung sei und habe;

allein sein erzürntes Gemüt bequemte sich nun zu keinem Schattendank, sondern hartstumm tanzte er aus und verschwand plötzlich aus dem fortjauchzenden Kreise.

Lange hatte sich Spes mit lauter Segnungen einer Doppelwonne in der Nähe gehalten und sich und Wina zum besten Tänzer Glück gewünscht, und in der Meinung, ihr sei gesagt, was ihn abbilde, hatte er ihre himmelsvollen Blicke ganz auf sich bezogen. Zum Unglück schöpfte er eben im Trinkzimmer, als der langweilige englische Tanz ausging, auf dessen Ende er seine Anreden verschoben – Vult schwebte eben in der tanzenden Liebeserklärung, und Spes stand mit dem Blumenkranze auf dem Kopfe und dem Flatterzettel der Inschrift am Kinne leerharrend da und mußte dem langen Walzer zusehen. Kurz vorher, ehe dieser schnell abbrach, kam die Sklavin der Tugend und zog Spesen in ein Nebenzimmer. Hundert der seltensten Ereignisse hoffte Spes. »So kennen Sie mich nicht mehr?« fragte die Maske. »Kennen Sie mich denn?« fragte Spes.

»Machen Sie nur einen Moment die Augen zu, so bind' ich Ihre Maske ab und meine dazu«, sagte sie. Er tats. Sie küßte ihn schnell auf den Mund und sagte: »Sie habe ich ja schon wo gesehen.« Es war Jakobine. In diesem Augenblick trat der General Zablocki durch eine zweite Tür hinein: »Ei Jakobine, schon wieder bei der Hoffnung?« sagte er und ging zurück. »Was meinte er damit?« sagte sie. Aber Walt lief erschrocken und halb nackt in den Saal und befestigte darin mit einiger Mühe die verschobene Maske wieder vor den bekränzten Kopf.

Wina und Vult waren nicht mehr zu finden; nach langem Suchen und Hoffen mußte er ohne Umtausch als Hoffnung nach Hause gehen. So schloß der Larventanz voll willkürlicher Verhüllungen endlich mit unwillkürlichen von größerer Schwere.

Brief – Nachtwandler – Traum

Vult war, sobald er Walts überkühne Liebe gegen Wina und deren Begünstigung, so wie seine eigne Niederlage, sich recht nah' vor die eignen Augen gehoben hatte, nach Hause geeilt, mit einer Brust, worin die wilden Wasser aller Leidenschaften brausten, um sogleich an Walt so zu schreiben:

»Nur die Lächerlichkeit fehlte noch, wenn ich dirs lange verdächte, daß dein sogenanntes Herz nun auch endlich den Herzpolypen, den ihr Liebe nennt, in sich angesetzt, wenn gleich manches dabei so wenig das Beste ist als dein künstliches Verstecken vor mir. Das aber nimmst du mir jetzt nicht übel, daß ich zum Teufel gehe und dich allein deinem Engel ablasse, da der Liebe die Freundschaft so entbehrlich und unähnlich ist als dem Rosenöl der Rosenessig. Halte denn deinen geistigen Schar- und sonstigen Bock aus, bis du auf grünes Land aussteigst und auf der Stelle genesest, die schwerlich auf der Freundschaftsinsel ist. Himmel! zu was waren wir denn beide überhaupt beisammen und ritten, wie alte Ritter, auf *einem* Trauer- und Folter-Pferd (equuleus) oder Folteresel? – Etwa dazu, daß ich auf dem Wege und zum Besten deiner Erbschaft dich und dein Pferd lenkte und hielte und keinen von euch steigen oder fallen ließ? – Nun, die sieben Erben wissen, ob ich ihnen geschadet. Überhaupt, was sind denn die irrenden Menschen anders als Himmelskörper auf Erden, bei deren täglichen und jährlichen Aberrationen und Nutationen man nichts machen kann als bloß den guten Zach dabei, nämlich die Zachischen Tafeln davon? Ebenso hättest du dich auch sonst hintergangen, wenn du dir geschmeichelt hättest, ich würde dich sonderlich ausbilden und ausprägen mit meinem Münzkopf. Ich lasse dich, wie du warst, und gehe, wie ich kam. Auch du hast mich nicht merklich umgemünzt, so daß ich leicht schließe, du bist der – so wahren – Meinung, es sei im Geisterreich, so wie im Körperreich – man trage das Fuhrmannshemde sowohl auf Redouten als auf Chausseen – das *Spurfahren* verderblich.

Morgen bin ich in die freie Welt hinausgezogen. Der nahe Frühling ruft mich schon ins weite helle Leben. Spielgeld, das meine Schulden bezahlt, liegt bei; – und somit guten Tag. Fällt und klagt mich jemand an, Bruder, so verficht mich nicht; wahrlich, sobald man mich haßt, so frag' ich wenig darnach, ob man mich um drei Stufen stärker hasse oder nicht; und wie viele Menschen verdienen es denn überhaupt, daß man sich von ihnen lieben lässet? Mich ausgenommen, nicht zwei, und kaum.

Wir beide waren uns einander ganz aufgetan, so wie zugetan ohnehin; uns so durchsichtig wie eine Glastür; aber, Bruder, vergebens schreibe ich außen ans Glas meinen Charakter mit leserlichen Charakteren: du kannst doch innen, weil sie umgekehrt erscheinen, nichts lesen und sehen als das Umgekehrte. Und so bekommt die ganze Welt fast immer sehr lesbare, aber umgekehrte Schrift zu lesen.

Wozu sollen wir denn miteinander und voneinander Plagen haben? Du, als liebender Dichter, als dichtender Liebhaber, hältst deine künftigen so leicht aus als ein Vogel das Erdbeben – und ich meine so leicht als eine Winterlandschaft den Hagel. Aber warum war ich so dumm und trank täglich eine Flasche Burgunder weniger, ja oft zwei? Du bezahltest mirs nicht, daß ich nichts trank, und ich nicht einmal, wenn ich etwas trank. Oder glaubst du, daß ein Mann, der seine Flöte bläset, der mehr Welt hat, sah und genoß als alle seine Anverwandten, der in Paris und Warschau abends um 1 Uhr, nach Mitternacht, seine Tasse Suppe trank und seinen Löffel Eis speiste, so leicht sein Paris und Warschau als du dein Haßlau und Elterlein in einer Neupeterschen Mansardstube opfert, die nicht einmal den Quadratinhalt eines Opferaltars groß ist? Ich aber glaube, ich war ein Cook, der Freundschafts- und Gesellschaftsinseln entdeckte und darunter die schöne Insel O-Waihi, welche aber den Entdecker und Weltumfahrer zuletzt, als er den Mastbaum wollte wieder zusammenschienen lassen, gar tot machte und auffraß.

Sogar meine Flöte ist dir entbehrlich, da du einmal (was du wohl vergessen) eine Hoboe für eine Flöte angesehen, nämlich angehört. Und da dir, wie du sagst, überall die höchsten Töne am meisten gefallen: so wirst du immer musikalisch-glücklich bleiben, weil in der Tat alle Schrei-, Miß- und Zorn-Töne, die den Ohren auf Gassen begegnen, stets hohe und höchste sind.

Meine Gedanken werfen sich so wild umher wie Granitblöcke; aber ich schreibe hier im Finstern bei hellem Sternenlicht; ich habe keine Zeit – die Post ist bestellt – nichts noch eingepackt; und du sollst nicht eher von meinem Unsichtbarwerden wissen als nach ihm. Mit Briefen, die ich dir, hoff' ich, schicke, sollen dir gar die wenigen Ausschweifungen zukommen, die unserem Hoppelpoppel noch fehlen, wenn er als fest zusammengeleimter und langgeschwänzter Papierdrache aufsteigen will in Leipzig in der Zahlwoche.

Gehabe dich wohl, du bist nicht zu ändern, ich nicht zu bessern; so wollen wir einander denn in wechselseitiger Luftperspektive entlegen erblicken, und jeder von uns sage: ›Warum warst du ein Narr und kein Lamm?‹ Und doch, Walt, bist du allein an allem schuld.«

✻

Als er eben in das Papier noch den zweiten Inhalt, das Geld, gelegt hatte – und eilte, um noch vorher sein Tagebuch, seine Noten und Notae und alles vorher für die Post zugesperret zu haben, bevor der Bruder erscheine: hörte er ihn kommen. Er warf sich vor dessen Eintreten aufs Bett und schnarchte als Fuhrbergmann ihm entgegen. Walt trat nahe an ihn, sah als Spes ins braunglühende Gesicht voll stürmischer Träume. Leise ging er umher, hauchte sich Tanzmelodien vor und legte als Text Liebesworte unter.

Zuletzt richtete sich Vult – von diesem windstillen und hohen Himmel wie geärgert – auf, trat mit zugeschloßnen Augen im Zimmer umher und stellte sich als Nachtwandler an, um in solcher Rolle ungefragt einzupacken, und sobald jener schliefe, unbedauert fortzugehen. »He da,« rief er, »her, ihr Leute, und was es noch sonst für Spitzbuben gibt, helft packen, Bestien, und schleppen! Greift mehr zu, ihr Helfershelfer! Soll ich denn nicht heute um 3 Uhr nach der Spitzbubeninsel, und unten steht schon mein Pferd gesattelt, wie?« Dabei zog er sich an. Walt begleitete seine blinden Schritte bewachend. »Allerdings, Freund, taugen die Menschen und die Gurken nichts, sobald sie reif sind; das ist ja mein eigner Satz. Der Mensch im allgemeinen verdient viele Nasen von Gott und mehrere Nasen, als sich je durch einen alten Theatervorhang gesteckt haben, den man daher an manchen Orten in Blech einfaßte. Die Gründe sind freilich nicht jedem geläufig.«

Jetzt ging er in seinen Zimmerverschlag und packte, blinzelnd und sich oft von Walt abkehrend, sein Tagebuch und alles in den Koffer. »Auf der Flöte? – Nein, sondern auf dem Kamm will ich ihn künftig anblasen und abkämmen. Sagen Sie mir nichts von Liebe, Herr Reisemarschall, sie ist zu dumm, eine hübsche Antike, die man den ganzen Tag ergänzen muß – ein Sonnentempel in Hosentaschenformat – und das dumme Ding glaubt, es lebe. Ich hab' es von ihr selber. Der Mensch führt sogar Gott vor einen Vergrößerungsspiegel, so unersättlich und so einfältig ist er – Stecht mich in Kupfer, wie einen britischen Kampfhahn, ich will eben ein Monatskupfer zum Wolfsmonat abgeben, liebster Artilleriesekretär!« Als er fertig war und bloß den Koffer zuzusperren brauchte, schien er nachzusinnen und auf eine neue Idee zu geraten. »Scher' Er sich weg, Leichenmarschall, ich sperre meinen Sarg schon selber zu und will auch den Schlüssel als Hals-Gehenke tragen und niemand hineinlassen als einen oder den andern guten Freund. Was die ganze und halbe Trauer um mich anlangt, so soll sie niemand anlegen als ich. Musik wird als Requiem während der

Trauerzeit am wenigsten verboten, aber ich bestehe auf einem scharfen Trauer-Reglement. Der Nachtstuhl muß schwarz ausgeschlagen werden – man lasse das Kammergeschirr wie den Degen stahlblau anlaufen; – jede Maus in meinem Haus soll in Krepp gehen – meine Papillotten können Trauerschneppen sein und der Zopf in einer Trauerschleppe herabfallen. Aber was Henker ist das? Dort steh' ich ja leibhaftig und erscheine mir eigenhändig. – Warte, wir wollen gleich finden, wer von uns beiden wahren Du's der wahre und haltbarste ist.«

Hier versetzte er sich und dem Notar zugleich einen derben Schlag und erwachte davon; erst nachdem er wie verdutzt sich von Walten lange auseinandersetzen lassen, wo und was er sei, wurde er dahin gebracht, sich angekleidet aufs Bett zu werfen. Indem beide einander eine Zeit lang bewachten, fielen beide in einen wahren Schlaf.

Jetzt weckte ihn Walt, der noch traumtrunken und in berauschter Vergessenheit der vorigen Szenen ihm aus dem Bette folgenden Traum aufdrang:

»Ich weiß kaum recht, wie oder wo der Traum eigentlich anging, wie ein Chaos wollte die unsichtbare Welt auf einmal alles gebären, eine Gestalt keimte auf der andern, aus Blumen wuchsen Bäume, daraus Wolkensäulen, aus welchen oben Gesichter und Blumen brachen. Dann sah ich ein weites leeres Meer, auf ihm schwamm bloß das kleine graue fleckige Welt-Ei und zuckte stark. Es wurde mir im Traum alles genannt, ich weiß aber nicht von wem. Dann fuhr ein Strom mit der Leiche der Venus durchs Meer; er stand fest, das Meer floß wieder an ihm hin. Darauf schneiete es helle Sterne hinein, der Himmel wurde leer, aber an der Mittagsstelle der Sonne entglomm eine Morgenröte; das Meer höhlte sich unter ihr aus und türmte in ungeheuren bleiernen Schlangen-Wülsten am Horizont sich auf sich selber auf, den Himmel zuwölbend – und unten aus dem Meeres-Grund stiegen aus unzähligen Bergwerken traurige Menschen wie Tote auf und wurden geboren. Eine dicke Gruben-Nacht quoll ihnen nach. Aber ein Sturm schlug sich auf den Dampf und zerquetschte ihn zu einem Meer. Gewaltig fuhr er auf und ab und schüttelte alle Wellen, hoch oben im stillen Blau flog langsam eine goldene Biene leise singend einem Sternchen zu und sog an dessen weißen Blüten, und rund um den Horizont standen Türme heiter mit leuchtenden Gewitterspitzen, bis wieder ungeheure Wolken, als reißende Tiere gestaltet, ankamen und am Himmel fraßen.

Da hörte ich einen Seufzer, alles war verschwunden. Ich sah nichts als ein glattes stilles Meer, aus diesem brach die *böse Feindin*, ohne eine Welle zu machen, wie Licht durch Glas: ›Seit der Ewigkeit‹, fing sie an, ›ist das Wasser öl-glatt, das bedeutet eben den großen Sturm. Ich soll dir, sagt man, das älteste Märchen erzählen; bist du aber vorüber?‹ Sie sah seltsam aus, sie war in Meergrün und Meerblüten gekleidet, kleine Floßfedern zuckten an ihrem Rücken, ihr Gesicht war meergrau und doch jung, aber voll kämpfender Farben. Ehe ich antwortete, fuhr die böse Feindin fort: ›Es war einmal ein ewiges Märchen, alt, grau, taub, blind, und das Märchen sehnte sich oft. Dort tief in der letzten Welt-Ecke wohnt es noch, und Gott besucht es zuweilen, um zu sehen, ob es noch flattert und sich sehnt. – Bist du denn vorüber? So schaue die Tiere am Ufer an!‹ – Am glatten Meere hinauf lag es voll reißender Tiere, welche schliefen, aber im Schlafe sprachen und einander einen uralten Heißhunger und Blutdurst erzählten.

Ehe ich antwortete, versetzte die böse Feindin: ›Vernimm das alte Widerhallen; noch kein Wesen hat den Ton gehört, den es nachspricht. Wenn aber einst der Widerhall aufhört, so ist die Zeit vorbei, und die Ewigkeit kommt zurück und bringt den Ton; sobald alles sehr still ist, so werd’ ich die drei Stummen hören, ja den Urstummen, der das älteste Märchen sich selber erzählt; aber er ist, was er sich sagt. Hölle, du erschrickst wie ein Sterblicher, bist du denn nicht vorüber, Tor?‹

Noch eh’ ich antwortete, wuchsen ihr die Floßfederchen zu hohen zackigen Schwingen aus, womit sie mich unverdient und grimmig schlug; da verschwand alles, nur das schöne Tönen blieb. Es war mir, als sänk' ich in geflügelte Wogen eines wolkenhohen Meeres. Wie ein Pfeil schnitt ich durch seine weltenlange Wüste; aber ich konnte durch die gläserne Fläche nicht hindurch, sondern hing im dunkeln Wasser und schaute hindurch. Da sah ich draußen, nah oder fern, ich weiß es nicht, das *rechte Land* liegen, ausgedehnt, glänzend-dämmernd. Die Sonne schien als Ephemere in ihren eignen Strahlen zu spielen, und die Strahlen hörten auf. Nur die leisen Töne des *rechten Landes* flogen noch um mein Ohr. Goldgrüne Wölkchen regneten heiß übers Land, und flüssiges Licht tropfte überquellend aus Rosen- und Lilien-Kelchen. Ein Strahl aus einem Tautropfen schnitt herüber durch mein düsteres Meer und durchstach glühend das Herz und sog darin, aber das Tönen erfrischte es, daß es nicht welkte. Ich sagte laut: ›Es regnet drüben heiße Freudentränen; nur die Liebe ist eine warme Träne, der Haß eine kalte.‹ – Tief hinten im Lande stiegen Welten, wie Dunstkügelchen, unter einem weit umhüllten Sonnenkörper auf. In der Mitte drehte sich ein Spinnrad um, die Sterne waren mit tausend Silberfäden daran gereihet, und es spann sie immer näher und enger vom Himmel hernieder. – An einer Lilie hing ein Bienenschwarm. Eine Rose spielte mit einer Biene, beide neckten sich mit ihren Stacheln und ihrem Honig. Eine schwarze Nachtblume wuchs gierig gen Himmel und bog sich immer heftiger über, je heller es wurde; eine Spinne lief und wob ämsig im Blumenkelche, um mit Fäden die Nacht festzuhalten, ja den Leichenschleier der Welt zu spinnen; aber alle Fäden wurden betaut und schimmerten, und der ewige Schnee des Lichts lag auf den Höhen.

›Es schläft alles im *rechten Lande*,‹ sagt' ich, ›aber die Liebe träumt.‹ Ein Morgenstern kam und küßte eine weiße Rosenknospe und blühte mit ihr weiter – ein Zephyr hing sich küssend an einen Eichengipfel – einer der leisesten Töne kam und küßte eine Maiblume, und ihr Glöckchen wurde heftig empor geweht – tausend warme Wolken kamen und hingen sich brünstig an Himmel und Erde zugleich – Turteltauben wiegten sich dufttrunken auf Nachtviolen und warfen girrend sich die Küsse auf Blumenblättern zu.

Auf einmal quoll am Himmel ein scharf blitzendes Sternchen heraus – es hieß die Aurora – wie vor Lust riß sich einen Augenblick mein Meer auf. – Statt der dämmernden Ebene lag ein fester breiter Blitz vor mir. Aber es schlug sich wieder zu, das verdämmerte Land erwachte, und alles wurde verändert; denn die Blumen, die Sterne, die Töne, die Tauben waren nur schlummernde Kinder gewesen. Nun umarmte jedes Kind ein Kind, und die Aurora klang unzählig darein. Die hohe Bildsäule des Donnergottes stand in der Landes-Mitte. Ein Kind um das andere flog auf den Stein-Arm und setzte einen Schmetterling auf den lebendigen Adler, der den Gott umkreiset. Dann flatterte das Kind wie leichtsinnig auf die nächste Wolke und sah herab nach seinem andern, das liebende Arme aufhob. Ach, so wird schon Gott, vor dem wir ja alle Kinder sind, unser Lieben nehmen! Darauf spielten die Kinder untereinander »Liebens«. ›Sei meine rote Tulpe‹, sagte das eine, und das andere war sie und ließ sich an die Brust stecken. ›Sei mein liebes Sternchen oben‹, und es war es und wurde – an die Brust gesteckt. ›Sei mein Gott‹ – ›und du meiner‹, aber dann verwandelten sich beide nicht, sondern sahen sich lange an voll zu großer Liebe und verschwanden wie sterbend dahin. – ›Bleibe bei mir, mein Kind, wenn du von mir gehst‹, sagte das bleibende; da wurde das scheidende in der Ferne ein kleines Abendrot, dann ein Abendsternchen, dann tiefer ins Land hinein nur ein Mondschimmer ohne Mond, und endlich verlor es sich ferner und ferner in einen Flöten- oder Philomelenton.

Aber der Morgenröte gegenüber stand eine Morgenröte auf; immer herzerhebender rauschten beide wie zwei Chöre einander entgegen, mit Tönen statt Farben, gleichsam als wenn unbekannte selige Wesen hinter der Erde ihre Freudenlieder heraufsingen. Die schwarze Blume mit der Spinne bog sich krampfhaft bis zum Knicken nieder. Zu einem Lilienkranze waren vom Rade die Sterne vom Himmel herabgesponnen und er nun hellblau gemacht. Der Allklang hatte die Blumen zu Bäumen gereift. Die Kinder waren dem Auge zu Menschen gewachsen und standen endlich als Götter und Göttinnen da und sahen sehr ernst nach Morgen und Abend.

Die Chöre der Morgenröten schlugen jetzt wie Donner einander entgegen, und jeder Schlag zündete einen gewaltigern an. Zwei Sonnen sollten aufsteigen, unter dem Klingen des Morgens. Siehe, als sie kommen wollten, wurde es leiser und dann überall still. Amor flog in Osten, Psyche flog in Westen auf, und sie fanden sich oben mitten im Himmel, und die beiden Sonnen gingen auf – es waren nur zwei leise Töne, zwei an einander sterbende und erwachende; sie tönten vielleicht: ›du und ich‹; zwei heilige, aber furchtbare, fast aus der tiefsten Brust und Ewigkeit gezogne Laute, als sage sich Gott das erste Wort und antworte sich das erste. Der Sterbliche durfte sie nicht hören, ohne zu sterben. Ich schlief in den Schlaf hinunter, doch schlaf- und todestrunken, war mir, als verhülle und vergifte mich der Blumenduft eines vorbeifliegenden Paradieses – –

Da fand ich mich plötzlich am alten ersten Ufer wieder, die böse Feindin stand wieder im Wasser; aber sie zitterte wie vor Frost und zeigte ängstlich auf das glatte Meer hinter ihr, mit den Worten: ›Die Ewigkeit ist vorbei, der Sturm kommt, denn das Meer wird geregt.‹ Ich sah hin, und die Unermeßlichkeit gor zu unzähligen Hügeln auf und zum himmelhohen Sturme; doch tief im Horizont wallete hinter den Zacken ein sanftes Morgenlicht empor. Aber ich erwachte; was sagst du, Bruder, zu diesem künstlich-fügenden Traume?«

»Du sollst es sogleich hören in dein Bett hinein«, versetzte Vult, nahm die Flöte und ging, sie blasend, aus dem Zimmer – die Treppe hinab – aus dem Hause davon und dem Posthause zu. Noch aus der Gasse herauf hörte Walt entzückt die enfliehenden Töne reden, denn er merkte nicht, daß mit ihnen sein Bruder entfliehe.

Ende des vierten Bändchens

NACHWORT

HERMAN MEYER
JEAN PAULS ›FLEGELJAHRE‹*

Eigenart der epischen Ganzheit

Ist Jean Paul ein guter Erzähler? Es kommt darauf an, wie wir
die Frage verstehen wollen. Das Haupt- und Kernproblem, mit
dem man sich beim Studium von Jean Pauls Romanen früh oder
spät notwendig konfrontiert sieht, ist die Frage nach der Ganzheit ihrer jeweiligen ästhetischen Form. Dieser Gesichtspunkt
bestimmt in hohem Maße das Urteil über Niveau und Legiti-
mität seiner Erzählkunst. Es ist bekannt, mit wie starken Vorbehalten diese Frage schon zu Jean Pauls Lebzeiten und bis in
unsere Tage immer wieder beantwortet worden ist. Natürlich
mit Unterschieden. Die unter seinen Zeitgenossen verbreitete
Meinung, er schreibe wie ein spazierender Hund, darf wohl als
endgültig überwunden gelten. Zu gut wissen wir um die hohe
Besonnenheit, die sein poetisches Schaffen ständig begleitete.
Das bedeutet aber nicht, daß es überhaupt keine kritischen
Bedenken mehr gäbe. Und zwar nicht nur unter den Nörglern,
sondern auch unter den aufrichtigen und verständnisvollen
Verehrern seiner Kunst! In einem meisterhaften und von
warmherzig verehrender Sympathie getragenen Essay über
Jean Paul kann Rudolf Alexander Schröder in seinem Bemühen
um gerechte Würdigung nicht umhin zu konstatieren: »Denn
freilich, um dies gleich vorwegzunehmen, vom Standpunkt des
zünftigen Handwerks aus ist es um den Aufbau seiner großen
Romane nicht zum besten bestellt. An Abwechslung, an Dichtigkeit und Stichhaltigkeit der Motive wie in der Kunst ihrer
Verschlingung sind ihm viel Geringere weit überlegen.«[1] Das
gelte nicht nur für ›Die unsichtbare Loge‹, für ›Hesperus‹ und

* Der Text wurde erstmals abgedruckt in: Herman Meyer, *Zarte Empirie.
Studien zur Literaturgeschichte*. J.B. Metzlersche Verlagsbuchhandlung, Stuttgart 1963.

›Titan‹, sondern auch für den relativ festgefügtesten Roman, die ›Flegeljahre‹. Wer könnte, so gerne er auch möchte, diesem Urteil alle Berechtigung absprechen? Bedenklicher wird uns aber zumute, wenn der Kritiker nach einer kurzen Überleitung fortfährt: »Den Bewunderer unseres Dichters mag diese Einsicht schmerzen; verschließen soll er sich ihr nicht. Wenn er die Spreu vom Weizen gesondert hat, wird er sich der verbleibenden reichen Ernte doppelt erfreuen. Er braucht ja nur das Ganze in seine gesonderten Eidyllien zu zerlegen, um dann jedes Einzelne rein zu genießen. Darf er sich doch auch sagen, daß das, was er aufgibt, ein in bezug auf Jean Paul im Grunde Unwesentliches sei.«[2] Diese Sätze bedeuten, so maßvoll sie im Tone auch sind, eine echte »Herausforderung«, mit welcher sich der Jean-Paul-Interpret notwendig auseinanderzusetzen hat. Denn hier handelt es sich letztlich um Sein oder Nichtsein von Jean Pauls Kunst, wenn anders es zum Wesen des echten Kunstwerkes gehört, daß es, in welcher Weise auch immer, ein strukturiertes Ganzes ist. Hier gilt es also zu prüfen und gegebenenfalls zu widerlegen. Die Antwort kann nur durch eingehende Strukturuntersuchungen gefunden werden. Wir beschränken uns im folgenden durchaus auf die ›Flegeljahre‹, für den Augenblick unbekümmert um die Frage, ob unsere Feststellungen über diesen einen Roman hinaus auch für andere Werke des Dichters eine stellvertretende Gültigkeit haben. Die Hauptsache des hier zu Entwickelnden sei im voraus angedeutet: Man bringt diesen Roman um sein Wesentlichstes und bricht ihm geradezu das Genick, wenn man ihn in seine einzelnen »Eidyllien« auflöst. Denn das Eigentliche an diesem Roman ist eben, in einem ebenso starken wie eigentümlichen und freilich auch geheimnisvollen Sinne, seine wunderbare strukturelle Ganzheit.

Freilich werden wir zu dieser Ganzheit nicht durchdringen, wenn wir sie bloß auf dem Gebiete des »zünftigen Handwerks« suchen und unser Augenmerk nur auf die Frage der Richtigkeit und Dichtigkeit der pragmatischen und ideellen Motivierung im Roman richten. Es ist ein Gemeinplatz, aber darum noch kein unwahrer, wenn die Forschung immer wieder betont, daß hier Jean Pauls schwache Seite liege. Wir müssen aber bei dieser Seite einen Augenblick verweilen, weil ja auch sie ins Gesamtbild dieser Kunst gehört. Bekanntlich hat Jean Paul sich viel Mühe gegeben, das Handwerkliche der Romankunst überhaupt und besonders seiner eigenen durch theoretische Analyse zu unterbauen. Da ist es nun ein leichtes, den Advocatus diaboli zu spielen und seine theoretischen Erwägungen und Normen gegen seine erzählerische Praxis auszuspielen. In seinen ›Winken und Regeln für Romanschreiber‹, die im allgemeinen dasjenige betreffen, was später von Robert Petsch im Anschluß an Otto Ludwig als der »pragmatische Nexus«[4] im Roman bezeichnet wurde, fordert Jean Paul ein Höchstes hinsichtlich der Einheitlichkeit, Stimmigkeit und straffen Intentionalität der pragmatischen Motivierung. Er findet hierfür das einprägsame Bild: »Im ersten oder Allmachts-Kapitel muß eigentlich das Schwert geschliffen werden, das den Knoten im letzten durchschneidet.« Oder dasselbe noch einmal zum Paradoxen zugespitzt: »Zwei Kapitel müssen für einander und zuerst gemacht werden, erstlich das letzte und dann das erste.« Mit Recht stellt er Fieldings ›Tom Jones‹ als das Musterbeispiel für eine solche strenge Handhabung der epischen Intentionalität hin. Denn in diesem großartigen Roman gleicht der Motivierungsmechanismus tatsächlich einem makellosen Uhrwerk. Das Bild vom Schwerte, das im »Allmachts-Kapitel« geschmiedet werden soll, ist hier vollauf anwendbar. Aber gerade die Vergleichung mit ›Tom Jones‹, die Jean Paul uns selbst nahelegt, macht es uns bewußt, wie locker gefügt die ›Flegeljahre‹ in pragmatischer Hinsicht sind! Wir berühren diesen Punkt nur kurz und brauchen hier nicht alle motivischen Inkonsequenzen und Blindgänger aufzuspüren und aufzuzählen, die dem Erzähler unterlaufen; dies ist in der Forschung schon zur Genüge und fast bis zum Überdruß geschehen.

Für den »ideellen Nexus« gilt im wesentlichen dasselbe. Aus

der Menge von Vorarbeiten geht unzweideutig hervor, daß die Hauptperson Walt nach der Absicht des Dichters eine entschiedene geistige Entwicklung durchmachen sollte. Was dem Autor vorschwebte, war zweifelsohne eine Art von Bildungsroman. Ein »schwachguter«, furchtsamer Mensch sollte sich zur Festigkeit und Seelenstärke durchringen. Wieder fällt die Antwort negativ aus, wenn wir, mit den Wertkriterien des »zünftigen Handwerks« gewappnet, die Frage stellen, ob diese Absicht auch verwirklicht worden sei. Denn zwar entfaltet der Dichter das Wesen seines Haupthelden Walt mit großer Kunst, so daß tatsächlich eine Art von erzählerischem Wachstum stattfindet, aber dies ist kumulativer Art und grundverschieden von »Entwicklung« im herkömmlichen Normalsinn. Um Walts Zwillingsbruder Vult steht es nicht anders. Er hat recht, wenn er im Abschiedsbrief an den Bruder am Ende des Romans sagt: »Ich lasse Dich, wie Du warst, und gehe, wie ich kam.«[5] Es wäre aber töricht, über diese Entwicklungslosigkeit zu trauern. Denn gehört es nicht zutiefst zum Wesen des Haupthelden, dieses weltfremden Sonntagskindes und Götterlieblings, daß er grundsätzlich sich selber gleichbleibt und daß er wohnhaft bleibt in jenem Reich, das nicht von dieser Welt ist? Kann man ermessen, welchen Wertverlust es bedeuten würde, wenn Walt eine entschiedene Entwicklung durchmachte?

Der starke Eindruck, den die umfangreichen Vorarbeiten, Skizzen, Entwürfe und Zusammenstellungen uns vermitteln, ist dieser: Es gibt hier eine unglaubliche Fülle von wimmelndem Leben im Kleinen und Kleinsten, während die großen Umrisse auf lange hin äußerst unklar bleiben. Eine feste Handlungslinie will sich nicht einstellen, und auch die Konturen der Personen bleiben lange schwankend. Merkwürdig, wie in den Entwürfen die Einzelzüge von einer Person zur andern hinüber- und herüberwandern! Der Dichter leidet nicht an Mangel, sondern an Überfluß der Einfälle und Gesichte. Erst in einer späten Phase der Planung findet er »den perspektivischen, alles ordnenden Punkt«[6]. Oder besser: Er glaubt, ihn zu finden. Das Testamentsmotiv, das sicher unter diesem »ordnenden Punkt« zu verstehen ist, war nicht bloß als komische Ouvertüre gedacht, sondern es sollte das Direktiv der Handlung und der ideellen Entwicklung abgeben. Wie es der reiche Sonderling van der Kabel in seinem Testament klar ausspricht, haben sowohl die schrulligen Bedingungen, die Walt zu erfüllen hat, um des testamentarischen Segens teilhaftig zu werden, wie auch die sieben Erbfeinde, die das Testament ihm auf seinem Wege beigesellt, einen hochpädagogischen Sinn: sie sollen »den leichten Poeten vorwärts bringen und ihn schleifen und abwetzen«[7].

Ist das Motiv aber folgerichtig durchgeführt? Von der Normalpoetik des zünftigen Handwerks aus kann man es wieder nur verneinen. Denn welche Verbindung besteht zwischen dem Testamentsmotiv und den Hauptvorgängen des Romans? Walts schwärmerisches Umwerben des adligen Jünglings Klothar und das durch Vults eifersüchtige Gegenaktion herbeigeführte katastrophale Ende dieser Schwarmliebe; die Versöhnung mit Vult und die gemeinsame Arbeit am Doppelroman; das Aufblühen des Liebesverhältnisses zu Wina; Vults zuerst unbewußte, später bewußte Nebenbuhlerschaft und der schrille Dissonant seines Zerwürfnisses mit dem Bruder am Schluß des Romans: dies alles bleibt nahezu unberührt von den Testamentsbedingungen, die auf lange Strecken aus unserem Blick und Bewußtsein verschwinden. Nur Walts Notariat wird, zwar etwas dürftig, mit der Haupthandlung verbunden; das vom Testament vorgesehene Klavierstimmen dagegen bleibt eine folgenlose komische Einlage ebenso wie das Korrekturlesen. Im abschließenden vierten Bande des Romans klingt das Testamentsmotiv freilich wieder etwas stärker auf, aber die Bezüge bleiben doch stark formaler und verbaler Art; und wenn Jean Paul einmal bedauert, daß der Leser die sechste Klausel, die die neun Verpflichtungen enthält, nicht auswendig kann, weil auf dieser Klausel »doch gerade die Pfeiler des Gebäudes stehen«[8], so ist dies reine Selbstironie. Natürlich darf daran erinnert werden, daß der Roman unvollendet ist und daß die Testamentsbedingungen in der Fortsetzung wohl eine erhebliche Rolle spielen sollten. Aber nach allgemeiner Ansicht wäre doch die Annahme verfehlt, daß sie die pragmatische Einheit des Romans hätten bewirken können. Um die Frage der Fortsetzung steht es übrigens sonderbar. Es steht fest, daß Jean Paul sie im Ernste geplant hat; aber auch wirklich in allem Ernste? Vieles scheint dagegenzusprechen. Wichtiger scheint mir das spontane Gefühl zu sein, das der Leser hat, wenn er den Roman nach beendeter Lektüre aus der Hand legt. Das Vorganghafte ist so wenig intentional gerichtet, daß er kaum nach einer Fortsetzung verlangt. Das Unvollendete hat ihn befriedigt und gesättigt. Fast möchte man sagen: Es gehört zum Wesen selber der ›Flegeljahre‹, daß sie unvollendet blieben und daß ihre Handlung ins Offene und Unbestimmte ausklingt.

Von der Ganzheit dieses Romans, die wir vorhin so entschieden postulierten, scheint also nicht viel übrigzubleiben. Wir müssen aber betonen: es ist nicht der Roman, der hier versagt, sondern unsere zünftige Normalpoetik reicht ihm gegenüber nicht aus. Unsere bisherige Betrachtung rührte nicht ans Wesentlichste dieses Werkes. Wir haben seine Einheit und Ganzheit auf einer anderen Ebene zu suchen. Seine Struktur liegt jenseits des Pragmatischen im Bereich der gehaltbestimmten Gestalt. Wir haben uns darauf zu besinnen, daß dieser Roman in einem sehr ausdrücklichen und zugespitzten Sinne ein Wortkunstwerk ist und daß seine Struktur spezifisch wortkünstlerischer Art ist.

Eine oft zitierte und selten richtig verstandene Formulierung des Dichters in den Vorstudien zu den ›Flegeljahren‹ lautet: »Summa: Poesie und Liebe im Kampf mit der Wirklichkeit«[9]. Sie findet ihre notwendige Ergänzung in der früheren und weniger beachteten Aufzeichnung: ›Synthese des Dualism zwischen Poesie und Wirklichkeit‹[10]. Man hat diese Worte bisher zu ausschließlich auf den Inhalt und den ideologischen Gehalt des Romans bezogen, wobei man sich wenig von der Tatsache hat beirren lassen, daß inhaltlich eigentlich weder von einem wirklichen Kampf zwischen Poesie und Wirklichkeit noch von einer Versöhnung gesprochen werden kann. Demgegenüber muß betont werden: Der Kampf, der sich hier vollzieht, und die Synthese der widerstreitenden Teile, die durch diesen Kampf erreicht wird, ist primordial ein sprachlich-gestalthaftes Ereignis. Die Bauform der ›Flegeljahre‹ ist antithetischer Art, sie beruht auf dem Kontrast zweier verschiedener Stilebenen und strebt über den bloßen Kontrast hinaus zur Kontrastharmonie. Durch diese Bauform, deren sprachliche Verwirklichung zu beschreiben unser Hauptanliegen sein wird, ordnen die ›Flegeljahre‹ sich in die große abendländische Tradition des humoristischen Romans ein. ›Don Quijote‹ ist zwar nicht das literaturgeschichtliche Vorbild, aber wohl die gültige Ausprägung des idealtypischen Urbildes, auf das die ›Flegeljahre‹ ausgerichtet sind. Da darf es nicht, wie es so oft geschieht, sein Bewenden dabei haben, daß Walt mit Don Quijote und Vult mit Sancho Pansa verglichen wird, ein Vergleich, der in charakterologischer Hinsicht ja auch schief genug ist. Es ist nur dann sinnvoll, diesen Vergleich anzustellen, wenn sie sich auf den strukturellen Stellenwert dieser Gestalten im Gesamt der sprachlich-poetischen Leistung dieser beiden Romane bezieht! Denn es handelt sich hier um den für ›Don Quijote‹ und für die ›Flegeljahre‹ gleichermaßen grundlegenden Sachverhalt, daß zwei grundverschiedene Stilebenen, ja, man darf sagen, zwei einander entgegengesetzte Sprachwelten wechselweise in Erscheinung treten und in mannigfacher Weise zueinander in Beziehung gesetzt werden, so daß sie bald unsanft aufeinanderprallen, bald sich ineinander spiegeln, bald auch sich wechselseitig durchdringen. Es ist nicht das Wichtigste, ob wir diese Stilebenen mit den Jean-Paulschen Kennworten als »idealistisch« und »realistisch« oder auch als »italienisch« und »niederländisch« oder sonstwie bezeichnen wollen. Weil es vor allem auf den Höhenunterschied der Stile ankommt, sprechen wir am besten einfach von Hoch- und Tiefebene. Wichtiger ist, daß wir, nachdem wir das grundlegend Gemeinsame eingesehen haben, auch einen grundsätzlichen Unterschied zwischen Cervantes' und Jean Pauls Antithetik ins Auge fassen. Bei Cervantes wird das Erhabene, Idealische und Verschrobene durchgängig durch das Niedrige, durch die robuste Erdenwirklichkeit zuschanden gemacht und ins Unrecht gesetzt. Der erhabene Stil erscheint gleichsam zwischen Anführungsstrichen, als Ausdruck des Unechten und der literarischen Künstelei, während das Echte im irdisch-niedrigen Stil seinen Ausdruck findet. Ein solcher Wert- und Wertungsunterschied besteht bei Jean Paul nicht. Vielmehr ist man im allgemeinen geneigt, ihm eine Höherbewertung des Idealischen auf Kosten des nüchternen Alltags beizulegen und hierin den Sinn der ›Flegeljahre‹ zu erblicken. Das ist aber eine starke Simplifizierung, durch die man weder dem Vorhaben noch der Leistung des Dichters gerecht wird. Dies kann nur eingesehen werden, wenn das gestalthafte Gefüge, in dem die stilistische Hoch- und Tiefebene funktionieren, klar erkannt wird[11]. Um zu diesem Ziel zu gelangen, müssen wir aber zuerst durch die Gehaltsanalyse hindurchgehen.

Äther der Einbildung und Entzauberung

Unter den Vorstudien zu den ›Flegeljahren‹ befindet sich ein Schema zu Walts Charakter, das mit den Worten anfängt: »Intellektueller Grundzug: poetische Phantasie«[12]. Darauf folgen in Stichworten die Einzelzüge, die aus diesem Grundzug resultieren. Wir brauchen nicht zu zweifeln, daß der planende Dichter hier dasjenige meint, was er in der ›Vorschule der Ästhetik‹ als den »geheimen organischen Seelen-Punkt« bezeichet, »um welchen sich alles erzeugt, und der seiner gemäß anzieht oder abscheidet«[13]. Schon früher hatte Jean Paul seine Gedanken über das Wesen der Phantasie in der kleinen Abhandlung ›Über die natürliche Magie der Einbildungskraft‹ (1795)[14] ebenso klar wie eigenwillig formuliert, und wir kommen am schnellsten zum Ziel, wenn wir hier geradewegs an jene Gedankengänge anknüpfen. »Natürlich« heißt jene Magie, weil die Phantasie allen Menschen, und dem Dichter in verstärktem Maße, von der Natur verliehen worden ist. Warum aber »Magie«? Während die sinnliche Anschauung an die räumlich begrenzte und auf die Gegenwart beschränkte Wirklichkeit gebunden ist, springt die Phantasie über diese Grenze hinweg und schafft sich jenseits ihrer aus durchaus eigenen Mitteln ein Unbegrenztes und Unendliches. Der ästhetische Wirkungsbereich der Phantasie wird sehr weit abgesteckt. So wird Kants Lehre vom Erhabenen als einem angeschauten Unendlichen dahin präzisiert, daß das Unendliche nur von der Einbildungskraft erzeugt werden kann. Auch das »Idealische«, ein zweiter Hauptbegriff der klassischen Ästhetik, wird als von der Phantasie »vorgespiegelte Unendlichkeit« definiert. Das Charakteristische dieser Phantasielehre ist der schroffe Gegensatz von Endlichkeit und Unendlichkeit. Es ist wirklich ein Sprung über eine tiefe Kluft hinweg, durch welchen sich die Phantasie des Unendlichen bemächtigt. Die »vorgespiegelte Unendlichkeit« ist der endlichen Wirklichkeit entgegengesetzt und vernichtet sie. Diese Antithese klingt in vielen Formulierungen auf. So heißt es vom Traume, der bald als mit der Phantasie verschwistert, bald geradezu als mit ihr identisch erscheint: »Der Traum ist das Tempe-Thal und Mutterland der Phantasie; die Konzerte, die in diesem dämmernden Arkadien ertönen, die elysischen Felder, die es bedecken, die himmlischen Gestalten, die es bewohnen, leiden keine Vergleichung mit irgend etwas, das die Erde gibt.«[15] Besonders deutlich wirkt sich diese Trennung in den Zeitdimensionen aus. Die Phantasie überspringt und vernichtet die Wirklichkeit des gegenwärtigen Augenblicks; sie lebt und webt in Erinnerung und Erwartung; sie zieht »einen bunten Diffusionsraum um die glücklichen Inseln der Vergangenheit, um das gelobte

Land der Zukunft«[16] und übermalt höchstens mit ihrem verfremdenden Schein die Gegenwart, die ohne sie stumpf und »tierisch« bliebe[17].

Wir haben den antithetischen Charakter von Jean Pauls Phantasielehre so stark hervorgehoben, weil sie für die Gestaltung von Walts Seelentum von bestimmender Bedeutung ist. Vult, der oft durch seine Aussagen zum Sprachrohr des Dichters wird, nennt ihn einmal »einen arglosen Singvogel, der besser oben fliegen als unten scharren könne«[18]. Das Element, in dem er lebt, ist der »Äther der Einbildung«[19], nicht die »unbehülfliche Gegenwart«. Solche Entgegensetzungen gibt es in unserem Roman in unendlicher Abwandlung. Man könnte geradezu sagen: Wie jene Abhandlung die allgemeine Theorie der Einbildungskraft bietet, so verkörpert sich in Walt ihre eindringliche und umfassende Phänomenologie. Natürlich bedeutet dies nicht, daß Walts Wesenszüge alle auf die magere Schnur dieser einen Idee gezogen wären. Was hier gestaltet wird, ist durchaus individuelles Seelentum, das alles Unwägbare und alles vibrierende Fluten gelebten Lebens aufweist. Das ist auch der große Mehrwert, den diese Phänomenologie der Einbildungskraft über die Theorie hinaus besitzt. Wir erleben das Weben der Einbildungskraft in ihrer ganzen Paradoxie von Kraft und Schwäche, als strahlende Lebensbewährung und als zwar rührende, aber doch auch klägliche Unzulänglichkeit den letzten Existenzfragen gegenüber. Und gerade diese nicht bloß ideologische, sondern auch lebensmäßige Verankerung ermöglicht eine fast unvorstellbar reiche phänomenologische Entfaltung der Phantasie! Daß Jean Paul, wie wir gleich sehen werden, sogar neue Kennwörter einführen muß, um dieses Reichtums Herr zu werden, ist nur ein Symptom dieses Sachverhalts.

Allem vorgeordnet ist die subjektive Eigenmächtigkeit von Walts Phantasieren, die sich von nichts und niemand dreinreden läßt. Dies ist die eigentümliche und unverwüstliche Kraft dieses körperlich und seelisch schmächtigen, »aus zitternden

Fühlfäden gesponnenen«[20] Menschen. Er hat die Kraft, die Wirklichkeit zu entwirklichen, sie ins bloß Mögliche zurückzuverwandeln und in freier Souveränität neu zu erschaffen. Über sein Gespräch mit der Geliebten Wina in der Mondnacht heißt es: »Es gab wenige Schönheiten, die er nicht, wenn er vorbeiging, abschilderte. Es war ihm so wohl und so wohlig, als sei die ganze schimmernde Halbkugel um ihn nur unter seiner Hirnschale von einem Traume aufgebauet und er könne alles rücken und rauben und die Sterne nehmen und wie weiße Blüten herunterschlagen auf Winas Hut und Hand.«[21] Daß hier ein Grundzug von Jean Pauls eigenem dichterischem Schaffen gültig ausgesagt wird, darauf kommen wir später zu sprechen. – Noch einmal: »Der Traum ist das Tempe-Thal und Mutterland der Phantasie.«[22] In den ›Flegeljahren‹ sind die Termini »Einbildung«, »Phantasie« und »Traum« sogar so eng verschwistert, daß einer für den anderen eintreten kann. Besonders die Wortsippe »Traum« und »träumen« muß zur Beschreibung der Phantasievorgänge dienen, und diese sind so kompliziert, daß Jean Paul mit dem Simplex nicht auskommt und selbstgemachte Komposita einführen muß. So lesen wir in der Schilderung von Walts Sehnsucht nach einem idealen Freunde: »Allmählich sank er ins *Vorträumen* hinein – was so verschieden vom engern *Nachträumen* ist, da die Wirklichkeit dieses einzäunt, indes der Spielplatz der Möglichkeit jenem freiliegt.«[23] Zum Vor- und Nachträumen gesellen sich das »Erträumen« und (wohl nach Analogie von Zeitwörtern wie »ausdenken« und »aushecken«) das »Austräumen«. Besonders das letzte bildet er zu einer Geistesübung mit rührend-komplizierter Technik aus. Im Kapitel ›Träume aus Träumen‹ – wieder ist die Fernliebe zu Wina das Thema – heißt es: »Er suchte jetzt seine alte Sitte hervor, große Erregungen – z.B. wenn er irgendeinen Virtuosen gesehen, und wär's auf dem Tanzseile gewesen – dadurch zu nähren und zu stillen, daß er sich frei einen Superlativ des Falls austräumte, wo er die Sache noch millionenmal weiter trieb.«[24] Aber damit nicht genug! Die

Technik des Austräumens und Erträumens läßt sich noch weiter komplizieren und potenzieren. Und immer ist der Hauptsinn, daß die Gegenwart von der Zukunft und der Vergangenheit, die Nähe von der Ferne aufgesogen und entmächtigt wird. Das Leben des schwedischen Pfarrers, in der von Walt geschriebenen gleichnamigen Idylle, das ist Walts Leben selbst, seine eigene »ausgeträumte« Existenz.

Aber dieser Pfarrer, Walts Spiegel-Ich, ist natürlich wiederum ein Phantasiemensch, der sich die Ferne erträumt und sich ein ganzes blühendes Italien in seine Stube hineinimaginiert. So schlägt die Phantasie ihre luftigen Brücken über große Räume hinweg, von Mitteldeutschland nach dem nördlichsten Schweden, von Schweden nach dem Welschland. Was für den Raum gilt, das gilt noch mehr für die Zeit. Sind das Vor- und das Nachträumen einmal da, so kann sich auch leicht das Vorträumen des Nachträumens einstellen. Ein Beispiel: Walt steht vor dem Zablockischen Palast, zum erstenmal wird er Winas Wohnung betreten. »Die Auffahrt und das Ketten-Gehenke an Pfeilern waren neue Siebenmeilenstiefel für seine Phantasie; er freute sich auf die Nacht, wo er diese gespannte bange Stunde auf dem Kopfkissen frei und ruhig beschauen und behandeln werde.«[25] So wird die emotionelle Ladung des Gegenwartserlebnisses in die Zukunft und von ihr aus in die Vergangenheit hinübergeleitet. Wieder eine andere Möglichkeit der Potenzierung bietet die romantische Idee der Traumgemeinschaft mit der Geliebten. »Als er zu Bette ging, verstattete er sich, Winas Träume sich zu erträumen. ›Wer kann mir verbieten‹, sagt' er, ›ihre Träume zu besuchen, ja ihr sehr viele zu leihen?‹«[26] Hier kommt die Vorstellungskraft des Lesers schon schwer mit. Eine noch barockere Steigerung finden wir in Walts Gesang an Wina, der den Schluß des Kapitels ›Träume aus Träumen‹ bildet und zu Jean Pauls bekanntesten und am meisten vertonten Polymetern gehört: »O wär' ich ein Stern, … ich wollte *ihr* leuchten; – wär' ich eine Rose, ich wollte *ihr* blühen; – wär' ich ein Ton, ich dräng' in *ihr* Herz; – wär' ich die Liebe, die glücklichste, ich bliebe darin; – ja, wär' ich nur der Traum, ich wollt' in *ihren* Schlummer ziehen und der Stern und die Rose und die Liebe und alles sein und gern verschwinden, wenn *sie* erwachte.«[27] Während die drei ersten schmachtenden Wünsche noch im Bereich der normalen lyrischen Bildlichkeit bleiben, wird in den beiden letzten Wünschen die Bildlichkeit ins völlig Unvorstellbare gesteigert. Als Ausdruck höchster lyrischer Ekstase wird man dies immerhin willig hinnehmen. Der Schlußsatz des Kapitels überbietet dann aber noch diese Unvorstellbarkeit durch Hinzufügung einer neuen Dimension: der Wunsch, Winas Traum zu sein, wird zum möglichen Inhalt von Walts Traum gemacht. »Er ging nach Hause zum ernsten Schlaf und hoffte, daß ihm vielleicht träume, er sei der Traum.«[28] Auch der willigste Leser wird diese überschwengliche Potenzierung kaum nachvollziehen können und wird sich fragen, ob sie letztlich nicht bloß verbaler Art sei.

Aber dies ist nur ein Ton unter vielen. Es ist keineswegs so, daß der Dichter Walts Träumereien kritiklos glorifiziert; vielmehr hat er ein reges Gefühl für ihre Wertrelativität. In heiterem Darüberschweben deckt er auch die zwar rührenden, aber doch bedenklichen und zumindest ambivalenten Züge dieses Gefühlsüberschwangs auf. Auf eine ins Ungeheuerliche gesteigerte und in höchstem Ernst vorgetragene Schilderung von Walts idealischem Phantasieren folgt als Probe des Austräumens: »Sehr hatt' ihm an der Wirtstafel die Bemerkung gefallen, daß Wina eine Katholikin sei, weil er sich darunter immer eine Nonne und eine welsche Huldin zugleich vorstellte. Auch daß sie eine Polin war, sah er für eine neue Schönheit an; nicht als hätt' er etwa irgendeinem Volke den Blumenkranz der Schönheit zugesprochen, sondern weil er so oft in seinen Phantasien gedacht: Gott, wie köstlich muß es sein, eine Polin zu lieben – oder eine Britin – oder Pariserin – oder eine Römerin – eine Berlinerin – eine Griechin – Schwedin – Schwabin – Koburgerin – oder eine aus dem 13. Säkul – oder aus den Jahrhunderten der Chevalerie – oder aus dem Buche der Richter –

oder aus dem Kasten Noäh – oder Evas jüngste Tochter – oder das gute arme Mädchen, das am letzten auf der Erde lebt gleich vor dem Jüngsten Tage. So waren seine Gedanken.«[29] Die anfangs leise Ironie wird allmählich offenkundiger, bis der Dichter offenen Schabernack mit der Sentimentalität seines Lieblings treibt. Durch solche Verschiebungen und Brechungen des Tones wird die Darstellung von Walts Phantasieleben dem modernen Leser entschieden genießbarer. Jean Paul identifiziert sich keineswegs mit der Sentimentalität seines Geschöpfes, sondern stellt sie in ihrer Wertambivalenz dar. Die Konsequenzen reichen weit, und jedenfalls weiter, als es die meisten Jean-Paul-Interpreten, die überschwenglich auf seinen Überschwang eingeschworen sind, sehen oder wahrhaben wollen. Wer möchte leugnen, daß Walts Allliebe ein hohes ethisches Gut bedeutet und sich der höchsten Liebe, der christlichen Caritas, annähert? Und dennoch muß eingesehen werden, daß diese Liebe von innen her gefährdet und sentimental aufgeweicht ist. Als junges Bürschchen stattet Walt einer alten Schneidersfrau einen ordentlichen Krankenbesuch ab und liest ihr ein Kirchenlied vor. »Und mußt' er nicht schon bei dem zweiten Verse den Aktus einstellen, weil ihn Tränen übermannten, nicht über die taube, trockne Frau, sondern über den Aktus?«[30] Das ist Inzucht des Gefühls, die Empfindung der Empfindung, die recht eigentlich das Wesen der Sentimentalität ausmacht. Die Sentimentalität macht es sich bequem, weil sie nicht auf die Sachen eingeht. So spricht Jean Paul einmal von Walts »angeborner Milde, überall nur die übermalte, nicht die leere Seite der Menschen und des Lebens vorzudrehen«[31]. Ein anderes Mal heißt es beiläufig, er sei »in die Liebe verliebt«. Nackter spricht eine Aufzeichnung in den Vorstudien dies Bedenkliche aus: »Auch seine Menschenliebe und Elternliebe sei eigentlich poetisch – er sieht das nicht, was er liebt.«[32] Deshalb hat auch Vult, trotz des scheinbaren Gegenteils, nicht so unrecht, wenn er einmal sagt: »daß ich nämlich dich echter zu lieben fürchte, als du mich liebst«. Und hellsichtig genug fügt er hinzu: »Sehr zu besorgen ist, ... daß du – ob du gleich sonst wahrlich so unschuldig bist wie ein Vieh – nur poetisch lieben kannst, und nicht irgendeinen Hans oder Kunz, sondern ... in ihnen nur schlecht abgeschmierte Heiligenbilder deiner innern Lebens- und Seelenbilder knieend verehrst.«[33]

Schärfer und scharfsinniger könnte die ganze Problematik von Walts Liebesphantasie und Phantasieliebe wohl nicht beleuchtet werden. Und diese Einsicht verleiht der Dichter dem Zwillingsbruder Vult! Dieser verfügt über die höhere Einsicht, und es ist gut, dies klar auszusprechen.

Im Jean-Paul-Schrifttum ist der Gegensatz der beiden Brüder oft sehr tiefsinnig behandelt worden, aber durchweg so, daß man Vult eine etwas niedrigere menschliche Ranghöhe zuerkennt als Walt. Man stellt es gerne so dar, als gehörte er einfach mit zur dunklen Folie, gegen die sich dann Walt um so strahlender abhebt. Mir scheint dies eine schlimme und letzten Endes auch für das Verständnis der gesamten Struktur dieses Romans verhängnisvolle Verkennung von Jean Pauls Absichten zu bedeuten. Als seelische Potenzen sind die beiden Brüder einander ebenbürtig. Und es wird noch die Rede davon sein, daß Vults Geisteskraft die des Bruders in mancher Hinsicht unter sich läßt. (Daß gewissermaßen auch das Umgekehrte der Fall ist, gehört zur Rätseltiefe dieser Menschengestaltung.) Gewiß sollen die unheilvollen, charakterologisch und besonders moralisch bedenklichen Züge von Vults Charakter nicht übersehen werden. Der Dichter spricht sie klar genug aus und findet treffende, zum großen Teil Vult selber in den Mund gelegte Bezeichnungen für das Abgebrannte, Stachlige und sogar auch Giftige seines Wesens, für seinen »Schmollgeist«, seinen »Seelenpips«, seine »moralische Nesselsucht«. Aber es wäre moralistische Befangenheit, wollten wir deshalb das seelische Format dieser Romangestalt niedriger einschätzen. Denn jene Züge tragen durchaus und wesentlich bei zum Reichtum und zur Größe des fesselnden und menschlich wahren Seelenbildes, das hier entworfen wird. Vor allem scheint es uns abwegig, Vult als eine bloße Komplementärbildung zu Walt aufzufassen, wie sehr die Entstehungsgeschichte des Romans auch dafür zu sprechen scheint[34]. Vult ist (und wird immer mehr) ein selbstgenügsamer und runder Charakter, als Romangestalt steht er fest auf beiden eigenen Beinen. Und es ist nur ein Ausfluß der strengen Erzählökonomie, daß diese Gestaltung durchgängig eng auf Walt bezogen wird, wie übrigens umgekehrt auch. Verstehen wir die Formel »Poesie und Liebe im Kampfe mit der Wirklichkeit« richtig, so verkörpern sich sowohl die Poesie wie die Liebe in Walt und Vult beiden und gelangen erst dadurch zu ihrer reich nuancierten Fülle. »Er war herzensgut und voll Liebe, nur aber zu aufgebracht auf sämtliche Menschen«[35], so lautet Vults adäquate Selbstcharakteristik. Daß auch Vult die Poesie verkörpert, darauf kommen wir noch des weiteren zu sprechen. Sind die Brüder einander polar zugeordnet, so bilden sie andererseits zusammen einen Doppelpol der verknöcherten und hartherzigen »Wirklichkeit« der Philister gegenüber. Und nur Vult steht innerlich im Kampfe mit dieser Wirklichkeit, während Walt in seliger Ekstase kampflos über sie hinauslebt. Daß Vult zu gleicher Zeit dieser »gemeinen« Wirklichkeit mehr verhaftet, ja zum Teil verfallen ist, daß sein satirischer Zynismus sowohl von der Gemeinheit zehrt als auch seine Spitze gegen sie richtet, das ist eine Bereicherung der Antithese von Poesie und Wirklichkeit, die, wie wir sehen werden, für die sprachlich-gestalthafte Gesamtstruktur des Romans von wesentlichster Bedeutung ist.

Walt ist verzaubert; Vult entzaubert. Nur durch das Gegen- und Ineinander von Verzauberung und Entzauberung konnte Jean Paul die Fülle erreichen, die ihn berechtigte zu sagen, »in den Flegeljahren ... habe sein Talent ihn selbst ergriffen, auch seien Vult und Walt nur die beiden entgegengesetzten und doch verwandten Personen, aus deren Vereinigung er bestehe«[36]. In diesem Zusammenhang ist es besonders interessant zu sehen, daß sich Vults echter und schroffer Kunstidealismus nicht nur gegen die gemeine Härte, sondern auch und sogar vorzugsweise gegen die Sentimentalität der Spießer wendet. Durch ihren betonten Antisentimentalismus ist Vults Kunstlehre – denn geradezu von einer solchen darf man sprechen – ein notwendiges Antidoton gegen Walts empfindsamen Überschwang. Mit heißer Empörung spricht er von der »gräßlichen Bespritzung des einzigen Himmlischen«, nämlich der Musik, durch die »Lebens-Spießbürgerei«[37]. Aber auch die »delikater« Fühlenden machen sich dieser Bespritzung schuldig. »Ich habe aber Stunden, wo ich aufbrausen kann gegen ein Paar verliebte Bälge, die, wenn sie etwas Hohes in der Poesie oder Musik oder Natur vorbekommen, sofort glauben, das sei ihnen so recht auf den Leib gemacht, an ihren flüchtigen Erbärmlichkeiten, die ihnen selber nach einem Jahr bei noch größerer als solche erscheinen, habe der Künstler sein Maß genommen ...«[38]. Die Musik ist ihm zu hehr und heilig, als daß persönliche Gefühle und Stimmungen gemeinsame Sache mit ihr machen dürften. »Darfst du Tränen und Stimmungen in die Musik einmengen: so ist sie nur die Dienerin derselben, nicht ihre Schöpferin ... Und was wäre das für ein Kunst-Eindruck, der wie die Nesselsucht sogleich verschwindet, sobald man in die *kalte* Luft wieder kommt? Die Musik ist unter allen Künsten die reinmenschlichste, die allgemeinste.«[39] In diesem Sinne lehnt er es schroff ab, »Wirklichkeit in die Kunst zu kneten«. Mit Staunen sieht man: Es ist durchaus das Tonio-Kröger-Problem des Gefühlsdégagements als einer notwendigen Voraussetzung echten Kunstschaffens und Kunsterlebens, das hier von Vult vertreten wird, nicht weniger klar und schroff, als es Thomas Mann ein Jahrhundert später aussprechen sollte. Man braucht nicht daran zu zweifeln, daß Vult hier in hohem Maße das Sprachrohr des Dichters selbst ist. Die ironische Ablehnung des brutwarmen Gefühls kann indessen noch drastischeren Ausdruck finden. Als Vult im Gespräch mit Wina fordert, »daß die Kunst sich vom persönlichen Anteil rein halten lerne«, findet er, der Flötenspieler, das burleske Gleichnis: »Ein Virtuose ... muß imstande sein, während er außen pfeift, innen

Brezeln feil zu halten, ungleich den Brezel-Jungen, die beides von außen tun.«[40] Und es klingt vollends wie ein geschliffener Aphorismus Tonio Krögers, wenn er im Kunstgespräch mit Walt äußert: »In der Kunst wird, wie vor der Sonne, nur das Heu warm, nicht die lebendigen Blumen.«[41] Bezeichnend genug fügt der Erzähler hinzu: »Walt verstand ihn nicht.« Halten wir uns diese Züge von Vults Kunstlehre vor Augen, weil diese mit der ästhetischen Eigenart unseres Romans selbst allerlei zu tun hat!

Die zwei Sprachwelten

Nachdem wir uns der gehaltlichen Hauptelemente einigermaßen vergewissert haben, schlagen wir jetzt einen anderen Weg ein, um uns unserem Hauptproblem, der Frage nach der sprachlich bedingten humoristisch-ästhetischen Gesamtstruktur des Romans, wieder einige Schritte zu nähern. Wir werden zu zeigen haben, wie die beiden Sprachwelten, die wir oben abkürzenderweise als »hoch« und »niedrig« bezeichneten, miteinander in der Gesamtstruktur funktionieren. Aber dies bliebe ein blasses Gerede, gewännen wir nicht vorher eine gegenständliche Vorstellung, wie diese beiden Sprachwelten an und für sich beschaffen sind. Für den Augenblick sondern wir die beiden Sprachwelten also von einander und stellen die Frage nach ihrem Zusammenhang und ihrem Zusammenwirken noch zurück. Selbstverständlich sind es nur einige Hauptzüge, die wir sichtbar machen können. In den beiden Bereichen, auf der stilistischen Hoch- und auf der Tiefebene, ist es besonders die Bildlichkeit, die unsere Aufmerksamkeit verdient, ohne daß wir uns aber durchaus auf sie beschränken werden.

Die gegenständlichen Bereiche, die in der hohen, idealisch-erhabenen Stilart zur Darstellung kommen, sind einmal die landschaftliche Natur und zweitens das ekstatisch erregte Gefühlsleben. Beide sind übrigens nicht scharf zu trennen, weil sich in der Darstellung der Landschaft die innere Erregung des Erlebenden abspiegelt. Versuchen wir, an einigen Textstellen die Eigenart der Bildlichkeit auf dieser Stilebene sichtbar zu machen. Wo im 14. Kapitel jener »Zauberabend« beschrieben wird, an dem das »Projekt der Äthermühle« (d. h. des Doppelromans) geboren wird, finden wir das Gleichnis: »Die fernen Dorfglocken riefen wie schöne verhallende Zeiten herüber und ins dunkle Hirtengeschrei auf den Feldern hinein«[42]. Der Vergleich scheint auf den ersten Blick wenig sinnvoll zu sein. Wird hier doch das Bestimmte und sinnlich Greifbare (»Dorfglocken«) mit etwas völlig Ungreifbarem verglichen, das selbst schon eine verkürzte und im Grunde recht schwierige Metapher ist: »verhallende Zeiten«. Ist es nicht, so wird man sich fragen, die Funktion eines dichterischen Bildes, das noch wenig Bestimmte durch das Greifbare genauer zu bestimmen? Wenn jemand etwa den Satz bildete: »Die Erinnerung an ihre glückliche Jugendzeit tönte verhallend wie ferne Dorfglocken in ihr fort«, so würden wir den Vergleich als »normal« und »korrekt« empfinden. Aber bei der Korrektheit hätte es auch sein Bewenden. Demgegenüber spüren wir die tiefe Magie des Jean-Paulschen Bildes. Das sinnlich Konkrete und Einzelne wird vergeistigt und in einen größeren Seinszusammenhang hineingestellt. Dabei hat diese Vergeistigung auch ihren guten realpsychologischen Sinn: Das Bild deutet an, daß Walt die Töne nicht als punktuelle Gegenwart erlebt, sondern daß er gerade durch sie in einen überzeitlichen Gefühlszustand versetzt wird, in dem sich die Grenze von Gegenwart und Vergangenheit verwischt. Hinsichtlich jener Konkreta, der Dorfglocken, hat das Bild eben die fernende, entgegenständlichende Wirkung, durch die das Gefühl des Erhabenen geweckt wird. Entsinnen wir uns, daß Jean Paul das Erhabene als »das angewandte Unendliche« definiert. Das Unendlichkeitsgefühl kann sich nur einstellen, wenn die Gegenwart von den beiden »Polarzeiten« Zukunft und Vergangenheit vernichtet wird. Es sind bei Jean Paul ganz besonders die den Landschaftsraum durchwallenden Töne, vorzugsweise der Glocke und der Flöte, die diese entgrenzende Ausweitung des Zeiterlebens bewirken. »Plötzlich kam ein altes vertrautes, aber wunderbares Mittagsgeläute aus den Fernen herüber, ein altes Tönen wie aus dem gestirnten Morgen dunkler Kindheit ...«[43]. Oder ähnlich: »Jetzt schlug die wohlbekannte kleinliche Dorfglocke aus, und der Stundenton fuhr so tief in die Zeit und in seine Seele hinunter, daß ihm war, als sei er ein Knabe, und jetzt sei Feierabend ...«[44]. Die wenigen Beispiele stehen für unzählige Fälle. Diese Ausweitung der Zeit durch die Töne ist ein stehendes Element, ohne das eine Jean-Paulsche Naturschilderung nahezu undenkbar ist.

Nicht weniger stark ist die raumbildende Kraft der Töne. Zwar ist das Bilden hier auch ein Entbilden, weil die den Raum durchflutenden Klänge den Raum selbst in Mitleidenschaft ziehen und seine starre Begrenztheit in wallende Bewegung aufzulösen scheinen. Die Töne sind ein Hauptgestaltungsmittel dessen, was man mit Recht Jean Pauls »expressive Bewegungslandschaft«[45] genannt hat. Das hervorstechendste sprachliche Mittel zu dieser Dynamisierung ist die richtungsbetonte präpositionale oder adverbiale Bestimmung zu Zeitwörtern, die ohne dies und normaliter keine Bewegung oder Richtung ausdrükken. »Ich ziehe droben ... mein Flauto traverso heraus und blase ein wenig in die Abendsonne und über die toten Herrnhuter hinüber«, sagt Vult[46]. Natürlich ist es nicht bloß das Akustische, das diese Wirkung auslöst; es gesellt sich zu den zuckenden und spielenden Scheinen und Blitzen, ja sogar zu den Gerüchen, die vom Dichter in seinem Bestreben, sämtliche Sinnesorgane mitspielen zu lassen, als raumbildendes Element mobilisiert werden. »Die nahen Birken dufteten zu den Brüdern hinab, die Heu-Berge unten dufteten hinauf.«[47] Die Doppelung der Richtung, die wir hier bemerken, wirkt sich indessen im Akustischen noch eindrucksvoller aus, weil das Aufeinanderprallen und Ineinanderfluten der aus verschiedenen Quellen strömenden Klänge dem erlebten Raum eine

merkwürdige Dichte verleihen und zugleich seine Umrisse ver-
flüchtigen. Wir sahen es schon in unserem Eingangsbeispiel,
wo die fernen Dorfglocken *ins* dunkle Hirtengeschrei auf den
Feldern *hinein*riefen. Gerne wird bei solcher Doppelung die
vertikale Richtung betont. Zur Schilderung der sonntäglichen
Militärmusik in den Straßen der Residenz gehört wesentlich
der Zusatz: »Der Nikolaiturm warf dazu seine Blasemusik in
die untere hinein.«[48]

Ihren höchsten Triumph feiert die erhabene Stilart in der
Gestaltung des Erlebnisses der Wanderung durch die große
freie Natur. Das 40. Kapitel ›Cedo nulli‹, Walts nachsommerli-
che Wanderung durch die sächsische Gebirgslandschaft, stellt
den unübertroffenen Gipfel dieser Gestaltungsart dar. Mag
Walts idealistischer Höhentrieb im täglichen Leben der Wirklichkeit unangemessen und der Gefahr der Lächerlichkeit ausgesetzt sein, in der freien Natur findet er das brüderlich ant-
wortende Element, und hier wachsen ihm wirklich Flügel. Die
Verschmelzung von Mensch und Natur kann kaum höher
gesteigert werden, als es hier geschieht. »Im hohen Äther
waren zarte Streifen Silberblumen gewebt, und Meilen-tief
darunter zog langsam ein Wolken-Gebürge nach dem andern
hin; – zwischen diese aufgebaute Kluft im Blau flog Walt und
wandelte auf dem Himmelswege aus Duft leicht dahin und sah
oben noch höher auf.«[49] Walts Phantasieerlebnis, seine Ent-
rückung in den Himmel, wird dem Leser zur glaubhaften
Wirklichkeit. Daß es glaubhaft wird, ist nur dadurch möglich,
daß der Leser schon eingeschwungen ist in eine Weise der
Weltgestaltung, die die geschaffene Wirklichkeit gleichsam erst
ins Nichts zurückverwandelt, um sie dann durch die Macht der
gestaltenden Phantasie neu zu erschaffen. Auch hier nur ein
einziges Beispiel für viele. »Jetzt schwang sich die Landstraße
plötzlich aus dem Tale den Berg hinauf. – Die Flöte drunten
wurde still, da sich oben die Weltfläche weit und breit vor ihm
auftat und sich mit zahllosen Dörfern und weißen Schlössern
anfüllte und mit wasserziehenden Bergen und mit gebognen

Wäldern umgürtete.«⁵⁰ Was sich dem nüchternen Blick als beharrende Zuständlichkeit darbieten würde, erscheint dem ekstatisch erregten Gemüt als mythischer Vorgang. Schon im Auftakt des Passus wird die Landstraße zu einem ungeheuren sich aufbäumenden Lebewesen. Und in den folgenden Sätzen scheint der Dichter vollends das Sechstagewerk der Schöpfung aus eigenen Kräften zu wiederholen und aus dem Chaos einen neuen Kosmos zu gestalten. Besonders die dynamischen Zeitwörter, aber auch ihr Subjekt sind mit mythisierender Potenz geladen. »Die Weltfläche«: das ist erstens einmal die totalisierende Apperzeption der Phantasie, von der in der ›Vorschule‹ gesagt wird: »Die Phantasie macht alle Theile zu Ganzen ... und alle Welttheile zu Welten, sie totalisieret alles, auch das unendliche All.«⁵¹ Zweitens ist der Ausdruck erhaben, als »angewandtes Unendliches«, das das Hic et nunc der Landschaft fernend entfremdet. »Er ging auf dem Bergrücken«, so lautet die Fortsetzung, »wie auf einer langen Bogen-Brücke über die unten grünende Meeresfläche zu beiden Seiten hin.«⁵² Die grünen Wiesen werden nicht unverbindlich-witzig mit dem Meere verglichen, sondern es drückt sich in dem kühn gekürzten Vergleich »grünende Meeresfläche« wirkliche mythische Verwandlung aus.

Nach dem Himmelsflug des 40. Kapitels bringt der Eingang des folgenden uns urplötzlich auf die feste Erde zurück. »In *Grünbrunn* kehrt' er ein. Im Wirtshaus hielt er seine Wachsflügel ans Küchenfeuer und schmolz sie ein wenig. In der Tat braucht der Mensch bei den besten Flügeln für den Äther doch auch ein Paar Stiefel für das Pflaster.«⁵³ Schon durch den Wechsel der Stilhöhe spürt man, daß die Antithese von »Äther« und »Pflaster« auch den Gegensatz zweier Sprachwelten, den Gegensatz von stilistischer Hoch- und Tiefebene bedeutet. Auch unsere Betrachtung muß jetzt aus dem »Äther« aufs »Pflaster« hinunter, oder unbildlich: Wir haben uns zu fragen, was die Merkmale sind, durch welche sich die niedrigere »niederländische« Sprachwelt von der erhabenen »italienischen«

unterscheidet. Hierbei sei es uns bewußt, daß diese Sprachwelt in sich selber komplexer Art ist und daß sie sowohl idyllische wie satirische, bald derb realistische, bald grotesk irrealistische Züge aufweist. Ob wir hier durchgängig von »Komik« oder von »Humor« sprechen sollen, ist eine heikle terminologische Frage, die wir im Augenblick noch zurückstellen.

Eins der auffälligsten Merkmale dieser Sprachebene ist die wuchernde Fülle der Bildlichkeit. Wenn Jean Paul über sich selbst zu äußern pflegte, man solle auf seinen Grabstein setzen, daß nie ein Mensch so viele Gleichnisse gemacht habe wie er, so denkt man unwillkürlich vor allem an das bunte Gewimmel von Bildern und Gleichnissen auf dieser Ebene. Aber nicht weniger eindrucksvoll als ihre quantitative Vielheit ist ihre nuancenreiche Vielheitlichkeit. Der komische Vergleich kann unter Umständen drastisch sein und das Häßliche und Unappetitliche hervorkehren. Vult betont einmal, daß man in einer neuen Umgebung sogleich viele Bekanntschaften machen soll: denn »später, wenn man ihn hundertmal gesehen, ist man ein alter Hering, der zu lange in der aufgeschlagenen Tonne auf dem Markte bloßgestanden«[54]. Der Vergleich ist derb und einfach. Ebenso drastisch, aber viel komplizierter in der sprachlichen Formgebung ist die Schilderung der abgelebten und geschmacklos aufgedonnerten Frau Hofagentin Neupeter, die früher einmal hübsch gewesen, »die aber jetzt – aus ihren eignen Relikten bestehend – als ihr eignes Gebeinhaus – als ihre eigne bunte Toilettenschachtel – ihren kostbaren Anzug zum bemalten metallischen, mit Samt ausgeschlagenen, mit vergoldeten Handheben beschlagenen Prunksarg ihrer gepuderten Leiche machte«[55]. Das ist freilich ein Glanzbeispiel für die von Jean Paul auch theoretisch postulierte »humoristische Sinnlichkeit«, aber es wäre naiv, hier einfach von Realismus zu reden. Besonders durch die kühne Vermischung von Bezeichnetem und Bezeichnendem spielt die Schilderung stark in die Irrealität der Groteske hinüber. Es ist das Prinzip des »Witzes« (im damaligen Wortverstand), das Verschiedenartigste assoziativ zusammenzuzwängen. So heißt es einmal von jenem grob-schlächtigen Hoffiskal Knoll, »daß (er) als ein zusammenge-wachsenes, verknöchertes Revolutionstribunal das Vorhäng-schloß des Pfeifen-Kopfes am eignen hatte«[56]. Zur Vorstellung der französischen Revolutionstribunale gehört offenbar das Pfeifenrauchen der Jakobiner als fester Zug und als sichtbares Symptom ihres hartherzigen Grobianismus*. Knoll vereinigt die Hartherzigkeit sämtlicher Tribunalsmitglieder in sich, er ist also ein »zusammengewachsenes« Revolutionstribunal. Ganz unabhängig hiervon ist die zweite witzige Assoziation in der bei Jean Paul häufigen Verkürzung durch Genitivverbindung: der Pfeifenkopf hängt am Kopfe Knolls wie das Vorhänge-schloß an der Tür. (Ähnlich war kurz vorher vom »Nabel-Gehenke« seines Pfeifenkopfes die Rede gewesen.) Der dritte witzige Bezug von Menschen- und Pfeifenkopf bleibt fast unausgesprochen; Jean Paul unterläßt es einfach, das Bezugs-wort »Kopf« zu wiederholen.

Auch hier »humoristische Sinnlichkeit«; aber das witzige Assoziationsverfahren ist geistiger und sogar stark gedanklicher Art. Eduard Berend hat einmal treffend geschildert, wie Jean Paul »zu seinen Gleichnissen kam«[57]. Oft bot ihm das Register, in dem er die gewaltige Menge seiner Exzerpte geordnet hatte, eine wichtige Hilfe. Und da ist nun das Ordnungsprinzip höchst interessant. Er rubriziert nicht nach den konkreten Realia, son-dern vorzugsweise nach allgemeinen abstrakten Begriffen: Höhe, Tiefe, Anfang, Ende, Groß, Klein, Einfach, Doppelt, Ganz, Halb usw. Das Register umfaßt etwa zweihundert sol-cher Rubriken. Wollte Jean Paul einen Gedanken einkleiden, so konnte er in der betreffenden Rubrik nach passenden Gleichnissen suchen. Zu welcher vertrackten Kombinatorik dieses Verfahren führen kann, zeigt folgende Stelle. Am Rande der Erzählung erscheint ein gewisser Doktor Hut, »der wenige

---

* Auf zeitgenössischen Abbildungen, z.B. auf dem damals und jetzt sehr bekannten Stich von Berthault, wird das Tabakrauchen der Tribunalsmitglieder als ein offenbar auffälliger und wohl schockierender Zug stark betont.

Patienten hatte, weil er ihnen das Sterbliche auszog und sie verklärte«[58]. Im folgenden wird dann gesagt, daß er ein doktrinärer Anhänger des englischen Mediziners John Brown ist, dessen Krankheitslehre damals bekanntlich in Deutschland starke Beachtung fand*. Brown verteilt die Krankheiten in zwei Hauptgruppen, Sthenie und Asthenie, wozu sich als Abarten die Hypersthenie und die Hyperasthenie gesellen. Wie bringt Jean Paul die sich so ergebende Vierteilung ins Spiel? »Dieser Hut hatte den vier großen Brownischen Kartenköniginnen seine vier ganzen Gehirnkammern eingeräumt – der Sthenie die erste vorn heraus – der Hypersthenie die zweite – der Asthenie die dritte – der Hyperasthenie die vierte als wichtigste –, so daß die vier großen Ideen ganz bequem allein ohne irgendeine andere darin hausen konnten. Gleichwohl macht' er mit der heiligen Tetraktys von vier medizinischen syllogistischen Figuren selber noch keine sonderliche; der alte Spaß über den Doktorhut des Doktor Huts wurde stets erneuert.«[59] Was soll dieser abstruse Aufwand von Gelehrsamkeit? Es werden nicht weniger als fünf notorische Vierergruppen zusammengezwängt: die vier Brownischen Krankheitsarten, die vier Königinnen im Kartenspiel, die vier Gehirnkammern, die heilige Vierergruppe der Pythagoräer ($1+2+3+4=10$) und schließlich die vier syllogistischen Figuren der Schullogik. Es ist klar, daß sie inhaltlich gar nichts miteinander zu tun haben. Auch nicht im Sinne des Dichters, denn es wäre sicher irrig, ihm hier irgendwelchen Glauben an magische Zahlenbezüge zuschreiben zu wollen. Der Zusammenhang ist nicht seinsmäßig und reduziert sich auf die nackte und leere Vierzahl. Deshalb ist die sprachliche Zusammenzwängung durch beiwortliche und genitivische Verbindungen (»die vier großen Brownischen Kartenköniginnen«, »die heilige Tetraktys von vier medizinischen syllogistischen Figuren«) rein verbaler Art; sie trägt nichts zur inhaltlichen Bereicherung oder näheren Bestim-

* John Brown übte bekanntlich starken Einfluß besonders auf Novalis' und Schellings Naturphilosophie aus.

mung der Gegebenheit bei und will es auch nicht tun. Sie ist reine Neckerei, deren nur der Leser froh wird, der sich auf die humoristische »Liebe zum leersten Ausgang« versteht!

Zur Seinswidrigkeit des komischen Vergleichs gesellt sich seine oft ebenso starke Sprachwidrigkeit. Die Katachrese wird zum positiven Stilistikum. Sie ist noch relativ einfach und durchsichtig, wenn es von Walts mißlaunigem Vater heißt, »er habe noch unverdaute Nasen, die er im Winter von der Regierung bekommen, im Magen«[60]. Drei an und für sich sprachübliche Metaphern (etwas nicht verdauen können; eine lange Nase bekommen; etwas liegt mir schwer im Magen) gehen eine unübliche und unmögliche Verbindung ein. Die Katachrese kann aber auch zu komplizierten Gebilden auswachsen, deren Sprachmächtigkeit nicht hinter der Metaphorik auf der idealisch-erhabenen Sprachebene zurücksteht. Wie wird ein Pferd beschrieben, das plötzlich nicht weiter will und stocksteif stehenbleibt? »Es ist ein Grundsatz der Pferde, gleich den Planeten nur in der Sonnen-Nähe eines Wirtshauses schnell zu gehen, aber langsam daraus weg ins Aphelium; der Schimmel heftete seine vier Fuß-Wurzeln als Stifte eines Nürnberger Spielpferdes fest ins lackierte Brett der Erde und behauptete seinen Ankerplatz.«[61] Was zunächst wieder auffällt, ist die Vermischung der Bereiche von Bezeichnetem und Bezeichnendem. Die Pferde gehen ja nicht ins Aphelium. Die Gehirngymnastik des Lesers besteht darin, daß er die Verbindung auflösen und korrekt konstruieren muß: Wie die Planeten nur in der Nähe der Sonne schnell gehen, aber langsam daraus weg ins Aphelium, so gehen Pferde nur schnell, wenn sie sich einem Wirtshaus nähern, aber langsam, wenn sie aus ihm weggehen. Was für ein Reichtum griffig-konkreter Bezüge vermittelt aber der zweite Hauptsatz, grade durch die katachretische Zusammenzwängung! In dem einen Wort »Fuß-Wurzeln« drängt sich das Gleichnis zusammen, daß der Schimmel gleichsam Wurzel schlägt. Aber sogleich wechselt die Vorstellung zum Nürnberger Spielzeugpferd hinüber. Kaum ist der Leser mitgekommen, so wird er wieder von einer anderen Vorstellung überrumpelt. Wenn es von dem Pferde plötzlich heißt, daß es »seinen Ankerplatz behauptet«, so ist das Tier unvermittelt zum Schiff geworden. Die Bildhäufung verleiht der Vorstellung vom stocksteif dastehenden Pferde in üppigster Weise den »farbigen Rand und Diffusionsraum fremder Bei-Züge«, der nach Jean Pauls Theorie für die »humoristische Sinnlichkeit«[62] charakteristisch ist.

Die Bildlichkeit ist keineswegs das einzige, aber wohl das bezeichnendste Ausdrucksmittel von Jean Pauls humoristischer Sprachvirtuosität. Über ihre weiteren Kapriolen wollen wir uns notgedrungen etwas kürzer fassen. Das regelrechte Wortspiel (»Das Weinhaus«; »Neues Testament«; »ein alter verschimmelter Schimmel« usw.) steht, vielleicht gegen unsere Erwartung, unter diesen Ausdrucksmitteln wirkungsmäßig nicht einmal in vorderster Reihe. Charakteristischer ist es, daß Jean Paul eine Reihe von Figuren, die in der traditionellen Stilistik und Rhetorik ihr korrektes Bürgerrecht besitzen, dermaßen übersteigert, daß sie lustig-inkorrekt werden. So die Pars pro toto im folgenden Beispiel, als Walt auf der Wanderung einen Zettel gefunden hat und in der vollen Wirtsstube fragt, ob jemand ihn verloren. »›Ich, Herr‹, sagte ein langer herübergestreckter Arm und ergriff ihn und nickte *einmal* kurz mit dem Kopfe ...«[63] Nicht weniger inkorrekt wirkt sehr oft das Zeugma, wo es etwa heißt, daß der Schimmel »seinem Stall nahe und aus dem herrnhutischen hungrig kam«[64], oder daß »die Landstraße und der Schimmel und Bruder durch den Hof liefen«[65]. Ähnlich die zugespitzte Syllepsis: »Eben jetzt ... ist Tanz- und Klavierschule bei Knoll und alle meine Töchter.«[66] Meisterhaft ist die Verwendung des Oxymorons in Fällen wie: »Der Doktor ging weigernd den Antrag ein«[67]; »der General schläft gerade nebenan und wacht«[68]; das Dienstmädchen bringt Walt »eine mündliche Einladungskarte – weil man ihn einer schriftlichen nicht wert halten konnte«[69]. Aber längst nicht alle sprachlichen Eigenwilligkeiten dieser Art lassen sich auf Namen aus der traditionellen Stilistik taufen. Besonders Jean Pauls Syntax ist reich an neuen spaßhaften Erfindungen, deren gründliche Untersuchung sich durchaus lohnen würde. Ich denke etwa an die sonderbare Art, Substantive nicht korrekt zu wiederholen, sondern durch Bestimmungs- und Eigenschaftswörter wieder aufzunehmen. »Seine Bewegung bedarf keines Gemäldes, da jede auf jedem erstarrt.«[70] »Weder Jakobine noch der General machten je ein Geheimnis daraus – nämlich aus ihrem wechselseitigen.«[71] Zu solchen regelwidrigen Wendungen gesellen sich in bester Harmonie die logikwidrigen. Hierfür nur ein Glanzbeispiel: es ist einmal die Rede von einem kleinen Männlein, »das sich selber nicht einmal an die Knie geht, geschweige längern Personen«[72]. Herausgehoben aus dem sie tragenden Sprachstrom, zeigen all diese Beispiele gerade in ihrer Vereinzelung deutlich, wie anspruchsvoll und schwierig Jean Pauls Sprachgebung auch auf der »niedrigen« Ebene ist! Die Aufmerksamkeit des Lesers darf keinen Augenblick erschlaffen, und er muß bereit sein, auch die abenteuerlichste Gehirnakrobatik mitzumachen. Was aber in der vereinzelnden analytischen Betrachtung notwendig etwas zu kurz kommen muß, ist das krause und knorrige Gesamtgepräge dieser von der »humoristischen Sinnlichkeit« bestimmten und doch so merkwürdig gedanklich durchwirkten Sprachwelt. Beim kursorischen Lesen aber zeigt sie uns ihre buntscheckige Konsistenz.

›Hoppelpoppel oder das Herz‹

In welchem strukturellen Verhältnis stehen nun die beiden oben geschilderten Sprachwelten zueinander, und wie funktionieren sie miteinander? Wir wollen die Antwort ermitteln auf einem Wege, der nur scheinbar ein Umweg ist und in Wirklichkeit geradewegs ins Zentrum des von uns Erfragten führt. Mit heiterer List und überlegenem Kunstverstand hat Jean Paul einen kostbaren Schlüssel zum ästhetischen Verständnis der strukturellen Beschaffenheit der ›Flegeljahre‹ geschmiedet und diesen, so richtig als ein offenbares Geheimnis, dem Roman selber als ein scheinbar nebensächliches Erzählmotiv einverleibt. Der Interpret, der dieses Geheimnis durchschaut, hat die Aufgabe, sich der solchermaßen angebotenen Hilfe auch wirklich zu bedienen. Der Schlüssel, den wir meinen, ist der von Walt und Vult gemeinsam projektierte und halbwegs vollendete Doppelroman ›Hoppelpoppel oder das Herz‹.

In der Romanhandlung als solcher spielt das Romanprojekt keine übermäßig bedeutende Rolle. Bezeichnenderweise ist Vult der Auctor intellectualis des Plans, der in seinem hellen Kopfe geboren wird, als er, verborgen in der Dunkelheit, Walt seine Streckverse vortragen hört. Gleich am Abend des Tages, wo Vult sich dem Bruder zu erkennen gegeben hat, schließen sie dann im »Wirtshaus zum Wirtshaus« in seliger Stimmung den »Schreibvertrag«. Von da an zieht sich die gemeinsame Arbeit am Roman als ein bescheidenes Nebenmotiv durch den Roman hindurch. Erst im letzten Bändchen spielt das Motiv wieder eine wichtigere Rolle, als die Brüder zusammen in Walts Stube hausen, die Arbeit weiter betreiben und von mehreren Verlegern, denen sie den vollendeten Teil des unvollendeten Romans zur Veröffentlichung anbieten, einen Korb bekommen. Erst in der Fortsetzung der ›Flegeljahre‹ sollte das Motiv nach Jean Pauls Absicht eine wichtigere pragmatische Rolle spielen und entscheidender in die Handlung eingreifen.

Ungleich bedeutender ist aber der ästhetisch-gestalthafte Sinn des Doppelromanmotivs. In einem berühmten Athenäumsfragment sagt Friedrich Schlegel von der romantischen Poesie, sie könne, »zwischen dem Dargestellten und Darstellenden ... auf den Flügeln der poetischen Reflexion in der Mitte schweben, diese Reflexion immer wieder potenzieren und wie in einer endlosen Reihe von Spiegeln vervielfachen«[73]. In diesem Sinne sind die ›Flegeljahre‹ durchaus romantische Poesie. Und eben solch einen reflektierenden Spiegel, wie

Schlegel ihn meint, bedeutet im Gefüge der ›Flegeljahre‹ Walts und Vults Doppelroman. Der Roman im Roman dient der immanenten Selbstdeutung der ›Flegeljahre‹ und ist recht eigentlich, im Stile der Zeit zu reden, »Poesie der Poesie«. (Wir kommen hierauf später zurück.) Das Motiv gehört ganz zur romantischen Potenzierung, die auch sonstwie in den ›Flegeljahren‹ so oft begegnet, in den Kapiteltiteln ›Musik der Musik‹ und ›Träume aus Träumen‹, als Brief im Briefe (33. Kap.) oder auch in Wendungen wie »in die Liebe verliebt«[74] und »Heimweh nach dem Heimweh«[75]. Zur romantischen Spiegelung, diesmal mit dem Beigeschmack der Selbstironie, gehört es gewiß auch, daß die Brüder das Modell der künftigen »Äthermühle« gerade in dem Wirtshause entwerfen, das den sonderbaren Namen »Wirtshaus zum Wirtshaus« führt. Der Wirt hat »auf sein Schild nichts weiter malen lassen als wieder ein Wirtshausschild* mit einem ähnlichen Schild, auf dem wieder das Gleiche stand«[76]. Die sich anschließende satirische Digression über »die jetzige Philosophie des Witzes«[77] zeigt, daß Jean Paul über die philosophischen Implikationen »solchen Widerscheins ins Unendliche« durchaus im klaren ist.

Wie spiegeln sich nun die ›Flegeljahre‹ im Doppelroman ab? Auffällig ist gleich die Dualität des Titels ›Hoppelpoppel oder das Herz‹. Das verbindende »oder« drückt hier keineswegs, wie man gemeint hat** und wie es freilich damals in Romantiteln üblich war, eine Art von Identität der verbundenen Teile aus, sondern es handelt sich hier um eine gegensätzliche Alternative. Vult, der den Titel vorschlägt, sagt deutlich, daß dieser

---

* Vermutlich hat Jean Paul sich hier verschrieben und soll »Wirtshaus« statt »Wirtshausschild« gelesen werden. Jedenfalls ist die Vorstellung dann deutlicher.

** vgl. das Grimmsche Wörterbuch Bd 4, 2. Abt., bearb. v. Moriz Heyne, 1877, unter »Hoppelpoppel«: »Eine reimende, zunächst an die Verben hoppeln und poppeln (bobbeln, bubbeln) sich anschließende Wortverbindung, die allgemein etwas Bewegliches, Unruhiges bezeichnet. Jean Paul hat sie auf das Herz angewendet, doch in der Rede eines gespreizten Menschen.« (Es folgt eine Belegstelle aus den ›Flegeljahren‹.) »Sonst bezeichnet man mit Hoppelpoppel ein gewisses Getränk, dessen Bereitung durch anhaltendes Schlagen und Rühren geschieht.« (Es folgen Belegstellen.)

»die Duplizität der Arbeit«[78] bezeichnen soll. Walt wird seine Streckverse, Vult seine satirischen »Ausschweifungen« (Digressionen) zum Doppelroman beisteuern. »Ich lache darin, du weinst dabei oder fliegst doch – du bist der Evangelist, ich das Vieh darhinter – jeder hebt den andern – alle Parteien werden befriedigt, Mann und Weib, Hof und Haus, ich und du.«[79] (Beim »Evangelisten« und dem »Vieh« dahinter hat man wohl an die den Evangelisten ikonographisch fest zugeordneten Attribute zu denken, von denen drei immerhin Tiere sind und eines in engerem Sinne ein »Vieh« ist, nämlich der Stier des Lukas.) Es ist ohne weiteres deutlich, daß das Wort »Hoppelpoppel« schon durch seine nicht mißzuverstehende Lautsymbolik dem polternden Satiriker Vult, das »Herz« dagegen dem sanftmütigen Seraphiker, dem stillen »Bacchanten des Herzens«[80] Walt zugeordnet ist. Zum Überfluß heißt es einmal in den Vorstudien ausdrücklich: »Satire hieß Hopelpopel«[81], und damit stimmt es überein, daß Vult einmal eine seiner Digressionen kurzweg als einen »Hoppelpoppel«[82] bezeichnet. Was bedeutet aber dieses sonderbare Wort? In Justinus Kerners ›Bilderbuch aus meiner Knabenzeit‹ lesen wir: »Hopelpopel war ein Getränk von Tee, Eigelb und Kirschengeist, echt russischer Art wie wahrscheinlich auch der Name Hopelpopel.«[83] Wir hören dort von einem russischen Wunderdoktor Weikkart, einem »gewaltigen Brownianer«, der Hopelpopel und Pfefferkörner als »stärkendes Mittel« gegen »Asthenie« vorschrieb. »Die Heilungen dieses Mannes sind ganz entsetzlich. Menschen, die man begraben wollte, brachte er durch Hopelpopel wieder ins Leben.« Die Zusammenstellung des Getränkes aus disparaten Teilen läßt sich natürlich unschwer mit dem buntscheckigen Charakter des humoristischen Sprachstils in Einklang bringen. Und wir dürfen mindestens vermuten, daß auch die Heilkraft des Getränks symbolisch mitgemeint ist. Denn was wollen Vults stachliche Digressionen anders sein als ein stärkendes Mittel gegen die geistige Asthenie der Zeit? Ähnlich vergleicht Vult einmal die bezweckte Wirkung des

»Hoppelpoppel« mit der Nieswurz, die früher ärztlich als Heilgift benutzt wurde: »Was sind wir anders als Nieswurz der Welt?«[84].

Der Dichter gibt uns der Fingerzeige genug, damit wir verstehen, daß sich in der Antithese von »Hoppelpoppel« und »Herz« die antithetische Grundstruktur der ›Flegeljahre‹ mit ihren beiden verschiedenartigen Sprachwelten symbolisch widerspiegelt. So ist es mehr als ein loser Scherz, daß er Vult zuerst für den Doppelroman den Titel ›Flegeljahre‹ vorschlagen läßt[85], den Walt aber zu auffallend und zu wild findet.

Auch die Entstehungsgeschichte der ›Flegeljahre‹ öffnet einen Ausblick auf die enge Verbindung zwischen dem Roman selbst und dem eingefügten Roman im Roman. Ursprünglich hatte Jean Paul daran gedacht, in eigener Person als Bruder des Haupthelden im Roman aufzutreten. Die Ichperson sollte mit dem Bruder zusammen ein Buch schreiben, worin dieser seine Gedichte, er selber seine Satiren anbringen könnte, und dieser Simultanroman sollte »Mumien« betitelt werden, also mit Jean Pauls erstem eigenem Roman ›Die unsichtbare Loge‹ identisch sein, dessen Untertitel ja ›Mumien‹ lautet. Von solchem Brückenschlagen zwischen der Fiktionswelt des Romans und der außerfiktionalen Wirklichkeit ist übriggeblieben, daß Vult in den ›Flegeljahren‹ zum angeblichen Verfasser der ›Grönländischen Prozesse‹, der frühen Satirensammlung Jean Pauls, gemacht wird. Auch sind die thematischen Entsprechungen zwischen dem Doppelroman und den ›Flegeljahren‹ deutlich genug. So wird einmal im Bilde einer Gartenlandschaft über den Inhalt gesagt, daß von Walt der »Herkules-Tempel der *Freundschaft*« und die »Einsiedelei der ersten *Liebe*« stammen, während Vult »die Vogelhäuser, Klingel-Häuschen, Satyrs und andere Garten-Götter … ausschweifend zu postieren«[86] hat.

Viel wichtiger als solche inhaltlichen Entsprechungen ist aber die Vult in den Mund gelegte Einsicht, daß »Hoppelpoppel« und »Herz«, diese beiden grundverschiedenen Elemente, dennoch notwendig *zusammengehören*. Hören wir noch einmal seine Worte: »Du bist der Evangelist, ich das Vieh dahinter – jeder hebt den andern.« Noch deutlicher spricht er einmal diese Grundbewandtnis aus, wo er sagt, »in ihrem ›Hoppelpoppel oder das Herz‹ gewännen ja eben die süßen Darstellungen am meisten durch die schärfsten, und gerade hinter dem scharfen Fingernagel liege das weichste empfindsamste Fleisch«[87]. Hier wird durch die Blume nicht weniger als das strukturelle Grundprinzip des humoristischen Romans ausgesprochen, nämlich daß die gegensätzlichen Elemente, aus denen er sich aufbaut, einander *steigern* und daß durch ihr Zusammenwirken ein ästhetischer *Mehrwert* zustande kommt. Über die Eigenart der epischen Integration in den ›Flegeljahren‹ kann kaum Wesentlicheres ausgesagt werden.

Es soll gar nicht geleugnet werden, daß es in den ›Flegeljahren‹ nicht wenige auf einen einzigen Grundton gestellte Episoden gibt, die, auch wenn sie aus ihrem Kontext losgelöst werden, in ihrer Vereinzelung immer noch treffliche Wirkung tun. Die üblichen Anthologien leben ja davon, und wer möchte ihnen das Recht absprechen, dem Leser Idyllen wie ›Das Glück eines schwedischen Pfarrers‹ oder Grotesken wie die Testamentseröffnung, Walts Ausritt auf dem alten Schimmel oder die Kampfszene der Musikanten als kostbare Kabinettstücke vorzusetzen. Dennoch gewinnen auch diese anscheinend so autarken Stücke etwas sehr Wesentliches hinzu, wenn man sie in und mitsamt ihrem Kontext auf sich einwirken läßt. In ihrer Isolierung wirken sie flächig, durch ihren Kontext gewinnen sie gleichsam perspektivische Tiefe. Der Verlust an Tiefendimensionen besteht übrigens auch dann, wenn man nur erhaben-poetische Teile anthologisch zusammenstellt. Denn auch diese wollen in ihrem stilistisch vielschichtigen Kontext aufgefaßt werden*. Jean Paul verwendet in den ›Flegeljahren‹ wie-

---

* Mit schroffer Konsequenz haben Stefan George und Karl Wolfskehl diesen einseitig seraphischen Gesichtspunkt durchgeführt in dem Jean Paul gewidmeten ersten Bande ihrer Anthologie ›Deutsche Dichtung‹ (Erstausg. 1900 in den ›Blät-

derholt für Walts Arbeit am Doppelroman die Metapher des Webehandwerks und spricht auch einmal in bezug auf sich selbst von »poetischer Weberschaft«[88]. Wir dürfen diese Metaphern auch auf das eigentlich Stilistische unseres Romans beziehen. In seiner Textur gehen die verschiedenen Stilarten, »Niederländisch« und »Italienisch«, »Hoppelpoppel« und »Herz« gleichsam wie Zettel und Einschlag eine enge Verbindung ein. Natürlich ist dies nur ein Bild; ebenso richtig ließe sich vom Prinzip der Verschränkung der gegensätzlichen Stilarten oder vom rhythmischen Wechsel der Töne sprechen. Es wäre wohl vergebliche Mühe, das einzig und völlig treffende Kennwort für die gemeinte Erscheinung finden zu wollen. Versuchen wir lieber zu zeigen, wie sie in concreto beschaffen ist.

Zunächst beschränken wir uns auf die Frage, wie sich das gemeinte Prinzip innerhalb des Gefüges eines einzelnen Kapitels als strukturierende Kraft auswirkt. Wir wählen hierzu das 25. Kapitel ›Smaragdfluß. Musik der Musik‹, weil sich hier wohl besonders deutlich die Gestaltidee, deren symbolisches

tern für die Kunst‹). Die Einleitung macht diese Einseitigkeit mit überdeutlichen Worten zum Programm: »In diesem bande gedachten wir von Jean Paul das zu sammeln was ihm heute seine neue und hohe bedeutung verleiht: nicht seine thatsachenschilderung über die er selber zu spotten pflegte – nicht das erfinden und entwickeln seiner fabeln worin andre ihn leicht übertreffen konnten – noch weniger seine launigen und derb-scherzhaften anfügsel ›für die seine gestalt und fast seine gesinnung zu groß erschienen‹ – sondern die unvergängliche schönheit seiner gedichte die er selbständig oder lose angewoben seinen bunten erzählungen mitgegeben der unvergängliche zauber seiner träume gesichte und abschlüsse in denen unsre sprache den erhabensten flug genommen hat dessen sie bis zu diesen tagen fähig war. Der kommenden zeit wird es obliegen dem vergessenen meister der fränkischen hügellande den platz anzuerkennen den die falsch überblickenden geschichtschreiber nie für ihn finden konnten. Zu einer solchen teilung des werkes aber wird man sich bei ihm immer leichter entschließen je deutlicher man wahrnimmt wie sie ihn erst recht erhebe und wie tief sie durch eine spaltung seines ganzen wesens bedingt sei.« Der Band wurde von Melchior Lechter in üppigstem Jugendstil ausgestattet. Aber auch inhaltlich wird Jean Paul hier ganz deutlich auf den Jugendstil hin eingeengt. Diese merkwürdige Vereinseitigung und somit Verzeichnung des Bildes unseres Dichters hat in der Situation um die Jahrhundertwende sicher eine historische Aufgabe erfüllt und Wesentliches zur Jean-Paul-Renaissance beigetragen, aber heutzutage ist sie gänzlich überholt.

Modell ›Hoppelpoppel oder das Herz‹ ist, in konkreter epi-scher Gestalt verwirklicht hat. Zum Inhalt nur dieses: Vult spielt als angeblich blinder Flötenvirtuose vor den versammel-ten Honoratioren Haßlaus ein Flötenkonzert von Haydn. Walt ist unter den Zuhörern, und wir erleben den Konzert-abend gleichsam durch seine Augen und Ohren und durch seine zitternd erregte Seele hindurch. Das Erlebnis der erhabe-nen Musik und des weniger erhabenen gesellschaftlichen Drum und Dran gewinnt nun aber Gestalt in einer sprachlichen Viel-tönigkeit, die selber in ihrer rhythmischen Gliederung eminent musikalisch ist und den Titel ›Musik der Musik‹ – Sprachmu-sik, die Musik zum Inhalt hat – durchaus rechtfertigt. Den Zauber dieser sprachlichen Musik können wir gar nicht wie-dergeben; nur ihre Schwingungsweite im Auf und Ab zwischen sprachlicher Hoch- und Tiefebene sei dürftig-schematisch angedeutet. Ein Wunder vor allem, wie die gegensätzlichen Teile sich verschränken! Zuerst wird das Konzert als gesell-schaftliches Ereignis kurz angeleuchtet. Hier herrschen die satirischen Töne vor, aber zugleich schon erleben wir den fest-lichen Trubel durch das Medium von Walts verzauberter Seele. Dann auf einmal, mitten im Satz und in jähem Aufschwung zum erhabenen Sprachstil, erfolgt der Einsatz des Haydn-Konzerts. Gestaltungsmittel ist die synästhetische Verräumli-chung der Musik zur mythisch-heroischen Landschaft. »Eben stellte sich der Buchhändler Paßvogel grüßend neben den Notar, als Haydn die Streitrosse seiner unbändigen Töne los-fahren ließ in die enharmonische Schlacht seiner Kräfte. Ein Sturm wehte in den andern, dann fuhren warme, nasse Sonnen-blicke dazwischen, dann schleppte er wieder hinter sich einen schweren Wolkenhimmel nach und riß ihn plötzlich hinweg wie einen Schleier, und ein einziger Ton weinte in einem Früh-ling, wie eine schöne Gestalt.«[89]

Die sich anschließende Schilderung von Walts Erleben bleibt anfangs auf dieser Höhe, aber dann mischen sich wieder komi-sche Elemente ein, die in der Schilderung gipfeln, wie der scheinblinde Vult vom wirklich blinden Hofpauker in den Saal und auf das Podium geführt wird. Damit harmoniert eine zynische, sprachlich derbe Meinungsäußerung Vults, worauf dann aber in starkem Kontrast die ätherische Musik der Musik folgt: »Wie eine Luna ging das Adagio nach dem vorigen Titan auf – die Mondnacht der Flöte zeigte eine blasse schimmernde Welt«[90] usw. Auf derselben Stilhöhe, nur mit kleinen gegenteiligen Einschüben, bleibt die Schilderung des Prestos – um plötzlich und schrill-dissonantisch einer satirischen Diatribe Vults gegen die Klatschsucht der Konzertgänger und -gängerinnen Platz zu machen. »Wer Henker«, so fängt das für den Doppelroman bestimmte Extrablatt an, »Wer Henker wollte Ton- wie Dicht-Kunst lang' aushalten ohne das Haltbare, das nachhält? Beider Schönheiten sind die herrlichsten Blumen, aber doch auf einem Schinken, den man anbeißen will. Kunst und Manna – sonst Speisen – sind jetzt Abführungsmittel, wenn man sich durch Lust und Last verdorben.«[91] Fast schreibt der Biograph J.P.F.R. diesen ganzen »Schwanzstern« aus, bis er sich mit dem spaßhaft-verdrehten Argument unterbricht: »denn der Hoppelpoppel gehört in sein eignes Buch und nicht in dieses«[92]. Inzwischen hat sich Walt innerlich der soeben eingetretenen Wina zugewandt, und die Schilderung des letzten Satzes des Konzertes, jetzt wieder im erhabenen Stil, steigt noch weit über die Schilderung der vorigen Sätze hinaus, indem jetzt die Macht der Musik und Walts Liebesglut sich in einem Gewimmel von seraphischen Bildern innig vermischen. Nach Hause zurückgekehrt, schreibt Walt, noch ganz verzaubert, einen hochpoetischen Streckvers, durch den das Kapitel in seraphischer Höhe ausklingen würde, schlösse sich nicht noch *ein* kurzer Satz an, durch den wir wieder auf die Erde zurücktaumeln: »Beim letzten Worte stürmte Vult ... ungewöhnlich lustig herein«[93].

So ist eine unmittelbare Überleitung zum nächsten Kapitel gegeben, das im Gegensatz zum vorhergehenden vieltönigen Kapitel ganz auf den einen Hoppelpoppelton gestellt ist. Vult erzählt dem Bruder, wie die Konzertisten, die zur Feier des Wiegenfestes ihres Kapellmeisters »sich noch früher als den Zuhörer berauschet«[94], sich gleich nach beendetem Konzert nach ihrer Nationalität in zwei feindliche Lager verteilt und mit ihren Musikinstrumenten als Waffen auf Hieb und Stoß eine förmliche Völkerschlacht – hie Deutsche, dort Italiener – geliefert haben. Dem Inhalt nach hat die komische Kampfszene ihren festen Stellenwert im humoristischen Roman, man denke nur an die vielen Waffengänge in ›Don Quijote‹ oder an die nicht weniger berühmte Schilderung in ›Tom Jones‹, wie Molly Seagrim auf dem Kirchhof gegen die ganze Dorfbewohnerschaft mit Knochen und Schädeln eine Schlacht liefert. Im Vergleich mit diesen berühmten Vorbildern wirkt Jean Pauls Schilderung doch unsinnlicher, sie lebt weniger von den derben Realitäten als vom spezifisch sprachlichen Humor, der sich hier einmal nicht genugtun kann in ausgelassener wortspielerischer Übertragung der fachlichen Musikterminologie auf die Rauferei der Musikanten. Das Bild, das so zustande kommt, ist keine derbe Wirklichkeit, sondern groteske Irrealität; man kann fast zweifeln, ob der Streit wirklich stattgefunden hat oder nur eine Ausgeburt von Vults toller Phantasie ist. Wie dem auch sei, wir brauchen nicht zu zweifeln, daß wir hier im Vultschen Sinne einen echten »Hoppelpoppel« vor uns haben. Er selbst beteuert zum Schluß, daß einer seiner besten Genien ihm die Schlägerei als eine fertige Mauer mit Freskobildern für den Doppelroman vor die Nase hingeschoben habe. Der Hinweis ist wichtig und will auch ästhetisch ernst genommen werden. Denn wie bewährt sich hier die Zusammengehörigkeit dieses Kapitels mit dem vorigen, oder mit andern Worten: die Zusammengehörigkeit von »Hoppelpoppel« und »Herz«! Isoliert man die Raufszene, so ist ihre Wirkung bloß oberflächlich-spaßhaft. Ihre groteske Tiefendimension enthüllt sich erst in der Synopsis mit dem vorhergehenden Kapitel. Nach der Verzauberung durch die Musik der Musik bedeutet diese Schlägerei der Musiker eine so radikale

Entzauberung und einen so tiefen Absturz, daß dem Leser schwindelt und ihn trotz allen Spaßes das kalte Grauen beschleicht.

Humoristische Totalität

Jetzt endlich können wir uns der Frage zuwenden: Wie wirkt sich die vieltönige Antithetik von hohem und niedrigem Stil als eine das Ganze durchwaltende Fügekraft aus? Oder, was nahezu dasselbe bedeutet: Wie ist der epische Humor als Großform beschaffen? Im vorigen wurden schon gewisse partielle Erscheinungen auf der stilistischen Tiefebene als »humoristisch« angesprochen, aber das geschah doch nur mit einem gewissen zaudernden Vorbehalt. Erst in der Großform des Romans kommt der Humor ganz zu sich selbst, weil sich nur im wechselnden Auf und Ab der Stilhöhe und in der arabeskenhaften Verschlingung der verschiedenen Sprachwelten durch ganze Kapitelreihen hindurch jener Hauptzug des großen Humors vollauf verwirklichen kann, den Jean Paul als »humoristische Totalität«[95] bezeichnet. Wir wollen versuchen, das innere Bauprinzip des Humors wenigstens an einer längeren Kapitelreihe – wir wählen hierzu die ersten elf Kapitel des ersten Bandes – in groben Umrissen sichtbar zu machen.

Diese Kapitelreihe umfaßt drei kurze und in sich abgerundete Erzählphasen[96], die jeweils deutlich durch eine Kapitelgrenze voneinander getrennt sind. Die erste Phase, die Eröffnung von van der Kabels Testament im Haßlauer Rathaus in Anwesenheit der sieben Präsumptiverben, bildet den Inhalt des ersten und des dritten Kapitels, die handlungsmäßig nahtlos miteinander verbunden sind. Der Ton ist einheitlich; die heitere Ironie des Verstorbenen, die das ganze Testament stilistisch färbt, harmoniert mit dem maßvoll ironischen Ton, in dem der Erzähler die komische Situation schildert. Diese Einheitlichkeit darf aber nicht zur Einerleiheit werden, und es läßt sich beobachten, wie sie nach verschiedenen Seiten hin gelokkert und aufgebrochen wird.

Hierzu dient zunächst der Brief, der den Inhalt des zweiten Kapitels bildet und in dem der von den Testamentsexekutoren gewählte Biograph »J.P.F. Richter« dem Haßlauer Stadtrat für den Auftrag dankt, den testamentarischen Bedingungen gemäß die Geschichte des Universalerben Walt zu schreiben, wobei er über Art und Charakter des noch zu schreibenden Werkes seine Betrachtungen anstellt. In dieser Vorschau, die in die geschlossene Handlungsphase des ersten und dritten Kapitels eingekeilt ist, steigert sich die einfache Ironie des Kontexts ins maßlos Verzwickte und kryptisch Verspielte. Als ein echt Laurence Sternesches Capriccio springt die Digression aus dem gerade erstellten fiktionalen Gefüge in die außerfiktionale Wirklichkeit hinüber – biographisch korrekt datiert »J.P.F. Richter« den Brief »Koburg, den 6. Juni 1803« und berichtet unter anderem, daß er »vorgestern ... mit Weib und Kind und allem von Meiningen nach Koburg zog«[97] –, und zu gleicher Zeit treibt der Erzähler ein so verwirrendes Spiel mit der Erzählfiktion, daß der Leser allen Halt verliert. Denn anfangs hören wir zwar, nächstens werde das Kapitel einlaufen, »das aus einer Kopie des gegenwärtigen Briefes, für die Leser, bestehen soll«[98], aber gleich nach dem Brief folgt die Zurücknahme: »Die im Briefe an die Exekutoren versprochene Kopie desselben für den Leser ist wohl jetzt nicht mehr nötig, da er ihn eben gelesen.«[99] Eine Superlogik oder Scheinlogik, aus der kein Mensch klug werden kann! Bei alledem ist die ausweitende und stilistisch bereichernde Wirkung des Einschubes deutlich.

Aber auch in den beiden der Testamentseröffnung selbst gewidmeten Kapiteln wirkt sich die Neigung aus, die stilistische Vieltönigkeit zu verstärken. Wir meinen die eigentlich erstaunliche Tatsache, daß sowohl der berühmte Wettkampf um das »Weinhaus« im ersten Kapitel – »wohl die komischste Szene nicht nur in Jean Pauls Werken, sondern in der ganzen deutschen Literatur«[100] – wie die nicht weniger berühmte

Idylle ›Das Glück eines schwedischen Pfarrers‹ im dritten Kapitel in entstehungsgeschichtlicher Hinsicht recht späte Einschübe bedeuten. Im Vergleich mit der gemäßigt-ironischen Stillage des Kontextes bedeuten sie beide ein starkes Ausschlagen des stilistischen Pendels, freilich in zwei entgegengesetzten Richtungen.

Beim Wein-Wettkampf um das Haus in der Hundsgasse handelt es sich durchaus um die Komik der niederen Wirklichkeit und insoweit um »niedere« Komik, aber zugleich bedeutet diese Szene ein Non plus ultra barocken Überschwangs: Durch syntaktische Verfitzung und extreme Häufung der komischen Metaphern wird die Komik ins Surrealistisch-Groteske emporgesteigert. Völlig dem entgegengesetzt ist die Stillage der von Walt verfaßten Idylle, die dem Testament beigelegt ist und die von einem der sieben geprellten Erben den andern vorgelesen wird. Durch diese Einlage wird der »Dualism zwischen Poesie und Wirklichkeit« höchst sinnfällig akzentuiert! Walts philiströse »Erbfeinde« haben wir gleich als greifbare Wirklichkeit kennengelernt; Walt selbst dagegen begegnet uns zuerst in indirekter Beleuchtung, in seiner Dichtung, die uns mit seiner erträumten Existenz, aber nicht mit seiner Lebenswirklichkeit bekannt macht. Die Sprache nun, in der dieses idyllische Traumbild gestaltet wird, ist von einer innigen Einfalt, die sich scharf von der planen Ironie der umgebenden Partien unterscheidet und deren hohe Stillage uns durch diesen Gegensatz um so stärker bewußt wird. Das Kapitel schließt dann wieder in der niedrigen Stillage: die Erbfeinde wenden sich voller Ekel von der Lektüre der Idylle weg. Der »Kampf« der Poesie mit der Wirklichkeit realisiert sich in der Verschränkung der einander gegensätzlich zugeordneten Sprachwelten.

Die zweite Kapiteltriade umfaßt wieder eine kurze und geschlossene Erzählphase und ist ähnlich komponiert wie die erste. Vult ist die Hauptperson: er mystifiziert und quält den ängstlichen Kandidaten Schomaker und zwingt ihn dazu, die Vorgeschichte des Helden zu erzählen, wobei Vult ihm angeb-

lich durch die Kraft des Zauberprismas nachhilft. Diese Vorgeschichte ist der Inhalt des mittleren (5.) Kapitels; der Dichter
bietet sie aber ausdrücklich nicht als wörtliche Wiedergabe von
Schomakers Erzählung, sondern in eigener Redaktion dar. Stilistisch ist diese Triade weniger nuancenreich als die vorige: die
Kapitel liegen durchweg auf der »niederen« Stilebene; und
höchstens kann gesagt werden, daß das »niederländische« Element in dem mittleren Kapitel, das weitgehend die Züge einer
realistischen Dorfgeschichte ante datum aufweist, noch etwas
kräftiger betont ist als in den beiden umgebenden.

Viel größer ist dann aber die Schwingungsweite zwischen
Hoch und Niedrig in der dritten Erzählphase, die die fünf
Kapitel 7 bis 11 umfaßt. Jetzt zuerst tritt Walt uns leibhaft vor
Augen. Abgesehen vom kurzen Anlauf handelt es sich um eine
geschlossene Szene: Walt wird in der elterlichen Wohnstube
vom Hoffiskal Knoll examiniert und zum Notar »kreiert«.
Vult sitzt auf dem Apfelbaum im Garten und schaut durch das
Fenster dem Vorgang zu. Im Kapitel ›Violenstein‹ steht Walts
traumumsponnene Seligkeit über seine Begegnung mit einem
»hohen Menschen«, den Jean Paul Plato nennt und bei dem wir
an Herder denken sollen, in scharfem Kontrast mit dem
gedrückten und unfreien Wesen des Vaters, der verständigen
Nüchternheit der Mutter und der groben Härte des Hoffiskals.
In seiner Begeisterung kann er von nichts anderem als von jener
Begegnung sprechen: »Worte, wie süße Bienen, flogen dann
von seinen Blumen-Lippen, sie stachen mein Herz mit Amors-
Pfeilen wund, sie füllten wieder die Wunden mit Honig aus: O
der Liebliche! Ich fühlt' es ordentlich, wie er Gott liebt und
jedes Kind.«[101] Den Rückschlag bringt dann im Kapitel
›Koboldblüte‹ die Schilderung des Notariatsexamens, das nach
der hohen Anmut des vorigen nur als lächerliche Philisterei
erscheint. Gleich darauf schlägt das Pendel im Kapitel ›Schwefelblumen‹ wieder ganz nach der poetischen Seite aus: Walt
liest seine hochpoetischen Streckverse vor. Wieder Verschränkung der Gegensätze: der Vortrag wird von hausbackenen

Bemerkungen der Hörer unterbrochen, und das folgende Kapitel ›Stinkholz‹ schildert noch ausführlicher das philiströse Unverständnis dieser »Prosaisten«. Der Ton ist angemessen prosaisch. »›Ich habe genug‹, sagte Knoll, der bisher die eine Tabakswolke gerade so groß und so langsam geschaffen hatte wie die andere. – ›Ich meines Parts‹, sagte Lukas, ›kann mir nichts Rechts daraus nehmen, und den Versen fehlt auch der rechte Schwanz, aber gib her‹.«[102] Ihr ödes Unverständnis wird aber aufgewogen von dem Jubel Vults, der ganz außer Rand und Band gerät, als die »prosaische Session« Walt vom Versemachen abzubringen versucht und dieser »wie ein getroffener Löwe« emporschnaubt: »Ein Donnerkeil spalte mein Herz, der Ewige werfe mich dem glühendsten Teufel zu, wenn ich je den Streckvers lasse und die himmlische Dichtkunst.«[103] Ausnahmsweise paßt hier die Formel »Poesie und Liebe im Kampfe mit der Wirklichkeit« einmal genau auf den pragmatischen Inhalt. Es möge indessen deutlich geworden sein, daß sie in einem typischeren und viel umfassenderen Sinn für die Antithetik der Sprachgebung paßt.

Diffusionsraum der Überschriften

Mit Bedacht haben wir *einen* Leckerbissen bis zuletzt aufbewahrt, wenn er auch in romanmorphologischer Hinsicht etwas schwer verdaulich sein mag. Es handelt sich um ein Gestaltelement, das sich auf den ersten Blick kaum mit der von uns postulierten Strukturganzheit des Romans in Einklang bringen läßt und vielmehr bloße Ungestalt zu bedeuten scheint. Wir meinen die höchst sonderbaren, krausbarocken Überschriften der Kapitel. Gerade diesem anscheinenden Wildwuchs gegenüber dürfen wir der Frage nicht ausweichen, ob und wie er im gestalthaften Gefüge des Romans funktioniert.

Erst in einer späten Entstehungsphase unseres Romans ist Jean Paul auf den Gedanken gekommen, daß der »Biograph«

als Honorar für jedes einzelne Kapitel ein Stück aus van der Kabels Naturalienkabinett erhält, und noch später hat er die Benennung der Kapitel nach diesen Kabinettstücken durchgeführt. Ursprünglich wollte er die Kapitel nach der Zeit und dem Ort ihrer Entstehung benennen oder sie nach homerischem Vorbild schlicht als »Gesänge« bezeichnen[104]. Sehr im Gegensatz zu dieser Zurückhaltung haben die Kapitel, wie sie jetzt vorliegen, sogar Doppeltitel, denn auf den Namen des Kabinettstücks folgt jeweils noch eine kurze stichwortartige Andeutung des Inhalts. Weil es hier sehr auf den sinnlichen Klang ankommt, geben wir die Titel der beiden ersten Bändchen als geschlossene Reihe wieder; der Leser möge sich diesen Ohrenschmaus nicht versagen.

Bleiglanz. Testament – das Weinhaus; *Katzensilber aus Thüringen.* J.P.F.R.s Brief an den Stadtrat; *Terra miraculosa Saxoniae.* Die Akzessit-Erben – der schwedische Pfarrer; *Mammutsknochen aus Astrachan.* Das Zauberprisma; *Vogtländischer Marmor mit mäusefahlen Adern.* Vorgeschichte; *Kupfernickel.* Quod Deus Vultina; *Violenstein.* Kindheits-Dörfchen – der große Mann; *Koboldblüte.* Das Notariatsexamen; *Schwefelblumen.* Streckverse; *Stinkholz.* Das Kapaunengefecht der Prosaisten; *Fisettholz.* Lust-Chaos; *Unechte Wendeltreppe.* Reiterstück; *Berliner Marmor mit glänzenden Flecken.* Ver- und Erkennung; *Modell eines Hebammenstuhls.* Projekt der Äthermühle – der Zauberabend; *Riesenmuschel.* Die Stadt – chambre garnie; *Berggur.* Sonntag eines Dichters; *Rosenholz.* Rosental; *Echinit.* Der Schmollgeist; *Mergelstein.* Sommerszeit – Klothars-Jagd; *Zeder von Libanon.* Das Klavierstimmen; *Das Großmaul oder Wydmonder.* Aussichten; *Sassafras.* Peter Neupeters Wiegenfest; *Congeries von mäusefahlen Katzenschwänzen.* Tischreden Klothars und Glanzens; *Glanzkohle.* Der Park – der Brief; *Smaragdfluß.* Musik der Musik; *Ein feiner Pektunkulus und Turbinite.* Das zertierende Konzert; *Spatdrüse von Schneeberg.* Gespräch; *Seehase.* Neue Verhältnisse; *Grobspeisiger Bleiglanz.* Schenkung; *Mißpickel aus Sachsen.* Gespräch über den Adel; *Pillenstein.* Das Projekt; *Heller im Straußenmagen.* Menschenhaß und Reue.

In weitaus den meisten Fällen stehen die Namen der Kabinettstücke nicht in einem ohne weiteres ersichtlichen sinnhaften Bezug zum Inhalt der Kapitel. In erster Linie spricht sich hier jene kindliche Lust am farbigen Wortlaut, am Fremdartigen und Verfremdenden aus, die wir auch sonst in Jean Pauls humoristischer Sprachgebung feststellten und die dem Leser auch aus den Titeln seiner andern Romane und Erzählungen bekannt ist. Man denkt unwillkürlich an die ›Sektoren‹ in der ›Unsichtbaren Loge‹, an die ›Hundsposttage‹ in ›Hesperus‹, die ›Jobelperioden‹ und ›Zyklen‹ im ›Titan‹, die ›Zettelkasten‹ in ›Quintus Fixlein‹ und die ›Summulae‹ in ›Dr. Katzenbergers Badereise‹. Noch verwandter sind die Titel im ›Komischen Anhang zum Titan‹ und im ›Leben Fibels‹, wo nämlich auch eine ganz bestimmte und behaglich ausgearbeitete erzählerische Fiktion dazu dient, eine bunte Fülle von fremdartigen Überschriften ins Leben zu rufen: hier die ›Haubenmuster-Kapitel‹, ›Leibchen-Muster‹, ›Herings-Papiere‹, ›Zwirnwickler‹ u.ä., dort die ›Abel- und Sethblatt‹, ›Enochsblatt‹, ›Lothsblatt‹ usw. überschriebenen Kapitel. Die bunte Worthäufung ist ein wesentliches Element dessen, was Jean Paul selbst als »humoristische Sinnlichkeit« bezeichnet hat, und bewirkt ein ähnliches Gefühl sprachlichen Wohlbehagens wie jene gewaltigen Worthäufungen bei Rabelais und Fischart, die er im betreffenden Paragraphen der ›Vorschule‹ so kongenial analysiert hat.

In stilistischer Hinsicht sind die Kapitelüberschriften der ›Flegeljahre‹ nach Jean Pauls eigener ästhetischer Terminologie unstreitig als ein »niederländisches« Element im vieltönigen Gefüge des Romans anzusehen. Was nun die besondere Eigenfarbe des Naturalienkabinettmotivs betrifft, so muß bedacht werden, daß Jean Paul dieses Motiv von jeher mit Vorliebe und durchweg in satirischem Sinne verwandt hatte. In der Geschichte der Naturwissenschaften und der wissenschaftlich fundierten Allgemeinbildung haben die öffentlichen und besonders auch die privaten Naturalienkabinette des 17. und 18. Jahrhunderts eine kaum hoch genug einzuschätzende Bedeutung gehabt. Aus der Geschichte der Zoologie, der Botanik, der Geologie und Mineralogie sind sie nicht wegzudenken. Wer Gelegenheit hat, sich einigermaßen in das naturkundliche Sammlerwesen der Aufklärungsepoche zu vertiefen*, wird auch jetzt noch beeindruckt von dem positiven Ethos, das diese Kabinette entstehen ließ, von der liebenden Andacht und Bewunderung für Gottes Schöpfung und von dem unermüdlichen Erkenntnisdrang, der diesem Sammeleifer zugrunde lag. Noch aus Goethes Lebenszeugnissen kann man auf Schritt und Tritt erfahren, mit welchem Ernst er vielerorts seine Einsicht und Kenntnisse durch den Besuch von Naturalienkabinetten vertieft hat. Auch Jean Paul hat Naturalienkabinette besucht, aber bei ihm finden wir von diesem positiven Ethos nichts. Im Gegenteil verwendet er das Naturalienkabinettmotiv von früh auf in bildlich-symbolischer Bedeutung, und zwar durchweg als ein schaurig-groteskes Gleichnis für widrige Erstarrung und zerknöcherte Lieblosigkeit. So hält er es schon gleich in der frühen Satire ›Feilbietung eines menschlichen Naturalienkabinetts‹ (1798)[105], wo die Übertragung der Vorstellung von Naturalienkabinetten auf den Menschen bloß dazu dient, die widrigen und absurden Blößen des Menschenlebens aufzudekken. Diese ganze Sammlung von versteinerten Herzen, eisernen Stirnen, hohlen Köpfen und giftigen Zungen, worunter Glanznummern wie »ein Mandel braminischer Nasen«, »der Nabel eines Hesychasten oder Quietisten«, »das Gerippe der Helena« usw.: diese ganze surrealistische Greuelkammer dient dazu, mit zynischer Härte dem Leben das Leben zu nehmen und Leichengeruch sich verbreiten zu lassen. Nicht weniger

---

* Vorzügliche Gelegenheit hierzu bot mir die reichhaltige historische Bibliothek des Zoologischen Museums in Amsterdam, dessen Direktor Prof. Dr. H. Engel, ein vorzüglicher Kenner der Geschichte der Naturalienkabinette, mir freundliche Hilfe bot.

makaber und zynisch ist die gleichnishafte Verwendung des Motivs in der Nachlaßsatire ›Meine Magensaft-Bräuerei‹ (1790)[106]. Im ›Hesperus‹ ist es ein wirkliches Naturalienkabinett, das Viktor besucht; aber auch hier geht die Beschreibung stark ins Satirisch-Gleichnishafte. »Das Kabinett hatte rare Exemplare und einige Kuriosa – einen Blasenstein eines Kindes, $\frac{1}{17}$ Zoll lang und $\frac{1}{17}$ Zoll breit, oder umgekehrt – die verhärtete Holader eines alten Ministers – ein Paar amerikanische Federhosen – erträgliche Fungiten und bessere strombi (z. B. eine unächte Wendeltreppe) – das *Modell eines Hebammenstuhls* und einer Säemaschine – graue Marmorarten aus Hof im Voigtland – und ein versteinertes Vogelnest – Doubletten gar nicht gerechnet – – inzwischen zieh' ich und der Leser diesem *todten Gerümpel* darin den Affen vor, der lebte und der das Kabinett allein zierte und – besaß.« (Der »Affe« ist der diensttuende Kammerherr.)[107] Mehrere dieser Kuriosa sind übrigens identisch mit den Schätzen des van der Kabelschen Kabinetts. Auch hier wird das Sinnlose, Unorganische und Erstorbene betont ebenso wie in einer Digression im ›Titan‹, wo der Dichter vom »Jammer« spricht, »den ich haben würde, wenn ich in Dresden einen Tag im Antiken-Olymp der alten Götter zubrächte und dann … in ein Naturalienkabinett voll ausgestopfter und einmarinierter Fötus-Kanker geriethe«[108]. Die Stelle leitet gleich über zu Jean Pauls letzter und bekanntester Gestaltung des Motivs, nämlich zum makabren »Mißgeburtenkabinett« Dr. Katzenbergers*.

Im Vergleich mit den angeführten Stellen fehlt dem Naturalienkabinettmotiv in den ›Flegeljahren‹ die zynisch-makabre Komponente, die ja auch zum Bilde des warmblütigen und

---

* Die makaber-groteske Note fehlte auch in den wirklichen Kabinetten keineswegs. So konnte man im Kabinett des Amsterdamer Professors Ruysch (1638-1731) Kinder- und Embryonenskelette sehen, die Geige spielten oder die eine Darmhaut als Taschentuch benutzten, was den Zaren Peter den Großen bis zum Weinen gerührt haben soll. Er kaufte denn auch das ganze Kabinett. H. Engel, ›Oude naturalien-kabinetten en dierverzamelingen‹, in: ›De Natuur‹ 12, 1940, S. 201-212.

sympathischen Erblassers van der Kabel schlecht passen würde. Was übrigbleibt, ist die »niederländische« Komik des irren Durcheinanders und der saftig-griffigen Nomenklatur. Daß man diese wenigstens zum Teil als derbkomisch empfinden soll, bezeugt die rügende Bemerkung Bürgermeister Kuhnolds, daß die Überschriften der meisten Kapitel »Anstößigkeiten gegen den laufenden Geschmack«[109] bedeuten. Aber die Kennzeichnung »niederländisch« gilt hier nicht nur im stilistisch-symbolischen Sinne. Dem aufmerksamen Leser wird es nicht entgehen, daß Jean Paul hier das Stilistische vom Pragmatischen her unterbaut hat. Van der Kabel ist ja ein halber Holländer: aus seinem Testament erfahren wir, daß er nicht nur »ein deutscher Notarius«, sondern auch »ein holländischer Dominé«[110] gewesen ist und daß er die Erbschaft selber von seinem »unvergeßlichen Adoptivvater van der Kabel in Broek im Waterland« geerbt habe. Es liegt kein Anlaß vor, das Naturalienkabinett hiervon auszunehmen; mindestens darf man annehmen, daß ein Teil seines ansehnlichen, 7203 Nummern umfassenden »Kunst- und Naturalienkabinetts« vom holländischen Adoptivvater stammt. Darüber hinaus ist zu bedenken, daß die Vorstellung »Naturalienkabinett« an und für sich schon eine gewissermaßen niederländische Färbung hatte und leicht entsprechende Assoziationen hervorrufen konnte. Dies gilt sogar in dreierlei Hinsicht. Erstens galten die Niederlande damals im allgemeinen Bewußtsein in Deutschland unter anderem als das klassische Land der Naturalienkabinette*. Dies trifft ganz und gar für die Konchyliensammlungen zu, aber nicht nur für diese. Die Kabinette wurden von unzähligen deutschen Reisenden besucht oder gar extra aufgesucht, und wir wissen aus vielen Reiseberichten, daß diese Sammlertätigkeit als ein charakteristischer niederländischer Zug empfun-

---

* Holland zählte viele Hunderte von Naturalienkabinetten; vgl. H. Engel, ›Alphabetical List of Dutch Zoological Cabinets and Menageries‹, in: ›Bijdragen tot de Dierkunde‹, Lfrg. 27, 1939, S. 247-346. Die Liste umfaßt mehr als tausend Nummern!

den wurde*. Natürlich gab es auch in Deutschland eine Menge
Kabinette, wenn auch bei weitem nicht in einer solchen pro-
portionellen Häufigkeit wie in Holland. Aber auch was diese
betrifft, lag es im allgemeinen Bewußtsein, daß besonders Holland durch seine Schiffahrt und seinen Überseehandel das
wichtigste Transitoland war, das die deutschen Kabinette mit
exotischen Naturalien belieferte**. In diesem Zusammenhang
dürfte es sinnvoll sein, daß in der Entstehungsgeschichte der

 * Wir verfügen über eine große Anzahl von gedruckten Reiseberichten deutscher Reisenden aus dem 17. und 18. Jahrhundert. Fräulein J. Bientjes, die mit
einer Arbeit über diese Reiseberichte beschäftigt ist, verschaffte mir freundlicher-
weise Auszüge aus dem von ihr gesammelten reichhaltigen Material. Es zeigt
sich, daß die allgemein verbreitete Sammlertätigkeit als ein spezifisch niederländischer Zug verstanden wurde und daß der Besuch der öffentlichen und privaten
Kabinette ebensosehr zum festen Bestand der Reiseprogramme gehörte wie etwa
der Besuch der niederländischen Kunstmuseen heutzutage! Aus dem vielstimmi-
gen Chor dieser Berichte nur einige Stimmen. »Unter allen Wissenschaften
scheint die Naturhistorie von je her eine Lieblingswissenschaft der Holländer
gewesen zu sein. Sie können sich nicht nur heutigen Tages vieler gelehrter Männer in diesem Fache rühmen, sondern die Menge ihrer zahlreichen und kostbaren
Sammlungen ist auch ein redender Beweis davon. Man trifft deren in allen
beträchtlichen Städten an, nur daß Fremden der Zutritt dazu nicht so leicht ist,
und daß man die Besitzer nicht allemal erfährt, weil sie von ihren Schätzen nicht
viel Wesens machen. Der große Handel nach andern Weltheilen erleichtert den
Holländern das Sammlen sehr« (Joh. Jac. Volkmann, ›Neueste Reisen durch die
Vereinigten Niederlande, etc.‹, 1783, S. 116). »Bei aller übrigen Oekonomie hat
indessen keine Nation mehr wie diese, sogenannte Liebhabereien, welche oft mit
großen Kosten befriedigt werden. Nirgends giebt es mehr Sammler von Seltenheiten aller Art. Sammlungen von Gemälden, Kupferstichen, Handzeichnungen,
Münzen, Conchylien und naturhistorischen Merkwürdigkeiten sind die Liebhabereien der Reichen, während die übrigen sich mit Siegel-Abgüssen, Tabakspfei-
fen, japanischem Porzellan und allerlei Spielkram begnügen« (Johanna Schopen-
hauer ›Erinnerungen von einer Reise in den Jahren 1803, 1804, 1805‹, Bd. I, 1813,
S. 40). Ein Dritter weiß sogar zu berichten, daß das Wort »Liefhebberijen« (Liebhabereien) in Holland in engerem Sinne soviel bedeutet wie »Sammlungen von
Seltenheiten, die so verschieden sind, als der Geschmack der Besitzer« (J. Grab-
ner ›Über die Vereinigten Niederlande‹, 1792, S. 338).
 ** vgl. etwa Goethe in einer Rückschau v. J. 1820 auf die Entstehung der
naturhistorischen Sammlung der Weimarischen Kunstkammer im Laufe des 18.
Jahrhunderts: »Und so drangen dergleichen Gegenstände gar bald in das Mittel-
land, da man kaum fünfzig Jahre vorher erst in den Küstenländern, nachdem man
sich mit Gold, Gewürz und Elfenbein überfüllt hatte, auch in naturhistorischem
Sinne anfing, obgleich noch sehr verworren und unvollständig, fremde Natur-
produkte zu sammeln und aufzubewahren« (Jub.-Ausg. Bd 39, S. 184).

›Flegeljahre‹ als Vorgänger van der Kabels ein »Vetter aus Ost-
indien«[111] vorkommt, von dem der Held eine Erbschaft erhalten sollte. Das dritte und wichtigste »niederländische« Element im Naturalienkabinettswesen ist aber die Nomenklatur.
Besonders für die Konchyliensammlungen (von denen es in
Holland unzählige gibt und die auch in den deutschen Kabinetten zum ehernen Bestand gehörten) gilt, daß die Namensge-
bung durchweg von Holland ausging, bis schließlich seit der
zweiten Hälfte des 18. Jahrhunderts die landessprachlichen
Namen allmählich der lateinischen Linnéschen Nomenklatur
zu weichen anfingen*. Indessen zeigen viele niederländische
und deutsche Kataloge, daß die landessprachlichen Bezeichnungen noch gegen Ende des Jahrhunderts durchaus üblich
waren. Maßgeblich waren besonders die großen Standard-
werke von Rumphius und von Valentijn, was sich darin
äußerte, daß die von ihnen gebrauchten holländischen Namen
von den deutschen und französischen gelehrten Autoren entweder einfach übernommen oder mehr oder weniger wörtlich
übersetzt wurden. Für einen halbwegs sprachempfindlichen
Menschen ist es auch jetzt noch ein pures Vergnügen, beim
Durchblättern dieser Prachtwerke sich die Reihen von Namen,
die großenteils aus der drastischen sprachschöpferischen Phantasie einfacher Matrosen und Schiffskapitäne geboren wurden,
zu Gemüte zu führen und dann zu sehen, wie die deutschen
und französischen Übersetzer sich um genaue Wiedergabe der
manchmal recht rabelaisianischen Bezeichnungen bemühen![112]
Und man braucht nicht daran zu zweifeln, daß Jean Paul für

* vgl. W. S. S. van Benthem Jutting ›A Brief History of the Conchological
Collections at the Zoological Museum of Amsterdam, with Some Reflections on
18th Century Shell Cabinets and Their Proprietors‹, in: ›Bijdragen tot de Dierkunde‹, Lfrg. 27, 1939, S. 167-246, ebd. S. 223: »For the vernacular names the
designations of the early Dutch authors Rumphius and Valentijn were in current
use. So great even was the influence exercised by these pioneers that their nomen-
clature figured in many contemporary French and German treatises, either lite-
rally translated or freely adopted«. Es handelt sich hier um folgende Werke: G. E.
Rumphius ›D'Amboinsche Rariteitkamer‹, I. Aufl. 1705, F. Valentijn ›Oud en
Nieuw Oost Indien‹, 5 Bde, die Mollusken in Bd 3, 1726.

den hier investierten Sprachhumor ein reges Gefühl gehabt hat. Ebensosehr wie die Sachen oder vielleicht noch mehr als diese müssen die Namen ihn gefesselt haben. Von seiner Hand ist eine lange, hundertdreiundsiebzig Nummern umfassende Liste von Naturalienkabinettstücken erhalten geblieben, die er vermutlich im Laufe der Jahre aus mehreren Katalogen abgeschrieben hat und aus der er bei passender Gelegenheit, so bei der Benennung der Kapitel der ›Flegeljahre‹, nach Herzenslust schöpfen konnte*. In dieser Liste kommen mehrere holländische Namen vor: »Suursack Tischlerholz auf Zeilon«; »Nautilus papyraceus, de kleene Doekhuyve«; »Das Grosmaul, Wydmonder«, von denen der letztere, der übrigens nachweislich auf Rumphius zurückgeht, in den ›Flegeljahren‹ Verwendung fand. Aber auch hierüber hinaus dürfen wir annehmen, daß Jean Paul diese Reihen von Namen, die großenteils tatsächlich niederländischer Herkunft sind, in stilistisch-metaphorischem Sinn als »niederländisch« empfunden haben wird.

Um uns den hier waltenden Sprachhumor zu vergegenwärtigen, stellen wir hier zwei Reihen solcher Tiernamen nebeneinander. Erstens: »Ameisenbär«, »Bieresel«, »Bisamschwein«,

---

* Berend erwähnt dieses Verzeichnis in seiner Einleitung, S. XL. Mein herzlicher Dank gebührt Dr. H. W. Seiffert von der Deutschen Akademie der Wissenschaften zu Berlin, der mir dieses Verzeichnis durch Photokopien zugänglich machte, und Prof. Eduard Berend, der das schwer lesbare Manuskript für mich entzifferte. Es handelt sich offenbar durchaus um von Jean Paul zusammengetragene, nicht um von ihm erfundene Namen. Wahrscheinlich hat er aus mehreren Quellen geschöpft. Eine seiner Quellen ist vielleicht der ›Index Musaei (sic) Linckiani‹, Verzeichnis der Linckischen Naturaliensammlung zu Leipzig‹, 2 Bde, 1783 u. 1786. Der Besitzer war ein Leipziger Kommerzienrat. Der Katalog enthält folgende mit den Nummern des van der Kabelschen Kabinetts fast oder ganz übereinstimmende Namen: Papiernautilus, falsche Wendeltreppe, Steine aus der Blase eines Hundes, Mergelstein, Mißpickel oder Arsenkies, Kupfernickel, Smaragdfluß, Bleiglanz, Kobalthblüthe, grobwürfligter oder grobspeisiger Bleyglanz, Kreuzstein, Zeder vom Libanon, Sassafras, Moluckisches stinkendes Holz, Rosenholz. Auch der Prachtkatalog des ›Museum Richterianum‹, Leipzig 1753, dürfte etliche Namen beigesteuert haben: Katzensilber, Mißpickel, Bleiglanz, grobspeisiger Bleiglanz, Koboldblüte. Johann Christoph Richter war Großkaufmann. Beide Male handelt es sich wie beim van der Kabelschen Kabinett um Sammlungen reicher Privatleute.

»Bombardierkäfer«, »Entenstößer«, »Ferkelkaninchen«, »Gabelgeier«, »Notenschnecke«, »Schnabelbein«, »Himmelsziege«, »Kümmelkäfer«, »Perspektivschnecke«, »Venusnabel«, »Venusfliegenwedel«. Zweitens: »Ochsenspatz«, »Kamelente«, »Regenlöwe«, »Turtelunke«, »Quallenwanze«, »Gürtelstier«, »Sägeschwan«, »Eulenwurm«, »Menschenbrotbaum«, »Löwenreh«, »Wasseresel«. Wir gestehen gleich, daß wir den Leser ein wenig mystifiziert haben. Die erste Aufzählung stammt wirklich aus Jean Pauls langem Verzeichnis und bringt Namen, die damals wirklich im Umlauf waren; Jean Paul hat sie nicht erfunden, sondern aufgefunden. Die zweite Liste ist zusammengestellt aus Christian Morgensterns ›Galgenlieder‹[113], großenteils aus seinem Poem ›Neue Bildungen, der Natur vorgeschlagen‹. Hier handelt es sich durchaus um Morgensterns eigene Erfindungen, um Geschöpfe, die ebenso wie das Nasobem aus seiner Leier zum erstenmal ans Licht traten. Der kleine fromme Betrug sollte nur deutlich machen, wie sehr jene aus anonymem Sprachschöpfertum geborenen wirklichen Namen mit den irrealen Schöpfungen des Groteskendichters verwandt sind und mit welchem schmunzelnden Behagen sich Jean Paul ihrer humoristischen oder grotesken Potenz bewußt geworden sein mag.

Wir können das bisher über die Kapitelüberschriften Ermittelte nicht treffender auf einen gemeinsamen Nenner bringen als durch die von Jean Paul selbst geprägte Formel: Sie verleihen dem Romankörper einen »farbigen Rand und Diffusionsraum fremder Bei-Züge«. Dies schließt aber nicht die Frage aus, ob diese Bezüge in irgendwelchem bedeutungsmäßigen Bezug zum Inhalt der jeweiligen Kapitel stehen. Während in anderen Erzählwerken, etwa im ›Komischen Anhang zum Titan‹ und im ›Leben Fibels‹, solch ein Zusammenhang schlechterdings nicht vorzuliegen scheint, beschleicht den Leser der ›Flegeljahre‹ immer wieder eine dunkle Ahnung, daß die Titel irgendwie, und das bedeutet meistens: in rätselhafter und verrätselter Weise, auf den Inhalt der Kapitel hindeuten.

Einige Male ist ein solcher Zusammenhang evident, aber diese deutlichen Fälle sind nicht die interessantesten. Rein vordergründig ist der Bezug etwa im 17. Kapitel: ›Rosenholz, Rosental‹; etwas hintergründiger schon im 14. Kapitel: ›Modell eines Hebammenstuhls. Projekt der Äthermühle – der Zauberabend‹. Es ist deutlich, daß der »Hebammenstuhl« (oder »Gebährstuhl«: »ein Stuhl, auf welchem gebärenden Weibern die Geburt erleichtert wird«, Adelung) auf die Geburt des Doppelromanprojekts, der »Äthermühle« bezogen ist, und dieser Bezug wird noch dadurch unterstrichen, daß das Projekt im Kapitel selbst einige Male als »Modell« der künftigen Äthermühle bezeichnet wird. Nur behutsam können wir über solche eindeutigen Fälle hinausgehen*. Wir müssen dabei mit der Möglichkeit rechnen, daß der Dichter mit manchen dieser kuriosen Namen doch eine deutlichere inhaltliche Vorstellung verband, als wir es im allgemeinen tun. Hierfür ein Beispiel: Wie schon gesagt, erreicht die erhabene Stilart ihren Gipfelpunkt in der Beschreibung von Walts nachsommerlicher Wanderung im 40. Kapitel ›Cedo nulli. Wirtshäuser – Reisebelustigungen‹. Jean Paul markiert diesen stilistischen Gipfelpunkt, indem er ihm den Namen des »Conus cedo nulli« beilegt, der im 18. Jahrhundert wegen seiner großen Seltenheit und Schönheit gleichsam die schwarze Tulpe unter den Muscheln war und für den die Konchyliensammler unvorstellbar hohe Summen zahlten**. Daß er wußte, was er tat, zeigt die Aufzeichnung in jener schon genannten Liste: »Cedo nulli mit den Kegelschnec-

---

* Mit Recht warnt E. Berend in seiner Einleitung zum 10. Bd der Akademieausgabe: »Es ist ein vergebliches Bemühen, in diesen kuriosen Überschriften überall Hindeutungen auf den Inhalt finden zu wollen« (S. LV). Er nennt als evidente Fälle Nr 14 und 17. Der Versuch, den Kreis doch etwas weiter zu ziehen, scheint mir nicht notwendig mit dieser behutsamen Haltung in Widerspruch zu geraten.

** Dies gilt insbesondere für Holland; aber die Hochkonjunktur wird auch andere Länder nicht unberührt gelassen haben. Gerade vom Cedo nulli sind uns Auktionspreise und die Schicksale einzelner Exemplare gut bekannt. Ein bekannter Sammler im Haag, Mr. de la Faille, weigerte sich, ein Exemplar für 6000 livres zu verkaufen. Nach seinem Tode wurde es für 1600 livres verkauft. Ein anderes Exemplar seiner Sammlung wurde für 1020 livres verkauft und kam schließlich in

ken oder Admiralen die schönste.« Für den Eingeweihten hat
die Überschrift also deutlich verweisende Funktion.

Die Verweisungskraft kann auch irrationalerer Art sein und
vorwiegend auf der klanglichen und semantischen Gefühlsas-
soziation beruhen. Wir dürfen einen Wink, den Jean Paul einmal hinsichtlich der Eigennamen in seinen Romanen gegeben
hat, mit gutem Gewissen auf unsere Überschriften ausdehnen:
die Namen sollen »mehr mit Klängen als mit Sylben reden und
viel sagen, ohne es zu nennen«[*]. So wird die ekstatische
Sprachmusik des Kapitels ›Musik der Musik‹ vorzüglich durch
das lyrisch-assoziative Wort »Smaragdfluß« evoziert. Wir
sprachen schon davon, daß das Musikerlebnis hier in land-
schaftlicher Verräumlichung dargestellt wird, und in dieser
Landschaftsmetaphorik spielen die Vokabeln »Strom« und
»strömen« eine erhebliche Rolle. (An anderer Stelle spricht
Vult einmal vom »Paradiesesfluß der Kunst«.) Es kommt
offenbar weniger auf die sachliche Beschaffenheit des Kabinettstücks als auf die beschwörende Kraft des Namens »Smaragdfluß« an. Das Wort wird poetisch beim Wort genommen. Solche gefühlsmäßig-symbolischen Assoziationen können des
weiteren dadurch verstärkt werden, daß sie in Konfigurationen
auftreten, die gleichsam Brücken von einem Kapitel zum anderen schlagen. Daß sich der »Bleiglanz« des ersten Kapitels auf
das leidige Geld bezieht, das zwar nicht für die sieben »Erbfeinde«, aber wohl in der poetischen Sicht des Dichters nur
einen Scheinwert bedeutet und in metaphorischem Sinne nur
den stumpfen Glanz des Bleis (im Gegensatz zum Glanze des

die Sammlung des Königs von Portugal (van Benthem Jutting, S. 200 f.). Für das
Kapitel ›Cedo nulli‹ erhielt der Biograph J. P. F. R. also ein königliches Honorar!
[*] ›Vorschule der Ästhetik‹ §74. E. Berend ›Die Personen- und Ortsnamen in
Jean Pauls Werken‹ (in: ›Hesperus‹, Nr 14, 1957, S. 21-31) hat feinsinnig darge-
tan, wie Jean Paul diese Maxime in seiner Namengebung praktisch verwirklicht
hat. Jean Paul will weder die nichtssagenden Namen noch die zuvielsagenden, die
den Charakter direkt bezeichnen. Viele Namen sind trotz ihrer eigentlichen
Bedeutung um ihres Klanges willen gewählt, und zwar so, »daß sie gewisse Assoziationen wecken, die in der Richtung des betreffenden Charakters liegen«
(S. 30). Genau dieses gilt mutatis mutandis für unsere Kapitelüberschriften.

Goldes) hat, ist eine nicht ganz beweisbare Annahme, die aber dadurch wahrscheinlicher wird, daß im 29. Kapitel ›Grobspeisiger Bleiglanz‹ ein vergleichbarer Sachverhalt vorliegt; denn auch hier wird der Mammon den höheren Lebenswerten entgegengesetzt. Dem poetischen Notar muß es vorkommen, daß Klothars Schenkungsinstrument dazu dient, Wina in grober Weise mit Geld abzuspeisen. Als drittes kommt das 24. Kapitel ›Glanzkohle‹ hinzu, wo in der Beschreibung der ›Glanzpartien‹ von Neupeters Park der Talmigeschmack dieses reichen Protzers herrlich karikiert wird.

In einer ähnlichen symbolischen Konfiguration scheinen mir die Überschriften der Vult-Kapitel zu stehen. ›Kupfernickel‹, der Titel des ersten Vult-Kapitels, ist eine mineralische Verbindung von Nickel und Arsenik; »Nickel« ist ein Scheltname für den die Bergleute hänselnden Berggeist, die aus dem Mineral trotz seiner Kupferfarbe kein Kupfer gewinnen können. Tatsächlich lernen wir Vult bei seinem ersten Auftreten im Gespräch mit Schomaker als einen hänselnden Quälgeist kennen! In denselben Assoziationsbereich gehört der Titel des Vult-Kapitels »Mißpickel aus Sachsen«. Das Wort »Mißpickel« (ein alter Name für den giftigen, Metalle verzehrenden Arsenikkies) drückt semantisch und sprachsymbolisch vorzüglich das Mißlaunige, Stachlige und Giftige seines »Schmollgeistes« aus, der sich gerade hier in besonders ätzenden Satiren Luft macht. Zum Überfluß nennt Vult sich selbst in diesem Kapitel einmal einen »Dornstrauch«, wie er sonstwo von seiner »moralischen Nesselsucht«[114] spricht. Ein deutliches Gegenstück zum »Mißpickel aus Sachsen« ist übrigens der Titel des ersten Walt-Kapitels ›Terra miraculosa saxoniae‹, das die Idylle vom schwedischen Pfarrer enthält. Beide Brüder sind aus einem sächsischen Dorf gebürtig, aber dem Desillusionisten Vult gegenüber lebt Walt auf verzaubertem Boden, auf einer Terra miraculosa. Wir brauchen nicht daran zu zweifeln, daß Vults igelborstiges Wesen auch durch den Titel ›Echinit‹ des 18. Kapitels ausgedrückt wird, wo Vult selber seinen

»Schmollgeist« als eine »schlimmere Bestie von Polter- und Plagegeist«[115] beschreibt, der »zu peinigen, breitzudrücken, einzuquetschen, zu vierteilen, zu beizen« sucht. Echiniten sind versteinerte Seeigel. Das Stachlige und Arsenikalische ist übrigens nicht Vults Monopol, sondern es kann auf niedrigerer Ebene auch dazu dienen, die Schikanen der »Erbfeinde« und besonders des Hoffiskals Knoll zu charakterisieren. So heißt das Kapitel über das Notariatsexamen ›Koboldblüte‹. Das ist ein Synonym zu Kobaltblüte, arseniksaurem Kobalt; das Mineral erhielt seinen Scheltnamen nach dem boshaften Berggeist, ähnlich wie es beim Nickel der Fall ist. Tatsächlich benimmt sich Knoll beim Examen dementsprechend, und es verdeutlicht den Zusammenhang, daß schon eher von den »arsenikalischen Dämpfen« die Rede war, die er um sich verbreitet.

So zeigt es sich, daß die Überschriften nicht bloß eine farbige Zugabe sind, sondern daß wenigstens ein Teil von ihnen (schätzungsweise etwa ein Viertel oder Drittel) den Gehalt der Kapitel irgendwie sinndeutend beleuchtet und reflektiert. Ihre Funktion in bezug auf die einzelnen Kapitel ist von weitem mit der Funktion vergleichbar, die das Hoppelpoppel-Projekt für den ganzen Roman hat. Und sogar können sie dazu dienen, den rhythmisch auf- und niedersteigenden Wechsel der Töne in der Reihung der Kapitel zu artikulieren. Dies scheint mit besonders für die beiden ersten Bändchen zuzutreffen, während die sinndeutende Kraft der Überschriften im weiteren Verlauf des Romans ständig abnimmt. Überhaupt scheint es zum Wesen der hier geübten Verrätselung zu gehören, daß dem ahnenden Deutungsvermögen des Lesers ein recht großer Spielraum gelassen wird.

Es wurde schon wiederholt die Typologie der Romankunst erwähnt, die Jean Paul in dem 72. Paragraphen der zweiten Auflage der ›Vorschule der Ästhetik‹ entwickelt hat. Er unterscheidet bekanntlich drei »Schulen« der Romankunst, die er symbolisch-assoziativ als die »italienische«, die »deutsche« und die »niederländische« bezeichnet und wobei er auch nicht ohne die Begriffe »hoch« und »niedrig« auskommt. Die ›Flegeljahre‹ gehören zur mittleren oder »deutschen« Schule. Die Unterscheidung ist nicht so gemeint, daß jeweils eine bestimmte Stilhöhe einheitlich durchgehalten werden sollte; ganz im Gegenteil betont er: »Gewöhnlicherweise bauen die drei Schulen oder Schulstuben in einem Roman wie in einer Bildergallerie queer durch einander hin, wie in den Werken des uns so bekannten Verfassers deutlich genug zu sehen ist ...« Er erblickt diese Erscheinung aber auch in den Werken anderer Autoren. Und da lassen die Ausführungen über den ebenfalls zur »deutschen« Schule gehörigen ›Wilhelm Meister‹ uns aufhorchen, weil sich in ihnen mittelbar etwas für Jean Pauls ästhetisches Selbstverständnis sehr Wesentliches bekundet. Er erklärt sich uneinig mit Novalis, der den Lehrjahren »Parteilichkeit *für* prosaisches Leben und *wider* poetisches« zur Last legte; demgegenüber führt er hellsichtig aus, daß Goethes »höhere Dichtkunst« *über* dem »Dichtleben« und dem »Prosen-Leben« schwebe und daß er diese »als bloße *Dicht-Mittel*« gebrauche. Was er mit dem Ausdruck »Dicht-Mittel« meint, verdeutlicht er treffend durch einen Vergleich aus dem Bereiche der Metrik: »beide sind ihm nur kurze und lange Füße – falsche und wahre Quantitäten«. Treffender kann nicht ausgedrückt werden, wie der Wirklichkeitsstoff – prosaisches und poetisches Leben – entstofflicht und zum ästhetischen Formans erhoben wird. Jean Paul meint durchaus diese mediatisierende Erhebung des Stoffes zur ästhetischen Funktion, wenn er hinzufügt: »Hier gilt im richtigen Sinne der gemißdeutete Ausdruck Poesie der Poesie.«

Diese von Jean Paul nur leicht modifizierte Formel Friedrich Schlegels* bezeichnet sehr genau, was wir im vorigen über den medialen Stellenwert von »Poesie« und »Wirklichkeit«, von »Idealität« und »Realität« in den ›Flegeljahren‹ sowie über die Selbstdarstellung und Selbstbespiegelung der Dichtung in der Dichtung ermittelt haben. Unsere Ausführungen waren bei allem Hin und Her darauf gerichtet, den letztlich streng ganzheitlichen Charakter dieses scheinbar so vielheitlichen und musivischen Romans sichtbar zu machen. Es hat sich gezeigt, daß vom Leser ein nicht unerheblicher Energieaufwand und ein ausgebildetes Aneignungsvermögen erfordert wird, um diese Ganzheit adäquat zu erfassen. Jean Paul hat dies gewußt und in den ›Flegeljahren‹ auch einmal durch die Blume ausgesprochen. Im Gespräch nach dem Flötenkonzert fragt Vult den Bruder: »Aber wie hörtest du? Voraus und zurück, oder nur so vor dich hin? Das Volk hört wie das Vieh nur Gegenwart, nicht die beiden Polar-Zeiten, nur musikalische Sylben, keine Syntax. Ein guter Hörer des Worts prägt sich den Vordersatz eines musikalischen Perioden ein, um den Nachsatz schön zu fassen.«[116] Es handelt sich hier um Musik, aber Vult drückt sich wie immer bildlich aus und verdeutlicht das Gemeinte durch Vergleich mit der Sprache, mit Silbe und Syntax, Vordersatz und Nachsatz. Umgekehrt haben wir das Recht, das über das Musikerleben Ausgesagte metaphorisch auf Jean Pauls symphonische Erzählkunst und deren Erfassung anzuwenden. Wir hoffen, daß durch unsere Analyse trotz scheinbarer »Silben«-stecherei die ästhetische »Syntax« der ›Flegeljahre‹ einigermaßen durchsichtig geworden ist.

---

* Friedrich Schlegels bekannteste Formulierung findet sich im 238. ›Athenäum‹-Fragment: Eine Poesie, »deren Eins und Alles das Verhältnis des Idealen und des Realen ist«. Ähnlich wie die Transzendentalphilosophie kritisch das Produzierende mit dem Produkt darstellt, soll die »Transzendentalpoesie . . . in jeder ihrer Darstellungen sich selbst mit darstellen, und überall zugleich Poesie und Poesie der Poesie seyn« (›Friedrich Schlegels prosaische Jugendschriften‹, hrsg. v. J. Minor, Bd 2, S. 242).

Erstdruck des Nachworts in: ›Der deutsche Roman vom Barock bis zur Gegenwart‹ hrsg. v. Benno von Wiese, Bd 1, 1963, S. 210-251.

Erstausgabe von Jean Pauls ›Flegeljahre‹: Tübingen 1804/5. – F. zit. wird nach: Jean Paul ›Werke‹ (Hanser-Verlag), Bd 2, 1959. Die Textgestaltung dieses von Gustav Lohmann hrsg. Bandes fußt auf der hist.-krit. Gesamtausg. der Preußischen Akademie der Wissenschaften, hrsg. v. Eduard Berend, Abt. 1, Bd 10, 1934.

Literatur: Karl Freye ›Jean Pauls Flegeljahre‹, 1907; Hajo Jappe ›Jean Pauls Flegeljahre‹, Diss. Köln 1930; Eduard Berend gibt in der Einleitung zu Bd 10 der 1. Abt. der Akademie-Ausg. (s.o.) eine ausgezeichnete Darstellung der Entstehungsgeschichte des Romans an Hand des vielschichtigen handschriftlichen Materials; Eva Winkel ›Die epische Charaktergestaltung bei Jean Paul, Der Held der Flegeljahre‹, Diss. Hamburg 1940; Eduard Berend ›Die Namengebung bei Jean Paul‹, in: PMLA 57, 1942, S. 820-850; Ders. ›Jean Pauls Gedichte‹, ebda, S. 182-188; Anna Krüger ›Der humoristische Roman mit gegensätzlich verschränkter Bauform‹, 1952; Eduard Berend ›Wie Jean Paul zu seinen Gleichnissen kam‹, in: ›Neue Schweizer Rundschau‹, N. F. 20, 1952/53, S. 28-33; Friedhelm Henrich ›Jean Pauls Hesperus und Flegeljahre, Versuch einer morphologischen Einordnung auf dem Wege einer vergleichenden Zeitgestaltuntersuchung‹, Diss. Bonn 1955; Eduard Berend ›Die Personen- und Ortsnamen in Jean Pauls Werken‹, in: ›Hesperus, Blätter der Jean-Paul-Gesellsch.‹ Nr 14, 1957, S. 21-31; Paul Requadt, Nachwort zu der Ausg. der ›Flegeljahre‹ in ›Reclams Univ. Bibl.‹, 1957; Max Kommerell ›Jean Paul‹, 1933, ³1957.

1 R. A. Schröder ›Ges. Werke‹, 1952, Bd 2, S. 696.

2 ebda, S. 697.

3 ›Vorschule der Ästhetik‹, §74.

4 R. Petsch ›Wesen und Formen der Erzählkunst‹, ²1942, passim u. bes. S. 91 ff.

5 S. 523.

6 Berend in der Einleitung zu Bd 10 der Akademie-Ausgabe, S. XLI.

7 S. 19.

8 S. 424.

9 Freye, S. 130.

10 Freye, S. 25.

11 Der Intention nach berührt sich unsere Untersuchung mit dem Kapitel über die ›Flegeljahre‹ in dem Buch von A. Krüger, S. 31-58, dessen Titel ziemlich genau ausdrückt, worauf auch unser Bemühen gerichtet ist.

Leider hält das Buch nicht ganz, was sein Titel verspricht. Die an und für sich wertvollen Erörterungen über die gegensätzlichen »Welten« im Roman, über die Antithese von »Endlichkeit« und »Unendlichkeit« usw. bleiben ganz im Bereich des gedanklichen Gehalts und dringen nicht zur sprachlich-stilistischen Struktur und zum Aufbau des Werkes durch. So bleibt es unklar, was hier unter »Bauform« eigentlich verstanden wird. Dasselbe gilt für den etwas kürzer gefaßten Beitrag der Verfasserin: ›Die humoristische Bauweise der Flegeljahre‹, in: ›Hesperus‹ 7, 1954, S. 18-23.

12 Freye, S. 86.

13 ›Vorschule der Ästhetik‹, §56.

14 Akademie-Ausg. I, Bd 5, S. 185-195.

15 ebda, S. 187.

16 ebda.

17 Über die Zeitdimensionen und ihr Verhältnis zur dichterischen Phantasie vgl. die erhellenden Ausführungen Emil Staigers über ›Titan‹, in: E. St. ›Meisterwerke deutscher Sprache‹, ³1957, S. 57-99.

18 S. 95.

19 S. 242.

20 S. 78.

21 S. 351 f.

22 Akademie-Ausg. I, Bd 5, S. 187.

23 S. 119.

24 S. 273.

25 S. 213.

26 S. 377.

27 S. 278.

28 S. 278.

29 S. 156.

30 S. 43.

31 S. 87.

32 Freye, S. 87.

33 S. 439.

34 vgl. Kommerell, S. 358: »Vult ist kein Charakter: sondern eigentlich die Hälfte eines solchen ...«

35 S. 47.

36 Ed. Berend ›Jean Pauls Persönlichkeit‹, 1913, S. 68; ²1962, S. 102.

37 S. 206.

38 S. 207.

39 S. 207 f.

40 S. 226.

41 S. 451 f.

42 S. 101.

43 S. 303.

44 S. 51.

45 August Langen ›Deutsche Sprachgeschichte vom Barock bis zur Gegenwart‹, in: ›Dt. Phil. im Aufriß‹, Bd I, ²1957, Sp. 1225.

46 S. 89.

47 S. 101.

48 S. 119.

49 S. 299.

50 S. 302.

51 ›Vorschule der Ästhetik‹, § 7.

52 S. 302.

53 S. 305.

54 S. 114.

55 S. 176.

56 S. 57.

57 Ed. Berend ›Wie Jean Paul zu seinen Gleichnissen kam‹, in: ›Neue Schweiz. Rundschau‹, N. F. 20, 1952/53, S. 28-33.

58 S. 280.

59 S. 280.

60 S. 34.

61 S. 82.

62 ›Vorschule der Ästhetik‹, § 35.

63 S. 306.

64 S. 106.

65 S. 84.

66 S. 162.

67 S. 281.

68 S. 334.

69 S. 165.

70 S. 189.

71 S. 347.

72 S. 204.

73 ›Friedrich Schlegels prosaische Jugendschriften‹, hrsg. v. J. Minor, 1882, Bd 2, S. 220.

74 S. 157.

75 Freye, S. 133.

76 S. 84.

77 S. 84.

78 S. 102.

79 S. 99.

80 S. 136.

81 Freye, S. 138.

82 S. 196.

83 Justinus Kerner ›Bilderbuch aus meiner Knabenzeit‹, neu hrsg. von Gerh. Fischer, 1857, S. 100-103.

84 S. 432.

85 S. 102.

86 S. 276.

87 S. 126.

88 S. 429, 435.

89 S. 191 f.

90 S. 193.

91 S. 195.

92 S. 196.

93 S. 200.

94 S. 200.

95 ›Vorschule der Ästhetik‹, § 32.

96 vgl. zum Begriff der Erzählphase: Eb. Lämmert ›Bauformen des
Erzählens‹, 1955, S. 73 ff.

97 S. 22.

98 S. 23.

99 S. 25.

100 Berend, Einl. S. LIV.

101 S. 55.

102 S. 68.

103 S. 70.

104 vgl. Berends Einleitung,
S. XIV u. XLVII. Ein handschriftli-
cher Entwurf zum Eingang des Romans ist überschrieben ›Erster Gesang‹ (ebda, S. XX).

105 Akademie-Ausg. I, Bd 1,
S. 486-493.

106 ebda, II, Bd 3, S. 269 ff.

107 ebda, I, Bd 3, S. 120.

108 ebda, I, Bd 8, S. 181.

109 S. 441.

110 S. 10.

111 Berend, Einl. S. XIV, XIX.

112 vgl. hierzu G. E. Rumph ›Am-
boinische Raritätenkammer von
Schnecken und Muscheln‹, aus d.
Holländ. v. P. C. Statius Müller, vermehrt v. J. H. Chemnitz, 1766. Auch
G. W. Knorr ›Vergnügen der Augen
und des Gemüths‹, 1757-1772, greift
in diesem gesuchten Werk überall auf
Rumphius' Namengebung zurück.

113 Christ. Morgenstern ›Alle
Galgenlieder‹, 1932, S. 29.

114 S. 117.

115 S. 145.

116 S. 205.

INHALT

Erstes Bändchen

Zweites Bändchen

DRITTES BÄNDCHEN

VIERTES BÄNDCHEN

NACHWORT

Klassische deutsche Literatur
im insel taschenbuch

161/1/11.93

Klassische deutsche Literatur
im insel taschenbuch

161/2/11.93

Klassische deutsche Literatur
im insel taschenbuch

161/3/11.93

Klassische deutsche Literatur
im insel taschenbuch

Klassische deutsche Literatur
im insel taschenbuch

161/5/11.93

Klassische deutsche Literatur
im insel taschenbuch

Klassische deutsche Literatur
im insel taschenbuch

161/7/11.93

Klassische deutsche Literatur
im insel taschenbuch

161/8/11.93